RODERICK ANSCOMBE

Gefährliche Flucht

Buch

Dan Cody hat seine Frau geliebt. Er hat sie so sehr geliebt, daß er sie getötet hat. Sie war krank, und sie hatte ihn gebeten, sie zu erlösen. Das behauptet er zumindest. Jetzt ist Dan auf der Flucht, zusammen mit seiner neuen Obsession: Carol, der Krankenschwester aus dem Gefängnis. Ihr wagemutiger und cleverer Ausbruch war die Topmeldung in den Abendnachrichten. Und Dan möchte eines klarstellen: Er tat alles nur aus Liebe, damit er und Carol zusammensein können. Er wollte auf der Flucht nicht den Wächter töten; es ging leider nicht anders. Und natürlich ist Carol auch keine Geisel, auch wenn es für das Fernsehpublikum so aussehen sollte. Vielleicht weiß Dan, wo ein Drogenboß, den er im Knast kennengelernt hat, eine Million Dollar versteckt hat, vielleicht aber auch nicht. Und vielleicht ist er mit Carol ausgebrochen, um das Geld zu suchen. Denn es wäre doch eine gute Grundlage für ihr neues Leben. Aber was spielt das überhaupt für eine Rolle? Schließlich geht es um Liebe, nicht um Geld. Dan kann nicht ohne Liebe leben. Und er wird die Liebe finden. Auch wenn die Liebe ihn töten sollte.

Gefährliche Flucht ist Dans Geschichte, seine eigene spezielle Version der Ereignisse. Und wenn Dan einige Aspekte der Geschichte auslassen oder vielleicht ein bißchen lügen sollte, dann wird er schon seine Gründe dafür haben ...

Autor

Roderick Anscombe arbeitete als Psychiater in einem Hochsicherheitsgefängnis, wo er über 100 Mörder interviewte. Sein erster Roman *Das geheime Leben des Laszlo Graf Dracula* wurde in neun Sprachen übersetzt. Roderick Anscombe lebt in Gloucester, Massachusetts.

Von Roderick Anscombe außerdem im Taschenbuch erschienen:

Das geheime Leben des Laszlo Graf Dracula. Roman (72167)

Roderick
Anscombe

Gefährliche
Flucht

Roman

Aus dem Amerikanischen
von Elvira Willems

GOLDMANN

Die Originalausgabe erschien 1997
unter dem Titel »Shank« bei Hyperion, New York

Umwelthinweis:
Alle bedruckten Materialien dieses Taschenbuches
sind chlorfrei und umweltschonend.

Der Goldmann Verlag
ist ein Unternehmen der Verlagsgruppe Bertelsmann

Deutsche Erstausgabe 2/2000

Umschlaggestaltung: Design Team München
Umschlagfoto: TIB/Willet
Satz: deutsch-türkischer fotosatz, Berlin
Druck: Elsnerdruck, Berlin
Titelnummer: 44015
Redaktion: Ilse Wagner
BH · Herstellung: Sebastian Strohmaier
Made in Germany
ISBN 3-442-44015-7

3 5 7 9 10 8 6 4 2

Für Jean,

meine innig geliebte
Krankenschwester

KAPITEL
eins

Liebe Sandy,
ich schreibe Ihnen, weil Sie mir immer wie ein fairer Mensch vorgekommen sind. Ich habe das Gefühl, mir schon mein ganzes Leben lang Ihre Sendung anzusehen. Sie sind stets professionell – das erwarten wir natürlich auch –, aber es gibt noch andere Qualitäten, auf die ich baue, und das ist die Freundlichkeit, die ich in Ihrem Gesicht sehe, und das Mitgefühl, das ich in Ihrer Stimme höre. Meine Seite der Geschichte – die eines Gefängnisinsassen auf der Flucht – ist nicht ganz leicht zu akzeptieren. Deshalb hoffe ich, daß Sie sich mit einem Urteil zurückhalten, bis alle Fakten auf dem Tisch liegen. Darüber hinaus braucht es eine Großzügigkeit des Geistes, um sich das, was passiert ist, aus einem Blickwinkel anzusehen, der, wie ich weiß, alles andere als populär ist. Wenn wir morgen weiterziehen, werde ich diesen Brief zurücklassen, und früher oder später wird er auf Ihrem Tisch landen. Sie sind ein fairer Mensch, und deswegen weiß ich, daß Sie einen Weg finden werden, wenigstens einen kleinen Teil davon im Fernsehen vorzulesen. Ich möchte, daß die Wahrheit erzählt wird.

Zunächst einmal, die ganze Sache war nicht meine Idee. Ich habe sie nicht geplant. Es passierte, und ich habe mitgemacht. Es mag ein bißchen merkwürdig klingen, eine Flucht aus einem Gefängnis so zu beschreiben, aber genau so war es. Ich kann aus naheliegenden Gründen über diesen Aspekt jetzt wirklich nicht mehr sagen, und weil es – so befremdlich das jetzt vielleicht wirkt – im jetzigen Stadium nicht vollkommen klar ist, wie es zu der ganzen Sache kam, beziehungsweise was meine Rolle bei dem Ausbruch eigentlich war.

Der Teil Ihrer Sendung, den ich am meisten beanstande, war, als der Reporter mich als eine Art verrückten Hund darstellte. »Bewaffnet und gefährlich«, sagte er. Was für eine Art Klischee ist das? Es ist doch offensichtlich, daß diese Worte aus dem Mund eines Pressesprechers der Polizei stammen.

Ja, ich bin bewaffnet. Aber deswegen bin ich nicht notwendigerweise gefährlich. Eine Waffe ist ein Werkzeug. Wie jedes Werkzeug kann sie verantwortungsbewußt eingesetzt werden – verteidigend, wenn es unvermeidlich ist –, oder verantwortungslos. Die Wahrheit ist, ich mußte aus Denning raus. Wenn ich nicht abgehauen wäre, hätte man mich umgebracht. So einfach ist das. So könnte man die Flucht als eine Art Selbstverteidigung bezeichnen. Ich schätze, Sie kaufen mir das nicht ab. Es ist sehr schwer, Vorurteile zu überwinden. Inhaftierte sind schuldig. Strafgefangene sind schlechte Menschen. Das ist der Standpunkt, von dem die breite Öffentlichkeit ausgeht. Ich mache Ihnen das nicht zum Vorwurf. Die Menschen sind so. Man hat ihnen beigebracht, daß jedesmal, wenn ein Verurteilter den Mund aufmacht, eine Lüge rauskommt. »Der Knacki versucht nur, einen Vorteil herauszuschinden.« »Er will doch nur herausfinden, ob er dich nicht reinlegen kann.« »Er wird es bis zum Ende treiben, um zu sehen, wie weit er gehen kann.« Und so weiter und so fort.

Vielleicht. Aber genau so muß man sich im Gefängnis verhalten. Ich war nicht so, bevor ich da reinkam, das schwöre ich Ihnen. Ich war ein anständiger Mann, der versuchte, in seiner Gemeinde etwas zu bewirken. Ich war wirklich Highschool-Lehrer und eine ziemlich respektierte Person. Was immer ich jetzt bin, das Gefängnis hat mich dazu gemacht.

Alles, worum ich Sie bitte, ist: Urteilen Sie selbst, Sandy. Ich denke, wenn Sie zum letzten Teil dieses Briefes kommen, werden Sie anders fühlen. Legen Sie Ihr Mißtrauen ab. Lassen Sie mich ausreden. Alles, worum ich bitte, ist die Chance, meinen Standpunkt darzustellen. Ich hege die Hoffnung, daß Sie in der Lage sind, hinter die Klischeevorstellungen über Strafgefangene zu sehen. Ich werde direkt aus meinem Herzen schreiben – keine Hintergedanken oder Versuche, mich selbst in ein gutes Licht zu rücken. Sie werden hier nichts finden, was durchgestrichen ist: Wenn ich etwas hingeschrieben habe, stehe ich auch dazu. Ich glaube, daß Sie am Ende mich, den wirklichen Dan Cody, erkennen werden.

Zweitens tut es mir wirklich leid um Officer Fairburn. Ich wußte nicht, daß er verheiratet war, und ich war am Boden zerstört, als sie das Foto von seinem kleinen Sohn zeigten. Soweit ich mich an Fairburn erinnern kann – und ich kannte ihn nicht besonders gut –, war er selbst nicht mehr als ein Kindskopf, kaum alt genug, um schon eine Familie zu haben. Aber vielleicht sagt das mehr über mein eigenes Alter aus. Er war eifrig. Man könnte sagen, sein erster Impuls war immer zu helfen, dann besann er sich darauf, daß er kalt und ernst zu sein hatte. Er war der Typ von Mann, der Probleme damit hat, sich in seine Rolle hineinzufinden. Er hatte keine lange Karriere als Aufseher vor sich. Ich erinnere mich nicht daran, ihn vor diesem Sondereinsatz in Denning länger als ein paar Monate gesehen zu haben, also muß er ziemlich neu gewesen sein. Warum sie für diese Fahrt nach draußen einen Neuling aussuchten, weiß ich nicht. Vielleicht wäre die ganze Geschichte anders ausgegangen, wenn jemand mit mehr Erfahrung an seiner Stelle gewesen wäre, jemand, der nicht in Panik geraten wäre oder versucht hätte, den Helden zu spielen – wer weiß? Dann wäre er jetzt zu Hause und würde mit seinem kleinen Jungen spielen.

Ich versuche nicht, mich vor der Verantwortung für das, was passiert ist, zu drücken. Ich mache kein Hehl daraus. Ich war derjenige, der abgedrückt hat. Alles, was ich sagen kann, ist, daß mein Kopf sich total drehte. Ich wußte kaum, was vor sich ging. In einem Moment saß ich noch ganz ruhig beim Mittagessen, im nächsten wurde ich durch den Korridor gezerrt, während ein Officer mich mit unfreundlichen Worten darüber informierte, daß meine Mutter im Sterben läge und man mich in ein Krankenhaus bringen würde, damit ich sie ein letztes Mal sehen könnte. Während ich noch versuchte, das auf die Reihe zu kriegen, und in die Zivilkleidung schlüpfte, die man mir hinwarf, kauerte Fairburn vor mir und band mir die Füße mit Fußfesseln zusammen. Sergeant Baruk schrie mich an, ich solle mich beeilen, ließ meine Handschellen einrasten, bevor ich mir die Krawatte ordentlich knoten konnte, und schrie erneut, ich solle mich beeilen, wir hätten nicht viel Zeit, weil sie auf der Intensivstation läge und es rapide mit ihr bergab ginge.

Ich habe auch keine Ahnung, warum sie Sergeant Baruk diesen Sondereinsatz übertrugen. Baruk ist der Sergeant auf der Krankenstation, wo ich arbeitete. Er machte normalerweise keine Sondereinsätze draußen. Auf dem Weg ins Krankenhaus war er nervös, schaute andauernd in den Rückspiegel. Zuerst dachte ich, das sei das normale Vorgehen, um sicherzugehen, daß uns niemand folgte. Dann fragte ich mich, ob man mich reinlegen wollte, aber dann dachte ich, wenn sie mich zusammenschlagen wollten, würden sie sich nicht erst die Mühe machen, mich aus Denning rauszuholen. Aber Baruk schaute im Rückspiegel nicht nach hinten, er schaute durch das Stahlgitter, das die Vordersitze von der Rückbank trennte, und ab und zu fühlte ich seine Blicke auf mir. So ist das eben: Wenn man einmal bemerkt, daß einen jemand im Spiegel anschaut, sieht man immer wieder in den Spiegel, ob er es immer noch tut; und auf der anderen Seite sehen die anderen auch, daß man sie beobachtet, also beginnen auch sie, den Spiegel zu überprüfen, und es fängt wieder von vorn an. Nach einer Weile schaute ich einfach aus dem Fenster. Ich würde mit Rich Baruk keine Psychospielchen spielen.

Beim Krankenhaus angekommen, sah ich Besucher kommen und gehen, auch ein paar Krankenschwestern, die das Haus verließen, um während ihrer Mittagspause ein paar Besorgungen zu erledigen. Nach vier Jahren im Knast vergißt man, wie das normale Leben aussieht, Menschen gehen zur Arbeit, Frauen laufen ohne Angst herum, ohne daß hundert Augenpaare dem Schwung ihrer Hüften folgen, sich jedes noch so kleine

Wackeln ihrer Brüste einprägen, Frauen, die eilig die Straße überqueren und auf der anderen Straßenseite an den Bordstein treten.

Sehen Sie? Das ist ein Beispiel dafür, was das Gefängnis einem antut. Es zerstört das Denken. Ich persönlich verabscheue diese sexuellen Obsessionen. Es ist erniedrigend für jeden. Es füllt einem das Hirn an, bis man an nichts anderes mehr denken kann, und wenn man daran kratzt, wird es nur noch schlimmer. Wenn man noch einmal daran kratzt, gerät der Trieb außer Kontrolle. Das Bedürfnis überwältigt einen. Das Gefängnis ist eine Umgebung, die die animalische Seite eines Mannes hervorbringt, daran gibt es keinen Zweifel. Und wenn man ihn dann wieder in die sogenannte normale Gesellschaft entläßt – was kann man dann schon erwarten?

Baruk parkte das Auto auf dem Parkplatz, kippte den Spiegel, um sich zu kämmen und seine Augenbrauen glattzustreichen. Er ist Anfang Dreißig und sieht auf eine sehr augenfällige Art gut aus, aber er ist, was sein Äußeres angeht, ziemlich eitel und erkennt nicht, was für eine Schwäche das ist. Als er mit Putzen fertig war, befahl er Fairburn, mich aus dem Auto zu lassen. Baruk stand da wie ein Gott, schob die Waffe auf seiner Hüfte zurecht, schaute sich um, ob ihn jemand beobachtete, und drückte seine Mütze zwischen den Händen, so daß der Schirm hochstand.

Als ich aus dem Auto stieg, spürte ich die Morgensonne auf meinem Gesicht. Die ganze Welt fühlte sich reich und strahlend an. Ich wäre gern stehengeblieben, um die Illusion einen Moment lang zu genießen, aber darüber hatte ich nicht zu entscheiden. Baruk drückte mir eine Hand in den Rücken, und ich mußte vorwärtsschlurfen, um das Gleichgewicht nicht zu verlieren. Dann faßten sie mich an den Armen und marschierten mit mir durch die gläsernen Schiebetüren, Fairburn mit einem Griff, als hinge sein Job davon ab, Baruk mit einer Hand, die nur leicht von hinten an meinem Arm lag, um zu zeigen, daß er der Sergeant war und alles unter Kontrolle hatte.

Wir gingen durch die Haupteingangshalle hinein. Wir hätten

durch den Eingang der Notaufnahme oder durch den Wareneingang hineingehen können oder durch eine kleine Seitentür, wo keine Leute herumgestanden hätten, die mich anglotzten und sich gegenseitig anstupsten, als ich in meinen Fußfesseln vorbeitrippelte. Aber dies war der Eingang, für den Baruk sich entschieden hatte.

Beim Stierkampf gibt es einen Teil, wo der Matador dem Stier den Rücken zuwendet, um der Menge zu demonstrieren, daß er das Tier geschlagen hat, noch bevor er das Schwert in sein Herz stößt. Der Matador macht direkt vor dem Stier, der von dem ganzen übertriebenen Gewedel mit der Capa und dem psychologischen Druck zu durcheinander ist, um den Bastard auf die Hörner zu nehmen und ihn durch die Luft zu schleudern, einen kleinen Spaziergang. Genau das tat Sergeant Baruk, stolzierte durch die Eingangshalle als »der Polizist, dein Freund und Helfer«, während ich Mühe hatte, nicht hinzufallen, und hinter ihm herstolperte, als würde er mich zum Pranger führen.

Am Aufzug blieben wir stehen und warteten. Baruk zog eine Show ab, indem er sich ständig umsah, als müsse er sich selbst in einem akuten Stadium der Wachsamkeit halten, immer auf der Hut, denn es könnte ja jemand in unmittelbarer Nähe eine Gefahr für die öffentliche Sicherheit darstellen. Wütend starrte er einen Teenager an, der der Stelle, wo wir standen, zu nah gekommen war. Auf einmal kapierte der Kerl, wer wir waren, schaute an mir hoch und runter und machte drei hastige Schritte zur Seite. Jetzt, da Baruk die Reaktion hatte, die er wollte, nickte er dem Jungen beruhigend zu, als wolle er sagen: Mach dir keine Sorgen, Junge, ich habe diesen Typ unter Kontrolle.

Baruk sieht dermaßen gut aus, daß er etwas Dummes an sich hat. Man sieht das ab und zu bei sehr hübschen Männern. Baruk sieht aus wie Rudolph Valentino.

Mit den Ketten hatte ich kaum eine andere Wahl, als zu schlurfen. Ich war der Knastbruder in der sonderbaren, altmodischen Kleidung, mit dem von Grau durchzogenen, als Pferdeschwanz zurückgebundenen Haar und dem Schnurrbart im Stil der Sechziger. Ich bin Rip Van Winkle, der vier Jahre lang in seiner Höhle geschlafen hat. Ich hielt meinen Blick gesenkt, von den Gesichtern der anderen Menschen abgewandt. Nicht, daß ich Angst davor hatte zu sehen, was sie dachten – ich mache mir nichts aus ihrem Urteil –, aber ich wollte nicht, daß sie das Feuer in meinen Augen sahen. Ich wurde nicht gebrochen, rehabilitiert oder gezähmt. Als der Fahrstuhl kam, warteten im Eingangsbereich etwa ein Dutzend Menschen, aber als die Türen aufgingen, stieg niemand mit uns ein.

Als die Türen in der zweiten Etage auseinanderglitten, trat Baruk als erster hinaus. Er schaute nach rechts und links, dann schritt er forsch aus. Er schien den Weg zu kennen. Mit den Fesseln konnte ich es nicht mit ihm aufnehmen, selbst wenn ich auf Zehenspitzen trippelte. Ich merkte, daß Fairburn nervös wurde, weil Baruk ihn mit mir allein ließ. Er verstärkte den Griff an meinem Arm, als hinge sein Leben davon ab. Baruk bog vor uns um eine Ecke, und als wir dort ankamen, sahen wir, daß er bereits durch die doppelten Türen der Intensivstation verschwunden war. Ich drehte mich beiläufig zur Seite, um zu sehen, was Fairburn vorhatte. Seine Augen waren weit aufgerissen, und er leckte sich unsicher die Lippen.

»Wir gehen besser rein«, sagte er. Es klang mehr nach einem Vorschlag.

Ich mache ihm keinen Vorwurf daraus, daß er nervös war. Die Zentralverwaltung der Besserungsanstalten hat Durchführungsbestimmungen für alle möglichen Handlungsweisen erlassen, und Sergeant Baruk hatte gerade eine der wichtigsten gebrochen, als er mich mit Fairburn allein gelassen hatte. Das ist nicht wichtig. Wirklich, was kümmert mich die Karriere eines Vollzugsbeamten?

Wir kamen in einen Korridor, der direkt zur Intensivstation führte. Baruk trug eine Maske und hatte bereits halb einen gelben Kittel angezogen. Er machte viel Aufhebens darum, daß seine Waffe frei blieb, damit sie sich nicht in den Siebensachen verhedderte. Die Krankenschwester trug eine Maske. Sie hätte irgendwer sein können. In der Maske war Baruk verdichtet zu einem Grundelement: Man sah nur seine entschlossenen, dunklen Augen, voller Fältchen, – erwartungsvoll, drohend oder lächelnd.

»Meine Mutter liegt im Sterben«, sagte ich. »Ist doch wohl völlig unwichtig, ob ich eine Maske trage.«

»Ziehen Sie sie einfach an«, sagte Baruk.

»Ich möchte, daß meine Mutter mein Gesicht sehen kann«, erklärte ich ihm.

»Sie möchten sich anstecken?« fragte Baruk mich. Ich dachte erst, er würde mich auslachen. Seine Augen waren zu Schlitzen verengt.

»Sie haben mir erzählt, sie hätte einen Schlaganfall.«

Baruks Augen glitten zu der Krankenschwester hinüber.

»Sie hat eine schwere Lungenentzündung«, sagte die Krankenschwester.

»Ziehen Sie sich den Kittel über, und dann legen Sie ihm die Maske an«, sagte er zu Fairburn.

Die Krankenschwester hatte schon herausgefunden, wie sie mir, obwohl meine Hände zusammengebunden waren, den Kittel überziehen konnte, und war emsig dabei, mit ihrer Schere die Ärmel entlang der Nähte aufzuschneiden. Sie ging um mich herum, um den Kittel zu verknoten, und zum ersten Mal an diesem Tag genoß ich einen Moment des Friedens, als ich fühlte, wie ihre Finger den Knoten drehten, zerrten und zogen, freundlich, genau richtig, hinter meinem Nacken. Sie haben keine Ahnung, wie Männer, die eingesperrt sind, sich nach der Berührung einer Frau sehnen. Für einen kostbaren Augenblick schienen die Dinge an ihren Platz zu fallen und Sinn zu ergeben.

»Ich ertrage es nicht, daß sie mich so sieht«, sagte ich zu ihnen und hielt die Hände hoch, um ihnen die Handschellen zu zeigen. Ich glaubte, in Anwesenheit der Krankenschwester würden sie vielleicht eine Ausnahme machen. »Vielleicht ist es das letzte Mal.«

Fairburn schaute den Sergeant an. In seinen Augen war etwas Sanftes, das er trotz aller Anstrengung nicht losgeworden war.

»Was meinen Sie, Sarge?« fragte er.

»Vergessen Sie's«, erwiderte er, ohne zu zögern.

Wir gingen durch das nächste Paar Doppeltüren in den großen weißen Raum. Überall waren Maschinen, mehr Maschinen als Menschen. Um eine der Nischen waren die Vorhänge zugezogen. Die Krankenschwester zog einen davon zurück, damit wir eintreten konnten, aber ich mußte innehalten und mich fangen, weil ich keine Zeit gehabt hatte, mich auf das vorzubereiten, was ich vielleicht da drin antreffen würde.

Meine Mutter war friedlich. Von der Wand über ihr warf ein Strahler ein sanftes Licht auf ihren Kopf und ihre Schultern. Sie war nicht in der Lage, auf meine Stimme zu reagieren. Sie liegt im Koma, erklärte die Krankenschwester, und braucht all ihre Kraft zum Atmen. Am Ende jedes Atemzugs gab sie ein kleines Grunzen von sich, als sei es eine enorme Anstrengung, die Luft in der Lunge wieder nach draußen zu drücken. Ich schaute auf ihr Gesicht hinunter. Sie hatte sich nicht dazu durchringen können, mich im Gefängnis zu besuchen, daher war es lange her, seit ich sie zum letzten Mal gesehen hatte. Sie war natürlich älter geworden, und die Krankheit hatte ihren Tribut gefordert. Dennoch mußte ich genau hinsehen, um die Züge der Frau zu erkennen, die mich aufgezogen hatte.

Es war schwierig, durch das Bettgestänge zu greifen, um ihre Hand zu halten, und die Krankenschwester beugte sich übers Bett, um mir zu zeigen, wie ich das Bettgestänge runterklappen konnte. Ich berührte die Hand meiner Mutter und fühlte die dünne, weiße Haut, die ihre Knochen bedeckte, und ich schäme mich nicht, zu sagen, daß ich in diesem Moment überwältigt war. Ich kniete mich auf den Boden und nahm ihre Hand in meine. Mutters Hand war kühl und neutral, und ich wußte, daß der Tod nicht mehr weit weg sein konnte.

Es schien keinen Sinn zu haben, die Szene unnötig in die Länge zu ziehen. Ich hob die Waffe und spannte sie. Fairburn stand am Fuß des Bettes rechts von mir. Ich bedeutete ihm, auf die andere Seite zu gehen. Er sah Baruk an, wartete auf ein Zeichen, was er tun sollte, obwohl ich aus nur wenigen Zentimetern eine Achtunddreißiger auf seinen Kopf richtete.

»Tun Sie, was er sagt«, wies der Sergeant ihn an. »Machen Sie keine Dummheiten.« Er wirkte, als habe er mehr Angst vor dem, was Fairburn tun könnte, als vor mir.

Ich hatte die drei jetzt in einer Reihe stehen, in kürzester Schußentfernung. Sie sollen wissen, daß ich sie vollkommen unter Kontrolle hatte und daß ich nicht ausflippte, nicht auf einen Gewalttrip kam, kein Verlangen nach Demütigung oder Brutalität bekam oder eines dieser unsinnigen Klischees. Ich hoffe, die State Police hat das Ihrem Reporter gegenüber erwähnt. Alles, was ich tat, war, Sergeant Baruk um die Schlüssel zu bitten.

Er warf sie aufs Bett. Ich bat die Krankenschwester freundlich, um die Beamten herumzukommen, innerhalb des Vorhangs zu bleiben und meine Handschellen und Fußfesseln aufzuschließen. Was sie auch tat. Dann bat ich sie, die Fußfesseln um das Metall des Betts zu schlingen und eine Schließe Baruk und die andere Fairburn anzulegen.

Baruk legte seinen Fuß aufs Bett.

»Entschuldigen Sie bitte, Ma'am«, sagte er zu meiner Mutter, als er seine Hose hochzog, so daß die Krankenschwester das Eisen um seinen Knöchel legen konnte. Er mag solche Momente, wenn er seinen prahlerischen Charme spielen lassen kann.

Ich war abgelenkt durch Baruks Paisley-Socken und dem Ratschen der Eisen, als Fairburn eine Bewegung machte. Er stürzte sich quer übers Bett auf mich. Baruk versuchte, ihn an der Schulter zu fassen und ihn daran zu hindern. Bevor ich wußte, was passierte, drückte ich ab. Es gab ein leeres Klicken, das war alles. Ich drückte Fairburn die Hand ins Gesicht, um ihn aufzuhalten, und er verlor das Gleichgewicht und drehte sich zur Seite, aber seine Hand griff immer noch nach der Waffe. Ich spannte wieder und feuerte.

Wir waren wie betäubt von dem Knall. Ich sah, wie Baruks

Lippen die Worte »O Scheiße!« formten und er zu der Krankenschwester schaute, als erwarte er, daß sie alles in Ordnung bringen würde. Meine Ohren klingelten. Aus der Szene vor mir wich jegliche Farbe, und sie schien jegliche Tiefe zu verlieren. Die Krankenschwester ging zu Fairburn. Er lag, das Gesicht nach unten, auf dem Bett. Blut sickerte aus seinem Mund.

Ich hörte, wie auf der anderen Seite des Vorhangs jemand zur Tür eilte, zuerst verstohlene, schnelle Schritte, dann ein Sprung in Sicherheit.

Ich sagte zu Baruk: »Befestigen Sie das andere Ende der Fußfesseln am Bett.« Er machte es. »Legen Sie sich die Handschellen an.«

Er hatte Schwierigkeiten, die zweite Handschelle an seinem Handgelenk festzumachen. Die Krankenschwester drückte sie zusammen, ohne daß ich ihr auch nur mit meinen Augen einen Wink geben mußte.

Um uns herum war es absolut still geworden. Ich hörte nur das sanfte, regelmäßige Pochen eines der technischen Geräte.

»Kommen Sie her«, sagte ich zu der Krankenschwester. Ich wollte ihr nicht weh tun. »Tun Sie, was ich Ihnen sage.« Sie nickte. »Okay?« Sie nickte heftiger.

Um ihren Nacken hing ein Stethoskop, und ich hakte meine Hand in den Schlauch und zog sie zu mir.

»Sie kommen mit«, sagte ich.

Als wir hinter dem Vorhang hervorkamen, waren da ein paar Menschen, die sich hinter den Betten versteckten. Wir gingen schnell durch die Doppeltür. Ich hörte, wie eine Frau in einem Büro irgendwo im Korridor versuchte, den Sicherheitsleuten klarzumachen, was hier gerade vor sich ging. Sie hielt mitten im Wort inne, als sie einen Blick auf uns erhaschte, aber ich achtete nicht auf sie.

Ich zog mir die Maske vom Gesicht und den Papierkittel vom Körper und sagte der Krankenschwester, sie solle das gleiche tun, ich ließ das Stethoskop los und ließ es um ihren Nacken hängen, so daß die Enden auf ihrer Brust baumelten. Ich wickelte den Kittel um die Waffe wie eine Art Verband an meiner Hand.

»Kommen Sie«, sagte ich.

Ich faßte sie am Arm. Sie wehrte sich nicht. Wir gingen durchs Krankenhaus und traten hinaus in den neuen Morgen.

Ich mag das Wort »Geisel« nicht, als wäre ich ein Schlägertyp. Bei Ihnen klingt es, als würde ich mich hinter einer Frau verstecken. Das ist überhaupt nicht so. Sie ist bei mir, um sicherzustellen, daß es kein weiteres Blutvergießen gibt. Ich habe ihr nichts getan. Ich würde ihr nie etwas tun.

Ja, Officer Fairburn ist schwer verletzt. Ich bin darüber genauso empört wie jeder, der Ihre Sendung sieht. Wahrscheinlich mehr als alle Ihre anderen Zuschauer, weil die Leute mich dafür verantwortlich machen, aber ich bestehe darauf, daß sein Tod hätte vermieden werden können.

Dies ist die dritte Behauptung, die ich richtigstellen möchte: Ich bin nicht »geisteskrank«. Sie haben keine Vorstellung davon, wie schwierig es ist, das »Psycho«-Etikett wieder loszuwerden, wenn man es Ihnen einmal aufgeklebt hat. Strafgefangene sind die Menschen, die am meisten mit Vorurteilen zu kämpfen haben. Haß kommt im Gefängnis schnell auf. Es ist das natürlichste Gefühl der Welt – dieser Welt. Inhaftierte hassen jeden – Schwarze, Weiße, Juden, Homosexuelle, Vergewaltiger, Kinderschänder, Denunzianten, Idioten, jeden, der einer Randgruppe angehört –, sogar wenn sie selbst eigentlich der gleichen Gruppe angehören. Besonders wenn sie der gleichen Gruppe angehören, nur um den Typen auf der Etage zu zeigen, daß sie wirklich nicht so sind. Nicht wie die anderen von ihnen. Keiner von »ihnen«. Es ist nicht leicht, seine Zeit abzusitzen, wenn man ein »Psycho«-Etikett um den Hals hängen hat.

Ich versuche, vernünftig damit umzugehen, obwohl es mich in Wirklichkeit total verrückt macht. Ja, wie Ihr Reporter richtig festgestellt hat, ich habe versucht, auf Unzurechnungsfähigkeit zu plädieren. Aber es hat nicht funktioniert, nicht wahr? Sagt das Ihnen nichts? Die Jury hat sich all das, was die vielen Psychiater, die der Rechtsanwalt auftreiben konnte, vortrugen, angehört, und wohin hat es mich gebracht? Nach Denning. Lebenslänglich! Lebenslänglich für Mord!

Ich muß mich erst beruhigen, bevor ich weitermachen kann.

Der einzige Grund, warum ich in der ersten Instanz einverstanden war, auf Unzurechnungsfähigkeit zu plädieren, war, weil mein Anwalt sagte, dies sei meine einzige Chance.

»So, wie sich die Beweise häufen, Dan, wenn Sie nicht willens sind, es mit einer Einrede der Unzurechnungsfähigkeit zu versuchen ... es ist das moralische Pendant von sich schuldig zu bekennen, was Sie übrigens sowieso nicht können.«

Das hat er zu mir gesagt. Ich habe es nicht gemacht, weil ich es für richtig hielt, sondern weil ich dachte, es sei meine einzige Chance. Eine Zeitlang sah es so aus, als würde es funktionieren. Die Jury zog sich zwei Tage lang zur Beratung zurück. Sie schickten eine Nachricht nach der anderen raus zum Richter, um das eine oder andere zu klären. Ich dachte, wenigstens würden sie sich nicht einigen können und der Prozeß würde ergebnislos enden. Das Urteil hat mich wirklich von den Socken gehauen. *Da* hätten Sie sagen können, ich sei verrückt.

Erinnern Sie sich auch daran, daß ich vom Tod meiner Frau überwältigt war. Ja, ich weiß. Zyniker spotten darüber. Ich kann mir gut vorstellen, wie all die hochgestochenen Leute im Fernsehstudio gekichert haben, als Sie das vorlasen. *Ich habe diese Frau geliebt*, – Janie.

Alle, die uns kannten, wußten, daß ich sie anbetete.

Ein sogenannter Freund, der plötzlich Zeuge der Anklage war, trat in den Zeugenstand, um auszusagen, meine Liebe sei übertrieben gewesen. Hier stimmt doch irgend etwas nicht. Ich weiß, daß die Jury es ihm abgekauft hat. Aber denken Sie mal darüber nach. Wenn Sie jemanden lieben – ich meine *wirklich* lieben –, wie, auf Gottes Erde, kann Liebe *übertrieben* sein? Wie kann irgendein menschliches Wesen der Empfänger von zuviel Liebe sein? Wie kann das möglich sein? Ich habe mir nicht erlaubt, Bitterkeit darüber zu empfinden, obwohl ich während der letzten vier Jahre immer wieder über das Verfahren nachgedacht habe, Zeuge für Zeuge, Fakt für Fakt. Ich bin zu folgendem Schluß gekommen: Nur wenige Menschen sind in der Lage, das zu verstehen, was ich gerade geschrieben habe.

Ich möchte Ihnen von Janie erzählen, weil ich möchte, daß Sie verstehen, was sie mir bedeutet hat, und das wird Ihnen eine Ahnung davon geben, was für ein Mensch ich wirklich bin. Ich habe Janie auf einer Tour mit einer Band kennengelernt. Man könnte sagen, ich hatte meine Midlifecrisis mit etwa Mitte Zwanzig. Ich war mit dem College fertig und hatte meinen ersten Job als Lehrer an einer Junior Highschool, und ich hatte ziemliche Panik bei dem Gedanken, mich im Leben einzurichten. Ich fühlte mich wie tot. Ein Freund von der Highschool nahm mich mit auf meine erste Tour. Ich hatte ein bißchen Ahnung von Bühnenbeleuchtung, aber ich mußte auch helfen, das Zeug aus den Lastern zu laden. Eine Tour führte zur nächsten. Wir waren nie länger als eine Woche in einer Stadt und wußten immer, daß der Job in ein paar Wochen vorbei sein würde. Als ich Janie in Boise, Idaho, traf, war ich seit zwei Jahren auf Tour.

Janie war sehr viel jünger als ich – ein richtiger Teenager –, und zunächst benutzte sie mich mehr oder weniger, um an jemand Berühmten heranzukommen. Ich schätze, ich benutzte die gleiche Methode, um an sie heranzukommen. »Klar, kenne ich Mick. Du möchtest Mick kennenlernen?« Aber ich sagte ihr nicht, daß sie erst nett zu mir sein müßte, wenn ich sie Mick vorstellen sollte. Ich fragte sie, ob sie Lust hätte, nach der Show einen mit mir zu trinken, und sie sagte nichts und schaute weg. Ich dachte, sie würde mich abblitzen lassen, und erkannte nicht, daß sie zu verlegen war, um mir zu sagen, daß in ihrem Führerschein stand, daß sie noch nicht volljährig war. Statt dessen tranken wir eine Tasse Kaffee und aßen ein Donut. Natürlich kannte Mick Jagger mich überhaupt nicht. Das begriff sie ziemlich schnell, aber es schien ihr nichts auszumachen.

Zuerst war sie schüchtern. Ich vermute, weil ich älter und herumgekommen war. In ihren Augen hatte ich etwas Glanzvolles.

Damals – es war in den Siebzigern – hatte sie langes Haar und trug eine Menge Mascara, wodurch ihre Augen groß wirkten und weit aufgerissen, als wäre sie pausenlos überrascht. Sie sah so aus, wie damals alle Mädchen aussehen wollten – schlank und langbeinig, glatte Konturen. Später setzte sie ein bißchen was an, und ich glaube, sie war nie sehr glücklich über ihr weiblicheres Aussehen. Ich konnte meine Augen nicht von ihr lassen. Manchmal ertappte sie mich dabei, wie ich sie anschaute, und dann fragte sie: »Was?« und tat so, als sei es ihr lästig, obwohl sie sehr genau wußte, wie sehr sie mich bezauberte. Und wenn ich nicht antwortete, tauchte an ihren Mundwinkeln ein kleines, geheimnisvolles Lächeln auf.

Alles war spannend für sie. Alles war neu. Nach unserem ersten Halt, als es Zeit wurde, zur nächsten Stadt weiterzuziehen, saß sie still und nachdenklich auf der Bettkante. Ich dachte, das war's, ich hab sie verloren. Sie wollte wissen, ob es in Ordnung sei, wenn sie die kleine Shampooflasche und die Schachtel mit der Duschhaube mitnehmen würde, und als ich sagte, es sei in Ordnung, strahlte sie übers ganze Gesicht, sprang auf und umarmte mich stürmisch. Es ist witzig, wie wenig die Menschen wirklich wollen.

Es ist ein ulkiger Gedanke, mir Janie als Kind vorzustellen. Ein Kind im Süßwarenladen des Lebens. Sie war nicht viel mehr als ein Mädchen und schaute zu mir auf, damit ich sie führte, obwohl ich auch nicht besonders viel Erfahrung hatte. Ich wußte nie, wie lange es halten würde – ob sie nicht in der nächsten Stadt feststellen würde, sie sei weit genug von zu Hause weg, und nach Hause fahren würde. Aber sie blieb, bis wir nach L. A. kamen, und nach dem letzten Konzert fragte ich sie, ob sie mit mir zurück nach Massachusetts fliegen wollte, und sie sagte ja. Irgendwie steht mir jeder einzelne Tag dieser Tour deutlicher in der Erinnerung als die elf Jahre, die wir verheiratet waren.

Das Gefühl, daß etwas nicht stimmte, kam ganz allmählich. Sie wurde vor meinen Augen immer dünner. Zuerst gefiel ihr das. Ich glaube, unbewußt wollte sie wieder die mädchenhafte

Figur bekommen, die sie hatte, als wir uns kennenlernten. Während der Verhandlung hat einer ihrer Freunde gesagt, daß sie absichtlich abnahm. Als Janie starb, war sie auf Diät, aber sie machte immer die eine oder andere Diät, meistens sehr halbherzig. In Wirklichkeit war an ihr kein Gramm zuviel. Ich sagte ihr, daß ich sie so liebte, wie sie war. Dann fiel mir eines Tages auf, wie mager ihre Oberschenkel geworden waren. Ihre Wangen waren eingefallen, und damals erfuhr ich, daß sie sich nach einem Verkehrsunfall vor vielen Jahren bei einer Bluttransfusion mit dem AIDS-Virus infiziert hatte.

Manche Menschen leben jahrelang mit diesem Virus, sind scheinbar vollkommen gesund, und andere sterben schnell. Janie gehörte zur zweiten Kategorie. Was ihr am meisten Sorgen machte, war, daß sie ihre Haare verlor. Sie können sich vorstellen, was das mit einer Frau macht. Eines Morgens sah ich, wie sie ihre Bürste anstarrte und langsam an den Strähnen zupfte, die darin hingen. Sie sah, daß ich es mitbekommen hatte, und trat gegen die Tür, so daß diese vor meiner Nase zuknallte.

Sie war eine stolze Frau. Sie wollte nicht vor einem Spiegel verwelken, nicht vor ihrem Mann, und als schwache, mitleiderregende Kreatur enden, die niemand mehr wiedererkennt. Ich hielt es nicht aus, sie sterben zu sehen. Ich weiß auch, daß sie dieses Leben mit Würde beenden wollte. Es kam der Tag, an dem sie mich so gut wie bat, ihr beim Abgang zu helfen. Man kann von Menschen nicht erwarten, daß sie so etwas direkt ansprechen. Es ist zuviel für sie. Ich bat sie nie, es mir gegenüber offen auszusprechen. Sagt ein Mann zu seiner Frau, er möchte es schriftlich? Wenn zwei Menschen so tief miteinander verbunden sind wie wir beide, ist das nicht die Art ihrer Kommunikation. Ich wußte anhand von Kleinigkeiten, die sie rausließ, was sie dachte. Das war Janies Art. Sie benutzte Worte auf eine ganz spezielle Art. Gelegentlich fallengelassene Wendungen bekamen eine spezielle Bedeutung.

Für einen Außenstehenden mag es vielleicht ausgesehen haben, als würde Janie sich nur über die Rentenversicherungsbeiträge auf meiner Gehaltsabrechnung beschweren, mit der sie durch die Luft wedelte.

»Um Himmels willen! Wer sorgt sich darum, was ist, wenn er fünfundsechzig ist? Wer sorgt sich darum, wieviel Geld er mit fünfundsechzig haben wird? Wir wollen das Geld jetzt! Solange wir noch was davon haben!«

Wenn man mehr als zehn Jahre lang tagein, tagaus mit einem Menschen zusammenlebt, versteht man Dinge, die andere nicht aus diesen Worten heraushören. Es ist der Ausdruck der Augen. Janie unterbrach ihre Tirade für einen Moment, und während dieser kurzen Pause trafen sich unsere Blicke. Sie wurde weich. Sie war im Begriff, etwas bislang Unausgesprochenes zu sagen. Dann wandte sie sich, scheinbar frustriert, ab und suchte nach einer Möglichkeit, von dem Abgrund, der sich vor ihr aufgetan hatte, zurückzutreten. Aber da war dieser kurze, bedeutende Moment, als unsere Blicke sich begegnet waren.

Ich habe nicht versucht, das, was ich getan habe, zu vertuschen. Ich glaube, daß es richtig war. Ich weiß auch, daß es gegen das Gesetz verstößt, und das Gesetz muß aufrechterhalten werden. Dagegen habe ich keine Einwände. Ich war bereit, mich schuldig zu bekennen, aber das Gesetz erlaubt das nicht, wenn die Anklage auf Mord lautet. Deswegen hat mein Anwalt mich mit diesem Unsinn von wegen »nicht schuldig wegen Unzurechnungsfähigkeit« eingewickelt. War es eine vorsätzliche Tat? Natürlich war es das. Ich *mußte* es mir ausdenken. Ich mußte planen, was ich tun würde. Ich mußte darüber nachdenken, wie ich Janie, der Frau, die ich liebte, den Übergang erleichtern konnte, so daß es ihr keine Schmerzen bereiten würde.

Haben Sie eine Vorstellung davon, was es bedeutet, der Frau, die man liebt, eine geladene Waffe an den Kopf zu halten? Lassen Sie mich die Frage beantworten: Sie haben keine Vorstellung davon. Ich hatte jedoch eine Vorstellung davon und drückte ab. Ich erinnere mich nicht daran, abgedrückt zu haben. Ein anderer Teil von mir hat das getan. In der letzten Minute flehte sie mich an, aber da gab es nichts mehr zu überlegen. Ich mußte stark sein für uns beide.

Sie sagen, ich hätte mich davongemacht. Ja, ich habe »den Tatort verlassen«, wenn Sie meine Reaktion im kältesten Licht strikter Gesetzestreue sehen wollen, obwohl ich das, was ich getan habe, im moralischen Sinne nicht für ein Verbrechen hielt. Das Gesetz ist nicht weit genug, um einen Akt der Barmherzigkeit zu beinhalten. Das Gesetz ist nicht in der Lage, individuelle Umstände zu berücksichtigen. Das verstehe ich. Ich bin nicht verbittert.

Ich habe mich davongemacht. Ich fuhr. Ich wußte nicht, wohin ich fuhr. Ich glaube nicht, daß ich irgendwohin fuhr. Ich hatte kein Ziel im Sinn. Ein Staatspolizist hielt mich in New York auf. Es hätte meinetwegen auch Vermont sein können. Ich fuhr nur. Im Verfahren hat man das ziemlich aufgebauscht. Der Staatsanwalt fragte die Jury: »Wenn er so verwirrt war, daß er nicht wußte, was er tat, wie kam es dann, daß er versuchte zu fliehen?« Ich habe nie versucht, ungestraft davonzukommen. Ich habe mein Schicksal akzeptiert. Obwohl ich nicht glaube, daß jemand ein Urteil auf lebenslänglich wirklich akzeptieren kann. Im tiefsten Herzen kann niemand wirklich mit dem Gedanken leben, daß er für immer eingesperrt sein wird, bis zu seinem Lebensende.

Das Staatsgefängnis Denning ist der schrecklichste Ort der Welt, auch wenn man, wie die meisten Insassen, schon in anderen Gefängnissen, Strafanstalten, Rekrutencamps der Marine oder Jugendstrafanstalten war. Ein Mitglied der Mittelschicht wie ich, ein gebildeter Mann, weiß sofort, daß all die sozialen Fähigkeiten, die zu erwerben er mehr als sein halbes Leben gebraucht hat, ihm hier nicht weiterhelfen. Sie behindern ihn, sind nur Ballast. Deine natürlichen, emotionalen Reaktionen – Mitleid, Einfühlungsvermögen, die Bereitschaft, beide Seiten einer Frage zu betrachten – machen dich zum Krüppel. Du hast keine Straßenschläue. Deine Reflexe sind falsch. Du lernst nicht, den Zusatz »Scheiß« vor jedes Scheißwort zu setzen, bis es zu spät ist. Unzählige Insassen skandieren begeistert: »Das ist der Knast. Und nicht Yale.« In Denning macht so etwas Grundlegendes wie die Wahl deiner Worte dich zum Opfer.

Denning ist konstruiert wie eine Kathedrale. Das Hauptstück ist eine zentrale Halle, rund hundert Meter lang und dreizehn Meter breit, die sich über drei Etagen erstreckt. In Abständen zerteilen Trennwände aus Stahlgittern, die von der Decke bis zum Fußboden reichen, diese Haupthalle in Abschnitte: den Hochsicherheitstrakt, den normalen Vollzug, den Trakt mit den Absonderungszellen für die Einzelhaft, den Speisesaal. An einem Ende führt der Korridor um die Ecke zu Werkstätten, der Krankenstation, der Kapelle und der Turnhalle. Am anderen Ende führt er zu Block S. »Bewegung« ist eine festgesetzte Zeit im Tagesablauf des Gefängnisses, wenn alle Insassen, außer denen, die im Hochsicherheitstrakt sitzen, durch die Haupthalle dorthin gehen können, wohin sie müssen. Um diese Zeit wurde ich eingeliefert.

Ein Gefängnis ist eine Antikathedrale. Wo eine Kathedrale nach oben drängt, den Geist aufstreben läßt, den Menschen des Mittelalters über sich hinaus erhob, voller Hoffnung auf eine Vereinigung mit seinem Gott, hält ein Gefängnis einen an den Beton geklammert. Es drückt einen tiefer in sich selbst hinein. Ein Gefängnis hat eine so dichte Atmosphäre, daß es die Seele zusammenpreßt. Es könnte sie zerquetschen.

Der Lärm ist ohrenbetäubend. Es ist nicht nur laut, es ist befremdlich. Es sind die Rufe und Schreie einer anderen Art von Leben, das dort weitergeht. Es dringt einem in den Kopf ein. Die Leute rufen sich Worte zu, die man zuerst nicht versteht. Es ist eine fremde Sprache. Einige Männer schreien nicht jemand Bestimmtes an, sie posaunen einfach etwas aus. Sie singen, was ihre Lunge hergibt. Und im Hintergrund ist dieses stetige Summen von Geschäften, die getätigt werden, oder Sportergebnissen, Wetten oder Drohungen. Ein Hintergrundrumpeln wie der Baß beim Rock'n'Roll. Es ist der Hintergrund der Musik, aber man hört es nicht, bis man aufhört zu horchen, bis man versucht, den Sinn im Bodensatz der Geräusche zu ergründen.

All das sind die Geräusche von Männern. Männer ohne Regeln, Männer, die man allein gelassen hat, damit sie sich ihre eigenen Regeln schaffen. Männer mit nichts außer Zeit in ihren Händen. Rohe Gefühle ohne Vorschriften. Wenn Einsamkeit der Schmerz ist, der daher rührt, daß man allein ist auf der Welt, dann ist Denning der Schmerz von genau dem Gegenteil. Denning ist die Höllenqual, jede Minute des Tages für den Rest seines Scheißlebens unter Männern zu sein.

Sie steckten mich in A6, einen Block im normalen Vollzug. Der Zellenblock war eine große Schuhschachtel mit drei Reihen Zellen übereinander auf jeder Seite. Ich stand, mit meinen persönlichen Besitztümern in einem Müllsack über der Schulter, in der Halle unten und wartete darauf, daß der Beamte, der am Tisch saß, die Papiere fertigmachte. Insassen lehnten sich über die Geländer der oberen Etagen, um mich zu mustern und abzuschätzen, wozu man mich benutzen konnte. Sie riefen nach mir – sie wußten schon, wer ich war und was ich gemacht hatte. Sie warfen mir höhnisch die Einzelheiten meiner Straftat vor, und ich stand Todesängste aus. Ich gab mir alle Mühe, sie zu ignorieren. Ich ging davon aus, daß die geringste Bewegung ihnen zeigen würde, wieviel Angst ich hatte.

Der Beamte am Tisch reichte das Klemmbrett demjenigen, der mich hierherbegleitet hatte.

»Cody«, sagte er.

»Ja«, antwortete ich. Ich dachte, er hätte mir eine Frage gestellt.

»Ich weiß, wer Sie sind«, sagte er kalt. »Der Punkt ist, wer ich bin. Ich bin Sergeant Baruk. Verstanden?«

»Ja.«

»Ja, Sarge«, sagte er und sah mir zum ersten Mal ins Gesicht.

»Ja, Sarge.«

»Haben Sie schlechte Laune, Cody?«

»Nein, Sarge.«

»Das ist gut, Cody. Machen Sie mir in meinem Zellenblock keinen Ärger, weil ich sonst sehr wütend werde. Okay? Wenn

Sie hier Ärger machen, kommen Sie in Block S. Dann kommen Sie in den Hochsicherheitstrakt, da wird man Ihnen Ihre schlechte Laune austreiben. Verstanden?«

»Ja, Sarge.«

»Ja, Sarge«, murmelte jemand auf einer Etage höhnisch.

Baruk tat, als habe er es nicht gehört. »Sie sind Nummer fünf auf der ersten Etage«, sagte er. Er nickte in die entsprechende Richtung, und noch bevor ich mich herumgedreht hatte, hatte er sich schon wieder der Zeitung zugewandt, die offen vor ihm auf dem Tisch lag.

Als ich die erste Etage entlangging, kam jemand hinter mir her. Ich spürte seine Hand auf dem Müllbeutel.

»Hey, ganz locker«, sagte er, als ich mich plötzlich umdrehte. Es war ein dünner junger Mann mit blonden Haaren. »Ich wollte dir nur helfen.« Er sah harmlos aus, sogar hilfsbereit.

»Ich trag's allein«, sagte ich.

»Was hast du da drin?«

»Nicht viel.«

»Irgendwas, was du verkaufen möchtest?«

»Ich hab nichts«, erklärte ich ihm.

Das war die Unterweisung, die mein Anwalt mir nach dem Urteilsspruch erteilt hatte, eine Fünf-Minuten-Lektion, wie man im Gefängnis zurechtkommt, ohne mir dabei in die Augen zu sehen: »Wenn Sie nichts haben, was die anderen wollen, lassen sie Sie irgendwann in Ruhe.« Nichts besitzen – was für ein Trick! Nichts zu besitzen, was ein anderer haben möchte, ist ziemlich schwierig. Es ist in der Tat eine ganz schöne Leistung.

In Zelle fünf war schon jemand. Er hatte Wasser auf einer Heizplatte warm gemacht und schüttete es in einen Becher, um Tang, einen beliebten Tee, aufzugießen. Er sah so aus, als sei er schon eine Weile hier. Ich überprüfte die Nummer, die über der Tür stand.

»Der Sergeant sagte, ich sei in Nummer fünf in der ersten Etage. Ist das hier?« fragte ich ihn.

»Verpiß dich«, sagte er, ohne aufzusehen.

Ich wußte nicht, was ich tun sollte, und blieb zögernd in der Tür stehen.

»Ich sagte, verpiß dich!« brüllte er wie ein Tier, das seine Höhle verteidigt, und kam auf mich zu.

Ich machte mich schnell den Flur hinunter davon und stieß mit jemandem zusammen. Er schubste mich kräftig, und ich dachte, ich würde über das Geländer fallen und auf den Betonfußboden der Halle stürzen.

Baruk zuckte die Schultern. »Nehmen Sie, was Sie finden können«, sagte er.

Die einzige leere Zelle war im Erdgeschoß gegenüber dem Tisch des Beamten. Sie stank nach Urin. Die Matratze war zerrissen. Es gab keinen Stuhl, und der Tisch wackelte dermaßen, daß ich nichts draufstellen konnte. Als ich die Toilette benutzte, lief sie über. Während ich versuchte, das aufzuputzen, gesellte sich der Insasse, der bei meiner Ankunft versucht hatte, Hand an meine Besitztümer zu legen, zu mir und blieb in der Tür stehen.

»Sammy Shay«, sagte er und zeigte auf seine Brust.

Er sah nicht aus, als sei er älter als zwanzig, hatte Pickel und einen zotteligen Schnurrbart. Er wollte reinkommen, bemerkte aber die Sauerei auf dem Boden und winkte mich zu sich.

»Brauchst du was?« murmelte er.

»Wie?«

»Valium, Talwin, Gras. Ich kann dir Heroin besorgen, aber zur Zeit ist der Nachschub knapp.«

»Ich nehm so'n Zeug nicht.«

Er zuckte die Schultern. »Die Zeit geht schneller rum. Du wirfst ein paar Pillen ein, und der Tag marschiert an dir vorbei. Solltest drüber nachdenken. Du hast 'ne Menge Zeit.«

Er schob sich an mir vorbei in die Zelle und sah sich um. Alles, was ich besaß, lag auf dem Bett: ein Rasierer, Seife, die vom Gefängnis vorgeschriebenen weißen T-Shirts und eine Garnitur zum Wechseln, bestehend aus einem blauen Arbeitshemd und Arbeitshosen. Ich wollte, daß er verschwand, aber ich hatte Angst, mir einen Feind zu machen.

Er zog die Nase kraus und machte eine Grimasse. »Du mußt dafür sorgen, daß die Toilette repariert wird«, meinte er.

»Ich weiß.«

»Ich könnte mich drum kümmern, daß jemand kommt.« Er wartete auf meine Antwort. »Es kostet nicht viel.«

»Ich habe kein Geld. Der Anwalt hat es.«

»Du kannst dir was leihen. Möchtest du dir was leihen?«

»Ich habe keine Möglichkeit, es zurückzuzahlen.«

»Es gibt Möglichkeiten«, sagte er. »Die Leute machen es dauernd.«

Er drehte die T-Shirts um, zog sie auseinander, eines in jeder Hand zwischen zwei Fingern, schüttelte sie leicht, als könnte etwas Kleines und Leichtes darin gefangen sein. Er ließ sie fallen. Zuerst eines auf die Matratze. Dann drehte er sich mit ausgestrecktem Arm um, beobachtete genau mein Gesicht und ließ das andere in Richtung der Sauerei aus der Toilette flattern. Im letzten Augenblick schnappte er danach und fing es auf. Er war entzückt von sich selbst. Er lachte.

»Ich brauche nicht viel«, erklärte ich ihm.

Dieser Punk mit seinem zottigen Schnurrbart jagte mir ziemliche Angst ein. Ich wußte nicht, daß die Etikette es erfordert hätte, mir eine Handvoll blondes Haar zu greifen und sein Scheißgesicht dreimal auf den Zementfußboden zu schmettern.

»Vielleicht kann deine Familie dir was reinbringen«, schlug er vor.

»Ich glaube nicht.« Ich brachte ein schiefes Lächeln zustande. Ein Yale-Lächeln. Sammy betrachtete mein Lächeln, als hätte ich einen Streifen Lippenstift auf der Wange.

»Such dir jemanden«, sagte Sammy. »Mutter. Großmutter. An einem Ort wie hier braucht man Geld.«

An diesem Abend lag ich auf der stinkenden Matratze und dachte an Janie. Auf dem Flur gegenüber hatte jemand einen Alptraum und schrie, als würde er zu Tode geprügelt. Ich dachte, ich hätte mich nicht einsamer fühlen können, aber ich irrte mich. Eine Sache, die man im Gefängnis lernt, ist, daß normale

Erfahrungen nur ein ganz kleiner Teil dessen sind, was man fühlen kann. Es ist wie das Gehör von Hunden. Sie können Töne hören, für die wir nicht den geringsten Sinn haben. Oder das Sehvermögen von Insekten, die Farben sehen, die weit über unser Spektrum hinausgehen. Im Gefängnis lernt man, daß normale Erfahrungen nur ein ganz schmaler Streifen in einem sehr viel größeren Spektrum sind. Im Gefängnis lernt man etwas über Ultraviolett.

Am nächsten Tag wurde ich in der Metallwerkstatt vergewaltigt. Ich will keine große Sache daraus machen. Zum Glück wußte ich bis dahin soviel, daß ich es nicht anzeigte. Es war eines dieser Dinge. Ich weiß jetzt, daß es arrangiert wurde, um die Sache klarzumachen. Mehrere Männer stürzten sich auf mich. Sie erwischten mich unvorbereitet, obwohl ich dachte, ich wäre vorsichtig, würde mich absichern und stets in Sichtweite eines Beamten bleiben.

Ich prügelte mich mit ihnen. Sie packten mich an den Haaren und zogen mir den Kopf nach hinten über die Schulter. Einer von ihnen hielt mir eine selbstgebastelte Stichwaffe aus einem Abfallstück Stahl vors Gesicht; die Eisenspitze war fünfzehn Zentimeter lang.

Er sagte: »Möchtest du das statt dessen in deinem Arsch?«

Sandy, ich weiß, so etwas ist schwer auszuhalten. Ich weiß, daß es normalerweise nicht in ihre Fernsehnachrichtensendung gehört, und ich erzähle es Ihnen nicht, um Sie zu schockieren, oder weil ich um Ihr Mitleid werben möchte. Die Leute draußen wollen so etwas nicht hören. Wenn im Gefängnis grauenhafte Sachen passieren, denken sie, das ist vielleicht ein Teil der Strafe. Schließlich tun die Insassen es sich doch gegenseitig an, nicht wahr? Sie schaffen sich ihre eigene Hölle.

All das ist wahr. Ich werde nicht in die blutigen Einzelheiten gehen. Darum geht es mir hier nicht. Wie jede Frau Ihnen bestätigen kann, geht es nicht so sehr darum, was mit dem Körper geschieht. In meinem vorherigen Leben, als ich noch Lehrer war, habe ich an Weiterbildungen über sexuelle Belästigung teilgenommen, also wußte ich, was mit mir geschah. Die ganze Zeit sagte ich mir: »Bei Vergewaltigung geht es um Macht, nicht um Sexualität«, bis ich nicht mehr wußte, was die Worte eigentlich bedeuteten.

Wenn überhaupt, dann denke ich, daß die körperlichen Schmerzen hilfreich sind, weil es einem etwas gibt, an dem man sich festhalten kann. Was kann man sonst mit dem machen, was einem widerfährt?

Aber eigentlich spielte es keine Rolle, was ich dachte. In meinem Innern formte sich etwas, etwas Hartes und Scharfes, das seine eigene Existenz hatte, aber in mir lebte. Es fing an, als ich die Mauern von Denning betrat, obwohl ich es da noch nicht bemerkte. Es war zu subtil. Die Vergewaltigung war es, die es nährte. Wie eine Frau, die behauptet, sie fühle den Augenblick, wenn sie ein Kind empfängt, der erste Schock des Lebens, das in ihr entsteht, fühlte ich in dem Moment, in dem der erste sich zurückzog, dieses Etwas in mir beginnen. Dieses Etwas in mir war ein Science-fiction-Monster. Es fraß Ultraviolett.

Bevor mein zweiter Tag in Denning zu Ende ging, erfuhr ich, wer Ralph Mandell war. Er hatte Sammy Shay bei meiner Ankunft geschickt, um herauszufinden, ob ich in sein Schema hineinpassen würde. Am Tag nach dem Vorfall in der Metallwerkstatt kam Sammy, um mich abzuholen. Ralphs Zelle war die letzte in der obersten Etage, am weitesten vom Tisch des Beamten entfernt. Er verbrachte die meiste Zeit des Tages in der oberen rechten Ecke des Blocks, wo er sich über die Rückenlehne eines Stuhls, der direkt am Geländer stand, lehnte, so daß er jede noch so kleine Bewegung in seinem Königreich beobachten konnte.

Ralph war ein großer Mann mit rötlichem Haar und einem Schnurrbart. Ich schätzte ihn auf Mitte Dreißig. Er arbeitete jeden Tag mehrere Stunden im Kraftraum an seinem Körper. Er trug seine Muskeln wie einen Körperpanzer, der Kriegsherr des normalen Vollzugs. Wenn er sich bewegte – eingeklammert von seinen Armen, schwerfällig, und einen Fuß sorgfältig seitlich vor den anderen setzte –, war man sich des Gewichts, das er an seinen Körper gehängt hatte, bewußt. Er trug seine Körperfülle mit sich herum wie ein fremdartiges Ding. Sein breiter Nacken, seine muskulösen Schultern und die Brust waren der Behälter, in dem etwas Leichtes und Ängstliches lebte. Können Sie sich einen Mann vorstellen, der in seinem eigenen Körper verloren ist, unter Muskeln begraben, von Wildheit erstickt?

Seine Augen waren schmal und standen dicht beieinander, so daß er oft aussah, als würde er starren, als wäre er verwirrt, weil er die Situation nicht richtig fokussieren könnte. Ralph glaubte fest daran, daß die Welt, wenn sie nicht absichtlich von irgend jemandem durcheinandergebracht wurde, die Neigung hatte, zu seinem Nutzen zu arbeiten. Unterhielt er sich mit jemandem und erschien dieser verwirrte, verärgerte Ausdruck auf seinem Gesicht, war das ein gefährliches Zeichen, weil es hieß, daß man ihn darauf gebracht hatte, daß die Dinge nicht so liefen, wie sie laufen sollten. Wenn man sein Gesicht sah, wie es sich in einem solchen Moment verwandelte, sah man einen Mann, der gegen die Dunkelheit ankämpft. Die Welt war ein kippendes, sich öffnendes Durcheinander. Als meine eigene Angst verschwand und ich allmählich begriff, erhaschte ich bei diesen Gelegenheiten einen flüchtigen Blick auf die Panik in Ralphs kleinen Augen.

Aber es war hart, Ralphs Schwäche zu sehen, wo seine Stärke doch so offensichtlich war. Widerstand machte ihn wütend, und dann bogen sich seine Finger bis zu den Handgelenken zurück, und seine Unterarme breiteten sich wie Keile von Muskeln fächerförmig aus. Dann war er erfüllt von moralischer Empörung. Wenn er es mit Verstößen gegen seine natürliche Ordnung zu tun hatte, war Ralph absolut unbarmherzig. Er verlor die Tatsache, daß der Körper, mit dem er es zu tun hatte, ein menschlicher Körper war, nicht aus den Augen, aber er ließ sich von dem, was das bedeutete, nicht belasten. Kurz nachdem ich eingeliefert worden war, erzählte man mir, daß er für den Mord an einem Insassen verantwortlich war, den man mit abgeschnittenem Kopf gefunden hatte. Sie waren stolz auf ihn. Ein Lokalmatador. Ich bin sicher, daß Ralph einer solchen Tat fähig war. Es war seine Art: schockierend, brutal, extravagant.

Ralph Mandell war mein Herrscher. Bei dieser ersten Gelegenheit hing Ralph träge an dem Sims über seiner Zellentür, zusammengesackt auf seinen Füßen und die Hände schräg hinter dem Kopf, nutzte er sein Körpergewicht, um die Armmuskulatur zu dehnen. Die Unterseite seiner Arme war weich und weiß wie die Beine eines Kindes.

»Und, Lehrer?« sagte Ralph.

»Wir sollten ihn ›Mister Cody‹ nennen«, feixte Eric McKenna, sein Stellvertreter. Eric war etwa Mitte Zwanzig. Anstalten hatten ihn geformt, und er agierte mit der schnellen, intuitiven Gerissenheit eines Mannes, der sich in seiner natürlichen Umgebung bewegt. Mit seinem kurzgeschnittenen, blonden Haar und seiner blassen Haut wirkte er farblos, als wäre er noch nie in der Sonne gewesen.

»Cody ist schon in Ordnung«, beteuerte ich.

Ich wußte nicht, wie ich mit ihnen reden sollte. Ich brauchte ein Jahr, um die subtile Diplomatie zu begreifen, die diese Männer auf dem Schulhof gelernt hatten. Die Art, wie man steht, der Klang der Stimme, wo man hinschaut: Man wandert über einen schmalen Grat zwischen Konfrontation und Feigheit.

Ralph zog sich hoch und grunzte. Er atmete langsam zwischen geschürzten Lippen aus. »Ich nenn dich, wie ich will«, sagte er. »Ich hab hier das Sagen.«

Ich antwortete: »Hab ich schon gehört.«

»Wer hat dir das erzählt?« fragte Eric schnell. Er machte einen Schritt auf mich zu.

»Jeder weiß das.«

»Ja, aber wer hat es dir erzählt?« wollte er wissen.

»Ich glaube, einer in der Metallwerkstatt. Ich kenne ihn nicht.«

Ralph ließ seine Hände nach unten schweben. Er streckte sie vor sich aus. »Wir mögen keine Ratten«, meinte er.

»Ich werde euch keine Schwierigkeiten machen«, versicherte ich ihnen.

Sie starrten mich an, Ralph mit seinen kleinen, wütenden Augen, Eric scharf und kalt hinter den dicken Gläsern seiner Nickelbrille. Ralph drehte sich um, um zu sehen, wie Eric reagierte, und Eric nickte zustimmend als Antwort auf eine Frage, die sie vorher diskutiert hatten.

»Wir möchten, daß du uns was besorgst«, sagte Eric.

»Klar«, antwortete ich. »Würde mich glücklich schätzen.« Ich dachte, sie wollten, daß ich für sie einen Botengang erledigte. Ich war erleichtert. Ich war dankbar, daß sie mir die Gelegenheit gaben, ihnen nützlich zu sein. »Wo ist es?«

»Es ist ein kleines Päckchen, das ein Besucher reinbringt.«

»Was für ein Päckchen?« fragte ich begriffsstutzig.

»Ein kleines Päckchen mit gutem Stoff. Ein bißchen für dich, ein bißchen für uns.«

»Ich nehme keine Drogen.«

»Wenn du nichts damit anfangen kannst, verkaufen wir's für dich.«

»Ich weiß nicht.«

»Es wäre wie eine Partnerschaft«, erklärte Eric mir. »Einer von unseren Leuten draußen liefert die Waren an einen von deinen Leuten da draußen.«

»Meine Leute? Wen meint ihr?«

»Irgend jemanden.« Eric zuckte die Schultern. »Egal, wen.«

Ralph beobachtete ihn, wie er mir die Sache erklärte und mich schrittweise dorthinbrachte, wo er mich haben wollte. Es war eine Förderklasse. Ralph nickte, wenn ich einen Punkt verstanden hatte, und Eric konnte zum nächsten Punkt kommen.

»Ich habe da draußen niemanden«, sagte ich.

»Dann wird derjenige, wenn er dich besucht, es dir im Besucherzimmer überreichen. Du mußt es schlucken, weil das der einzige Weg ist, es durch die Leibesvisitation vor dem Besucherzimmer zu bekommen.«

»Und am nächsten Tag«, unterbrach Ralph ihn, »bist du die Gans, die goldene Eier legt.«

Das Bild gefiel Ralph. Er konnte nicht anders, er mußte einen kurzen Blick auf Eric werfen, sehen, ob es ihm gefiel, obwohl er es bestimmt schon öfter gehört hatte.

»Ich möchte nichts mit Drogen zu tun haben«, sagte ich.

»Du mußt ein bißchen was geben, um ein bißchen was zu bekommen. Wir möchten, daß du das für uns tust«, sagte Eric.

Ich wollte gehen, aber Ralph packte mich von hinten am Nacken und zerrte mich zu ihnen zurück. Er keilte mir den Kopf am unteren Ende des Geländers ein und drückte mir mit dem Fuß die Gurgel zu. Eric beugte sich vor, um mich von oben bis unten zu mustern. Ich konnte nicht atmen.

»Ich will den Namen der Person, die den Stoff reinbringen wird.«

Ich hätte kämpfen können. Ich hätte Ralphs Bein packen können. Aber ich hatte Angst, wenn er noch stärker zutreten würde, könnte etwas in meiner Kehle kaputtgehen. Ralph lockerte den Druck in dem Moment, in dem ich anfing, ohnmächtig zu werden.

»Nenn uns einen Namen«, sagte Eric. Ich sah, wie er einen raschen Blick den Flur hinunter warf, aber sein Gesichtsausdruck sagte mir, daß ich nicht mit Hilfe rechnen konnte.

Ich hatte Mühe, die Worte herauszubekommen. »Keine Besucher.«

»Jeder hat jemanden«, sagte Ralph.

»Ich habe niemanden.«

»Sag mir einfach einen Namen, auf den du dein Leben verwetten würdest.«

»Nach dem, was ich getan habe, habe ich niemanden.«

»Was ist mit deiner Mutter? Oder deinem Vater?« schlug Ralph vor.

»Die sind tot.«

»Brüder und Schwestern?«

»Hab ich keine.«

»Hör zu, Danny«, sagte Ralph. Er nahm den Fuß von meinem Hals und hockte sich neben mich. Er hätte mein Footballtrainer auf der Highschool sein können. »Du wirst einen Namen rausrücken müssen. Andernfalls … passieren schlimme Dinge. Du weißt schon.«

Am nächsten Tag bekam ich einen Brief von meiner Schwester. Ich hatte sie zwei Jahre nicht gesehen. Sie war nicht mal zur Verhandlung gekommen. Sie schrieb mir, um mir zu sagen, daß sie mir beistehen würde. Sie hatte zu Gott gefunden. Sie würde mich besuchen. Ich weiß nicht, warum sie mir ausgerechnet jetzt schrieb. Ich schrieb ihr, sie sollte so tun, als wäre ich tot.

Ein gejagtes Tier kann davonlaufen. Im Gefängnis kann man nur im Kreis laufen. Es gibt keinen Ort, wo man sich verstecken kann, weil Gefängnisse so gebaut sind. Jede Minute jeden Tages wissen sie genau, wo du bist. Ich versuchte, mich von den Duschen fernzuhalten und mich so oft wie möglich in der Halle in der Nähe des Beamten aufzuhalten, aber ich wußte, es war nur eine Frage der Zeit.

Man konnte nicht wissen, wer es sein würde. Der Job war nicht so wichtig, daß sich Ralph selbst darum gekümmert hätte. Einen Niemand wie mich seiner Bestrafung zu unterwerfen, hätte an seinem Status gekratzt. Er schickte jemanden, der seine Schulden nicht bezahlen konnte, jemanden, der genauso bedroht wurde und genausoviel Angst hatte wie ich. Auch für ihn war es eine Frage des Überlebens. Er oder ich.

Drei Tage lang durchlebte ich die Hölle. Ich war allein. Ich traute keinem. Ich dachte, jeder, der ein Gespräch mit mir anfing, würde mich zusammenschlagen, weil er Sex wollte oder einfach nur, um mich zu verprügeln. Nach der Einschließung um zehn war die einzig sichere Zeit. Aber nachts konnte ich nicht schlafen, weil ich an den nächsten Tag denken mußte. Die Tage hatten ihre kritischen Punkte, Zeiten und Orte, wo ich aus dem Hinterhalt überfallen oder inmitten einer großen Menschenmenge niedergestochen werden konnte, oder auch wenn ich irgendwo allein war, wo mich kein Beamter sehen konnte. In der Nacht lag ich wach und überlegte, ob und wie ich diese einzelnen, kritischen Punkte umgehen konnte.

Im Speisesaal standen die Beamten an der hinteren Wand und

beobachteten, wie die Insassen zum Essen gingen, sie waren zu weit weg, um einzugreifen, wenn irgendwo ein Handgemenge entstand, oder um mitzubekommen, wenn jemand mit seinem Tablett in einer Hand vorbeiging und eine selbstgebastelte Stichwaffe in den Rücken eines Insassen stieß, der über seine Cornflakes gebeugt dasaß. In der Metallwerkstatt gingen Männer umher. Leute, die man noch nie gesehen hatte, kamen auf dem ein oder anderen Botengang an einem vorbei; der Raum war voller Sackgassen, blinden Flecken und dunklen Ecken. Dann waren da noch die Duschen, die um jeden Preis vermieden werden mußten. Die Beamten gingen nie hinein. Eine professionelle Gefälligkeit. Das war der Ort, wo Männer es miteinander trieben. Dort konnte man eine Stunde lang gequält werden, ohne daß es jemand mitbekam. Ralph verschwand im feuchten Dunst der Duschen. Es war seine natürliche Umgebung. Er machte so viel Dampf, bis es unmöglich war, mehr als einen halben Meter weit zu sehen, und blieb nach einer Runde im Kraftraum stundenlang darin sitzen. Das Zischen des Wassers, das durch die Düsen gepreßt wurde, und das Platschen des Wasserstrahls auf den Fliesen übertönte alle anderen Geräusche. Niemand sprach über die Duschen.

Sie erwischten mich an einem Nachmittag im Übungshof. Ein paar Typen warfen einen Football herum. Kein richtiges Spiel, sie warfen nur den Ball hin und her. Manchmal lief einer los, wenn er sich danach fühlte, und der Mann, der den Ball warf, führte ihn ein bißchen. Ich stand abseits und schaute ihnen zu, fühlte mich sehr auffällig. Ich wußte, daß der Wärter im Turm mich sehen konnte. Einer der Typen rief: »Hey!« und warf mir den Ball zu. Ich fing ihn. Es wirkte ziemlich harmlos. Eigentlich war ich kindisch dankbar, daß man mich mit einbezog.

Ich warf den Ball zurück. Er flog in hohem Bogen in einem engen Spiralwurf zu dem Mann, der am weitesten von mir weg stand, und ich fühlte mich gut, daß ich meinen Fang nicht verloren hatte. Sie warfen sich den Ball wieder gegenseitig zu, ohne mich noch einmal in das Spiel einzubeziehen – ich sehnte mich nach dem Ball. Irgendwann warf der gleiche Typ ihn mir wieder zu. Ich mußte mich ein bißchen zur Seite bewegen, um ihn zu fangen. Ich warf ihn zurück, in einer ebenso engen Spirale. Als ich das sah, hatte ich das Gefühl, sie würden mich mehr in das Spiel hineinlassen. Und so war es. Diesmal kam der Ball schneller zu mir zurück, aber schlecht geworfen, und ich mußte ganz schön laufen, um ihn zu fangen. Meine Wachsamkeit war dahin. Ich rief ihnen zu, zeigte, »Hey, hierher!«, aber die Pässe schienen alle ein bißchen daneben, in verschiedene Richtungen. Ich hegte keinen Verdacht. Ich hielt nicht inne, um mich zu fragen, ob sie mich nicht vielleicht in eine bestimmte Position hineinmanövrierten. Aus ihrer Warte muß ich sehr eifrig ausgesehen haben, ein leichtes Opfer.

Er warf mir den Ball wieder zu. Ich lief mit ausgestreckten Armen rückwärts nach rechts, um den Ball zu fangen. Ich bereitete mich auf einen Sprung vor. Ich dachte, dieser neue Mann, der von der Seite kam und bislang nicht an dem Spiel teilgenommen hatte, wollte sich auch den Ball schnappen, und ich wollte nicht, daß er ihn bekam. In der Highschool war ich Außenstürmer – wenn er den Wurf machen wollte, ich scheute den sportlichen Wettkampf nicht. Ich sagte zu mir selbst: Nein, der da ist meiner. Ich schätze, ich wollte mich ein bißchen aufspielen.

Aber er streckte seine Hände nicht nach dem Ball aus. Er hielt sie seitlich am Körper, und erst im allerletzten Moment, als ich mich eben auf den Sprung vorbereitete, sah ich seine Hand mit der Stichwaffe unter dem Hemd hervorkommen. Als er versuchte, sie mir in den Bauch zu stoßen, drehte ich mich um, und er stürzte an mir vorbei und schlitzte mir das Hemd auf.

Ich landete auf dem Boden. Die Zeit schien stillzustehen. Wir bewegten uns in Zeitlupe. Der Ball flog über uns hinweg. Meine Füße trafen auf dem Beton auf. Er gewann sein Gleichgewicht wieder und zentrierte seinen Körper für einen zweiten Stoß. Ich versuchte verzweifelt, die Hände runterzunehmen, wie in einem dieser Alpträume, wo man laufen muß, sich aber nicht von der Stelle bewegen kann. Ich sah, wie er den Ellenbogen für einen zweiten Versuch nach hinten zog, und wollte zuerst meine rechte Hand runterholen. Die Stichwaffe stieß nach vorn, um mir das Gesicht aufzuschlitzen, und ich konnte meine Füße nicht bewegen, obwohl ich wußte, daß ich es mußte, aber ich war gerade gelandet, und es war kein Schwung in ihnen. Ich hob die Hand und blockte die Stichwaffe ab, lenkte sie von meinem Gesicht ab, und dann spürte ich, wie der Schwung in meine Füße zurückkehrte, und ich trat ihm gegen das Knie. Er stürzte. Wir waren in die normale Zeit zurückgekehrt. Ich konnte mein Ziel sorgfältig auswählen. Ich trat ihm, so fest ich konnte, mitten ins Gesicht. Nichts Persönliches, nur, um zu überleben. Jemand packte mich von hinten und zog mich weg, bevor ich ihm noch mehr antun konnte.

Zwei Beamte brachten mich ins Krankenzimmer. Ich hatte den Schnitt an meiner Hand nicht gespürt. Erst als wir im Hauptkorridor waren, bemerkte ich, daß jede Menge Blut vorn über meine Hose gelaufen war. Als ich die Hand öffnete, sah ich, daß die Haut quer über die Handfläche aufgeschnitten war.

Eine Krankenschwester kam zur Tür, als wir an der Krankenstation klingelten. Der Sergeant schob die Tür auf, und sie kam auf uns zu.

»Zeigen Sie mal her«, sagte sie und nahm meine Hand in ihre Hände. »Ich bin die Krankenschwester. Ich heiße Carol Ambrosino.«

Ich wußte, daß sie genauso neu war wie ich, weil die Angestellten im Gefängnis es normalerweise nicht wollen, daß man weiß, wie sie heißen, genausowenig wie sie wollen, daß man ein Stück von ihrer Kleidung besitzt oder weiß, wo sie wohnen.

»Der Arzt wird es nähen müssen«, stellte sie fest.

Wir gingen mit ihr in einen Raum, auf dessen Tür »Behandlungszimmer« stand, und sie ließ mich den Arm unter einer Lampe ausstrecken. Nach einer Weile kam sie mit einem Arzt zurück. Er schaute meine Hand an, aber mich schaute er nicht an.

»Die tauchen ihre selbstgebastelten Stichwaffen in Urin, bevor sie sie benutzen«, erklärte der Arzt der Krankenschwester. »Sie glauben, daß es die Wunde infiziert.« Er lachte und zog eine Spritze auf. »Wenn sie auch nur das geringste über Physiologie wüßten, wäre ihnen klar, daß normaler Urin praktisch steril ist!«

Der Arzt redete die ganze Zeit, während die Krankenschwester Dinge für ihn herrichtete. Er schien sie gerne mit ihrem Namen anzusprechen. Bei jeder Gelegenheit fügte er dem, was er zu sagen hatte, »Carol« hinzu. Er sprach mit ihr über die Insassen, als sei sie eine Dame von einem Kreuzfahrtschiff, die mit dem Hubschrauber an die Küste geflogen kommt, um sich die Einheimischen anzusehen. Sie tunkte einen Wattebausch in eine antiseptische Flüssigkeit und drückte ihn aus.

»Das wird jetzt ein bißchen weh tun«, sagte sie.

Ich hatte nicht erwartet, daß sie mich ansehen würde, aber sie tat es.

»Sie machen diese Dinger aus allem möglichen. Sie wären entzückt darüber, wie erfinderisch sie sind«, sagte der Arzt. »Sie sind nicht unintelligent, wenigstens einige. Geben Sie bloß acht, daß Sie sie nicht unterschätzen, Carol. Andernfalls nutzen sie es nur aus.«

Sie schaute mich an, als wollte sie sehen, ob ich eine Art Aborigine wäre, und unsere Blicke begegneten sich. Der Arzt plapperte weiter. Carol schaute mir in die Augen, um zu sehen, was für eine Art von Ding ich war. Ich lächelte sie an, und sie schaute weg.

Zuerst säuberte sie meine Handfläche um die Verletzung herum. Ich glaube, sie war besorgt, wie ich reagieren würde, wenn sie mich mit dem Antiseptikum berühren und es in der Wunde brennen würde. Sie tupfte fest an die Kanten, ließ das Antiseptikum in die Wunde laufen und schaute mir wieder ins Gesicht. Ich wette, sie war neugierig. Von Angesicht zu Angesicht mit einem Mörder. »Er saß mir so nah gegenüber, wie ich dir jetzt bin.« Tischgespräch. Glaubte sie, in die Augen eines Tigers zu sehen? Eines rohen Biests. Ich ließ sie in mich hineinschauen.

Die ganze Zeit in Denning hatte ich die Augen niedergeschlagen, und jetzt hob ich sie ihr entgegen.

Baruk war der Beamte, der an der Wand lehnte, mit einem Zahnstocher zwischen den Lippen spielte und die ganze Szene in sich aufnahm. Er wirkte träge, aber das war seine Art. Er beobachtete alles, außer den Arzt. Alle hätten es vorgezogen, wenn der Arzt endlich still gewesen wäre, aber wir konnten es ihm nicht sagen, am wenigsten ich.

»Sie schärfen die Antennen ihrer Fernseher oder den Knopf für die Sender.«

Carol wusch den Schnitt aus und trocknete meine Hand ab. Der Arzt ließ mich eine Faust machen.

»Er hat Glück, die Sehnen sind unverletzt.«

Er injizierte ein Betäubungsmittel in meine Hand, aber er hatte es eilig und wartete nicht ab, bis es wirkte. Ich fühlte, wie der Schmerz sich zurückzog. Das Ding, in das ich mich verwandelte, bewohnte meinen Körper und schaute gleichgültig zu, was mit ihm geschah.

Als er mit dem Nähen fertig war, streckte er sich und besah sich seine Handarbeit. Dann stand er, ohne ein Wort zu mir zu sagen, auf und verließ den Raum, überließ es Carol, den Verband anzulegen. Baruk stieß sich von der Wand ab. Er nickte in Richtung meiner Hand.

»Möchten Sie in eine Absonderungszelle?« fragte er.

Ich war erst zwei Wochen in Denning, aber ich wußte, daß ein Lebenslanger nicht in Schutzhaft mit Kindermördern, Betrügern und Ratten gehen konnte. Wenn man einmal in Absonderung war, würde einem niemals wieder jemand trauen. Und früher oder später würde man – aus der Laune von irgend jemandem heraus oder durch einen Fehler in der Verwaltung – doch wieder zurück zur Allgemeinheit kommen.

»Ich kann ein Gesuch schreiben, wenn Sie möchten«, sagte Baruk. »Wenn Sie darum ersuchen ... Die Umstände sprechen dafür, daß man's Ihnen gewährt.«

Die Krankenschwester klebte den Verband an meiner Hand

fest. In ihrer Gegenwart hätte Baruk mich genausogut fragen können: »Möchten Sie ein Feigling sein?«

»Vergessen Sie's«, antwortete ich. »Ich will nicht.«

»Dann kommen Sie in den Hochsicherheitstrakt«, erwiderte er.

Er wartete auf meinen Widerspruch, aber ich wußte nicht genug über den Hochsicherheitstrakt, um mich zu streiten.

»Klar, er hat Sie angegriffen, aber Sie hätten ihm nicht ins Gesicht treten müssen.« Er wartete wieder ab. Dann zuckte er, in Carols Richtung blickend, die Schultern. »Sie werden also ein bißchen Zeit im Hochsicherheitstrakt, Block eins verbringen müssen. Wenn Sie sich klug anstellen, können Sie dort in ein paar Wochen wieder rauskommen und zurück in den normalen Vollzug.«

Der Hochsicherheitstrakt war eine Welt für sich. Die Leute dachten, es wäre der äußere Kreis der Hölle, nur einen Schritt von Block S und den blauen Räumen entfernt. Aber als Baruk mir sagte, ich würde dorthinkommen, war ich glücklich, weil es mich dem unmittelbaren Zugriff von Ralph Mandell entzog.

Heutzutage redet man sehr viel über Opfer. Viele Ihrer Berichte handeln von Menschen, denen ohne eigene Schuld etwas Schreckliches widerfahren ist. Ich tue Ihnen gegenüber nicht so, als wäre ich ein guter Mensch. Ich hätte nicht vier Jahre im Gefängnis überleben können, wenn ich ein guter Mensch wäre. Ich habe zuviel gesehen und zuviel getan, um mir ein Bewußtsein zu erhalten, das vollkommen rein ist. Im Gefängnis muß man sich von Dingen, die man sieht, abwenden, um zurechtzukommen. Man wird in Situationen hineingezwungen, wo es nur noch darauf hinausläuft, ob man selbst oder der andere Typ überlebt. Aber ich bin auch kein schlechter Mensch. Egal, was ich getan habe, ich mußte es tun, um zu überleben. Ich bin nicht schlechter als ein Tier, das in der Wildnis lebt und töten muß, um zu überleben. Wir verdammen es dafür nicht.

Ich entschuldige mich nicht. Ich suche nicht nach Rechtfertigung. Ich erwarte nicht, daß jemand, der das hier hört, eine

Spendensammlung anleiert, um meine Berufungsverhandlung zu bezahlen. Dafür ist es zu spät. Alles, was ich möchte, ist, daß jemand versteht, was ich durchgemacht habe, um meine Seele am Leben zu erhalten.

Der Geisel ist kein Haar gekrümmt worden. Und das wird auch nicht passieren. Das schwöre ich beim Grab meiner Mutter.

KAPITEL
zwei

Liebe Sandy,
ja, ich bin immer noch »auf freiem Fuß«. Als Sie diesen Begriff heute abend in Ihrem Bericht benutzten, klang er sehr romantisch! Aber es ist kein besonders tolles Leben, wirklich: Jeden Tag von einem Ort zum nächsten ziehen, jedesmal mit einem anderen Auto, ständig in der Luft hängen, alles provisorisch. Es ist eine andere Art von Gefängnis. Das Essen ist nicht sehr viel besser. Viel mehr kann ich aus naheliegenden Gründen nicht darüber sagen.

Es verschaffte mir eine große Portion Befriedigung, zu hören, wie Sie in Ihrer Sendung meinen Brief vorlasen. Ich weiß, daß Sie ihn erst der Bundespolizei zeigen mußten, bevor er auf Sendung ging. Das verstehe ich. Aber ich bin enttäuscht über das, was ausgelassen wurde – die Teile, die Sie als »kaum verschleierte Bitten um Mitleid« bezeichneten. Ich bitte um gar nichts! Ich dachte, das hätte ich deutlich gemacht. Kein Mitleid, kein Mitgefühl, keine Rechtfertigung, kein Pardon. Nur einfaches, schlichtes Verständnis. Ich bitte Sie nicht darum, Stellung zu beziehen. Sie müssen sich nicht für eine Seite entscheiden, um zu verstehen.

Ich habe, was die alte Frau im Krankenhaus angeht, nicht gelogen. In meinem Brief habe ich alles so niedergeschrieben, wie es mir berichtet wurde. Was hätte ich sonst auch erzählen sollen? Glauben Sie mir, ich war ebenso überrascht wie Sie, als man mir sagte, ich müßte ins Krankenhaus, um meine Mutter zum letzten Mal zu sehen.

Meine Mutter ist seit zehn Jahren tot! Sie verließ meinen Vater, meine Schwester und mich, als ich ein Kind war. Meine Mutter ging ihren eigenen Weg. Schon als sie noch mit uns unter dem gleichen Dach lebte, lebte sie ihr eigenes Leben. Sie bekam nicht viel mit. Es war schwer, ihre Aufmerksamkeit zu erregen. Während sie das Geschirr im Spülbecken abwusch, summte sie leise ein Lied vor sich hin, die Augen auf irgendeinen weit entfernten Punkt gerichtet, und wenn ich mit ihr sprach, schien sie sich mir überrascht zuzuwenden. Eine schöne Frau. Ich kann mich kaum noch an sie erinnern.

Ich habe keine Ahnung, wer die Dame in dem Bett auf der Intensivstation war. Sie kam, wie Sie sagen, aus einem Pflegeheim und hatte keine Angehörigen. Diese Frau kam durch das, was um sie herum geschah, in keiner Weise zu Schaden und kippte einfach um, weil es für sie an der Zeit war zu gehen. Während des Vorfalls lag sie im Koma, und soweit ich weiß, wachte sie nicht einmal daraus auf, als die Waffe losging. Sie beschweren sich über meine Bitte um Mitleid, aber daß Sie so tun, als sei ich irgendwie für den Tod dieser alten Frau verantwortlich, ist nicht fair, Sandy!

Dann ist Wachtmeister Fairburn also gestorben. Das tut mir aufrichtig leid. Ich kannte ihn bis zu diesem Tag gar nicht. Ein Anfänger. Wenn sie vielleicht jemanden mit mehr Erfahrung mitgeschickt hätten, jemanden, der den Job lange genug macht, um nicht darüber nachdenken zu müssen, ob er das Richtige tut, würde er heute noch leben. Der Film, den Sie über die Beerdigung gezeigt haben, war sehr ergreifend und führte einem vor Augen, wie kostbar das Leben ist. Die Beisetzung eines Helden, mit Regimentskameraden am Grab. Er hat das verdient. Ich weiß, daß ich mich jetzt anhöre wie ein Heuchler. Seine Frau sah so jung aus. Ich kann nur hoffen, daß sie mit der Zeit darüber hinwegkommt und wieder jemanden lieben kann. Und der kleine Junge.

Was Janie anbelangt, sind Sie vollkommen auf dem Holzweg. Der Gedanke, ich hätte meine Frau umgebracht, weil sie eine Affäre gehabt hatte, ist krankhaft. Das war auch die Spur, die der Staatsanwalt im Prozeß verfolgte, und Sie sind meiner Ansicht nach ganz schön unter Ihr Niveau gesunken, indem Sie die Geschichte freiheraus einfach wiederholten. Ich habe sie geliebt. Das letzte, was ich in der Welt getan hätte, wäre, Janie das Leben zu nehmen wegen eines so banalen Gefühls wie Eifersucht. Ich liebte sie zärtlich. Ich wollte, daß sie immer leben sollte. Aber sie war eine stolze Frau, und sie wollte die Demütigung, an AIDS zu sterben, nicht ertragen.

Der Grund dafür, daß es keinen Beweis gab, war die Tatsache, daß der Pathologe nicht daran dachte, eine Blutprobe von Janie zu nehmen, um sie auf den HIV-Virus zu untersuchen. Ich habe das nie erwähnt, weil ich zu sehr außer mir war vor Schmerz und mit niemandem über irgend etwas sprach, nicht einmal mit meinem Anwalt. Ich traute niemandem, aus gutem Grund, wie sich herausstellen sollte. Egal, wie tadellos mein Lebenswandel wäre, diese mißlungene Einrede der Unzurechnungsfähigkeit würde ich mein Leben lang nicht wieder abschütteln können.

Ich wußte, daß Janie HIV-positiv war, weil sie es mir gesagt hat. Wir sprachen über die ganze Situation, und das hat mir genügt. Sie fragen, wieso die Verteidigung das Labor, wo sie ihren Test gemacht hat, nicht ausfindig machen konnte? Weil das alles absolut vertraulich ist. Die würden nie ihre Geheimhaltung aufgeben. Was hätten wir tun sollen – jedes Krankenhaus und jedes Labor in New England, das Bluttests durchführt, unter Strafandrohnung vorladen? Janie hat mir nicht gesagt, wo sie ihren Test gemacht hat. Und ich habe sie nicht danach gefragt. Ich habe ihr vertraut. Wenn sie mir gesagt hat, daß sie HIV-positiv war, dann war sie, was mich anbelangte, HIV-positiv, und wir würden, so gut es ging, damit umgehen. Ich half ihr, dieses Leben zu verlassen, so sehr habe ich sie geliebt. Ist das wirklich so schwer zu verstehen?

In den vergangen vier Jahren habe ich jeden Tag den Preis für diese Liebe bezahlt. Ich glaube nicht, daß ich für das, was ich getan habe, hinter Gitter gehöre, aber so ist es. Wenn Sie die Sache so empfinden wie ich, können Sie mir keinen Vorwurf machen, daß ich ausgebrochen bin. Wenn Sie verstehen könnten, was ich in Denning mitmachen mußte, würden Sie mir zustimmen, daß jeder Mann, wenn er gekonnt hätte, dasselbe getan hätte wie ich. Und um zu verstehen, was ich in Denning mitgemacht habe, müßten Sie den Hochsicherheitstrakt, Block eins, verstehen.

Block eins ist ein Kasten, der gebaut wurde, um Männer darin zu verwahren, drei Etagen mit Zellen an einer Wand gegenüber eine Galerie mit Überwachungsspiegeln. Zum Korridor hin haben die Wände dieser Zellen keine Türen, sondern Gitter, so daß man zu jedem beliebigen Zeitpunkt alles beobachten kann. Der Ort ist äußerst psychologisch. Jeder verfolgt die Bewegungen um ihn herum. Man kann nicht ein paar Schritte von einer Seite zur anderen quer durch die Zelle gehen, ohne daß es eine Bedeutung hat. In Block eins ist es unmöglich, Verwicklungen zu vermeiden.

Es ist im wahrsten Sinne des Wortes ein geschlossener Ort. Die Insassen von Block eins gehen nirgendwohin. Sie haben nur sich selbst. Alles, was einer tut, wirkt sich auch auf die anderen aus. Handlungen prallen ab und kommen aus neuen, unerwarteten Richtungen auf einen zurück. Der Ort ist so gefährlich, daß man die Absicht hinter jeder Bewegung sofort verstehen muß, bevor es zu spät ist. Ein Mann erhebt sich langsam von dem Picknicktisch in der Mitte der Zelle; ein Insasse streckt sich, dreht sich, während er sich streckt, herum, um einen Blick auf den ersten zu werfen; die anderen beobachten die beiden, um zu sehen, ob es zwischen ihnen eine Verbindung gibt; sie schauen sich träge um, ob jemand sie bemerkt hat. Jede Handlung wird endlos zurückgeworfen, Spiegel werfen gespiegelte Bilder zurück, bis das ursprüngliche Bild verschwunden ist. All das inmitten endlosen Lärms, und alle Bewegungen laufen sehr schnell ab.

Die Männer im Hochsicherheitstrakt sind mißtrauisch, trotzig und hart. Es sind Unruhestifter, die man von den Insassen, die nur ihre Zeit absitzen wollen, trennen muß. Sie genießen nicht das Privileg zu arbeiten. Sie können nicht in den Speisesaal zum Essen gehen. Sie dürfen nicht in den Übungshof. Sie gehen ein paarmal die Woche in die Turnhalle, wenn die anderen nicht dort sind. Sie können in die Bibliothek gehen. Wenn sie müssen, gehen sie zu ihrem Rechtsbeistand. Sie haben nur sich selbst.

Baruk übergab mich an den diensthabenden Sergeant. Überall auf dem Fußboden war Abfall verstreut. Es war wie ein Käfig in einem Zoo, wo höherentwickelte Wesen Exemplare der menschlichen Rasse besichtigen konnten: das Menschenhaus. In den Ecken lagen Haufen von Bonbonpapieren und Milchkartons, und, willkürlich auf dem Boden verteilt, Fast-Food-Verpackungen aus Styropor, die die Bewohner der oberen Etagen samt der Reste über das Geländer geworfen hatten. Bei einigen Häufchen war es schwer zu sagen, was es mal war, sie hatten die Farbe gewechselt oder waren mit Schimmel überzogen. An die Wand linkerhand hatten sie Gitter geworfen, die früher mal an dem Glas der Überwachungsgalerie befestigt waren. Selbst den Gestank wahrzunehmen hätte einen Statusverlust bedeutet.

Mürrische Männer drehten sich um, um zu sehen, wer ich war. Sie starrten mich mit einer Leidenschaftslosigkeit an, in der keine Möglichkeit des Mitleids zu liegen schien, und folgten mir mit den Augen quer durch den Raum.

Sergeant Lombardi zeigte mir die Zelle, die man mir zugeteilt hatte. Für ihn war es klar, daß ich dort nicht hingehörte.

»Sehen Sie«, sagte er, »sitzen Sie Ihre Zeit ab und gehen Sie zurück in den normalen Vollzug. Lassen Sie sich nicht in das hineinziehen, was hier passiert.«

»Werd ich nicht.«

»Wenn Sie sich wegen eines Jobs melden möchten, werd ich sehen, was ich tun kann, damit Sie schneller rauskommen.«

»Ich möchte nicht auf A sechs zurück«, erklärte ich ihm.

Als ob ich darüber hätte verhandeln können.

Lombardi nickte sarkastisch. »Sie machen hier sauber, und ich werde sehen, was ich tun kann.«

Er drückte mir einen Besen in die Hand. Es gab keine Anweisungen, keine festgeschriebenen Arbeitsstunden oder Erwartungen. Ich schob den Besen mit der gesunden Hand wie einen Schneepflug vor mir her, um den Abfall zusammenzukehren. Die Insassen riefen höhnische Bemerkungen, und einige warfen von oben Abfall in die Ecken, die ich schon gekehrt hatte. Es war mir egal. Die Arbeit hielt mich beschäftigt, und ich war immer gut zu sehen.

Eine Woche lang ertrug ich die Angst und die Schikanen. Jeden wachen Moment hatte ich eine Heidenangst, aber ich wurde nicht verletzt. Ich hätte alles getan, um nicht verletzt und nicht umgebracht zu werden, obwohl mein Leben vollkommen bedeutungslos war. Die anderen Insassen verachteten mich, weil ich arbeitete. Sie bespuckten mich von den oberen Etagen aus. Ich machte es mir zur Aufgabe, den Block sauber zu halten, und sie genossen es, mir einen Strich durch die Rechnung zu machen. Ich redete mir ein, ich wollte etwas leisten, was über das reine Am-Leben-Bleiben hinausging, aber in Wirklichkeit lenkte ich mich nur von der Angst ab, umgebracht zu werden.

Ich hielt stets gut einen Meter Abstand zu den anderen Insassen und ging nur in die Dusche, wenn Randy ging. Randy war an einen Rollstuhl gefesselt, ein Opfer der Drogenkriege in Denning. Seine Gemeinheit ging weit über die normale menschliche Natur hinaus, und ich glaube, sie hatte etwas mit der Kopfverletzung zu tun, die ihn gelähmt hatte. Behindert wie Randy war, legte sich keiner mit ihm an. Vielleicht war es eine perverse und verzweifelte Tapferkeit, die ihn dafür rüstete, großen Männern nachzulaufen, die fest auf ihren beiden Beinen standen, aber in Wirklichkeit ist es sehr viel wahrscheinlicher, daß Randy sich nicht bewußt war, wie sehr er in der Klemme steckte. Das einzige Eingeständnis an seine Behinderung, zu der das Gefängnis bereit war, waren die Beamten, die mit ihm in die Dusche gingen, um die anderen Insassen davon abzuhalten, die Räder des Rollstuhls zu klauen, um aus den Speichen Waffen zu basteln. Während also ein Strom hirnamputierter Macho-Sprüche aus ihm herausströmte, der die Beamten beschäftigt hielt, genoß ich ein paar kostbare Momente in Sicherheit.

Ich weiß nicht, ob Sie sich vorstellen können, wie es ist, sich in einem Badezimmer zu verstecken, während ein Mann mit einem Dachschaden Obszönitäten schreit, ohne einen Freund zu haben, ohne jemanden, auf den Sie zählen können, und zu wissen, daß es nicht einen einzigen Menschen auf der Welt gibt, den es interessiert, ob Sie leben, oder der Sie vermißt, wenn Sie sterben. Und für den Rest Ihres Lebens geht es so weiter. Ich gebe zu, in einem dieser sicheren Momente war ich kurz davor, mich umzubringen. Ich fühlte den stechenden Schmerz des Urins, den jemand am Morgen über mir ausgekippt hatte und der auf meinem Rücken trocknete, und ich glaube, das brachte die Balance zwischen dem Gedanken, mich selbst oder jemand anderen umzubringen, aus dem Gleichgewicht. Die Wut war die ganze Zeit dagewesen. Sie vergrößerte die Angst, weil ich wußte, daß ich sehr kurz davor war, mich gegen Ralph und Nando aufzulehnen, Selbstmord in jedem Fall. Während dieses friedlichen Augenblicks, in dem ich voll bekleidet auf der Toilette saß und den salzigen Stich des Urins auf meiner Haut spürte, tötete ich in gewissem Sinne einen Teil meiner selbst. Ich ließ mich los. Ich ließ die Menschlichkeit davonfließen. Plötzlich fühlte ich mich stärker, weil ich mir keine Sorgen mehr um mich machte.

Nando regierte Block eins. Wenn man ihn anschaute, hatte man nicht das Gefühl, den gefährlichsten Mann in Denning vor sich zu haben. Er war ein kleiner Hispano um die Vierzig, sein Kopf war kahl, glatt und braun wie die Mahagonikugel am Ende des Treppengeländers im Haus meines Großvaters. Er spielte sich nicht auf. Er war – mehr oder weniger – höflich. Er brüllte nicht. Das brauchte er nicht. Ich hörte ihn selten fluchen. Er geilte sich nicht an der rhetorischen Zurschaustellung von Gewalt auf. Er hatte die Direktheit und Schnelligkeit eines Piranjas, der herbeischießt, sich mit seinen winzigen, rasiermesserscharfen Zähnen in den Eingang zu einer deiner Körperhöhlen gräbt und nicht aufhört, bis er sich seinen Weg zu deiner Leber, oder was immer er sich als Ziel gesetzt hat, gebahnt hat. Sein Wille war so stark, daß er alle Zentrifugalkräfte außer

Kraft setzte, die schwächer werdende Tendenz, nach anderen zu greifen. Nando genügte sich selbst, zumindest wirkte er so.

Jeden Abend aß Nando meinen Nachtisch, und ich hatte den Wunsch, ihn umzubringen.

In Block eins gab es nicht viel, um den Tag zu verkürzen. Die Ankunft des Essenswagens war das große Ereignis, und gegen halb sechs waren die meisten Männer im Block eins nach unten gekommen, standen herum und warteten auf den Wagen.

Der Wagen war spät dran, und als er draußen im Korridor angehalten wurde, waren die Männer hungrig und schlecht gelaunt. Der Beamte schloß das Tor auf, damit die Arbeiter ihn hereinrollen konnten. Sofort entstand ein Gerangel um die beste Position. Der Beamte öffnete den Wagen und sagte den Männern, sie sollten sich in einer Reihe aufstellen, aber der Geruch des Essens machte sie unruhig. Sno-Cone, der sich Arme und Augenbrauen rasiert hatte und sein Haar hochgebunden hatte wie eine Frau, schlüpfte zwischen die drängelnden Körper. Randy bellte Schienbeine an und rollte, nach links und rechts fluchend, über die Füße von Männern, um nach vorn durchzukommen.

Nando war nicht in der Menge. Er wartete, lehnte sich über das Geländer im zweiten Stock und beobachtete die Szene: ein Napoleon des Verbrechens, der seinen Schlachtplan ausheckt.

Das Abendessen bestand an diesem Abend aus Mortadella-Sandwiches und gebackenen Bohnen, zum Dessert gab es Schokoladenpudding, und das mochten die meisten. Erst als die Männer mehr oder weniger eine Schlange gebildet hatten, kam Nando gemächlich die Treppe heruntergeschlendert und nahm seinen Platz an der Spitze cin. Niemand kam auf die Idee, sein Recht, dies zu tun, in Frage zu stellen. Es war die Regel. Als nächstes kam ein gewaltiger Schwarzer namens Bentley. Randy rammte sich ziemlich weit vorn in die Hackordnung. Auch Sno-Cone drängelte sich ziemlich weit nach vorn. Ich war der letzte in der Reihe.

Sie denken, ein Mortadella-Sandwich ist genausogut wie das

nächste. Aber Nando mußte über den ganzen Stapel schauen, drehte sogar bei einigen die obere Brotscheibe herum, bevor er sich entscheiden konnte. Er betrachtete die Bohnenpfütze auf seinem Teller und bat den Beamten um mehr. Dann setzte er lässig zwei Schokoladenpuddinge auf sein Tablett.

Sergeant Lombardi sagte: »Es gibt nur einen Schokoladenpudding für jeden Mann.« Er schaute Bentley an. »Sie geben ihm Ihren?«

»Zum Teufel, nein«, antwortete Bentley.

Nando wies mit dem Kopf an das Ende der Schlange. »Er gibt mir seinen.«

Der Beamte schaute mich an. Nando ging mit seinem Tablett davon.

Alles, was ich tun mußte, war, zu nicken. Es hätte auch genügt, einfach wegzusehen. Aber ich wollte diesen Becher Schokoladenpudding. Ich schaute nicht nach vorn. Ich maß mich nicht mit Nando und überlegte mir nicht den besten Zug. Der Preis war mir egal. Ich schüttelte den Kopf. Ich hatte keine Angst mehr. Ich hatte die Freiheit, für einen Becher Schokoladenpudding zu töten.

Der Beamte schaute mich eindringlich an, als hätte ich einen Fehler gemacht und als müßte er mir Gelegenheit geben, es mir anders zu überlegen.

»Hey, Rodriguez«, rief er Nando.

Nando drehte sich um, kam aber nicht zurück zum Essenswagen.

»Er möchte ihn selbst«, sagte Lombardi.

»So?« fragte Nando. Er schaute mich nicht an. »Er kann ihn morgen früh haben.« Er rieb sich seinen Bauch. »Ich geb's ihm als allererstes.«

Die Männer in der Schlange fanden es witzig.

Der Beamte schaute mich wieder an. Ich sah, wie er schluckte. Ich machte nichts. Nando ging zum Tisch, als ginge ihn das alles nichts an.

»Stell ihn zurück, Nando«, sagte er leise. Er kam ihm entgegen; indem er ihn beim Vornamen nannte, betonte er seine Stellung.

Nando setzte sich mitten im Raum an den Tisch. Er schob die Sachen auf seinem Tablett hin und her und schaute nicht auf. Alles an seinen Platz.

»Ich sagte, stell den Pudding zurück, Rodriguez«, sagte der Sergeant lauter und in einem barschen Tonfall.

Nando wandte sich direkt dem Nachtisch zu. Den ersten Becher Schokoladenpudding hatte er in Null Komma nichts geleert. Er schob ihn sich in den Mund wie eine Katze, geschäftsmäßig und methodisch, bis zu dem letzten Rand am Boden des Bechers. Er hielt den Löffel fest und drehte den Becher in der Hand herum. Wir warteten und beobachteten ihn. Einige Männer grinsten.

»Das ist ein Befehl, Rodriguez.« Der Beamte schaute hinauf zu dem Laufgang hinter sich. Er betete vermutlich, daß sein Kollege da oben aufmerksam war. »Stell den Pudding zurück auf den Wagen.«

Was als nächstes passieren würde, war zwangsläufig. Zurückblickend kann ich jetzt sehen, daß ich in diesem Moment eine Art Trichter betrat, wo das Schicksal sich verengt, und ich für den Rest des Lebens diese eine Straße hinuntergehen würde und keine der tausend anderen.

Nando nahm den zweiten Pudding und aß ihn zärtlich, als ob er ihn liebte. Er nahm einen Löffel voll und betrachtete ihn den ganzen Weg zu seinen Lippen. Dann drehte er den Löffel herum, so daß der Pudding auf seiner Zunge landete, und blickte traumverloren ins Nichts, während er den Löffel langsam wieder aus dem Mund zog.

»Hey, laßt uns endlich hier weitermachen«, sagte Randy in seinem Rollstuhl. »Kommt schon. Servieren Sie endlich.«

»Das war's«, sagte Lombardi. »Ich werde Sie aufschreiben.«

Nando explodierte. Ich habe noch nie einen Mann so schnell dermaßen wütend werden sehen. In einer Sekunde noch löffelte er Schokoladenpudding in seinen Mund, im nächsten war er auf den Füßen und schleuderte den Becher mit aller Kraft durch den Raum. Lombardi sprang zur Seite, als der Plastikbehälter neben den Essenswagen knallte.

»Ihr sagt uns: ›Reißt euch am Riemen, wir schaffen euch in den Hochsicherheitstrakt‹,« schrie Nando. »Ihr wollt, daß wir vor euch zu Kreuze kriechen – verdammte Scheiße! Wir machen alles, was ihr sagt, wir tun, wie befohlen – und ihr stoßt es einfach weg!«

»Ich warne Sie, Rodriguez«, sagte Lombardi, aber es war zu spät, die Drohungen nützten nichts mehr.

Nando durchschritt den Raum. Er baute sich direkt vor dem Beamten auf. »Sie wollen mich aufschreiben?« Der Beamte trat einen Schritt zurück, aber Nando rückte nach. »Zum Teufel mit Ihnen!« Ich dachte, er würde ihm eine runterhauen.

»Treten Sie zurück.«

»Ich trete nirgendwohin. Sie wollen mich aufschreiben? Wegen eines lausigen, stinkenden Schokoladenpuddings?«

»Sie haben gehört, was ich gesagt habe. Treten Sie zurück.«

»Ich möchte es aus Ihrem Mund hören.«

Lombardi warf einen schnellen Blick zur Seite, um zu sehen, was der Rest von uns machte. Die Männer am Anfang der Schlange bedienten sich mit Sandwiches – drei für jeden. Die Typen in der Mitte drängelten nach vorn, um auch noch was abzubekommen. Randy brüllte; jemand hatte auf ihm gebackene Bohnen ausgeschüttet. Bentley schob Sno-Cone aus der Reihe und haute rein, als sei es ein Football-Getümmel. Ein Tablett mit Schokoladenpudding fiel zu Boden, und Männer krabbelten auf Händen und Knien hinter den Bechern her, die mit dem Boden nach oben gelandet waren. Randy rammte sich mit seinem Rollstuhl in die Menge, um auch was abzubekommen. Ein Mann wurde von einem Ellenbogen im Gesicht getroffen, und da landete einer den ersten Schlag.

Im Korridor hallten von fern eilige Schritte wider. Der Essenswagen fiel um. Jemand wurde darunter begraben und fing an zu schreien, weil ihn heißes Wasser verbrühte. Ich half ihm nicht. Es war mir egal. Ich beobachtete Nando und wartete auf meine Gelegenheit.

Die Beamten aus dem Korridor kamen alle zugleich an der Tür an. Sie drückten ihre Gesichter gegen die Gitterstäbe, waren ungeduldig, zu uns zu gelangen, während einer von ihnen sich am Schloß zu schaffen machte. Sie brachen durch die Tür und kamen in den Raum gestürmt. Zwei von ihnen packten Nando und rissen ihn von dem Sergeant los. Nando bekam einen Arm frei, und zwei andere packten ihn und bogen ihn langsam hinter seinen Rücken. Sie bekamen seine Beine zu fassen, aber er blieb aufrecht stehen, und sie schafften es nicht, ihn daran zu hindern, sich zu krümmen und sich mit seinem ganzen Körpergewicht gegen sie aufzulehnen. Mit dem Arm, den sie ihm nicht hinter den Rücken gedreht hatten, hatte er einen Beamten im Nacken gepackt. Er verrenkte sich zur einen Seite, dann zur anderen.

Er achtete nicht darauf, die Balance zu halten. Sie hoben ihm ein Bein hoch. Das Gedränge um Nando schob sich leicht nach links. Es verlagerte sich und kam ins Schlingern. Durch die destabilisierenden Stöße aus seinem Innern drehte sich die Ansammlung von Körpern sehr langsam wie ein einziges Ding in zeitlupenähnlichen Zuckungen, kippte und stürzte. Als sie auf dem Boden aufschlugen, fielen sie auseinander. Nando schaffte es, ein Bein zu befreien, und trat auf jedes Körperteil eines Wärters, das er erwischen konnte. Der Rhythmus des Haufens veränderte sich zu einer Serie von Staccato-Bewegungen, als die Wärter den Versuch aufgaben, seine Gliedmaßen festzuhalten, und statt dessen mit den Fäusten auf das Innere des Knäuels einschlugen, wo Nando lag.

Wenn die Insassen nicht mit dem Essen beschäftigt gewesen wären, hätten einige von ihnen die zwei Beamten, die vor ihnen am Rand des Handgemenges standen, zur Seite geschoben. Ich lief um sie herum. Ich sprang auf den Haufen, schlang den Arm um den Hals eines Wärters und zog, bis er freikam. Ich warf ihn zur Seite und stürzte mich auf den nächsten. Ich bekam einen

Arm zu packen, der Schläge in eine Lücke zwischen einem Paar Beine donnern ließ, aber der Beamte schwenkte herum und warf mich mit sich zu Boden. Ich krabbelte zurück auf den Haufen. Ich setzte meine Fäuste wie Hämmer ein, um zu Nando durchzudringen. Jemand hatte mich am Hals gepackt, aber ich kümmerte mich nicht darum. Ich wurde zu Boden geworfen. Und dann waren überall die Stiefel der Beamten. Hände hielten mich und nagelten mich auf dem Betonboden fest, so daß ich mich überhaupt nicht mehr bewegen konnte.

Erst da bemerkte ich, daß ich brüllte. Ich hatte den Kopf zurückgeworfen und ließ es aus mir heraus. Ich weiß nicht, was ich tat. Ich war verloren. Ich war weniger als ein Mensch, grundlos wütend.

Der Block schien voller Beamter zu sein. Ein paar zogen mich auf die Füße. Sie hielten mich vor dem Lieutenant fest, der mich merkwürdig anschaute.

»Wie heißt er?« fragte er. Niemand kannte mich. »Wie heißen Sie?« wiederholte er.

Ich sagte es ihm immer wieder.

Er beugte sich vor, als ob er nur so den richtigen Blickwinkel einnehmen könnte, um in eine dunkle Ecke meines Kopfes zu schauen.

»Cody.« Der Lieutenant wies mit dem Daumen. »Block S«, sagte er.

Dunkelheit ist nicht farblos. Sie ist nicht nichts. Es ist nicht nur die einfache Abwesenheit wie bei absoluter Stille. Ich habe noch nie eine solche grausame Dunkelheit kennengelernt. In Block S sperrten sie mich in einen der blauen Räume. Der Raum war nicht dunkel in dem Sinne, daß dort kein Licht war – das trübe blaue Licht in dem Drahtkäfig hoch oben an der Decke blieb die ganze Zeit an. Aber nach ein paar Tagen fing die unveränderliche, konturlose Umgebung an zu verschwinden. Ich habe noch nie etwas erlebt, was für den Verstand so hart war.

Ein Wärter meinte: »Wenn Sie hier rauskommen, kommen Sie nicht mehr zurück.«

Ich glaube, das war ihre Absicht, aber es ist schwer zu sagen, welche Rolle ein Mensch im größeren Plan der Dinge spielt. Die Menschen denken, sie tun das eine, und die ganze Zeit waren sie Teil eines vollkommen anderen Prozesses, wo ihre Fehler und Fehltritte unentbehrlicher Teil der Handlung waren. Ich bin überzeugt, daß allen Dingen ein höherer Sinn innewohnt, und kann nicht glauben, daß mein Leiden bedeutungslos war. Ich mußte durch Block S gehen, um hierherzukommen.

In den blauen Räumen ist nichts, außer eine Matratze auf dem Boden und eine Stahltoilette; eine vergitterte Tür und davor eine Stahltür mit einem Überwachungsfenster. Es gibt eine Stunde im Übungskäfig, viereinhalb Meter lang, drei Meter breit und drei Meter hoch.

Block S bedeutet Einzelhaft. Sie haben keine Vorstellung von der Einsamkeit, Sandy. Der blaue Raum ist im Vergleich mit Alleinsein das, was der Nordpol für den Winter ist. Es ist etwas Absolutes. Nichts bewegt sich, außer den eigenen Gedanken. Und man denkt und denkt und denkt, bis man Angst hat, daß man verrückt wird. Man möchte schlafen, aber der Geist hat sein eigenes Leben. Er gibt keine Ruhe. Die Gedanken sickern durch Risse in die Taschen der Erinnerung, die man längst verloren geglaubt hat. Man zwingt sich zurück, und es kostet jedesmal mehr Anstrengung. Nach einer Weile geht der Verstand, wohin er will.

Ich ließ mich gehen, ich gebe es zu. Nach ein paar Wochen machten sich sogar die Beamten Sorgen um mich – und in Block S arbeiten harte Jungs.

»Sie sollten mehr essen. Lassen Sie sich nicht so gehen, Cody.«

Morgens sagte jemand irgend so etwas zu mir, und ich dachte den Rest des Tages darüber nach. Obwohl man es nicht wirklich nachdenken nennen kann. Es war mehr wie ein Echo in meinem Kopf. Weit entfernter Nachhall von Gedanken. Aber nicht wirklich wie ein Echo, weil Verzerrungen hineinkrochen. Und es waren nicht unbedingt die Schallwellen, die verbogen wurden: Irgendwie wurde in diesem Prozeß die Bedeutung verzerrt. Sie nahm Nuancen an, die ich nicht ganz begriff, Anspielungen, die vielleicht wichtig waren, und auch wieder nicht. Ich wiederholte den Satz in meinem Kopf und strengte mich an, um die andere Bedeutung zu erfassen, bevor sie davondriftete, aber mein Verstand war nicht schnell genug.

Ich rieb mir das Gesicht mit den Händen, um die Blutzirkulation anzuregen und das Gefühl zurückzuerlangen, daß ich im Hier und Jetzt existierte. Ich saß auf dem Fußboden und schöpfte Wasser aus der Toilette und ließ es mir über die Stirn, die Rinne zwischen den Augenbrauen hindurch und über die Nase laufen, und wenn ich das Wasser aus meinen Augen drückte, fühlte ich, wie substanzlos das Fleisch zwischen meinen Händen und dem Schädelknochen war. Der Schädel war fest. Er hatte Substanz und war genau definiert, während das Gesicht nicht viel mehr war als eine Oberfläche, die sich mit dem Moment bewegte. Ich wußte, daß ich mich an das halten mußte, was hart und dauerhaft war. Ich mußte den harten, dauerhaften Zweck hinter der Erscheinung der Dinge finden und meine Hand darauf legen.

Eines Tages kamen sie nach dem Frühstück früher zu meiner Zelle als gewöhnlich.

»Strecken Sie die Hände aus, Cody«, sagte der Beamte. Ich streckte beide Hände in eine Lücke zwischen zwei Eisenstangen, damit er mir die Handschellen anlegen konnte, aber er sagte: »Nein, Sie gehen nirgendwohin. Strecken Sie die Hände einzeln zwischen die Stangen.« Eine Hand auf jeder Seite der Stange, so kettete er mich an.

»Jemand will Sie sehen.« Er warf einen Blick zur Seite in den schmalen Korridor, der an den Zellen vorbeiführte, und nickte jemandem zu, den ich nicht sehen konnte. »Alles klar, Doc.«

Ein kleiner Mann schob sich vor mich. Er hatte einen Spitzbart und wäßrige Augen.

»Ich bin Doktor Goodman.«

Er war nervös. Er sprach mit leiser Stimme und schaute ununterbrochen auf meine Hände, als ob er sich nicht sicher wäre, wie weit ich damit greifen könnte, wenn ich mich dazu entschließen würde.

»Was für eine Art von Arzt sind Sie denn?« fragte ich ihn.

»Ich bin Psychiater«, antwortete er. Er schaute mir direkt in die Augen, um zu sehen, wie ich reagieren würde.

»Wieso glauben Sie, daß ich einen Psychiater brauche?«

»Ich glaube das nicht.«

»Und was machen Sie dann hier?«

»Ich schaue, ob Sie einen brauchen.«

»Ist das streng logisch, Doktor?«

»Ich denke schon.«

»Ich denke, einer von uns redet ziemlichen Unsinn«, bemerkte ich.

Er lächelte rasch. Es sah aus wie einstudiert. »Lassen Sie uns noch einmal von vorn anfangen, ja?« schlug er vor. »Ich bin Doktor Goodman, und Sie sind Dan Cody.«

Ich glotzte ihn an, als wäre er geisteskrank. »Ich weiß schon, wer ich bin«, meinte ich.

Er versuchte nicht länger, nett zu sein. »Möchten Sie nach Haverford?« fragte er. »Es könnte Ihnen guttun, für eine Weile. Nehmen Sie sich eine Auszeit. Kommen Sie wieder zu sich.«

»Ich war da schon mal.«

»Ja. Ich weiß.«

»Man hat mich dort begutachtet, bevor ich vor Gericht kam. Sie sagten, ich sei nicht psychisch krank.«

»Es könnte Ihnen helfen, wenn man Sie als psychisch krank einordnet, vielleicht würde es Ihnen Ihre Zeit hier« – er streckte die Hand aus und zeigte auf Block S, bevor er merkte, daß er sich umsah wie ein Tourist, – »ein bißchen erleichtern.«

»Ich bin lebenslänglich hier. Lebenslänglich ohne Bewährung.« Ich merkte, daß ich allmählich die Kontrolle verlor.

»Es muß aber doch bestimmt nicht so hart sein, oder?«

»Es gibt für alles einen Grund.«

»Einen Grund, warum Sie nicht genug kooperieren, damit man Sie aus der Arrestzelle herausläßt?«

»Wenn ich hier bin, dann gibt es dafür einen Grund. Ich muß das glauben.«

»Und was ist der Grund?«

»Ich weiß es noch nicht. Vielleicht geht es mich nichts an. Ich weiß nur, daß es einen Grund gibt.«

»Aber man hat es Ihnen nicht erklärt?«

»Das sagte ich doch.«

»Nicht einmal angedeutet?«

»Nicht, daß ich's mitbekommen hätte.«

»Kein besonderes Zeichen?«

Er hatte, sobald er die Frage gestellt hatte, wohl in meinen Augen gesehen, daß er zu weit gegangen war.

»Ich bin nicht paranoid, wenn Sie das meinen.«

Danach ließen sie mich lange Zeit allein.

Wurde ich ein bißchen verrückt? Wahrscheinlich schon. Das passiert schließlich den meisten Menschen in Einzelhaft. Es spielt keine Rolle, wie hart Sie sind oder wie stabil. Sie glauben vielleicht, dazu sind Sie zu ausgeglichen, zu stark, aber Sie können nicht sagen, es passiert Ihnen nicht, bevor Sie nicht dortgewesen sind.

Ich scherte mich nicht um mich selbst. Ich verbrachte sehr viel Zeit damit, darüber nachzudenken, wieso mir dies alles widerfuhr. Um die Zeit totzuschlagen, fing ich an, mit mir selbst zu reden und hin und her zu debattieren. Das beschäftigte mich ziemlich, obwohl ich es immer unter Kontrolle hatte. Ich schätze, letzteres ist nicht ganz richtig.

Ich redete mit Menschen aus meiner Vergangenheit. Ich redete mit Janie, erklärte ihr die Dinge, versuchte, sie dazu zu bringen, sich vorzustellen, wie es geworden wäre, wenn alles anders gelaufen wäre. Ich bekam es irgendwie nicht hin, daß diese Gespräche gut ausgingen. Manchmal erkannte ich sie kaum. Ihre Stimme klang anders, als würde ein Blutsauger oder Racheengel sie imitieren. Sie hörte mir nicht zu. Sie redete einfach weiter, klagte mich mit dieser bellenden Stimme an. Ich versuchte, meine Ohren vor ihr zu verschließen, aber sie war natürlich in meinem Kopf, und es gab keine Möglichkeit, mich zu verstecken. Einsamkeit kann so etwas mit einem Mann machen – mit jedem, im blauen, unwirklichen Licht.

Ich glaube, da fing ich an, mit dem Kopf gegen die Wand zu schlagen. Ich merkte es gar nicht, bis ein Wärter mich darauf hinwies, daß mir Blut seitlich am Gesicht hinunterlief.

»Sie drehen allmählich durch, Cody«, sagte er und schüttelte den Kopf, als hätte ich ihn enttäuscht. »Möchten Sie nach Haverford?«

»Nein«, sagte ich.

»Sie sehen aus, als wären Sie total fertig.«

Er ging den Korridor hinunter davon, und später hörte ich die Schritte von mehr als einer Person in meine Richtung kommen.

»Strecken Sie Ihre Hände durch das Gitter«, wies er mich an.

Ich war mir sicher, daß er nicht allein war, aber sie kamen nicht näher, bis ich gefesselt war.

»Den Kopf näher an das Gitter«, sagte er, nachdem ich festgebunden war, und ich legte den Kopf gegen die Gitterstäbe, so daß meine Nase und beinahe auch meine Augen zwischen den Stäben durchschauten.

Ich muß ausgesehen haben wie ein altmodischer Sträfling von Devil's Island, mein Haar war ziemlich lang, und ein struppiger Bart bedeckte mein halbes Gesicht. Ich weiß nicht, wie schlecht ich roch, weil ich tagein, tagaus mit mir zusammen war und meinen Geruch nicht mehr wahrnahm. Ich ließ meinen Kopf wie benommen hängen, dann schaute ich hoch, weil ich dieses Gefühl von Helligkeit hatte und parfümierte Badeseife roch.

Ich versuche, deutlich zu machen, wie stark sie mich bewegte. Zu sagen, es sei die Krankenschwester, Carol, gewesen, ist nicht ganz richtig. Das Licht war hinter ihr, und ich konnte sie nicht erkennen. Sie war nicht so sehr ein Mensch, als eine Gestalt der Schönheit im Dreck von Block S. Ich hielt sie für eine Halluzination. Obwohl meine Augen offen blieben, hatte ich sie tagelang nicht benutzt.

Sie war in Weiß gekleidet. Ich war geblendet. Sie trug ein

weißes Kleid, weiße Socken und weiße Schuhe mit dicken Sohlen, so daß sie sich geräuschlos bewegte wie eine Erscheinung. Ihr Haar war schwarz. Es glänzte. Es war streng aus dem Gesicht gekämmt und hinter dem Kopf zusammengebunden, so daß dieser Teil von ihr elegant wirkte, wie gemeißelt und mit deutlich abgegrenzten Konturen. Ihre Lippen waren rot von einem zinnoberroten Lippenstift. Weiß und fließend. Schwarz und fest. Hypnotisierend rot.

Ich konnte das Bild nicht scharfstellen. Ich konnte ihr Gesicht nicht sehen. Sie war ein Wesen aus einer anderen Welt, das nach Badeöl und parfümierter Seife roch. Ihr Leben war bezaubernd. Ich konnte sie nie begreifen, ihre Sauberkeit und ihr Aroma.

Als sie mit mir sprach, sah ich nur die Bewegungen ihrer strahlendroten Lippen, die Töne gingen an mir vorbei.

»Ich möchte, daß Sie Ihren Kopf vorstrecken.«

Ich war fasziniert von der Art und Weise, wie die Pigmente ihres Lippenstifts sich bei dem Wort »möchte« in den winzigen Falten verdichteten und dann dünner wurden bis fast zur Transparenz, als ich den Kopf so schräg legte, wie sie es wollte: »Hierhin.«

Die Worte hätten auch Töne auf einem Klavier sein können. Ich hörte sie als reine Klänge ohne Bedeutung. Der animalische Teil meines Gehirns wußte, was sie wollte.

»Ja«, sagte Carol. »Genau so. Und jetzt ein bißchen drehen, so daß ich Sie von der Seite sehen kann.«

Ich dachte, sie würde mich zum Leben zurückbringen. Ich dachte, da, wo sie mich berührte, würde eine warme, erfüllende Welle sich in meinem Körper ausbreiten. Ich hatte Angst, ihr Einfluß würde von mir Besitz ergreifen. Ich hatte Angst, ich würde es zulassen. Alle meine Sinne waren auf die ihr zugewandte Seite meines Kopfes konzentriert. Als sie mich berührte, zuckte ich zurück. Aber sie trug Handschuhe, und auf den chemischen Geruch und die klebrige Oberfläche des Materials war ich nicht gefaßt gewesen.

Carol drückte auf die Augenbraue und den Wangenknochen

und untersuchte vorsichtig die Verletzung. Ich hielt den Kopf für sie ein Stück tiefer und nahm in mir auf, wie sie die Beine ausstreckte. Ich hörte jeden einzelnen Atemzug. Wenn einer zu Ende war, lauschte ich auf das nächste sanfte Seufzen.

Ich sog ihre Wirklichkeit in mich auf wie ein Mann, der fast ertrunken ist und nach oben kommt, die Luft in sich einsaugt. Ich war gierig nach jedem noch so winzigen Aspekt ihrer Existenz. Ich verstaute diese Anblicke und Geräusche in meiner Erinnerung. In ihrer Bluse war eine kleine Falte – keine drei Zentimeter lang –, wo das Bügeleisen morgens den Stoff gezwickt hatte, sie hatte es wohl übersehen und nicht glattgebügelt. Die saubere, klare, scharfe Kante. Der winzige, frische Schatten. Ich hamsterte sie in meiner Erinnerung. Ich trug nur ganz kleine Spuren ab, die niemand bemerken würde. Aber für mich waren sie ein Fest. Ich schlang ihre Wirklichkeit in mich hinein.

Manchmal ist die Wirklichkeit zu stark. Ich war verwirrt. Ich schaute in einen Scheinwerfer und konnte nichts erkennen. Nachdem wochenlang alles nur in meinen Geist hinein und wieder heraus geflossen war, nachdem alles immateriell und unzuverlässig war, war diese reale Frau kostbarer als alles, was ich je besitzen konnte. Ich spürte, wie die Welt ihre Haken in mich hineinschlug, und den heftigen Ruck, als sie mich in sich hineinzog. Ich schrie fast. Ich hatte eine solche Angst. Ich war wie ein Kind, von Scheu ergriffen, überfließend vor Dankbarkeit, umgeben von Gefühlen, die zu stark waren, als daß ich sie hätte verstehen können.

»Wann haben Sie das gemacht?« fragte sie. »Das ist alt.«

»Ich habe es vergessen«, sagte ich. Ich kam mir dumm vor, wußte nichts über mich selbst. Ich wollte ihr erklären: »Das habe ich gemacht, als ich tot war«, aber ich wußte, es würde sich verrückt anhören. »Vielleicht gestern«, murmelte ich. »Man verliert das Gefühl dafür. Vielleicht vor zwei Tagen.«

»Wie lange ist er schon hier drin?« fragte sie den Beamten.

»Ein paar Monate.«

»Es ist zu spät, um es zu nähen. Das nützt jetzt nichts mehr.«

»Ich bin in Ordnung.«

»Sie sollten nicht mit dem Kopf gegen die Wand schlagen«, sagte Carol.

Der Klang ihrer Stimme ließ mich aufschauen. Sie hatte ihren Blick von dem Schnitt an meinem Kopf gelöst und betrachtete mich aufmerksam. Man wird mißtrauisch gegenüber Freundlichkeiten, weil man sich so sehr danach sehnt. Nichts macht Sie im Gefängnis verletzlicher als Hunger. Wir können es einen Kilometer gegen den Wind riechen. Ich sah weg, aber sie schaute mich weiter an.

»Sie kriegen noch einen Dachschaden«, sagte der Beamte. »Wenn Sie nicht schon längst einen haben.«

Ich schaute hoch zu Carol, unsere Blicke begegneten sich. Es dauerte nur eine halbe Sekunde, und sie schaute schnell weg. Insassen gegenüber zeigt man keine Freundlichkeit. »Tiere füttern verboten.« Es macht sie nur noch hungriger. Aber ich nährte mich in diesem Moment für die kommenden Monate.

Ich glaube, bevor Carol kam, hatte ich den Wunsch zu leben aufgegeben. Ich hatte meinen Willen verloren. Ich existierte. Ich trieb rein und raus. Ich hatte meinen Körper aufgegeben und war zu einem Fleck hinter den Augen zusammengeschrumpft. Sehr klein und schwer zu entdecken. Ich glaube, ich verwandelte mich in eines dieser schwarzen Löcher im Universum, die sich selbst verschlingen, bis sie schließlich ganz verschwinden. Im blauen Licht war ich kurz davor, durch mich hindurch auf die andere Seite von mir selbst zu gehen und im Nichts zu verschwinden. Aber Carol holte mich zurück.

Ich hatte es nicht eilig, in den Hochsicherheitstrakt zurückzukehren. Ich wollte nicht wieder zu Freiwild werden. Ich dachte daran, daß Nando dort auf mich wartete. Nando wurde vor mir verlegt. Er wußte, wie er schnell durch Block S hindurchkam, und ich versuchte es nicht einmal. Ich war unkooperativ. Sie behandelten mich wie ein Tier. Ich glaube, ich benahm mich wie ein Tier. Ich versuchte, mir selbst nichts zu bedeuten. Wenn man sich nichts daraus macht, was mit einem geschieht, gibt es nichts, wovor man sich fürchten kann. Ich forderte die Beamten heraus. Einmal holten sie einen Feuerwehrschlauch, drehten ihn voll auf und nagelten mich an die Rückwand der Zelle. Nachdem ich, blind und würgend, ein paar Minuten gegen die nackte Gewalt des Wassers angekämpft hatte, war ich so erschöpft, daß mir nichts anderes übrig blieb, als mich neben der Toilette auf dem Betonfußboden zusammenzurollen, mich in mir selbst zu verkriechen und zu einem Kieselstein in dem zischenden, reißenden Strom zu werden. Dann richteten sie den Wasserstrahl in die Zelle und schwemmten den Dreck weg, in dem ich gelebt hatte; er floß um meinen Ellenbogen herum, an meiner Stirn vorbei und zwischen meinen Fingern hindurch zum Abfluß.

Auch als ich raus wollte, als ich gegenüber den Beamten gutes Benehmen an den Tag legen wollte, rutschte ich in den alten Trotz hinein, und das machte mir angst, weil ich dachte, ich würde übertreiben. Ich entdeckte, daß ich mich nicht mehr vollkommen unter Kontrolle hatte. Etwas in meinem Innern hatte sich verhärtet, war starr geworden.

Ich ging wieder nach draußen in den Übungskäfig, was ich wochenlang verweigert hatte. Das Tageslicht dort hatte eine merkwürdige Färbung. Manche Straßenlampen mit Halogen – die Sorte, die man auf Parkplätzen von Einkaufszentren findet – haben eine orangefarbene Tönung; sie strahlen Licht aus, aber es ist ein unheimliches, unzulängliches Licht. Als ich das erste Mal zum Übungskäfig ging und nach oben in den Himmel schaute, nahm ich etwas Ähnliches wahr; die Welt draußen hatte sich verändert, während ich weg war, obwohl ich nicht erkennen konnte, was fehlte. Da war nur dieser Eindruck von Fremdheit oder das Gefühl, als wäre man unter Wasser.

Im zweiten Käfig von mir aus warf jemand Körbe. Als er sich umdrehte, um einen Rebound zu fangen, sah ich, daß es Nando war. Er mußte mich auch gesehen haben, aber er ließ es sich nicht anmerken und warf noch ein paar Bälle in den Korb. Ich dachte, er hätte mich vielleicht nicht erkannt, weil ich mich sehr verändert hatte. Er ließ den Ball kurz und schnell von seinen Fingerspitzen abprallen, stand, einen Fuß nach vorn gestellt, da und wartete, daß der richtige Moment kam, der richtige Moment, um seinen Wurf zu machen. Aber er ließ den Ball einfach nur weiter vor sich auftippen.

Dann drehte er sich zu mir um. Er schien mich, den Basketball in den Händen, eine ganze Weile anzustarren. »Geh zurück in Block eins«, sagte Nando, »du bist schon viel zu lange hier, du verlierst noch den Verstand.«

Ich wollte sagen: »Ich weiß, was du meinst«, aber er ignorierte mich und wandte sich wieder seinem Ballspiel zu.

Er hatte nicht gesagt: »Geh zurück in Block eins. Du hast versucht, mich totzutreten, während die Wärter mich am Boden festhielten. Ich werde dich umbringen.« Er gab mir einen guten Rat. Er versuchte mir zu helfen. Da wurde mir klar, daß er mich von ganz unten her in dem Haufen vollkommen mißverstanden hatte: Nando dachte, ich hätte ihm helfen wollen. Danach ging ich immer raus in den Übungskäfig, wenn meine Zeit kam, aber Nando war nie dort, und ich fand heraus, daß er in Block eins zurückgekehrt war.

Nachdem ich aufgehört hatte, gegen jede Regel und jede Kontrolle anzukämpfen, die das Gefängnis aufstellte, war es der Verwaltung möglich, auch mich wieder zu verlegen. Für Menschen wie Sie, deren sorgenfreies Leben nie auf einen solchen Level herabgesunken ist, die nie ein auf den bloßen Kern der Existenz reduziertes Leben gelebt haben, ist es schwer zu begreifen, daß diese animalische Existenzweise genauso eine Gewohnheit, genauso natürlich sein kann, wie ins Büro zu gehen.

Sie schnitten mir die Haare und erlaubten mir, mich zu rasieren, bevor ich Block S verließ. Ich weiß nicht, ob ich anders aussah, aber ich hatte mich verändert. Zurück in Block eins, gingen die Insassen mit mir um, als wäre ich nie weggewesen. Ich war ein Neuer, und sie akzeptierten mich – so wie sie jeden im Hochsicherheitstrakt akzeptierten. Lombardi reichte mir den Besen, aber ich hatte keine Lust zu arbeiten. Ich wollte auch nicht bei den kriminellen Aktivitäten der Insassen mitmachen. Das mag aus dem Mund eines zu Lebenslänglich Verurteilten vielleicht merkwürdig klingen, aber ich sah mich selbst immer noch als ehrbaren Menschen. Ich habe meine eigenen Maßstäbe.

Ich war kaum wieder auf der Etage angekommen, da stand schon Sno-Cone an meiner Zellentür und meinte: »Er will dich.«

Während ich die Etage entlangging, hatte ich das Gefühl, von hinter dem Spiegelglas beobachtet zu werden, wo man in jedem meiner Schritte nach Signalen forschte. Nach Monaten in dem blauen Raum war ich das Licht und den vielen Platz um mich herum nicht mehr gewöhnt, und ich fühlte mich durchsichtig. Insassen, die auf ihren Betten lungerten, beobachteten mich, als ich vorbeiging. Ich hatte dort nichts verloren, außer den Chef zu sehen. Ich war mir nicht sicher, was mich am Ende des Gangs erwartete, aber in meinen Schritten lag Leichtigkeit. Meine Furcht war verweht wie Nebel. Ich war aufgegeben worden, aber ich würde mein Leben nicht wegwerfen. Ich bedeutete mir selbst nicht sehr viel, aber ich würde mich nicht benutzen lassen. In einer versteckten Ecke meines Geistes war ich nicht der Meinung, daß es ein dauerhaftes Charakteristikum wäre, am Leben zu sein.

Nando saß auf dem Bett. Er las nicht noch sah er fern noch trainierte er. Er saß einfach da und starrte unverwandt vor sich hin. Er war ein Mann, dessen Verstand unablässig arbeitete, nach neuen Tricks suchte und die alten nach Mängeln durchforstete. Ich dachte, er hätte mich nicht gehört, obwohl ich es hätte besser wissen müssen. Ich schleifte mit den Füßen, aber er gab nicht zu erkennen, ob er mich bemerkt hatte. Er war ganz mit sich selbst beschäftigt, gedrungen und dicht wie Uran, aus dem man Panzerabwehrraketen macht.

Ich wartete draußen auf dem Gang, fühlte mich sehr auffällig, wollte ihn aber nicht stören. Schließlich sagte ich: »Du wolltest mich sehen, Nando?«

Er winkte mich mit einer schnellen, nervösen Geste in dic Zelle. Er gab mir zu verstehen, daß ich mich ihm gegenüber an die Wand stellen solle. Dann starrte er mich eine ganze Weile an, und ich fragte mich, wieviel er wohl sehen konnte. Er hatte nicht viel Zeug in seiner Zelle. Andere Insassen hatten Pin-up-Girls an den Wänden und alle möglichen selbstgebastelten, elektrischen Geräte, die alle an einer Steckdose hingen, aber Nandos Zelle war leer und nicht so vollgestopft wie sein Kopf.

»Ich hab 'nen Job für dich.«

Ich wußte nicht, was ich sagen sollte. Sein Blick nagelte mich an der Wand fest. »Was für ein Job?«

»Was, zum Teufel, hat das denn damit zu tun? Glaubst du, das hier ist ein Interview, oder was?«

»Ich weiß nicht, ob ich ihn machen kann.«

»Nächste Woche bekommst du Besuch.«

»Ich bekommen keinen Besuch.«

»Jetzt schon.« Er schaute mich intensiv an. Links und rechts von seiner Stirn zuckten die Muskeln ein bißchen. Er hatte eine Intensität an sich, die weit über die Sache hinausging. »Nächste Woche bekommst du Besuch von deiner Freundin. Die, von der niemand etwas weiß. Die, für die du deine Frau umgebracht hast.«

»Ich habe keine ...«, wollte ich sagen.

»Ich weiß das!« zischte er. Er konnte sich nur mit Mühe beherrschen, mich nicht anzugreifen. »Du bekommst Besuch, weil ich es so arrangiert habe! Verstanden? Du behandelst die Frau mit Respekt. Okay? Du nutzt die Situation nicht aus.« Er erstickte fast an den Worten. Ich bemerkte, daß er mit dem Schamgefühl eines rätselhaften Glaubensbekenntnisses kämpfte. »Sie gehört zu meiner Familie. Okay? Du tust, was sie sagt. Okay?«

»Okay.«

»Okay. Verpiß dich!«

Zwei Tage später sah ich, wie ein Mann umgebracht wurde. Die Insassen des Hochsicherheitstrakts durften einmal die Woche für zwei Stunden in die Turnhalle. Alle gingen hin, sogar Randy in seinem Rollstuhl, um aus dem Block herauszukommen und sich in einem anderen Raum zu bewegen. Am einen Ende der Halle warf Nando Basketbälle. Ein improvisiertes Spiel war zugange; ich versuchte mitzuspielen, aber es war schwierig, reinzukommen. Die Leute wechselten einfach die Seiten, wenn sie Lust dazu hatten, ohne daß sie es irgend jemandem sagten. Niemand warf den Ball ab; statt dessen hechteten sie alle zum Netz, manchmal scherten sie sich nicht einmal darum, den Ball zwischendurch aufprallen zu lassen. Bentley führte Bodychecks durch, bei wem er gerade Lust hatte, niemand forderte ihn dazu auf. Ich sah Männer, die sich rasch umschauten, wenn sie eigentlich den Ball im Auge behalten sollten. Von einem Mann zum nächsten wurden Blicke gewechselt. Das Spiel ging weiter, aber niemand schrieb den Spielstand auf. Auf dem Feld passierte noch etwas anderes, das ich nicht begriff. Alle warteten, während sie sich bewegten.

Ich erkannte das Zeichen nicht. Plötzlich war das Spiel von einer neuen Aufgeregtheit erfüllt. Alle waren um das Netz herum, sprangen Schulter an Schulter nach Rebounds. Es gab eine Rauferei. Alle, die auf dem Feld waren, waren darin verwickelt. Sie bildeten eine einzige, dichtgedrängte Gruppe unter dem Netz. Der Ball wurde frei und rollte in meine Richtung. Ich hob ihn hoch und lief los. Niemand griff mich an. Ich kam auf die Menge zu. Aus dem Augenwinkel sah ich, daß sie sich gerade aufzulösen begann. Gesichter drehten sich weg. Ich sprang hoch und machte aus dem Sprung heraus meinen Wurf. Keine einzige Hand schoß hoch, um ihn abzublocken. Es war eine vollkommene Flugbahn. Ich sah zu, wie er den Eisenring streifte und ins Netz ging. Er fiel genau hindurch.

Niemand scherte sich darum, ihn zu fangen. Die Typen gingen davon, jeder in eine andere Richtung. Der Ball traf in der Stille laut auf dem Boden auf. Die Männer entfernten sich mit gesenkten Köpfen schnell vom Netz. Der Ball tippte wieder auf. Dann fiel er in eine klebrige Pfütze Blut und rollte auf den Insassen mit durchschnittener Kehle zu.

Am anderen Ende der Turnhalle stand Nando mit dem Ball in

den Händen und schaute über seine Schulter. Dann ließ er den Ball ein paarmal auftippen und konzentrierte sich auf seinen nächsten Wurf.

Die Beamten liefen auf das Spielfeld. Sie telefonierten. Weitere Beamte kamen hinzu und kreisten uns ein, zählten uns ab und ließen uns zurück in Block eins marschieren. Aber sie waren draußen. Sie bewegten sich an den Rändern. Sie sahen das Ergebnis, aber sie wußten nicht, wie es zustande gekommen war. Sie schauten Fernsehen mit abgedrehtem Ton.

Ich wußte nicht, wer der Insasse war. Ein weiteres Opfer des Drogenkrieges. Nando baute seine Stellung aus. Er ließ keine Freischaffenden zu. Das gleiche machte Ralph im normalen Vollzug. Wenn in Denning jemand Drogen wollte, mußten er sie über einen der beiden kaufen. Es ging um die Kontrolle des Marktes. Und ich stellte fest, daß ich ein Teil des Ganzen war.

Der Besuchsraum ist ein großer Saal, an den Wänden hängen Kunstwerke von Insassen, und in einer Vitrine stehen ein paar Modellschiffe und -flugzeuge. In der Mitte wird der Raum von einem langen Tisch in zwei Hälften geteilt. Besucher betreten den Raum auf der einen Seite, Insassen auf der anderen. Es ist ein breiter Tisch, so daß man sich nicht sehr nahe kommt, und eine hölzerne Trennwand läuft unter der Mitte des Tisches bis zum Boden, damit die Leute unter dem Tisch keinen Sex miteinander haben. Die Regel besagt, daß man sich nicht berühren darf, aber die meisten halten auf dem Tisch Händchen. Normalerweise ist auch ein Abschiedskuß erlaubt.

Als der Beamte mich in diesen Raum brachte, sah ich mehrere Besucher, die geduldig vor leeren Stühlen saßen und darauf warteten, daß die Wärter die Insassen brachten.

»Okay, Cody, geh schon«, sagte der Beamte.

Ich schaute die Reihe entlang. Nando hatte gesagt, sie gehöre zu seiner Familie, aber er war dunkelhäutig, und ich konnte niemanden sehen, der ihm ähnelte. Der erste leere Stuhl stand gegenüber einer Südamerikanerin um die Vierzig mit gefärbtem Haar in einer Art Blondton. Als ich zu ihr kam, sah sie zu mir hoch und lächelte. Ich faßte die Rückenlehne des Stuhls an. Ich hatte sogar schon angefangen, ihn herauszuziehen.

Jemand weiter unten am Tisch rief: »Hey, du Spaßmacher!«

Sie stand auf, stemmte die Hände in die Hüften und legte in einer scherzhaften Pose den Kopf schief. Sie sah großartig aus, große, dunkle Augen und ein schön geschnittenes Gesicht, ein großer Mund mit vollen Lippen, die sich in allerlei Andeutungen kräuselten, die ich aber nicht im entferntesten verstand. Ich schätzte sie auf siebenundzwanzig oder achtundzwanzig, aber als ich näher kam, sah ich, daß sie älter war, Anfang Dreißig.

»Du hast schon vergessen, wie ich aussehe?« fragte sie.

Sie redete laut. Sie wollte, daß die Leute ihr zuhörten. Die Männer schauten sie an, sogar die Wärter. Als sie sich setzte, folgten alle Blicke ihrem festen Hintern, wie er auf dem Stuhl landete. Sie wußte das, aber sie tat so, als ob sie sich irgendwie nicht darum scherte. Sie mußte mich mit einer Handbewegung dazu bringen, mich zu setzen.

»So.« Sie legte wieder den Kopf schief und schaute mich an, um sich sozusagen an mein Gesicht zu erinnern. »Also, Danny, wie geht es dir?«

Einen Moment lang war ich verwirrt. Ein Teil von mir war immer noch in Block S. Das merkwürdige blaue Licht war in meinem Kopf, und ich war zwischen den Realitäten gefangen, zwischen sie gefallen. Niemand hatte mich je »Danny« genannt.

»Gut«, sagte ich. »Mir geht's gut.«

Sie lächelte mich an und straffte die Schultern. »Willst du mich nicht fragen, wie es mir geht? Ich bin schon so lange allein ohne dich!« Sie warf die Lippen auf, als wollte sie mich verschlingen.

»Wie geht es dir ...«

»Vera.«

»Wie geht es dir, Vera?«

»Nicht schlecht.«

Sie verlor schnell das Interesse. Ihre Augen wanderten zu der einen Seite, dann zur anderen. Sie warf den Kopf nach hinten und schüttelte ihr Haar auf. Die ganze Zeit schaute sie sich um und beobachtete, wer auf uns achtete.

»Sprich mit mir, Danny«, sagte sie. »Du spielst gerne Basketball? Erzähl mir was über Basketball.«

»Ich weiß nicht viel darüber, wirklich.«

Sie verlor allmählich die Geduld mit mir. »Sieh mal, es ist mir scheißegal, über was wir reden. Rede einfach. Okay? Tu so, als würdest du dich mit deiner Freundin unterhalten. Erzähl mir, was du den ganzen Tag so machst – nein, eigentlich will ich das gar nicht wissen.«

»Ich kann dir erzählen, wie ...«

»Keine Namen!« Sie seufzte verärgert. »Du bist nicht aus der Gegend hier, nicht wahr?« Mir war klar, sie hielt mich für einen Idioten.

»Ich bin ziemlich herumgekommen.«

»Oh. Was hast du gemacht? Bist du LKW gefahren?« Sie inspizierte ihre Fingernägel und versuchte zu erkunden, welcher noch ein bißchen Pflege brauchte. Sie bemerkte nicht, daß ich ihre Frage nicht beantwortet hatte.

»Du bist ziemlich hübsch«, sagte ich zu ihr.

Vera schaute nicht einmal hoch. »Oh, bitte!« sagte sie.

Sie beugte sich vor, um ihre Handtasche vom Boden aufzuheben. Der Wärter am Ende des Raums machte einen Schritt nach vorn. Vera holte eine Nagelfeile aus Pappe raus und wedelte damit in der Luft herum, damit er sie sehen konnte. Sie streckte den kleinen Finger seitlich weg. Es war gleichzeitig sexy und sarkastisch.

Vera gab es auf, so zu tun, als würden wir uns unterhalten, und machte sich an ihren Fingernägeln zu schaffen.

»Daumen sind häßlich, findest du nicht auch?« fragte sie, ohne den Kopf zu heben. »Sie sehen nicht richtig aus. Ich glaube, Daumen sind der häßlichste Teil des Körpers.«

Sie schaute hoch. Sie dachte bestimmt, sie hätte sich mit jemand anderem unterhalten.

»Weißt du«, meinte sie, »du würdest gar nicht so schlecht aussehen, wenn du dich ein bißchen pflegen würdest.« Sie betrachtete mich flüchtig. »Laß dir die Haare schneiden. Trainier ein bißchen. Mach was aus dir. Weißt du?«

»Ich stemme Gewichte«, sagte ich. »Ich habe gerade erst damit angefangen. Ich habe totalen Muskelkater. Ich spüre jeden einzelnen Muskel.«

»Wie spät ist es?« fragte sie.

Hinter mir an der Wand, so daß Vera sie sehr gut hätte sehen können, wenn sie nur den Kopf gehoben hätte, war eine große Uhr.

»Fast halb drei.«

»Magst du Zungenküsse?«

»Ja.«

»Das ist gut.«

Sie stand auf, und ich wollte auch aufstehen.

»Nein«, sagte sie, »du nicht.«

»Ich dachte, du wolltest gehen.«

»Auf die Toilette. Bist du bereit?«

»Ja.«

»Wenn ich zurückkomme, wirst du meine Zunge schlucken. Das ganze Ding.«

Sie blieb nicht lange weg. Als sie zurückkam, lag ein kleines, angespanntes Lächeln auf ihren Lippen. Sie trug einen kurzen, blauen Rock und eine weiße Bluse. Sie sah fast berufsmäßig aus. Sie hätte als Empfangsdame arbeiten können, vielleicht in einer Zahnarztpraxis.

Ich stand auf, um mich ihr entgegenzurecken. Sie legte ihre Handtasche auf den Boden.

Ihre Rolle ein bißchen übertreibend, machte sie ein Gesicht, das soviel sagen sollte wie: »Tut mir leid, ich muß gehen.«

Falls jemand sich die Mühe machte, hinzusehen – ihre Hände lagen gut sichtbar auf dem Tisch, stützten ihren Oberkörper, während sie sich weit vorbeugte, um mich zu küssen. Aber alle Augen im Raum waren auf ihren prallen Körper gerichtet, der sich nach vorn beugte, die Tischkante in Höhe ihres Schritts, ihre Füße kurz davor, unter ihr wegzurutschen, der marineblaue Rock stramm über ihre Pobacken gespannt.

Ich war nicht auf das vorbereitet, was jetzt kam. Ihre Lippen preßten sich auf meine. Der Geruch ihres Make-ups und ihre Nähe erregten mich. Sie war zu schnell. Ihre Zunge schlängelte sich zwischen meine Lippen. Es war eine intelligente Sache. Als sie ihr Gesicht wie leidenschaftlich an meines preßte, öffnete ich meinen Mund. Sie schob das Päckchen nach vorn in ihren Mund; dann bekam sie es mit der Zunge zu fassen und schob es in meinen Mund herüber. Es war groß. Ihre Zunge glitt weit in meinen Mund hinein, und ich dachte, ich müßte würgen. Sie spürte meine Panik. Ich war am Ersticken. Ich öffnete die Augen und sah in ihre, die sich kalt und drohend auf mich richteten.

In dem Moment, in dem sie ihre Lippen von meinen löste, manövrierte ich das Kondom nach hinten in meinen Mund und schluckte schwer.

»Das machst du immer!« Ihre Stimme war laut, sie sah sich um, um die Aufmerksamkeit auf sich zu ziehen.

Das Päckchen steckte hinten in meiner Kehle. Ich unterdrückte ein Husten. Ich dachte, ich würde ersticken. Ich beugte mich über den Tisch und versuchte, nach Luft zu schnappen.

»Immer wenn es für mich Zeit wird zu gehen, wirst du emotional.«

Tief im Innern meines Körpers wuchs ein Krampf, den ich nicht unter Kontrolle hatte, und ich wußte, ich würde mich übergeben. Ich schluckte schwer dagegen an, zwang das Päckchen nach unten, gegen alle Überlebensreflexe, mit denen mein Körper sich dagegen wehrte. Ich schluckte und schluckte, mein Mund war plötzlich voller Speichel und meine Augen voller Tränen.

»Sieht das den Männern nicht ähnlich?« sagte Vera zu den anderen Besuchern.

Ich wollte etwas sagen, meine Rolle in ihrem Script spielen, aber ich bekam kein einziges Wort heraus.

»Solange man da sitzt, haben sie einem nichts zu sagen, und

dann, wenn man gehen will, schnürt es ihnen die Kehle zu.« Sie tätschelte mir die Hand. »Du wirst es überstehen. Grübel nicht soviel. Du grübelst zu viel, Danny. Du weißt, was ich dir sagen will? Leb einen Tag nach dem anderen. Und ich besuch dich in ein paar Wochen wieder.«

Ich war aufgewühlt. Ich blinzelte, um die Tränen aus den Augen zu bekommen, und ließ den Kopf hängen. Langsam bekam ich den Drang, mich zu übergeben, unter Kontrolle. Ich spürte, wie das Kondom hinter meinem Brustbein langsam runter in meinen Magen rutschte. Als ich aufsah, war Vera weg.

Zurück im Hochsicherheitstrakt, lehnte Nando in der obersten Etage am Geländer. Er wandte nicht mal den Kopf um, als ich die Halle betrat. Er schickte Ramon, um mit mir zu reden.

»Wie ging's, Mann?« Ramon sah besorgt aus. »Komm schon, wie ging's?« fragte er ungeduldig. Ich glaube, Ramon hatte mehr Angst vor Nando als alle anderen. »Hattest du einen schönen Besuch?«

»Es war großartig. Kinderspiel. Außer daß ich mich ein bißchen so fühle, als hätte ich mir den Magen verdorben.«

Ramon suchte in meinem Gesicht nach Vergiftungserscheinungen durch ein zerrissenes Kondom. Er legte eine Hand auf meinen Arm, um meine Haut zu fühlen.

»Du verarschst mich«, meinte er unsicher. »Du verarschst mich nur, nicht wahr?«

Der Erfolg machte mich leichtsinnig. »Ich hab's, verdammt noch mal, geschafft«, sagte ich.

Ramon drehte sich um und nickte Nando zu.

»Ich weiß nicht«, meinte Ramon. »Vielleicht solltest du ein paar Maalox oder sonst was nehmen.«

»Pflaumensaft wäre bestimmt besser.«

Als an diesem Abend der Essenswagen kam, holte Ramon mich ganz nach vorn, direkt hinter ihn. Es gab Schokoladenpudding.

Nando wies mit dem Kopf in meine Richtung. »Er bekommt meinen«, erklärte er dem Beamten.

Es war Zahltag, meinetwegen. Ich war ein Held. Ich war der

Kavallerist aus dem Kinofilm, der durch die Indianerlinien ritt, um Nachschub für das Fort zu bringen. Männer, die ich nie zuvor gesehen hatte, grüßten mich in der Turnhalle per Handschlag oder nickten mir in der Halle zu. Ich war der Mann.

Nando bot mir Drogen an. Er wollte mir Geld geben. Er schickte Sno-Cone runter, um mir einen zu blasen. Ich wollte all das nicht.

Zwei Wochen später machte ich es noch mal. Diesmal war das Päckchen sogar noch größer. Der Job wurde durch Übung nicht leichter. Wenn überhaupt, dann war es schwieriger, weil ich mehr Angst hatte, und das schien mir die Kehle zuzuschnüren.

Ein paar Tage vor Veras nächstem Besuch entschied die Verwaltung dann, daß ich nicht länger im Hochsicherheitstrakt bleiben mußte, und verlegte mich wieder in den normalen Vollzug, zurück zu Ralph, Eric und Sergeant Baruk, der mir einen Mop und einen Job gab.

Vielleicht paßte Baruk auf mich auf, obwohl, was das Prestige angeht, der Job, den Block zu putzen, am Ende der Rangleiter stand, etwa so, als wäre man ein Unberührbarer in Indien. Aber er gab mir Sicherheit. Fast alles, was ich machte, tat ich in Sichtweite eines Beamten, außer wenn ich die Duschen putzte.

Ich dachte, ich wäre in Sicherheit. Ich war aus Block S raus. Ich hatte Block eins durchlaufen. Ich hatte den Entschluß gefaßt, mich in meinem Leben im Gefängnis einzurichten. Vera hatte recht: Ich scherte mich nicht darum, wie ich aussah. Aber ich fing an, auf mein Äußeres zu achten, wenn auch nur, um ein bißchen Selbstachtung zurückzugewinnen. Ich fing an, jeden Tag im Trainingsraum Gewichte zu stemmen. Ich wurde richtig fanatisch mit den Gewichten, aber das war in Ordnung, weil es mich wieder mit meinem Körper in Kontakt brachte, und indem ich meinen Mittelpunkt wiederfand, half es mir auch, mich aus dem blauen Raum herauszuziehen. Ich wollte nichts als in Ruhe gelassen werden. Wenn man mich nur in Ruhe gelassen hätte, wäre ich jetzt nicht das Opfer dieser Menschenjagd, die im Fernsehen gezeigt wird.

Eines Tages hörte ich, als ich gerade den Block putzte, etwas hinter mir auf den Boden fallen, den ich gerade gewischt hatte. Es war ein ganz leises Geräusch, kaum wahrnehmbar, und als ich mich umdrehte, sah ich ein leeres Zigarettenpäckchen. Von oben schaute Eric von der zweiten Etage auf mich herunter. Er winkte mir zu, ich sollte hochkommen.

Ralph lehnte am Geländer. Eric ging in die Zelle. Als er an mir vorbeikam, griff er nach meinem Hemd und zog mich mit sich.

»Ich möchte damit nichts zu tun haben«, erklärte ich Ralph. »Ich möchte hier nur meine Zeit absitzen.«

»Deine Zeit ist lebenslänglich, Mr. Cody«, sagte Eric hinter mir.

Ralph reckte sich über das Geländer und schaute nach unten, winkte jemandem im Erdgeschoß, immer in Sichtweite des Beamten am Tisch unter ihm. »Der ganze Hausfrauenkram mit dem Besen«, sagte er, »du bist auf dem besten Weg, Insasse des Jahres zu werden.«

»Egal, was es ist, ich möchte nichts damit zu tun haben.«

»Wir haben dich gerettet. Du bist unser Trumpf in der Hand.«

»Du hast etwas damit zu tun«, meinte Eric. »Was du für Nando gemacht hast, wirst du auch für Ralph tun.«

Ralph sagte: »Morgen bekommst du Besuch.«

»Gleicher Plan«, fügte Eric hinzu.

»Das war Nandos Angelegenheit«, erklärte ich ihnen.

»Es ist immer noch Nandos Angelegenheit. Wir sind so was Ähnliches wie seine Vertreter.«

»Wie ein Schuldeneintreiber«, sagte Ralph.

Er trat einen Schritt vor und legte mir die Hand auf den Nacken. Er hielt meinen Hals fest und ließ den Arm hängen, so daß ich sein Gewicht spürte.

»Ich kann damit nicht ewig weitermachen«, versicherte ich ihnen.

»Klar kannst du das.«

»Es rutscht nicht richtig. Irgendwann wird es in mir drin platzen.«

»Wenn du Glück hast«, meinte Ralph.

Als Baruk am nächsten Tag die Liste der Insassen vorlas, die Besuch hatten, trat ich vor, als er meinen Namen aufrief, und als ich Vera im Besuchsraum erblickte, war ich unwillkürlich froh, sie zu sehen. Sie hatte schlechte Laune und sah kaum auf, als ich mich setzte. Ich versuchte, ein Gespräch in Gang zu bringen, aber sie tat so, als ob ich Luft wäre. Ich wollte sie fesseln. Ich dachte, es würde sie interessieren, etwas über Nando zu hören. Ich erzählte ihr, mit welcher intensiven Konzentration er sich allem widmete, was er tat, auch wenn er nur in der Turnhalle Bälle in den Korb warf.

»Wie spät ist es?« fragte sie plötzlich mitten hinein in meinen Redestrom.

»Ich kann es nicht machen«, sagte ich.

»Ich habe gefragt, wie spät es ist.«

»Ich habe Magenprobleme.«

Sie schaute mich an, als wäre ich ein Insekt. »Ich gehe zur Toilette. Wenn ich wiederkomme, solltest du bereit sein.«

»Wirklich«, sagte ich. »Seit gestern abend. Ich kann nichts unten behalten.«

Sie glaubte mir nicht. Ich wußte, daß niemand mir glauben würde, aber ich konnte es nicht mehr tun. Ich wurde immer tiefer in etwas Teuflisches hineingezogen.

»Die brauchen den Stoff, wirklich«, zischte sie. Sie warf einen kurzen Blick nach links und rechts und beugte sich über den Tisch. »Sind dir andere Menschen egal? Was einer vielleicht durchmachen muß, wenn er nichts kriegt? Entzug?«

»Ich kann nichts tun, auch wenn ich wollte.«

»Was redest du da?« drängte sie.

»Ich mache es nicht.«

»Hast du Scheißkerl jetzt völlig den Verstand verloren?«

»Ich schätze, ja.«

Ich wollte, daß Vera mich verstand; aber es war hoffnungslos, sie dazu zu bringen, es von einem anderen Standpunkt aus zu betrachten.

»Ich mache es nicht mehr«, erklärte ich ihr. »Ich bin draußen. Ist mir egal, was passiert.«

Sie warf mir einen durchdringenden Blick zu und schüttelte den Kopf über das, was sie hinter meinen Augen sah. Ihre Lippen waren fest und unverzeihlich. »Ich glaube, du machst es nicht mehr lange, Danny«, sagte sie und erhob sich.

Als sie gegangen war, dachte ich noch mal über die Sache nach. Ich stand auf und hätte sie fast zurückgerufen. Aber es war zu spät, und ich stand am Tisch und streckte in einer vergeblichen Geste die Hände aus, während Vera durch die Tür ging und mein Schicksal besiegelte.

Dann bekam ich wirklich Probleme mit meinem Plan. Während ich zurück zum Block ging, hatte ich Angst, die Kontrolle über meine Gedärme zu verlieren.

Ralph war im Kraftraum. Er lag rücklings auf der Bank, atmete tief durch und bereitete sich darauf vor, eine Hantel, die mit etwa dreihundert Pfund beladen war, zu stemmen. Er hatte gerade angesetzt, als er mich hereinkommen sah.

»Mir geht's nicht gut«, erklärte ich ihm.

Die ersten dreißig Zentimeter hatte die Hantel sich ruckartig von seiner Brust wegbewegt, jetzt wurde sie langsamer. Ralph konnte nichts anderes machen, als mit zusammengebissenen Zähnen zu grunzen. Sein vor Anstrengung verzerrtes Gesicht war dunkelrot, und die Adern im Gesicht schwollen an, als die Last wenige Zentimeter, bevor er die Arme ganz ausgestreckt hatte, zum Stillstand kam.

»Ich hab's hingeschmissen«, sagte ich. Seine Augen huschten über mich, dann schnell wieder zu dem Gewicht zurück. »Ich wollte das Risiko nicht eingehen.«

Ralphs Arme zitterten. Er schüttelte den Kopf, leugnete die Realität, wütend, daß die Gewichte ihm nicht gehorchten. Sehr langsam begannen die Gewichte zur Seite zu rutschen, wie ein Wolkenkratzer, der in Zeitlupe zusammenbricht.

»Scheiße!« gab Ralph von sich. Er mußte das Wort zwischen fest gespannten Muskeln hindurch rauszwingen.

Eric trat vor, um eine Seite der Hantel festzuhalten, aber Ralphs anderen Helfer hatte er weggeschickt, als ich reinkam. Ralphs Arme zitterten vor Erschöpfung, und ich sah, wie seine Augen sich mit Angst füllten, während er mit seiner ganzen Willenskraft gegen die Gewichte ankämpfte, und sie dennoch langsam auf sein Gesicht zukamen. Im letzten Moment, kurz bevor seine Arme aufgaben, warf er mir einen kurzen, bittenden Blick zu. Ich trat näher, um an der anderen Seite nach der Hantelstange zu greifen.

Ralph setzte sich auf und drehte sich um. Er beugte sich nach vorn und ließ den Kopf zwischen die Knie hängen, sein riesiger Körper war schlaff und besiegt.

»Hast du jetzt den Stoff oder nicht?« flüsterte er.

»Das sagt er doch«, erklärte Eric ihm. »Es hat nicht geklappt.«

Ralph drehte sich um und packte mich am Arm. Er war schwach, seine Hand zitterte.

»Du hast ihn nicht?« Er konnte es nicht glauben. »Hast du eine Ahnung, wie viele Leute in dem Laden hier sich darauf verlassen?«

»Ich weiß.«

»Damit machst du dich nicht gerade beliebt, Cody. Wenn Nando das hört ...«

Erics Augen waren unverwandt auf mich gerichtet, während ihm die verschiedenen Möglichkeiten durch den Kopf gingen. Hinter den Brillengläsern wirkten seine Augen noch zurückhaltender als der Rest seines Gesichts.

»Und woher sollen wir wissen, daß er den Stoff nicht von Vera entgegengenommen hat?« fragte Eric Ralph.

Das Licht spiegelte sich in seinen Brillengläsern, als er von einem von uns zum anderen schaute. In einem Moment war er ein undurchsichtiger Spiegel, im nächsten fühlte ich mich in seiner Linse gefangen.

»Ralph, was ist, wenn er ein falsches Spiel treibt?« drängte Eric.

Ralph warf mir einen schnellen Blick zu. »Er müßte verrückt sein«, sagte er. Er sah besorgt aus.

»Mit Nandos Hilfe kriegen wir's raus«, sagte Eric.

»Und sagen ihm, daß wir's versaut haben?«

»Nicht wir. Cody. Cody hat's versaut. Der Typ, den Nando ausgesucht hat.«

»Wir müssen es selbst rausfinden«, sagte Ralph. Er betrachtete eingehend meinen Bauch.

»Nando kann uns wenigstens sagen, ob Vera es ihm übergeben hat«, sagte Eric.

»Nein.«

»Und wenn Nando es nicht glaubt?« fragte Eric. »Was, wenn er denkt, wir würden ihn über den Tisch ziehen?«

»Halt endlich das Maul!« sagte Ralph. »Wir wollen Nando nicht reinziehen, solange es nicht nötig ist. Jesus! Können wir ihm nichts geben?«

Ich sah, wie sie einen Blick wechselten, und wußte, daß sie, ohne ein Wort zu sagen, darüber nachdachten, ob man mich aufschneiden sollte.

»Cody sitzt draußen in der Halle, bis wir es rausgefunden haben«, sagte Ralph schließlich.

»Das wird bestimmt prima klappen«, meinte ich, aber sie interessierten sich nicht für das, was ich zu sagen hatte.

Im Speisesaal saß ich zwischen Eric und Ralph.

»Wir hätten ihn zum Kotzen bringen sollen«, meinte Eric.

»Zu spät. Er soll essen. Dann kommt's schneller raus.«

Nach dem Essen saß ich an einem der Picknicktische in der Halle, während Ralph in einer Zelle in der Nähe, die er beschlagnahmt hatte, Fernsehen guckte. Eric verschwand in Richtung Turnhalle.

Als er zurückkam, zog er Ralph beiseite. Sie hatten eine lange Unterredung, die in einem Streit endete. Andauernd sahen sie in meine Richtung. Als ich zu ihnen hinüberging, hörten sie sofort auf zu reden.

»Vera hat's immer noch, nicht wahr?« sagte ich.

Sie antworteten nicht, also wußte ich, daß sie nichts von Nando gehört hatten.

»Geh wieder da hin, wo du herkommst«, sagte Ralph, aber ich rührte mich nicht.

Die Zeit für den Einschluß kam. Wir wußten, daß sie mich, falls ich das Kokain in meinen Därmen hatte, jetzt umbringen mußten. Sonst würde ich es in der Nacht ausscheiden und verstecken, bevor sie mich am nächsten Morgen wieder überwachten. Wir wußten, daß es für Nando so aussah, daß sie die Lieferung an sich genommen hatten, wenn ich sie hatte, denn sie hatten mich.

Ralph schaute zu dem Beamten, der an dem Tisch saß und mit einem Taschenrechner etwas ausrechnete.

»Niemand würde es wagen, mit Nando ein doppeltes Spiel zu spielen«, sagte ich. »Man müßte verrückt sein.« Ich war ruhig. Ich wollte, daß sie sahen, wie ruhig ich war.

»Wenn du uns anlügst ...«, setzte Eric an. Aber mit was wollte er mir drohen? Wenn ich ein doppeltes Spiel mit Nando spielte ... »Scheiße«, sagte er und drehte sich um.

Ralph gab nicht so schnell nach. Er blickte mich finster an, ballte immer wieder die Fäuste, als könnte er die Wahrheit so aus mir herausbekommen.

»Wir hätten ihn erledigen sollen, sobald er von dem Besuch zurückkam«, sagte er zu Eric, »aber du hattest nicht den Mumm dazu!«

Der Beamte legte den Taschenrechner weg und sah auf die Uhr. Es waren noch zehn Minuten bis zur Einschließung, und die meisten Insassen befanden sich schon in ihren Zellen. Wir drei machten uns allmählich verdächtig. Eric bewegte sich als erster auf die Treppen zu.

»Es ist dein Arsch«, sagte er zu Ralph.

Sobald Eric die erste Treppenstufe betrat, wußte ich, daß mir nichts passieren würde, zumindest nicht bis morgen.

Am nächsten Morgen zog ich den Nagel, den ich in der Paspel meiner Matratze aufbewahrte, heraus und ließ ihn in das schmutzige Wasser auf dem Boden des Putzeimers fallen. Ich frühstückte zwischen Ralph und Eric sitzend, aber inzwischen war die Situation dermaßen ungewiß, daß ihre Überwachung nur noch sehr halbherzig war. Eric ging zur Arbeit in die Metallwerkstatt, und Ralph meldete sich krank, so daß er im Block bleiben und mich im Auge behalten konnte.

Ich weiß, daß es böse klingt, eine Waffe zu haben. Und ich gebe zu, daß ich den Nagel gekauft hatte, bevor die Probleme mit Ralph anfingen. Aber ich suchte keinen Streit, ich wollte mich nur verteidigen können. Im Gefängnis ist jeder bewaffnet. Außerdem ist ein Nagel – ein zehn Zentimeter langer, flachköpfiger Nagel – nicht gerade eine gefährliche Waffe.

Unter Ralphs rachsüchtigem Blick machte ich mich an meine tägliche Arbeit. Er zog sich in der obersten Etage einen Stuhl an das Geländer und brütete dumpf vor sich hin. Ich wußte, daß er die Dinge nicht mehr lange einfach so laufen lassen konnte, bis er mich aus blinder Frustration umbrachte. Ich wußte, daß auch ich die Dinge nicht einfach so weiterlaufen lassen konnte. Wenn ich nicht Stellung bezogen hätte, wäre ich in den Drogenkrieg hineingezogen worden, und dann hätten sie mich, früher oder später, geschnappt oder umgebracht.

Nach dem Mittagessen kam Eric in den Block, lief die Treppe hoch zu Ralph, redete kurz mit ihm und verschwand wieder. Ich wischte das Erdgeschoß, als Ralph hinter mir auftauchte.

»Vera sagt, du hast das Zeug«, sagte er gefährlich ruhig.

Ich dachte, ich hätte ihn nicht richtig verstanden. »Wie bitte?« fragte ich.

»Sie sagt, sie hätte dir den Stoff gegeben und du hättest das ganze Ding geschluckt wie einen Scheiß-Hotdog. Sagt, du hättest es ihr praktisch aus dem Mund gesaugt.«

»Sie lügt!«

»Erzähl das Nando. ›Hey, Nando. Deine Cousine Vera? Das ist eine verdammte Lügnerin.‹«

»Sie spazierte direkt aus dem Besuchszimmer hinaus«, erklärte ich ihm.

Der Beamte an seinem Tisch schaute hoch. Er war neu und wußte nicht, wer im Block wer war. Ich steckte den Mop in die Haltevorrichtung im Eimer und drückte ihn aus.

»Sie ist nicht mal zur Toilette gegangen«, sagte ich. »Du kannst alle fragen, die dort waren. Wie sollte sie mir etwas geben können, wenn sie vorher nicht mal in der Toilette war? Erklär mir das mal!«

»Das ist doch scheißegal. Nando will sein Geld. Und ich will den Stoff.«

»Er spielt dich aus.«

»Gegen wen?«

»Er weiß, daß Vera die Übergabe nicht gemacht hat. Nando legt dich rein.«

»Weißt du, was? Wenn dein Wort gegen das von Nando steht, halte ich mich lieber an Nando.«

Wir waren vom Tisch des Beamten aus gut zu sehen. Ich nahm den Mop und arbeitete mich zu ihm hin. Wahrscheinlich war jetzt der Zeitpunkt gekommen, um um eine Absonderungszelle zu bitten, auch wenn ich den Rest meines Lebens mit Pädophilen verbringen mußte. Aber dann ging das Signal für »Bewegung« los, und der Beamte stand auf und ging von uns weg, um das Tor zum Korridor aufzumachen. Ralph sah, was ich vorhatte.

»Vergiß die Absonderungszelle«, meinte er. »Der einzige Weg, am Leben zu bleiben, ist der, den Stoff rauszurücken.«

Ein Insasse kam zum Tor. Er war aus einem anderen Zellenblock, aber der Beamte kannte ihn nicht und ließ ihn rein. Ralph versteifte sich, als er ihn sah. Der Mann winkte Ralph, rief ihn zu sich und gab ihm einen Befehl.

»Hast du es schon ausgeschissen?« fragte Ralph.

»Nein.«

Er wirkte kindisch erleichtert. Ich beobachtete ihn, wie er sich unterhielt. Der andere Insasse stellte, jeden einzelnen Punkt mit einer Geste seiner offenen Hand betonend, Bedingungen. Ralph wollte ihn unterbrechen, aber er ließ ihn nicht zu Wort kommen. Als Ralph zurückkam, schwitzte er.

»Du hast Zeit bis zum Abendessen. Dann schneide ich es dir aus dem Leib.«

Wir gingen zum Kraftraum. Ich schob den Mop und den Putzeimer durch das Erdgeschoß. Eines der Räder blieb immer wieder hängen und quietschte regelmäßig, während wir den Raum vor dem Beamten durchquerten.

Ralph machte sein gewohntes Training. Er arbeitete hart. Er trainierte jeden einzelnen Muskel, bis seine Beine, Arme und Schultern so mit Blut angefüllt waren, daß er aussah, als würde er gleich platzen. Dann wandte er sich einem anderen Teil seines Körpers zu und unterzog ihn der gleichen Prozedur. Dann machte er das Ganze noch mal von vorn, bis jede einzelne Faser von ihm völlig erschöpft war. Er lag rücklings auf der Bank und machte eine letzte Übung mit kleinen Hanteln, die er mit ausgestreckten Armen aus der Horizontale hob, so daß sie über seinem Kopf zusammenstießen, immer langsamer, bis er an einen Punkt kam, an dem seine Arme dermaßen zitterten und er keuchte, die Hanteln sich aber nicht mehr bewegten.

»Wir gehen duschen«, sagte er.

»Ich muß nicht duschen«, erklärte ich ihm. »Ich mache derweil sauber, während du duschst.«

Wenn Wasser im Eimer ist, muß man damit langsam gehen, weil es sonst über den Rand schwappt. Ralph ging steifbeinig vor mir durch die Halle. Seine Oberschenkel waren von der Anstrengung so angeschwollen, daß sie sich gegenseitig im Weg waren. Das Handtuch, daß er um den Nacken gelegt hatte, löste sich, und er war nicht schnell genug, um es aufzufangen, als es von seiner Schulter glitt. Ich sah, welche Anstrengung es ihn kostete, sich zu bücken und es aufzuheben. Er sah aus, als könnte er Bäume ausreißen, aber ein Kind hätte ihn umstoßen können.

Der Duschraum war voller Dampf. In der letzten Duschkabine waren zwei Männer. Ralph zog sich aus, und ich machte mich an meine Arbeit. Ich wrang den Mop aus und wischte den Boden vor Ralphs Duschkabine. Er saß auf dem Boden und ließ das heiße Wasser mit vollem Druck über sich strömen. Er hatte die Augen geschlossen, aber ab und zu öffnete er sie, um mich zu beobachten.

Ich schob den Putzeimer an seiner Kabine vorbei, aber Ralph konnte immer noch bei jedem Schwung den Mop sehen. Jedesmal wenn ich mich bewegte, konnte Ralph das Quietschen des Rads hören, so wußte er, daß ich noch in der Nähe war. Den Mop vor und zurück über den Fußboden bewegend, drehte ich oben am Stiel die Kappe ab, an der die Metallschlaufe befestigt war, mit der man ihn aufhängen konnte. Jetzt war ich außer Sichtweite, klapperte aber weiter mit dem Eimer, wrang den Mop aus, machte Geräusche, die Ralph identifizieren konnte, schob währenddessen den Nagel in das Loch der Kappe und schraubte die Kappe wieder auf, so daß das flache Ende des Nagels fest gegen den Mopstiel gedrückt wurde. Dann ging ich zurück zu der Kabine, wo Ralph erschöpft unter dem zischenden Wasser saß.

Ich behielt meinen Rhythmus bei, vor und zurück mit dem Mop arbeitete ich mich weiter, bis ich in dem Winkel vor Ralph stand, den ich wollte. Er hatte den Kopf zurückgelegt, um den Wasserstrahl zu spüren, der seine Gefühle unterdrückte und die Konturen seines Gesichts weicher machte. Er hatte einen friedlichen Gesichtsausdruck. Haare, Schnurrbart, die schlaffen Gesichtsmuskeln wurden durch den senkrechten Wasserstrahl stromlinienförmig modelliert. Als ich auf seine Höhe kam, öffnete er die Augen einen Spalt, um nach mir zu sehen, dann entspannte er sich wieder, halb lethargisch, halb vor Vergnügen. Nachdem er seine Augen wieder zugemacht hatte, durchbohrte ich ihm die Kehle. Er riß die Augen weit auf und starrte mich entsetzt an. Er war vollkommen still. Das einzige Geräusch war das Zischen des Wassers auf seiner Haut.

Er begriff nicht, was mit ihm geschah. Sein Mund ging auf und zu. Ich hoffte inständig, daß es mir gelungen war, ihn zu töten. Ich war mir nicht sicher, ob ich es schaffen würde, ein zweites Mal zuzustoßen. Das Wasser prasselte auf ihn hinunter und schuf einen neuen Ralph, glänzend und unscharf. Ich hielt den

Besen fest und hoffte auf ein Schaudern oder Schlaffheit, die den Tod anzeigten.

In Zeitlupe, voll extremer Schmerzen und Angst, wollte Ralph die Hand heben, um nach dem Besenstiel zu greifen. Ich zog ihn raus, bevor er ihn packen konnte, und das Wasser um ihn herum wurde plötzlich hellrot von Blut. Er versuchte, etwas zu sagen. Seine Lippen bewegten sich. Ich stach ihm in das rechte Auge, und er fiel zur Seite, wobei sein Gewicht die Spitze der Kappe mit dem Nagel abriß.

Ich wartete regungslos auf das Geräusch eines anderen Menschen. Im Gefängnis gibt es immer irgendeinen, der an der Ecke belauert, was geschieht. Einer der Männer in der letzten Kabine sprach mit seinem Freund. Es war kein anderes Geräusch zu hören, außer dem Zischen des Wassers und dem Prasseln, dort wo es um Ralphs Oberschenkel planschte. Niemand betrat die Duschen oder ging vorbei nach draußen. Ich zog an Ralphs Arm, um ihn aufzusetzen. Die Plastikkappe des Mops war zerbrochen. Ich nahm die Stücke und ließ den Nagel da, wo er war. Ein paar kleine Korrekturen – seinen Kopf auf die Brust sinken lassen –, und Ralph sah einfach nur müde aus. Die Wunde in seiner Kehle hatte aufgehört zu bluten.

Mit dem Mop wischte ich das Blut weg, das ihm aus dem Mundwinkel gelaufen war, und spülte die rosafarbene Tönung von den Fliesen in der Ecke der Kabine. Weiter den Boden bearbeitend – das Rad, das alle fünfzehn Zentimeter quietschte –, arbeitete ich mich zurück zur Halle, in die Sicherheit und das Alibi des Beamten am Tisch.

Während der nächsten halben Stunde gingen mehrere Leute in die Duschen und wieder raus, aber Ralph war nicht der Mann, den man störte, wenn er eine schöne Dusche genoß.

Es verging fast eine halbe Stunde, bevor Eric in den Block zurückkam. Er hatte einen wilden Blick und wirkte konfus. Ich nahm an, er hatte eine nette Unterredung mit Nandos Leuten gehabt.

»Wo ist Ralph?« fragte er mich.

»In der Dusche eingeschlafen.«

»Du solltest doch in seiner Nähe bleiben!«

»Bin ich ja auch. Dann hat der Typ gesagt, es spiele keine Rolle mehr, alles sei in Ordnung, also bin ich gegangen.«

»Was für ein Typ?«

Ich starrte ihn an. »Der Typ, der die Nachricht für Ralph gebracht hat.«

»Wer?«

»Ich habe ihn noch nie gesehen.«

»Und wie ist er in diesen Block gekommen?«

»Ich weiß nicht. Muß durchgeschlüpft sein, als die Wärter nicht hinguckten.«

Eric überlegte angestrengt. Er war wie ein Computer, der beim Rechnen verrückt spielt, wenn er mit noch mehr Daten gefüttert wird.

Er packte meinen Arm, dann ließ er ihn wieder los. »Geh da rein«, sagte er und zeigte auf die Duschen.

Ralphs Körper hatte sich verändert, seit ich ihn zuletzt gesehen hatte, und jetzt war offensichtlich, daß er mehr als schlief. Er sah aus wie ein grauer Steinbuddha unter einem Wasserfall.

Eric drehte das Wasser ab, dann besann er sich eines Besseren. Er kniete sich hin und drehte den Kopf so, daß er in Ralphs Gesicht sehen konnte, und ich sah, daß er zusammenzuckte, als er den Nagel entdeckte, der in der Augenhöhle steckte.

Er war schockiert. »Hast du gesehen, wer's war?« Er wollte schreien, aber die Worte kamen nur würgend heraus. Sein Mund blieb offen stehen.

Ich schüttelte den Kopf. »Ich habe drüben die Halle gewischt.«

Er ging auf und ab: drei Schritte vor, Drehung, drei Schritte zurück, Drehung. Er stieß die Fäuste durch die Luft. Er nahm mich nicht mehr wahr. Ich hatte eine Kettenreaktion ausgelöst, und Eric war zu sehr damit beschäftigt, sein eigenes Überleben zu sichern, um sich um mich zu kümmern. Ich war unbedeutend. Mehr hatte ich nicht gewollt.

Ich wurde wegen des Mordes an Ralph nie angeklagt. Soweit ich weiß, verdächtigte man mich nicht einmal. Ich gestehe es Ihnen jetzt in vollem Umfang, damit Sie wissen, daß ich aufrichtig bin. Es ist offensichtlich, daß ich nichts davon habe, Ihnen das alles zu erzählen. Es ist aber auch keine Last, von der ich mich befreien müßte. Mein Gewissen ist rein. Ich fühle mich wegen des Tötens von Ralph Mandell nicht mehr schuldig als wegen der Kuh, die getötet wurde, damit ich essen kann.

Es war nicht Schuld, die mich umtrieb, sondern etwas anderes. Gewalt korrumpiert. Ich war immer gegen Gewalt. Ich bin bei Friedensdemonstrationen gegen den Vietnamkrieg mitmarschiert. Ich weiß, daß das jetzt wie Geschichte klingt – als ich ihnen von der Friedensbewegung erzählte, sahen meine Schüler in der Schule mich an, als wäre ich ein Relikt aus einer anderen Zeit –, aber es bedeutete etwas. Meine ganze Lebenseinstellung basiert auf einem tiefen Respekt vor dem Leben. Ich hatte Angst vor dem, in das ich mich verwandelte, zu dem das Gefängnis mich zwang. Das blaue Licht in Block S brachte mich auf eine Existenzebene so vollkommener Unbarmherzigkeit, daß ich Angst hatte, ich wäre schon gestorben. Aber nichts anderes als diese Unbarmherzigkeit ließ mich überleben. Deshalb mußte ich da raus. Das ist das Wichtigste, und ich möchte, daß Sie es verstehen: Wenn ich ein Mensch bleiben wollte, mußte ich fliehen.

KAPITEL
drei

Liebe Sandy,
ich war enttäuscht, wie wenig von meinem letzten Brief Sie in Ihrer Sendung vorgelesen haben, obwohl ich es verstehe. Verglichen mit dem, was die Polizei aufgedeckt hat, hörte es sich vielleicht an wie eine alte Geschichte. Ich glaube, Sie haben übertrieben, als Sie die neuen Fakten »aufsehenerregende Enthüllungen« nannten. Das mit den »Enthüllungen« war nur eine Frage der Zeit. Jeder konnte es kommen sehen – oder hätte es zumindest sehen können, denn wie hätte die Flucht sonst funktionieren sollen? Wie kam die Waffe unter die Matratze? Wenn man mal anfängt, diese Fragen zu stellen, sieht man die Arbeit der Polizei nicht mehr in einem so tollen Licht. Und warum haben sie so lange gebraucht? Ich weiß es. Sie haben Ihre Quellen, und Sie müssen sie bei Laune halten.

Ja, die »Geisel« ist Carol. Aber Sie irren sich, wenn Sie ihre Motive bagatellisieren! Im Gegensatz zu dem, was Ihre Lieblingspsychiater glauben, ist dies nicht das Ergebnis eines Syndroms, bei dem Krankenschwestern sich in Insassen verknallen. Das Wort »Schwärmerei« nehme ich Ihnen übel. Sie wissen nichts über unsere Liebe, obwohl Sie das offensichtlich nicht davon abhält, sich ein Urteil zu bilden. Ich erzähle unsere Geschichte, und dann lassen Sie Ihre Zuschauer selbst urteilen.

An diesem schicksalhaften Tag letzte Woche stand ich zwischen Baruk und Fairburn, als die Aufzugtür sich im zweiten Stock öffnete. Baruk ging voraus, und als wir ihn im Vorraum der Intensivstation eingeholt hatten, hatte er schon seine Maske an. Eine Krankenschwester kam auf uns zu. Auch sie trug eine Maske.

Die Masken störten mich. Ich wollte keine tragen, und ich machte ihnen einige Mühe deswegen. Die Krankenschwester kam auf mich zu und blieb direkt vor mir stehen. Sie trug blaue OP-Handschuhe und eine Mütze aus Papier, die ihre Haare verbarg. Eine blaue Maske wie eine kleine Schale bedeckte die Mitte ihres Gesichts. Ich wußte immer noch nicht, wer sie war. Ich war mir nicht sicher. Ich hoffte, daß es Carol war. Ich hatte Angst zu hoffen, daß sie es war. Ihre untere Gesichtshälfte, ihr Haar, bis auf ihre Augen waren ihre Gesichtszüge versteckt. Ohne den Rest des Gesichts sind die Augen so ausdrucks- und bedeutungslos, wie wenn jemand in einer fremden Sprache spricht.

Sie hatte ein Designer-Stethoskop mit magentaroten Schläuchen um den Hals hängen. Ich schätze, daß tausend Krankenschwestern ein solches Stethoskop besitzen, aber ich starrte es an, als könnte es mir Gewißheit geben. Die anderen beiden, Baruk und Fairburn, standen hinter ihr. Sie beobachteten mich, aber Carol hatte ihnen den Rücken zugewandt. Als wollte sie die Maske zurechtrücken, damit sie besser saß, zog sie sie runter, um mir ihr Gesicht zu zeigen.

»Es ist besser, eine zu tragen«, meinte sie.

Das Gummiband hielt die Maske unter ihrem Kinn fest. Sie bedeckte ihr Gesicht wieder damit. Aber ihre Augen waren unverwandt auf mich gerichtet. Sogar als sie sich umwandte, blieben ihre Augen bis zum letzten Moment auf mich gerichtet.

Fairburn stand vor mir, um mir die Maske anzuziehen. Er ging wirklich respektvoll mit der Situation um, glaubte, meine Mutter läge im Nebenraum im Sterben. Unbeholfen versuchte er, die Gummis über meine Ohren zu streifen, er war übervorsichtig, weil er mir nicht weh tun wollte. Sie sehen, er war ein anständiger, mißverstandener Mann.

Ich sah, wie Carol sich mit der Schere an dem Kittel zu schaffen machte. Auch da war ich mir noch nicht sicher, was als nächstes passieren würde. Der Kittel würde nicht über die Handschellen passen, und sie schnitt die Ärmel auf. Sie zog ihn mir an und ging hinter mich, um die Bänder zu verknoten.

»Ist das zu fest?« fragte sie.

Ich atmete den vertrauten Geruch ihrer Badeseife ein.

»Nein, das fühlt sich absolut richtig an«, sagte ich.

Sie machte einen Wirbel darum, den Kittel in meinem Nacken zurechtzurücken, als ob sie ihn nicht richtig fest bekäme.

»Heben Sie die Arme ein wenig«, bat sie mich.

Ich tat es. Der Stoff knisterte ein bißchen, während sie mir, so leise, daß ich mir nicht sicher war, ob ich sie richtig verstanden hatte, die nächsten Worte ins Ohr flüsterte: »Greif unter die Matratze.« Und dann: »Nimm mich als Geisel.«

»Okay?« fragte sie laut.

Ich wußte nicht, was passierte, aber ich fühlte mich fortgetragen, als würde ein Strom nach mir greifen und mich mit sich reißen. Als sie um mich herum nach vorn kam, um die Ärmel zusammenzukleben, die sie vorher aufgeschnitten hatte, spielte es keine Rolle, daß sie meinem Blick auswich. Da war ein geheimes Band, das nicht bestätigt werden mußte, so begierig ich auch danach war. Sie bewegte sich um mich herum und werkelte mit dem gelben Kittel herum, und von jeder ihrer Bewegung schlugen kleine Wellen an meinen Körper, als würden wir im Wasser stehen.

Wir gingen durch die nächste Doppeltür auf die Intensivstation. Carol stellte sich so hin, daß es ganz natürlich war, daß ich an die linke Seite des Bettes trat. Fairburn wollte mir folgen, es war sein Job, immer in meiner Nähe zu bleiben, aber Carol schüttelte den Kopf, als wollte sie sagen, es sei besser für mich, wenigstens in gewissem Sinn allein mit meiner Mutter zu sein. So stellte er sich ans Fußende des Bettes und schaute sehr unbehaglich drein.

Einen Moment hatte ich Angst, die alte Dame in dem Bett wäre tatsächlich meine Mutter. Ich schauspielerte, spielte eine Rolle, und das Verstellen hatte mich völlig im Griff. In diesem frei fließenden Zustand, wo einen etwas im Griff hat, was man nicht versteht, schien alles möglich. Ich nahm die Hand der Frau zwischen meine Hände und – es war mir unheimlich – spürte, wie sie mich mit ihren unsicheren Fingern festhielt. Ihr Gesicht veränderte sich nicht. Sie schien aufzuhören zu atmen, und dann, wenn ich dachte, jetzt stirbt sie, fing sie wieder an.

Ich hatte so weit improvisiert, wie ich konnte. Ich wußte nicht, was das restliche Drehbuch vorschrieb. Carol stand ein bißchen hinter den beiden Beamten, so daß sie sie nicht sehen konnten. Sie hatte die Hände wie zum Gebet gefaltet und nickte mir zu, es ihr nachzutun.

Ich schaute mich um, aber es gab keine Stühle. Es ist ziemlich schwierig, sich hinzuknien, wenn man Fußfesseln und Handschellen trägt. Ich sank langsam und unbeholfen auf die Knie, wobei ich mich an dem Bettgestell festhielt. Die Aufseher ziehen es vor, wenn man sich langsam bewegt: Man muß ihnen signalisieren, was man vorhat. Ich schätze, ich übertrieb es ein bißchen. Fairburn sah peinlich berührt aus. Ich vermute, er dachte, es wäre demütigend für mich, daß sie Zeugen dieses privaten Augenblicks wurden. In so einem Moment ...

Ich blieb mehrere Minuten auf den Knien, drückte diese fremde, knochige Hand an meine Stirn und versuchte herauszufinden, wie ich die Hand unter die Matratze bekommen sollte. Ich traute mich nicht zu gucken, ob die Wärter auf mich achteten. Ich hörte, wie Baruk ungeduldig und gelangweilt mit den Füßen scharrte. Würde Fairburn wegsehen, wenn ich weinte? Ich ließ meine Schultern ein bißchen zittern, wartete kurz, dann ließ ich sie noch einmal ein bißchen zittern.

Dann zog die alte Dame langsam aber beharrlich ihre Hand weg. Ich ließ den Kopf auf das Bettgestell sinken. Meine Hände rutschten sozusagen aus eigenem Antrieb in meinen Schoß. Ich hoffte, daß ich so aussah, als hätte ich mich ganz dem Kummer hingegeben. Ungefähr zehn Sekunden lang blieb ich so. Noch ein bißchen länger, und ich hätte Angst gehabt, jemand würde zu mir treten und versuchen, meine Lebensgeister wieder aufzurütteln. Ich atmete tief durch, schob meine Hände bis an die Kante des Bettgestells, um mich ein Stück aufzurichten, und glitt mit den Fingerspitzen unter die Matratze. Da war nichts. Ich schob mich ein bißchen weiter in Richtung des Kopfendes und fuhr mit den Fingern währenddessen unter der Kante der Matratze entlang. Meine Fingerspitzen berührten etwas Hartes.

Durch die Fußfesseln behindert, mühte ich mich ab, aufzustehen, und bei einer ungeschickten Vorwärtsbewegung war es für meine rechte Hand fast natürlich, ganz unter der Matratze zu verschwinden, und für meine Finger, sich um den Griff der Waffe zu schließen. Schon bevor ich mich von den Knien erhoben hatte, hatte ich die Waffe entsichert, und als ich aufstand, zog ich die Pistole aus ihrem Versteck und spannte sie mit meiner anderen Hand.

Baruk war beherrscht, das muß ich ihm lassen. In Anbetracht der Tatsache, daß er mich schon so lange kannte, hätte ich erwartet, er würde mir gut zureden. Aber ich bin froh, daß er es nicht tat. Er versuchte statt dessen, Fairburn dazu zu bewegen, besonnen zu handeln, aber Fairburn hatte ein wildes Glitzern in den Augen. Er konnte nicht das Vernünftige tun – sich einfach auf die Situation einlassen und sehen, was passiert. Er mußte reagieren. Ich glaube, er hatte zuviel ferngesehen. Im Fernsehen stürzen sich die Cops routinemäßig quer über ein Krankenbett auf einen Mann mit einer geladenen Achtunddreißiger in der Hand, auch wenn die Chancen nur eins zu tausend stehen.

Die Pistole machte einen gräßlichen Lärm. Carol benimmt sich in einer Notsituation einfach wunderbar, rennt niemals aufgeregt hin und her, setzt immer Prioritäten. Sie drehte Fairburn um, aber sie konnte nichts mehr für ihn tun. Ich war dermaßen verwirrt, daß sie mir helfen mußte, Sergeant Baruk mit den Handschellen ans Bett zu fesseln.

Aus reiner Effekthascherei griff ich nach den magentafarbenen Schläuchen des Stethoskops und zog Carol zur Tür.

»Sie kommen mit mir«, sagte ich.

Wir gingen schnell durch die Türen der Intensivstation. Der Aufzug wartete mit offenen Türen, und ich schickte ihn ins oberste Stockwerk, während wir die Hintertreppe runter in die Notaufnahme nahmen. Wir waren schnell. Wir wußten, wohin wir gingen. Ein Rettungswagen hatte gerade ein älteres Paar von einem Unfall gebracht, und niemand achtete auf uns, als wir hinausliefen. Carols Auto stand draußen. Seither sind wir unterwegs.

Ich bin mir der Tatsache, daß ich frei bin und Officer Fairburn tot ist, sehr bewußt. Es gibt wohl niemanden, der glaubt, daß ausgleichende Gerechtigkeit existiert, auch ich nicht. Wenn ich die Ereignisse zurückdrehen könnte, wenn meine Rückkehr nach Denning ihn wieder lebendig machen würde, würde ich es sofort tun. Aber es bringt ihn nicht zurück, wenn ich wieder zum Häftling werde, also muß ich weitermachen.

Jeder Versuch einer Rechtfertigung wäre eine Beleidigung seines Gedenkens. Es gibt keine Rechtfertigung. Aber ich komme immer wieder auf die Frage zurück: Was hätten Sie an meiner Stelle getan? Bislang war ich noch nicht in der Lage, etwas über Carol zu erzählen, aber sie ist der Grund für meine Flucht.

Bald nachdem Ralph umgebracht worden war, versetzte man Baruk innerhalb des Gefängnisses auf die Krankenstation. Es war so etwas wie eine Beförderung, obwohl ich nicht weiß, was er gemacht hatte, um es zu vedienen. Die Krankenstation hatte damals einen schrecklichen Ruf. Die Insassen, die dort arbeiteten, hatten sich angewöhnt, Männer, die zu schwach waren, um sich zur Wehr zu setzen, zu filzen, und sie klauten Spritzen und alle Medikamente, derer sie habhaft werden konnten. Baruk wollte diesen Saustall ausmisten, und er wollte seine Leute auf diese Posten mitnehmen. Aus irgendeinem Grund gab er mir den Job als Hausmeister auf der Krankenstation. Ich war begeistert, weil er mich den ganzen Tag lang von Erics Klauen befreite.

Hausmeister klingt womöglich nach einem unterprivilegierten Job, besonders für einen ehemaligen Lehrer, aber es war einer der ruhigen Jobs in Denning. Er bestand hauptsächlich darin, Botengänge zu erledigen und sauberzumachen – und es gab jede Menge Flächen, die man sauberhalten mußte, weil die

Krankenstation sich über drei Seiten eines quadratischen Innenhofs erstreckte. Es lag alles auf einer Ebene, keine Etagen, und weil sie in dem älteren Teil des Gefängnisses lag, gab es jede Menge Ecken und Winkel, wo sich Staub ansammelte und die die Station sicherheitsmäßig zu einem Alptraum machten.

Die Krankenstation hatte eine völlig andere Kultur als der Rest des Gefängnisses, wenngleich Ärzte und Krankenschwester für die Verwaltung kaum mehr waren als ein notwendiges Übel. Die Beamten schauten sie an, als wären sie Zivilisten, die über ein Schlachtfeld spazierten. Sie betrachteten sie als mitfühlende Wesen, mögliche Sympathisanten und daher als Sicherheitsrisiko. Aber weil das medizinische Personal sich mit den Sicherheitsmaßnahmen nicht auskannte – es waren eben Zivilisten –, war die Disziplin auf der Krankenstation locker; Regeln wurden gebeugt und manchmal ganz vergessen. Außerdem waren einige dieser Zivilisten Frauen.

Das Schwesternzimmer lag an der Ecke, wo die erste und die zweite Seite des Quadrats aufeinandertrafen. Es sah aus wie jedes beliebige Schwesternzimmer auf irgendeiner Station in einem normalen Krankenhaus, mit einem Tresen, an dem die Krankenschwestern ihren Papierkram erledigen und Anrufe entgegennehmen konnten, außer daß ein Stahlgeflecht das Zimmer vom Tresen bis zur Decke abgrenzte und damit zu einer Art Käfig machte. Der Draht war so grobmaschig, daß man einen Finger hindurchstecken konnte. Er hinderte einen nicht daran, die Menschen dahinter zu sehen und mit ihnen zu sprechen, aber er war so dick, daß man die Gesichter der Menschen, sagen wir, nicht zur Gänze erkennen konnte, außer man bewegte seinen Kopf so, daß die Augen aus den verschiedenen Mosaiksteinchen ein Ganzes machten.

Ich sah einmal eine Sendung des National Geographic über das Große Barriereriff. Sie ließen Taucher in einem Käfig runter, so daß diese sich den weißen Hai ansehen konnten; die riesigen Tiere schossen vorbei und zerquetschten die Fleischbrocken, die die Taucher ihnen hinschoben, in ihren Mäulern.

Für einen weißen Hai waren diese Fischstücke nur ein Appetithappen, und die Kamera zeigte, wie die Biester immer wieder bedrohlich näher rückten und das unhandliche, gehaltvollere Fleisch in dem Käfig umkreisten.

Das war der Zweck des Käfigs der Krankenschwestern: die Zivilisten so einzuschüchtern, daß sie glauben, sie wären in Sicherheit, wenn sie nur eine Lage Stahl – Stahldraht, Stahlgitter, Stahltüren – zwischen sich und die Insassen brachten. Sie so zu erschrecken, daß Mißtrauen zum Reflex wurde.

Die Krankenschwestern kamen aus einer anderen Welt, einem anderen Milieu. Die Gefängniswelt bestand aus Wärtern und Insassen. Sie konnten sich nie vermischen. Es gab keinen neutralen Boden. Yin und Yang. Spion und Gegenspion. Herr und Sklave. Wärter und Sträfling. Und doch waren wir trotz dieser großen Wasserscheide beide aus dem gleichen, menschlichen Material, roh und ungeschlacht. Eine Männerwelt.

Sogar gegenüber den Beamten bewahrten sich die Krankenschwestern einen gewissen Grad an Distanz, denn sie waren eine andere Spezies. Es waren Fabelwesen wie Meerjungfrauen oder Engel. Die Krankenschwestern erhoben sich über uns. Sie wurden in dem Käfig gehalten wie hinter dem Vorhang der Frauengemächer, und einige gingen nur umher, wenn ein Beamter sie begleitete, um sie zu beschützen. Baruk tat, wenn er Carol durch den Korridor begleitete, noch aufgeblasener, als sein gewöhnliches, großspuriges Auftreten war. Der Weiße Ritter mit seiner Genoveva, die niemand jemals zu begehren wagt.

Innerhalb dieses Kastensystems waren wir, die Insassen, nichts. Wir nannten sie »Carol« oder »Tanya« wie die Beamten, weil sie außerhalb der ausgeklügelten Gefängnishierarchie existierten. Wie Päpste und Könige, die man bei ihren Vornamen kennt – wie Evita –, waren sie ferne Gestalten, mit denen wir uns auf eine imaginäre Art und Weise vertraut fühlten, weil sie so oft in unseren Gedanken waren.

Baruk stellte mich an diesem ersten Tag den anderen Leuten, die auf der Krankenstation arbeiteten, nicht vor. Ich erwähne das nur zu Ihrer Information, obwohl der Gedanke, daß er mich vorgestellt haben könnte, jedem, der das Gefängnis kennt, wie ein Scherz vorkommt. Ich war ein Arbeiter. Ich war wie einer dieser schwarzen Sklaven aus dem alten Süden, die sich schweigend im Hintergrund bewegten. Also konnte Carol so tun, als bemerkte sie mich nicht, wenn ich vor ihrem Käfig arbeitete, vor und zurück wischte, die ganze Breite des Korridors mit einem einzigen Schwung putzte.

Ein Insasse konnte eine Krankenschwester nicht direkt anschauen, bis sie ihn anredete. Und dann auch nur kurz. Ein schneller Blick, ein kurzer Satz, mehr war nicht erlaubt. In der Hausordnung gab es keine Regel, die das vorschrieb, und niemand erklärte einem, daß es so war, aber es war offensichtlich, sobald man die Einheit betrat. Ein Insasse wußte sofort, wie er sich zu verhalten hatte.

Ich schaute Carol trotzdem an. Wenn man putzt, hält man normalerweise den Kopf gesenkt. Ich entwickelte eine Methode, aus dem Augenwinkel nach der Seite zu schauen, wenn ich mit dem Mop von einer Seite zur anderen wischte. Und dann hielt ich inne, als wollte ich einen kurzen Moment verschnaufen – schließlich kann niemand pausenlos den Besen schwingen –, und sozusagen zufällig waren meine Augen wie zwei Autos, die beide mit Fernlicht um eine Ecke biegen, in der Nähe, wenn mein Blick ihrem begegnete.

Im Bruchteil einer Sekunde kann man sagen, ob jemand einen wiedererkennt. Carol hatte nicht gelernt, mit ihren Augen zu lügen. Sie erinnerte sich an mich aus Block S. Johannes der Täufer in einer zweieinhalb mal drei Meter großen Wildnis.

»Meinem Kopf geht's gut«, sagte ich. »So gut wie neu.« Ich wollte ihr ein Lächeln entlocken. »Vielleicht sogar noch besser.«

Sie machte weiter, als hätte ich nichts gesagt. Sie griff nach dem Telefonhörer, wählte eine Nummer, drehte sich aus der Hüfte, um – den Hörer ans Ohr und den Ellenbogen fest gegen ihre Brust gedrückt – auf die Uhr an der Wand hinter ihr zu schauen.

Ich bin mir sicher, sie spürte, daß ich sie ansah. Wir lauschten auf das Klingeln des Telefons im Käfig des Beamten am anderen Ende des Korridors. Carol öffnete den Mund, ließ den Kopf nach hinten sinken und blies ungeduldig einen unsichtbaren Rauchring an die Decke. Sie wußte, daß ich sie beobachtete. Eine Spur Gereiztheit lag in ihrem Seufzer, während sie sich, den Hörer immer noch am Ohr, aus der Hüfte vor und zurück drehte.

»Oh, Rich«, sagte sie und richtete sich plötzlich auf. Am anderen Ende des Korridors konnte ich hören, wie seine anfängliche Schroffheit sich legte. »Wir brauchen noch Handtücher.«

»Schon unterwegs«, sagte er. Irgendwie ließ er das Ganze höflich klingen, beinahe großmütig.

Einen Moment später streckte er den Kopf aus dem Käfig und bellte: »Cody!«, obwohl ich in Sichtweite war und eine einfache Geste genügt hätte.

Ich ließ den Mop im Eimer stehen und lief zu ihm. Er hatte die Hände in die Hüften gestützt und machte ein finsteres Gesicht. Ich glaube, es gefiel ihm, daß ich rannte. Er wirkte ein bißchen verblüfft, als ob er sich darauf vorbereitet hätte, mir eine Strafpredigt zu halten darüber, wie man mit Schwung an eine Sache rangeht. Er prustete ein bißchen und hustete, dann wies er mit dem Kopf in Richtung des Käfigs der Krankenschwestern.

»Bring den Krankenschwestern frische Handtücher«, sagte er und drehte sich auch schon wieder um, bevor er den Satz zu Ende gesprochen hatte.

Ich kehrte mit einem Stapel Handtüchern auf dem Arm zu Carol zurück. Sie saß am Tresen und schrieb etwas. Ich stand vor ihr, das Stahlgeflecht trennte uns. Sie ließ ein paar Sekunden vergehen, bevor sie aufschaute, und auch dann schaute sie mir nicht ins Gesicht. Ihre Augen wanderten langsam bis hoch zu meinem Kinn, als würde ihr Verstand gerade erst anfangen, sich mit der Sache zu beschäftigen, dann glitten sie seitwärts und in einem Bogen nach unten, während sie aufstand und zur Tür ging.

Sie war noch nicht lange genug im Krankenhaus, um den gefängnisüblichen Trick zu kennen, ihren Körper als Gegengewicht zu den schweren Stahltüren einzusetzen. Sie schloß die Tür zu dem Käfig auf und zog nur mit ihrem Arm daran, als wollte sie zu Hause die Haustür aufmachen, aber die Stahltür bewegte sich nur wenige Zentimeter, so daß sie die Klinke in beide Hände nehmen und sich nach hinten lehnen mußte, damit sie sanft aufschwang. Sie verhielt sich mir gegenüber unbeholfen und kalt. Sie gab sich Mühe, ihre Gleichgültigkeit zu zeigen, was genau das Gegenteil bewirkte, denn jemanden, der keine Rolle spielt, muß man nicht ignorieren. Als ich ihr die Handtücher hinhielt, stellte ich mir vor, daß ihr Herz wild flatterte wie ein Schmetterling, den man zwischen den hohlen Händen hält.

Sie griff etwas mühevoll nach den Handtüchern, während sie mit der Hüfte die Tür daran hinderte, wieder zuzufallen. Sie sagte: »Okay, ich hab sie«, hatte mich aber immer noch nicht angesehen.

Sie legte den Stapel Handtücher auf die Ecke des Tresens und wandte sich den Laborberichten zu, die reingekommen waren. Sie trug ihr Haar genauso wie in Block S, vorn ein Pony und den Rest hinten fest zusammengebunden. In dem Schatten des Käfigs hatte ihr Haar einen dunklen, metallenen Schimmer und lag um ihren Kopf wie ein Helm. Wenn Carol nach unten schaut, fallen ein paar Strähnen nach vorn über ihre Augenbraue, und sie hat die Angewohnheit, sie mit drei Fingern wieder nach hinten hinter das linke Ohr zu streichen. Am ersten Tag auf der Krankenstation beobachtete ich, wie sie, während sie in einen Laborbericht vertieft war, diesen Haarvorhang nach hinten schob; ihre Finger kamen, während sie las, langsam nach oben – die Tischlampe auf dem Tresen ließ Schatten über ihr Gesicht wandern – und zogen das Haar bis genau zu dem Punkt, von wo aus es über ihre Fingerspitzen dorthin fiel, wo es hin sollte.

Wir verändern uns durch die einfachsten Dinge. Wenn wir einmal eine bestimmte Wahrnehmung gemacht haben, können wir nicht dahin zurück, wo wir davor gewesen waren, selbst wenn wir das wollten. Die Geste war für mich bestimmt. Ich glaube, es war ihr absolut nicht bewußt, daß ich immer noch da war, und wenn sie sich meiner bewußt war, dann hatte es keine besondere Bedeutung. Eine solche Wirkung hätte sie niemals vorhersehen können. Für einen kurzen Augenblick wirkte sie verletzlich, und diese Geste berührte mich. Wir können nichts für unsere Gefühle – sie fliegen hoch, und im Flug wirbeln sie plötzlich die Luft in uns auf.

Das Foto von Carol, das Sie gezeigt haben, wird ihr nicht gerecht. Es ist nur ein Erkennungsfoto von der Zentralverwaltung der Besserungsanstalten. Ich kenne es gut. Es befindet sich auf dem laminierten Anstecker, den sie jeden Tag am Revers ihrer Schwesterntracht trug. Sie sagen, sie ist neununddreißig Jahre alt, aber in einem bestimmten Licht geht sie locker für Anfang Dreißig durch. So weit vergrößert, daß sie den ganzen Fernsehschirm ausfüllt, sieht Carol hart aus: Gesicht direkt von vorn, angespannte Kieferpartie, zusammengepreßte Lippen. Sie ist nicht hart, ehrlich. Sie hatte keinen Riecher dafür, besonders am Anfang nicht, als sie voller Idealismus war und voller heimlicher Phantasien über die Errettung von Insassen vor ihrem schlimmen Schicksal. Obwohl sie nicht religiös war, hatte sie damals etwas Missionarisches. Ich glaube, sie suchte nach einem Ort, wo sie ihre Ängste bändigen konnte. Sie hatte ihre eigenen Gründe, ihre eigenen Dämonen.

Wie viele Menschen, die mit einer tief verwurzelten Schüchternheit kämpfen, wußte sie nicht, wen sie auf Armeslänge von sich weghalten mußte. Sie dachte, kranke Insassen würden nicht versuchen, sie auszunutzen, einfach weil sie krank und schwach waren und sie brauchten. Im Gefängnis muß man im Umgang mit den Insassen ein bestimmtes Maß an Zynismus entwickeln, um sich selbst zu schützen. In diesem Punkt war sie naiv. Am Anfang mußte Baruk sie mehrmals warnen, und zu anderen Insassen konnte sie dann schroff sein. Zeitweise wirkte sie vielleicht kalt und geschäftsmäßig, aber das war nur eine Fassade, hinter der sie sich versteckte. Carol hatte viele Fassaden.

»Was starren Sie so?« herrschte sie mich an diesem ersten Tag an. Sie hatte plötzlich von den Laborzetteln aufgesehen.

»Nichts«, sagte ich. Ich wollte mich schon in der verstohlenen, federnden Gangart der Insassen entfernen – niemals so schnell, daß man Aufsehen erregt.

»Rich, muß ich mir das gefallen lassen?« beschwerte Carol sich.

Baruk stand im Korridor hinter mir und beobachtete den neuen Mann. Ich hielt sofort inne, als ich ihn sah. Er kam gemächlich auf uns zu.

»Machen Sie Schwierigkeiten, Cody?« fragte er.

Er tat besonders ruhig, um zu zeigen, daß er die Situation im Griff hatte.

Ich wußte, daß er selbst einen Seufzer als Widerspruch interpretieren würde. Wenn man nur seine Schultern einen Millimeter weit in Richtung eines Zuckens hebt, kann ein Mann, der jederzeit seine Überlegenheit demonstrieren muß, das als Sarkasmus auslegen. Und bei den Krankenschwestern waren die Beamten besonders empfindlich.

»Nein, Sarge«, sagte ich.

»Sie können Ihre Augen im Zaum halten.«

»Richtig.«

Ich beschäftigte mich wieder mit dem Mop. Den Rest des Tages ignorierte Carol mich, und Baruk beobachtete mich unentwegt.

Eine gutaussehende Frau zwischen tausend Männern erregt Aufmerksamkeit. Alle, sowohl Insassen als auch Wärter, versuchten, sie auszunutzen. Ich glaube, die Tatsache, daß Carol eine Frau in einem bestimmten Alter war, ließ die Männer glauben, sie sei empfänglicher für ihren Charme, als es sonst der Fall gewesen wäre. Sie glaubten, daß sie kaum Chancen hätte, daß sie, wenn sie in Denning arbeitete, entweder eine Vergangenheit hatte oder keine Zukunft.

Wenn man beobachtete, wie Carol ihren Tag in Angriff nahm, war einem klar, daß sie überall zurechtkommen würde, auch in

Denning. Aber wenn man ihr nahe kam, war sie wirklich verletzlich. Ich ahnte das, aber die Bestätigung bekam ich erst, als ich eines Tages an ihr vorbeigriff, um die schwere Tür des Käfigs daran zu hindern, sie beim Zurückschwingen umzustoßen. Ich mußte meine Hand schnell an ihrem Gesicht vorbeibewegen, um die Tür zu packen, und sie zuckte. Irgendein tief verborgener Teil von ihr mußte angenommen haben, ich würde sie schlagen. Sie erstarrte, und ein schmerzvoller Ausdruck erschien auf ihrem Gesicht, der nichts mit der Gegenwart zu tun hatte.

»Tun Sie das nie wieder«, sagte sie. Einen Augenblick ruhte ihr Blick voller Wut auf mir. Ihre Unterlippe zitterte, als sie sich abwandte.

»Was?« fragte ich ruhig.

»Egal.«

Sie ließ die Tür mit einem dumpfen Aufschlag ins Schloß fallen und machte sich wieder an ihre Arbeit im Käfig. Sie hatte sich völlig in sich zurückgezogen. Sie war ihrer Umgebung entrückt. Ich glaube, sie nahm nicht mal sich selbst wahr, als sie abwesend um den Tresen herumging, Papiere hin und her schob. Patientenkarten einsortierte, Büroklammern in die Hand nahm und sie in eine Schublade legte. Saubermachen, sortieren, die Umgebung ordnen, der Welt einen Sinn geben.

Es gab immer welche, die versuchten, sie auszunutzen. Carol wußte, wie sie mit ihnen umgehen mußte. Sie wimmelte sie ab oder beschwerte sich bei Baruk und ließ sie zurück in die Abteilung schicken. Wenn sie wollte, hatte sie eine sachliche Art, die die meisten Insassen davon abhielt, irgend etwas zu versuchen. Aber wenn Leute wirklich krank waren, war sie nicht aufmerksam. Von Diego ließ sie sich schamlos manipulieren. Baruk und die anderen Wärter konnten sie nicht jede Minute des Tages im Auge behalten, und man mußte sie im Auge behalten, denn gelegentlich war sie hilflos.

Sammy Shay wurde mit einem mysteriösen Fieber eingeliefert. Ich wußte, daß er simulierte; er wollte sich ein paar Tage auf der Krankenstation verstecken, um Ärger aus dem Weg zu gehen, in den er sich im Block hatte hineinziehen lassen. Ich kam gerade aus dem Gerätschaftskämmerchen und hielt Ausschau nach Carol, weil ich sie bitten wollte, Putzmittel zu bestellen. Im Käfig konnte ich sie nicht entdecken. Als ich um die Ecke ging, sah ich Shay und Carol. Er stand unnatürlich nah vor ihr. Ich weiß nicht wie, aber er hatte es geschafft, sie an die Tür eines Krankenzimmers zu manövrieren, und beugte sich, den einen Arm an die Wand gestützt, so daß sie nicht entkommen konnte, über sie. Sie saß in der Falle. Sie hatte das Gesicht von ihm abgewandt und die Zähne fest zusammengebissen, als würde sie sich weigern zu atmen. Er flüsterte ihr etwas Widerliches ins Ohr. Sie hätte nur nach einem Beamten rufen müssen, der ihr sofort zu Hilfe geeilt wäre. Aber sie war in ihrer eigenen Angst gefangen. Sie fühlte sich hilflos, also war sie es auch.

Als ich näher trat, drehte er sich um. Er sagte, ich solle verduften. Ich bekam sein Gesicht seitlich zu fassen, packte seine Wange und die Haut unter dem Kiefer fest mit meiner Faust und zog ihn von Carol weg. Er griff nach meinem Gesicht, aber ich schüttelte ihn, und das tat ihm so weh, daß er nachgab.

Carol schien zu sich zu kommen. Sie atmete zitternd tief durch. Als ich mich umschaute, war sie gegangen. Ich ging mit Shay zum Ende des hinteren Korridors, wo unbenutzte Büros lagen. Ich hielt ihn immer noch am Gesicht fest und zog ihn bis zum Ende des Korridors. Es wäre ein leichtes gewesen, ihn umzubringen. Ich lehnte ihn gegen die Tür. Er war wie eine Puppe. Ich hatte die Kraft, ihm etwas anzutun, aber ich ließ sein Gesicht los.

Er sagte: »Was, zum Teufel, ist los?« Er begriff nicht, was ich getan hatte. »Was geht das dich an?«

Ich schlug ihn, halbherzig. Ich hatte Angst davor, was ich ihm antun würde, wenn ich mich gehenließe.

Es war eine verrückte Idee, doch ich machte mich daran, Carol zu gewinnen. Als würde der unterste Diener im Schloß sich in die Königin verlieben. Aber ich hatte alle Zeit der Welt. Wie man im Gefängnis so sagt, wir haben nichts außer Zeit. Auch wenn Carol die Königin war und ich der Diener, kann eine solche Hierarchie nicht lange bestehen, wenn ein Mann und eine Frau ihre Tage auf so engem Raum verbringen. Mauern brechen zusammen, egal, worauf sie beruhen. Sie werden abgetragen durch den alltäglichen Abrieb einer Gegenwart gegen die andere. Und wenn die Mauern einmal ein kleines Loch haben, wenn zwei Menschen sich berühren, wird das Loch schnell größer, weil es der Natur des menschlichen Geistes entspricht, durch die kleinste Verbindung zwischen zwei Menschen zu fluten und Mauern abzutragen.

Carol hatte ziemlich viel Zeit. Auf der Station war es die meiste Zeit kein allzu stressiger Job. Sie konnte dreißig Minuten hinter dem Stahlgeflecht sitzen und unter der Tischlampe trübsinnig ihre Fingernägel hin und her drehen, sie von der einen und der anderen Seite betrachten. Obwohl ein Glühen sie umgab, wenn sie mit Patienten umging, war leicht zu erkennen, daß sie unglücklich war. Wenn sie untätig war, lag etwas Müdes um ihren Mund, das von Enttäuschung sprach. Wenn sie spürte, daß ich in der Nähe war, rückte sie ihr Gesicht zurecht und schaute mit einem kleinen, abwesenden Lächeln hoch; es war wie ein Reflex.

Ich achtete sehr darauf, sie nicht zu belästigen. Das Risiko besteht, wenn man versucht, sich jemandem zu nähern, dem man nichts bedeutet. Ich trug kleine, legitime Wünsche vor. Vorher überlegte ich jedesmal lange, ob – je nach Carols Stimmung – seit dem letzten Wunsch genug Zeit vergangen war. Zum Beispiel schob ich einen Bleistift durch das Geflecht.

»Kann ich Sie um einen Gefallen bitten?«

»Ja«, sagte sie abwesend.

Sie hatte in die Luft gestarrt. Ich erschreckte sie. Dann richtete sie ihren Blick auf den Bleistift.

»Klar.«

Sie drehte ein paarmal am Griff des Bleistiftspitzers und musterte die Spitze. Als sie mir den Bleistift zurückgab, hatte ich es noch nicht geschafft, für sie zum Menschen zu werden.

»Bitte schön ... Gern geschehen.«

Es ist schwer zu sagen, wann der Moment kam, an dem ich für Carol zum Menschen wurde. Ich glaube, es war das erste Mal, als ich den Käfig betrat. Ich ging gerade vorbei, und als ich schnell einen Blick zur Seite warf, sah ich, daß sie den Kopf von einer Seite zur anderen schüttelte, als ob sie weinte oder Schmerzen hätte. Sie hob die Hand zum Gesicht, berührte es aber nicht. Sie kratzte in der Luft herum, als würde eine unsichtbare Wand sie davon abhalten, die Hand näher an den Kopf zu bringen.

»Haben Sie etwas im Auge?« fragte ich sie.

Sie nickte und wedelte mit den Händen. »Oh! Oh!« Das rechte Auge hatte sie zugekniffen.

»Warum lassen Sie es mich nicht rausnehmen?« schlug ich vor.

»Es ist okay. Ich brauche nur einen Spiegel.«

Als sie am Tresen entlang nach dem Schließfach tastete, wo sie ihre Handtasche aufbewahrte, stolperte sie gegen einen Stuhl. Sie tastete in der Tasche herum, zog eine Puderdose hervor und versuchte, mit einer Hand das untere Augenlid aufzuhalten, während das obere vor Schmerzen flatterte. Sie linste in den Spiegel und ließ das Lid wieder los.

»Sie sollten mir das überlassen«, rief ich.

»Ich bin Krankenschwester«, sagte sie. »Ich müßte das eigentlich hinkriegen.«

»Aber Sie können sich nicht selbst helfen. Es ist, als würden Sie sich in den Finger schneiden, um einen Splitter rauszuholen. Es sind die Reflexe. Es widerspricht der menschlichen Natur.«

Sie legte die Puderdose weg und stand vollkommen still da, die Hände griffen nach der Kante des weißen Tresens. Sie hatte die Augen zu, aber nicht mehr zusammengekniffen, und das Gesicht nach oben gewandt, so daß das Licht von der Tischlampe die Linie ihrer Kehle beleuchtete und das Gesicht in Schatten tauchte. In solch unbedachten Momenten liegt eine seltene, ruhige Schönheit. Ich konnte sie anschauen, soviel ich wollte.

»Manchmal kommen sie von selbst wieder raus«, meinte sie.

»Nicht die Luft anhalten.«

Sie lächelte wie eine Blinde, mit einem Gesichtausdruck wie nach oben gerichteter Verzückung. Ich wartete. Sonst war niemand im Korridor.

»Soll Doktor Dan mal einen Blick drauf werfen?«

Sie zögerte. Unter den Lidern mußte sie die Augen bewegt und die Wimper verschoben haben. Sie schüttelte langsam den Kopf vor Schmerzen und Frustration.

»Ich hätte es in weniger als einer Sekunde draußen«, sagte ich.

Sie kam am Tresen entlang und tastete einäugig nach dem großen Messingschlüssel. »Okay«, sagte sie. »Aber Sie müssen schnell machen.«

Ich führte sie zu einem Stuhl und verdrehte die Tischlampe so, daß sie ihr Gesicht beleuchtete. Sie ließ den Kopf mit einer ruhigen Ergebenheit nach hinten sinken. Sie gab sich mir hin. Ich nahm ihren Kopf in meine Hände und drehte ihn zum Licht. Ihr Kopf war wie das Universum, das ich in Händen hielt.

»Lassen Sie mich«, flüsterte sie.

Sie zuckte, als ich ihr Gesicht berührte, aber dann entspannte sie sich wieder. Vertrauen ist etwas dermaßen Unnatürliches, es widerspricht all unseren Reflexen. Ihre Lider waren fest zusammengepreßt. Ich legte ihr die Hand auf die Wange und strich mit dem Daumen über die ganze Länge der Augenbraue, damit die Muskeln sich entspannten. Sehr langsam zog ich das obere Lid hoch. Mascara hatte sich am Ende der Wimpern zusammengeklumpt und war auf die Haut unter ihrem Auge geflossen.

Eine Träne löste sich und rollte über ihre Wange – schnell, dann langsam, dann wieder schnell, als sie seitlich der Nase nach unten rollte. Das ungeschützte Auge war ein wildes, verängstigtes Ding, huschte ruckartig von einer Seite zur anderen, als versuche es verzweifelt zu fliehen.

»Es ist eine Wimper«, sagte ich. »In der Ecke.«

Ich nahm das Papiertaschentuch, das sie in der Hand hielt.

»Seien Sie vorsichtig«, sagte sie.

Es war eine freche, schwarze, in Tränen gebadete Wimper. Ich berührte sie mit einer Ecke des Taschentuches, und sie kam sauber heraus. Sofort zog Carol sich von mir zurück.

»Ich wußte nicht, daß Sie Kontaktlinsen tragen«, sagte ich.

Ich schaute auf, als sie nicht antwortete, und sah Sergeant Baruk vor dem Drahtgeflecht stehen. Ich fragte mich, wie lange er schon dort war.

»Sie hatte etwas im Auge«, sagte ich.

»Ich konnte nichts sehen«, erklärte Carol. »Es mußte unbedingt raus.«

»Sind Sie jetzt in Ordnung?« fragte er Carol. »Zurück an die Arbeit«, befahl er mir, als fiele ihm das jetzt ein, noch bevor sie antworten konnte.

Ich war erleichtert, als Carol am nächsten Tag zur Arbeit kam, weil das hieß, daß sie nicht gefeuert worden war. Und ich war überrascht, daß Baruk mich nicht rausgeschmissen hatte. Später fand ich eine Gelegenheit, im Behandlungszimmer mit ihr allein zu sein. Sie schien fest vorzuhaben, mich zu ignorieren, und hakte weiter den Bestand auf einem Klemmbrett ab.

»Ich hoffe, Sie hatten keine Schwierigkeiten«, sagte ich.

Sie sah verärgert aus. »Nein. Warum sollte ich? Es war keine große Sache.«

»Ich hatte Angst, Baruk würde Sie aufschreiben.«

»Ich bin ihm nicht unterstellt.«

»Ich weiß.«

Ich dachte, sie würde noch was sagen, aber sie kritzelte etwas auf die Liste, die sie überprüfte.

»Dieser Job«, sagte ich, »bedeutet mir ziemlich viel. Ich würde mich freuen, wenn Sie ein gutes Wort für mich einlegen.«

»Wie gesagt, es war keine große Sache.«

Carol schaute nicht von ihrem Klemmbrett hoch. Sie runzelte die Stirn, als müßte sie sich auf ein Problem konzentrieren, das sie dort entdeckt hatte. Ich machte mich an dem Putzkarren zu schaffen, bis es für mich wirklich nichts mehr zu tun gab, und schlenderte weiter.

»Ich schulde Ihnen was«, sagte ich.

Sie schaute hoch, als hätte sie vergessen, daß ich da war. »Okay«, sagte sie vage. »Wenn Sie möchten.«

Abends lag ich immer auf meinem Kojenbett und überlegte, was zwischen uns passiert war. Carol hatte über etwas gelächelt, was ich gesagt hatte. War das der Durchbruch, auf den ich hoffte? Nahm sie mich endlich wahr? Hatte ich ein Loch in die Mauer gerissen? Ich hatte sie zum Lachen gebracht. Ich hatte sie dazu gebracht, innezuhalten und nachzudenken. Ich hatte ein paar Gedichtzeilen von William Blake zitiert, die zu der Situation zu passen schienen, und war davonmarschiert, ohne ihre Reaktion abzuwarten. Wir hatten uns angewöhnt, am Ende von Carols Schicht noch mal bei allen Patienten vorbeizuschauen, ob sie etwas brauchten, bevor sie ging. Machte Carol das mit Absicht? Suchte sie absichtlich eine unauffällige Möglichkeit, wie wir Zeit miteinander verbringen konnten? Oder war es ihr egal, ob ich sie auf diesen Runden begleitete? Ich lag auf meinem Kojenbett und analysierte jedes Ereignis nach Anzeichen für Hoffnung oder Verzweiflung. Es ist nicht übertrieben, wenn ich sage, daß sie für mich in Denning der einzige Grund meiner Existenz war.

Wenn ich mich anhöre wie ein Teenager, der seinen neuesten Schwarm anschmachtet, dann ist das nicht weit von der Wahrheit entfernt. Ich konnte mich Carol nicht so nähern wie draußen. Diese Liebesgeschichte war gegen das Gesetz. Ich konnte ihr immer nur in winzigen Häppchen den Hof machen, sozusagen unsichtbar. Ich verfolgte sie für alle sichtbar mit gewöhnlichen Worten. Niemand konnte wissen, was wir taten. Sogar Carol konnte es anfangs nicht ahnen, oder sie hätte sich aus dem Staub gemacht.

Wir entwickelten eine Geheimsprache. Wie bei allen großen Geheimnissen gestanden wir uns gegenseitig nicht ein, daß so etwas existierte. Wir konnten nie sicher sein, was genau der andere wirklich gesagt hatte. Die Botschaft war im Tonfall verborgen. Sie rollte sich in der besonderen Betonung eines einzelnen Wortes zusammen. Sie versteckte sich in einem Zögern. Unsere Liebesbriefe waren unsichtbar. Die Klänge unserer Liebe waren unhörbar, außer für das nackte Ohr. Die Bedeutung war ein Hinweis innerhalb einer Nuance, indirekt, fast nicht zu erkennen.

Zuerst war die geheime Dimension so subtil, daß ich mir nicht sicher sein konnte, daß diese Sprache wirklich existierte. Ich redete mit ihr, aber redete sie auch mit mir? Sie schien zu antworten, aber es war ein Code, den wir erst mit der Zeit entwickelten. Zumindest hoffte ich das. Oder waren diese Zeichen nur kleine Ungenauigkeiten beim Sprechen? Nachts nahm ich jedes einzelne Wort, das tagsüber zwischen uns gewechselt worden war, auseinander. Ich wiederholte in Gedanken ganze Sätze, suchte nach der akkuraten Verteilung der Betonung, nach der wahren Bedeutung, bis die Bedeutung ganz verschwand und der Satz nichts weiter war als ein Durcheinander von Klängen. Es kommt der Punkt, da muß man um die Ecke gehen und für sich selbst herausfinden, was real ist. Dieser Moment muß äußerst sorgfältig ausgewählt werden.

Carol durfte im Käfig eigentlich nicht rauchen, obwohl ich kaum einen Meter von ihr entfernt im Korridor rauchen durfte. Ich hatte mir angewöhnt, für sie Schmiere zu stehen, während ich meiner Arbeit nachging, und sie zu warnen, wenn Sergeant Baruk unterwegs zu ihr war. Eines Tages saß sie mit einer Zigarette zwischen den Fingern und einem geistesabwesenden Blick in den Augen in dem Käfig.

»Er ist es nicht wert«, sagte ich.

»Wer?«

Sie lächelte mit Bedacht. Sie war argwöhnisch, ob ich einen Schritt tun würde, um die Grenze zu übertreten.

»Wer auch immer«, sagte ich.

»Was wissen Sie schon?« fragte sie und warf mir einen herausfordernden Blick zu, der mich ermutigen sollte. Sie hatte die Ellenbogen auf dem Tresen aufgestützt und hielt die Hände, als würde sie beten; sie klopfte mit den Fingerspitzen gegen das Kinn und kniff die Augen wegen des Qualms zusammen. Ich stand einen halben Meter von ihr entfernt, aber Carol benahm sich, als wäre sie schon wieder in ihre Tagträumerei versunken. Wir wußten beide, daß es ein Spiel war. Immer wenn es zwischen zwei Menschen ein wortloses Verstehen gibt, ist da auch Intimität.

»Haben Sie Feuer?« fragte ich sie.

Widerwillig, spottend, bis zum letzten Moment zusammengekniffen, richtete sie ihre Augen wieder auf mich. Geziert klopfte sie die Asche ab. Sie zog an der Zigarette, um sie zum Glühen zu bringen, und hielt die Spitze durch das Geflecht, damit ich meine daran entzünden konnte. Im letzten Moment, bevor ich mich zurückzog, schaute ich ihr in die Augen und sah darin eine Einsamkeit und einen Hunger, der sich von meinem nicht zu unterscheiden schien. Ich zog kräftig an der Zigarette, als wollte ich sie tief in meine Brust hineinsaugen und sie dort festhalten, sie mit meinen Augen halten. Sie schaute zur Seite, aber ihre Augen waren weit offen; sie versteckte sich nicht vor mir. Ich hatte das starke Gefühl, daß sie mir erlaubte, sie zu besitzen, daß ich sie anschauen und sie trinken konnte, daß ich sie tief in meine Lungen saugen konnte, unter Wasser tauchen und sie dort halten konnte, bis mir schwindelig wurde, bis ich nicht mehr richtig denken konnte und auftauchen mußte, um nach Luft zu schnappen.

»Sie sehen reizend aus, wenn Sie diesen verträumten, abwesenden Ausdruck in den Augen haben«, sagte ich zu ihr und bemerkte, wie sich, als sie sich abwandte, ein scheues, geheimes Lächeln auf ihren Lippen breitmachte.

Sie soll wissen, daß sie mich bis ins Innerste berührt, bis zu dem Stoff, der substantieller ist als die Eigenarten der Persönlichkeit oder die Träume über die Zukunft. Irgendwie bringe ich keinen Ton heraus, obwohl ich Carol jetzt ganz für mich habe, ohne die Schranken, die uns all die Zeit trennten. Ich kann ihr nicht sagen, wie sehr ich sie liebe.

Sie holte mich aus dem Gefängnis, damit wir zusammensein können, und jetzt ist sie beunruhigt. Sie macht sich sehr viele Sorgen, wir könnten von der Polizei geschnappt werden. Ich weiß, daß das früher oder später unvermeidlich ist, und ich glaube, auch sie weiß es. Es ist hart für sie, auf der Flucht zu sein. Ich versuche, sie dazu zu bringen, sich zu entspannen, die Dinge laufen zu lassen, jede Minute als Geschenk anzusehen, über das wir glücklich sein können. Sie besteht darauf, daß wir weiterziehen. Sie meint, wir können uns neue Identitäten zulegen.

Sie hat alles für mich aufgegeben. Als sie die Waffe unter die Matratze der alten Frau schob, wußte sie, daß das ein Schritt war, den sie nie mehr ungeschehen machen kann. Carol bestreitet das. Aber es gibt sehr viel zu bewältigen, und es wäre wahrscheinlich ein ziemlicher Schock für sie, wenn sie alle Folgen ihrer Handlung auf einmal zur Kenntnis nehmen würde.

Mit unserer Beziehung ist es seit der Flucht drunter und drüber gegangen. In Denning war Carol die Königin der Krankenstation. Sie kontrollierte mich vollkommen – meinen Körper, jede meiner Bewegungen, wohin wir gingen, wann. Hätte ich sie enttäuscht, hätte ein Wort genügt, um mich für immer fortzuschaffen. Es hätte nicht mal jemand nach dem Grund gefragt. Wenn sie mit dem Fuß aufgestampft hätte, hätte man mich auf A 6 geschafft, wo ich gewartet hätte, bis ich dran gewesen wäre, eine frei gewordene Stelle in der Metallwerkstatt zu besetzen. Hätte sie mich bestrafen wollen, hätte sie nur nach dem Telefon greifen müssen (»Rich, wissen Sie, was er gerade zu mir gesagt hat?«), und Baruk hätte mir diskret eine Tracht Prügel verpaßt, bevor er mich persönlich durch die Korridore für ein paar Wochen in Block S gezerrt hätte. Da kommt das heutige Amerika der Welt von Marie Antoinette sehr nah.

Nach einer kleinen Meinungsverschiedenheit – ich glaube, ich war zu schnell gewesen und hatte meine Grenzen überschritten – sagte sie einmal zu Baruk: »Laß uns Cody morgen frei geben.« Carol wollte etwas klarstellen.

Ich kauerte im Korridor, kratzte an dem Schmutz, der sich in der Fuge zwischen der Wand und dem Fußboden angesammelt hatte. Sie wandte mir den Rücken zu, aber sie wußte genau, wo ich war.

Baruk sah mich unsicher an. »Na klar«, sagte er und überlegte, wie er das mit dem Lieutenant regeln sollte. Im Gefängnis gibt es einen festen Tagesablauf. Wenn ein Insasse zu einer bestimmten Zeit an einem bestimmten Ort sein soll, kann man das nicht einfach so ändern.

Ich hätte mich einsetzen können. Wenn ich gesagt hätte: »Die Arbeit macht mir nichts aus«, hätte ich Baruk aus der Patsche helfen können. Genausogut hätte ich sie bitten können: »Bitte, schick mich nicht weg!«

»Er hat ziemlich viele Überstunden gemacht«, erklärte Carol Baruk. Sie schlenderten gemeinsam weg, wobei ihre Schultern sich beinahe berührten.

Um drei Uhr, als seine Schicht zu Ende war, eilte Baruk in Richtung Eingang und sagte, ohne stehenzubleiben: »Okay, Cody, Sie können morgen frei machen.« Er hatte einen verschlagenen Ausdruck im Gesicht, denn Freizeit bedeutet, Zeit zur Verfügung zu haben, und das ist für einen Mann im Gefängnis keine Belohnung.

Am nächsten Tag saß ich an einem Picknicktisch in der Halle und tat, als würde ich ein Buch lesen, aber das Stillsitzen fiel mir schwer, und so ging ich in den Kraftraum, sobald der Beamte ihn auf schloß. Ich arbeitete an meinem Körper, bis ich mich mit Muskeln vollgestopft fühlte. Ich war angeschwollen, weil ich das Blut in meinen Brustkorb, meine Arme und Beine gepumpt hatte. Ich pumpte und begrüßte den brennenden Schmerz. Ich stellte mir vor, daß Säure die Zellen meines Körpers zerstörte. Ich stemmte Gewichte, bis ich die Arme nicht mehr über den Kopf heben konnte. Den restlichen Vormittag lag ich auf dem Bett, und am Nachmittag ging ich wieder in den Kraftraum und fing noch mal von vorn an.

Irgendwo anders ging das Leben ohne mich weiter. Ich war aus der Welt der Krankenstation ausgeschlossen, die meine Welt geworden war, meine ganze Welt. Man ahnt nicht, was man besitzt (glauben Sie mir!), bis einem etwas Wesentliches weggenommen wird.

Am nächsten Morgen war ich aufgestanden und hatte mich fertig gemacht, lange bevor der Wärter ans Tor kam. Er schaute auf sein Klemmbrett.

»Sie haben hier unten nichts verloren, Cody«, sagte er.

»Ich hatte gestern frei«, erklärte ich. »Gestern stand ich nicht auf der Liste, man hat bestimmt nur vergessen, mich wieder draufzusetzen.«

»Lassen Sie die anderen Männer durch«, sagte er. Er schaute schon an mir vorbei.

»Baruk wird toben, wenn ich nicht auftauche«, erklärte ich ihm.

Sein Gesicht war starr. »Gehen Sie zur Seite«, sagte er.

So viel Macht hatte sie über mich. Sie konnte mich verbannen. Uniformierte Männer fügten sich ihren Launen. Ich wetterte gegen sie und fürchtete mich davor, was meine Wut anrichten konnte. Was bedeutet ein Tag für einen Mann, der ein normales Leben lebt? Was ist ein Tag im Gefängnis? Sie hatte so viel Macht über mich, daß ein Tag ohne sie ein Tag voller Qualen und brennender Schmerzen war. Ich war doppelt gefangen. Und doch wünschte ich es mir nicht anders.

Am nächsten Tag war ich wieder bei der Arbeit. Ich ging nicht direkt zum Käfig der Krankenschwestern, obwohl ich die Unsicherheit kaum aushielt. Ich war ein Vulkan voller Angst, Wut und Liebe. Ich wagte nicht, mich ihr zu nähern, und ich konnte nicht wegbleiben.

Sehnsucht ist quälend. Sie verzehrt alle Disziplin und Entschlossenheit, die man zum Überleben braucht. Ich sehnte mich nach ihr, so wie andere Insassen sich nach Kokain sehnten. Sie sagten: »Koks hat mich im Griff.« Ich wußte – während ich den Boden wischte, den Mop mit so viel Nachdruck an meiner Brust vorbeizog, daß ich ein leichtes Brennen spürte, und mich schrittweise rückwärts durch den Korridor auf den Käfig der Krankenschwestern zubewegte –, daß Carol mich im Griff hatte.

Als ich auf der Höhe der Tür war, arbeitete ich langsamer. Ich schob den Mop in eine Ecke, um jahrzehntealten Schmutz aufzuscheuchen. Ich lauschte auf ein Geräusch von ihr. Ich mühte mich ab, vor und zurück in zwei Zentimeter breiten Streifen, und wartete. Ich wollte, daß sie das Schweigen brach. Als ich schließlich innehielt und mich umdrehte, um in den Käfig hineinzuschauen, saß dort Tanya mit tagträumerischem Blick am Tresen.

Ich packte den Besenstiel, als wäre er ein Blitzableiter für Schmerzen. Ich haßte mich, weil ich so abhängig war von dieser Frau. Ich war ein Sklave meiner Gefühle, und sie kontrollierte sie.

Dann hörte ich, wie sich hinten im Korridor in der Tür des Behandlungszimmers ein Schlüssel dreht, und, als die Tür aufschwang, ihre Stimme. Zuerst kam ein Insasse auf Krücken heraus, gefolgt von einem Beamten. Der Insasse streckte einen verbundenen Fuß hoch in die Luft und schaute, als er die Gummikappen unsicher auf meinen nassen Fußboden aufsetzte, nach unten.

Ich war noch nicht darauf vorbereitet, daß Carol den Korridor betrat. Fast immer trug sie weiße Hosen und den Kittel einer Schwesterntracht, der ihren ganzen Körper verbarg, aber an diesem Morgen trug sie nur eine marineblaue Strickjacke über einem weißen Kleid. Carol hat reizende, schlanke Beine, die auch in weißen Strumpfhosen und den für Krankenschwestern typischen Schuhen mit dicken Sohlen gut aussehen. Ihre Aufmachung war eine phantastische Abweichung von ihrem gewohnten Stil. Es konnte kein Zufall sein, bestimmt hatte sie sich an diesem Morgen so angezogen, um mir zu gefallen.

Carol drehte sich um und sah mich, und mein Herz schlug höher, weil – ich war mir ganz sicher – ich bemerkte, wie sie den Bruchteil einer Sekunde zögerte, bevor sie entschlossen auf den Käfig der Krankenschwestern und auf mich zukam. Ich war schon wieder in Bewegung, schob den Mop, zog ihn an meiner Brust vorbei, arbeitete mit gesenktem Kopf rückwärts.

Ich sah, wie ihre Füße an der Tür verharrten und sie leicht in die Knie ging, als sie den Schlüssel ins Schloß steckte. Sie hielt inne, und ich wartete auf den Klang ihrer Stimme, der mir sofort sagen würde, wo ich stand.

»Hallo, Dan«, sagte sie.

Ich hatte diesen Moment hundertmal in Gedanken durchgespielt, jedes Mal eine winzige Nuance mehr oder weniger Wärme, Zurückweisung oder Entschuldigung als beim Mal zuvor. Auf dem Kojenbett in meiner Zelle liegend und die Decke anstarrend, war ich die Tonlagen ihrer Stimme durchgegangen, wie wenn man auf dem Klavier Tonleitern übt.

»Hi, Carol«, sagte ich.

Wir sprachen mit neutraler Stimme. Neutralität bedeutet keineswegs die Abwesenheit von Gefühlen, denn das Gefängnis ist ein Ort, an dem Gefühle nie gänzlich abwesend sein können. Neutralität ist weder ein Raum noch ein Gebiet, sondern ein Punkt. Ein winziger Punkt perfekter Balance. Einen Mop festzuhalten, während man Baruk in die Augen schaut, darin liegt ein Tao, das weder herausfordernd noch unterwürfig ist. Es gehört ein auserlesenes Kalkül dazu, einen Insassen in einem schmalen Flur an einem vorbeigehen zu lassen, ohne daß es zur Kraftprobe wird oder man ihm Platz macht. Eine neutrale Stimmlage ist eine Leistung, wie in der richtigen Tonhöhe zu singen. Wir sangen einander etwas vor.

Carol ging in den Käfig. Ich plagte mich mit etwas Unsichtbarem mit dem Mop. Carol schob Papiere hin und her.

»Wie war Ihr freier Tag?« fragte sie, kaum den Blick hebend. Ihre Frage war perfekt. Ich staunte über ihre Kontrolle.

»Zwei Tage«, verbesserte ich sie leichthin, ohne eine Spur Bitterkeit, ohne es zu betonen.

»Wirklich?«

»Ja. Zwei.«

»Na ja, es war wahrscheinlich gut, mal 'ne Pause zu machen.«

»Ich hab's gebraucht.«

»Sie haben es verdient.«

Ich wollte, daß sie, überwältigt von Gefühlen, das Gespräch beendete.

Ich durchquerte den Korridor und trat an das Stahlgeflecht heran. »Vielen Dank, daß Sie ein gutes Wort für mich eingelegt haben«, sagte ich in der richtigen Tonhöhe.

Sie stand mit gesenktem Kopf am Tresen. In dem Käfig war es dunkel, mit Ausnahme der Tischlampe, deren Licht von den Papieren auf dem Tresen reflektiert und auf Carols Gesicht geworfen wurde, als besäße sie ein inneres Leuchten. Ein Finger glitt eine Zeile entlang. Als sie das Blatt umdrehte, löste sich eine Haarsträhne und fiel nach unten. Mit der anderen Hand schob sie sie nach hinten, und geistesabwesend bewegte diese Hand sich zum Stahlgeflecht, und die Finger griffen hindurch und verhakten sich direkt vor mir. Mein Herz klopfte wie wild. Carol lehnte sich beiläufig an das Geflecht, als wollte sie sich abstützen. Ich warf rasch einen Blick den Korridor hinauf und hinunter. Ich hatte Angst, eine plötzliche Bewegung würde sie erschrecken und sie würde sich in den Käfig zurückziehen. Ich hatte Angst, sie könnte die Hand geistesabwesend jeden Moment wieder wegnehmen, und ich würde hilflos in der Luft herumwirbeln.

Ich wagte kaum zu atmen, hob meine Hand zu ihrer und strich über die Finger, über die Gelenke, die Nägel, verweilte bei den Fingerspitzen, und das war's. Ich war erfüllt. Carol zog ihre Hand zurück und blätterte um. Sie hatte nicht aufgesehen. Ich trat aus dem magischen Kreis heraus. Ich hatte ihre Hand vorher noch nie berührt. Ich liebte sie seit drei Jahren und hatte noch nie ihre Hand berührt.

Die äußere Welt um uns herum fiel wieder an ihren Platz zurück. Wir waren verzaubert. Jetzt hatten wir Mühe, uns aus dem Zauberbann zu befreien. Carol runzelte die Stirn, sie erinnerte sich an etwas.

»Oh, Dan?«

»Ja?«

Ich wäre für sie durchs Feuer gesprungen, hätte ich die in die Länge gezogene Heiserkeit, mit der sie das a in der Mitte meines Namens aussprach, noch einmal hören können. Hätte jemand anders in einer Silbe, eingebettet in eine beiläufige Bitte, eine ganze Welt von Versprechungen entdecken können? Niemand hätte die Kammlinien dieses weichen Vokals erspürt, außer, er hätte ihn unter ein mentales Mikroskop gelegt; und dann hätte er nur gesehen, wie die Töne erbebten, wie die Lücken zwischen ihnen angefüllt waren mit schmerzlicher Sehnsucht und Bedauern.

»Könnten Sie etwas für mich tun?« fragte sie und schaute mich an, schaute mich wirklich an, ganz offen und klar, das erste Mal seit zwei Tagen. Dann lächelte sie schelmisch. »Wir haben keine Handtücher mehr. Können Sie welche aus der Wäscherei holen?«

Nichts konnte mehr sein wie vorher. Bis dahin hatte unsere Beziehung nur aus Worten, Gesten, Blicken bestanden. Die Berührung gab unserer Liebe Substanz. Sie brachte eine neue, physische Dimension hinein, mit neuen Handlungen und neuen Gefühlen.

Wir mußten doppelt vorsichtig sein, das, was wir miteinander teilten, vor den anderen zu verstecken. Im Gefängnis bleibt nichts unentdeckt. Es ist wie eine Bewegung in der Wüste: Es gibt so wenig Leben, daß das geringste Flattern die Aufmerksamkeit des Raubtiers erregt. Wir konnten uns kaum unsere Gefühle füreinander gestehen. Baruk konnte jederzeit um die Ecke kommen. Oder der hohle Spiegel, der dort montiert war, wo die Wand mit der Decke zusammentraf, würde mein Bild einfangen, wie ich nach ihr griff, und die Geste so weit vergrößern, bis sie die Mitte der Linse sprengte. Ich konnte sie nur in kleinen Portionen lieben. Ich war ein Mann in einem brennenden Haus voller Qualm, der den lebensrettenden Sauerstoff durch ein Schlüsselloch saugt.

Als ich abends zum Block zurückkehrte, hörte ich ein Lied im Radio, und ich fragte mich, ob Carol im selben Augenblick denselben Radiosender eingeschaltet hatte und dasselbe Lied hörte. Wir lebten in parallelen Welten, und am Anfang hatte es mir Spaß gemacht, mir vorzustellen, wo sie sich in dem Moment, in dem ich an sie dachte, aufhielt und was sie wohl gerade tat. Aber das physische Element veränderte das. Immer öfter quälte mich, wenn ich nicht in ihrer Nähe war, meine Vorstellungskraft mit den obszönsten Eifersüchteleien. Ich war in meine Zelle eingeschlossen, während Carol die Freiheit hatte, umherzuziehen und sich aus hundert Männern einen auszusuchen. Ich konnte nicht schlafen und wälzte mich hin und her, während ich mit diesen Gedanken rang.

Morgens war es dann ganz anders. Ich wachte in einem emotionalen Morgengrauen auf: Ein Lächeln erschien auf meinem Gesicht, und ein glückliches Glühen erfüllte meine Brust, wenn ich an den bevorstehenden Tag dachte. Ich stellte mir den Augenblick vor, in dem ich sie erblickte, und den Abschluß des Tages, wenn wir uns in Diegos Zimmer unterhielten. Ich heckte aus, wie wir es bewerkstelligen könnten, einen kurzen Moment allein miteinander zu sein – ich fühlte mich, als würde ich den Göttern das Feuer stehlen. Oft schätzte ich mich glücklich, in Denning zu sein.

Es gab wahnsinnige Augenblicke, wenn unsere Finger sich berührten, aber das waren seltene Gelegenheiten, die ein Risiko für die ganze Beziehung waren. Es war eine Romanze, wo alles in den Augen des anderen geschah – dort liebten wir uns und lebten unsere Existenz. Keuschheit ist eine altmodische Vorstellung. Sie war nicht frei gewählt – und zum Glück ist es damit ja jetzt auch vorbei –, aber sie vertiefte unsere Beziehung und zwang die Gefühle durch Kanäle tief in unser Inneres hinein.

Einmal ging sie auf dem Weg zum Mittagessen an mir vorbei, und ich konnte sie nicht grüßen, weil andere in der Nähe waren. Ich hob nicht einmal den Kopf. Ich beobachtete den Fußboden und merkte mir genau, wohin sie ihre Füße gesetzt hatte. Ich hatte den Boden fünf Minuten vorher gewischt, und obwohl er trocken aussah, war er immer noch so feucht, daß sie da, wo ihre Schuhe ihn berührt hatten, einen Fußabdruck hinterließ. Ich fuhrwerkte mit dem Mop herum, schwenkte und wrang ihn aus, wartete, bis der Korridor leer war, und als ich sicher war, allein zu sein, kniete ich mich hin und legte meine Wange an die Stelle, wo ihr Fuß für einen Augenblick geruht hatte.

Ich wollte die Wärme ihres Körpers fühlen. Ich bot so viel Phantasie auf wie möglich, schloß die Augen und konzentrierte mich auf einen Punkt jenseits der Härte und Kälte des Betons wie ein Astronom, der sich ins Universum reckt, an die Grenzen der Auflösung, um den allerletzten, winzigen Rest der Wärme zu entdecken, die von unserer Menschwerdung noch übriggeblieben ist. Und sie war da. Es gibt keine absolute Abwesenheit menschlicher Gefühle. Ich schloß alles aus; ich konzentrierte mein ganzes Wahrnehmungsvermögen auf diesen Kontakt mit dem kalten Beton. In der Dunkelheit meines Geistes, am entferntesten Ende der Gefühle erspürte ich das verhallende Echo ihrer Körperwärme.

Natürlich ist das verrückt. Ich bin sicher, daß Sie das denken. Ein Insasse, der sein Gesicht auf den Fußboden drückt, wo eine Frau gerade vorbeigegangen ist! Armer, sexhungriger Irrer! Man hat ihn so lange von Frauen ferngehalten, daß er allmählich völlig abdreht! Vielleicht ist es auf eine sentimentale, verblendete Art und Weise extrem. Aber wer kann schon sagen, was normal ist, was extrem, was verrückt in den Wüsten des Hochsicherheitstraktes? Ist es an einem Ort, wo so vieles möglich ist, verrückt, sich auf die Suche zu machen nach den Grenzen dessen, was möglich ist, wenn Liebe im Spiel ist? Wenn Sie immer noch glauben, Bescheid zu wissen, bedenken Sie folgendes: Würden Sie für den Rest Ihres Lebens die Hoffnung auf Liebe aufgeben? Seien Sie ehrlich mit sich selbst. Wenn Sie ehrlich antworten, werden Sie, glaube ich, feststellen, daß Sie sich nicht so sehr von mir unterscheiden: Ich würde alles tun, um diese Hoffnung am Leben zu erhalten. Ich kann in einer Welt ohne Liebe nicht leben.

Nachdem sich unsere Finger dieses eine Mal berührt hatten, erkannten wir, daß wir nicht so weitermachen konnten. Wir hatten etwas in Bewegung gesetzt, was vorher zurückgehalten worden war. Es ist merkwürdig, wie zwei Menschen gleichzeitig erkennen, was getan werden muß. Auf einmal konnten wir uns nicht mehr damit abfinden, daß etwas zwischen uns war. Die physische Frustration hatte etwas damit zu tun. Man kann nicht für immer und ewig von heißen Blicken leben. Es kommt der Zeitpunkt, da muß man sich lieben oder verrückt werden.

Ein Mann kann das nicht verstecken. Es kam so weit, daß ich sofort einen Steifen bekam, wenn ich nur in ihrer Nähe war. Mehrmals erblickte ich ein kleines Lächeln auf ihrem Gesicht, wenn ich in diesem Zustand war. Carol genoß ihre Macht über mich. Und ich versuchte nicht länger, meinen Zustand zu verstecken. In Wahrheit wollte ich, daß sie mich sah. Mein Leben im Gefängnis bestand aus flüchtigen, verstohlenen Blicken und Andeutungen. Ich hatte zu lange von Fragmenten gelebt, und ich wollte, daß sie den primitiven Hunger, den ich fühlte, sah.

Sie tat so, als würde sie nicht merken, welche Wirkung sie auf mich hatte. Sie schaute weg. Sie drehte sich um und beschäftigte sich mit einer Patientenkarteikarte, hielt sie so, daß ich ihr Gesicht nicht sehen konnte. Vielleicht wurde sie rot. Vielleicht unterdrückte sie ein Kichern. Mich berührte es immer, wenn ich sah, wie dünn ihre Schale war. Einen Blick auf diesen gut versteckten, mädchenhaften Teil von ihr zu erhaschen, versetzte mir einen zärtlichen Schmerz, der wie ein körperliches Gefühl war.

»Schau, was du mit mir machst«, sagte ich zu ihr. »Ich bin die ganze Zeit so. Immer wenn ich dich sehe. Immer wenn ich an dich denke, geht's schon wieder los.«

»Ich weiß«, seufzte sie. Sie schenkte mir ein mitfühlendes Lächeln, als würde sie einem Patienten zuhören, der über seine Symptome jammert. »Fürs erste mußt du einfach machen, was du normalerweise auch machst.«

Das »fürs erste« war ein Jucken, das mich nicht mehr verließ. Vorher hatte ich mich mit der Vorstellung gequält, Carol würde, wenn sie außer Sichtweite war, mit anderen Männern ausgehen; jetzt waren meine Nächte erfüllt mit Bildern, wie sie sich mir hingab, – schnell, heimlich, verstohlen. Im Nu ganz nackt enthüllt und schnell wieder angezogen mit ein paar an ihrer Schwesterntracht geschickt angebrachten Klettverschlüssen. Hände. Münder. Dieses kleine bißchen Vergnügen, das alles, was wir langsam aufgebaut hatten, zerstören konnte, quälte mich.

Ich hatte sie nie darum gebeten, mich aus Denning zu befreien. Es war zu gefährlich, zu unwiderruflich. Es wäre Carol gegenüber nicht fair gewesen, sie zu bitten, so etwas auf sich zu nehmen. Ich hatte nichts zu verlieren. Sie hatte die Freiheit, zu kommen und zu gehen, selbst zu bestimmen, wie sie ihr Leben führen wollte. Sie schuldete mir nichts, und sie sollte sich nicht schuldig fühlen, falls sie nein sagte.

Ich war nicht der erste, der über Flucht nachdachte. Aber daran dachte ich noch überhaupt nicht, als Carol »fürs erste« sagte. Alles, was ich spürte, war mein Verlangen nach ihr, sexuelles Verlangen, das an mir nagte, so wirklich wie der Hunger nach der Nahrung, die man zum Leben braucht.

»Du mußt dir ganz sicher sein, daß du es willst«, sagte sie.

Sie sah streng und verängstigt aus. Sie schaute mir unverwandt ins Gesicht, als könnte sie dort die Wahrheit überraschend ertappen.

»Du mußt dir ganz sicher sein.«

»Das bin ich«, beteuerte ich ihr. Aber ich hatte Angst, daß wir das bißchen, was wir hatten, verlieren würden.

»Es gibt kein Zurück.«

»Sag mir nur, was ich tun soll«, beharrte ich.

»Du mußt dir darüber im klaren sein, daß es kein Zurück gibt, wenn wir mal den ersten Schritt gemacht haben.«

»Ich möchte nicht zurück«, sagte ich.

»Ich meine uns beide.«

»Ich weiß.«

Ich wollte ihr sagen, wie dankbar ich war, aber ich hatte das Gefühl, sie kämpfte gerade, um ein neues inneres Gleichgewicht zu erlangen, und alles, was ich sagen würde, könnte ihr unsicheres Arrangement gefährden. Ich verdanke ihr mein Leben, dieses neue Leben.

Wir hörten, wie Baruk nach mir rief. Ich warf einen Blick in den Spiegel über uns, um sicherzugehen, daß er nicht in der Nähe war. Er stellte immer ziemlich viele Fragen, wenn er zweimal nach mir rufen mußte.

»Schau«, sagte ich, »ich muß gehen.«

Ich griff in das Geflecht, so daß meine Finger auf ihrer Seite rauskamen, aber sie war in sich versunken, versuchte immer noch, sich neu um die Entscheidung herum zu arrangieren, die der Mittelpunkt ihres Lebens geworden war. Sie stand ganz still da, ließ den Kopf hängen, biß sich auf die Unterlippe.

»O Gott!« sagte sie. »Ich kann nicht glauben, daß ich das tue.«

So kamen wir zusammen; in Bruchstücken, über Tage verteilt, mit langen, quälenden Unterbrechungen dazwischen kamen wir uns näher. Es ist schwer, geduldig zu sein, auch wenn man weiß, daß man alles, was einem im Leben etwas bedeutet, verliert, wenn man zu schnell vorgeht.

»Du mußt wissen, daß es mir ernst ist«, sagte sie an einem anderen Tag.

»Ich weiß das.«

»Aber ich will, daß du es wirklich weißt«, beharrte sie. »Ich will, daß du mir vertraust.«

Wir hätten uns nicht so sorgfältig auf den Zahn fühlen müssen, wenn wir uns nicht durch ein Stahlgeflecht hindurch hätten unterhalten müssen.

»Ich hol dich hier raus«, sagte sie.

»Ich weiß.«

Ich dachte, Flucht wäre eine dieser Erfindungen, die zwei Menschen jahrelang beschäftigen, Pläne, die sie zusammenschweißen und die nie verwirklicht werden müssen.

»Wenn du hier raus bist, möchte ich nicht, daß sie mich mit dir in Verbindung bringen.«

»Die werden uns nie finden.«

»Wenn du raus bist, werde ich dich von Zeit zu Zeit besuchen ...«

»... werden wir zusammensein.«

»Nicht die ganze Zeit.«

»Ich verstehe nicht«, sagte ich. »Darum geht's doch. Daß wir zusammensein können.«

»Das werden wir. Ganz bestimmt. Aber zuerst muß ein bißchen Gras über die Sache wachsen. Es wird Ermittlungen geben. Man wird mich verdächtigen. Man wird jeden verdächtigen.«

»Dann komm mit mir. Laß es hinter dir. Wir können in den Süden gehen. Wenn wir mal in Mexiko sind, können wir überallhin.«

Selbst als ich es aussprach, schien es nicht real zu sein. Wir hätten auch über die Regeln eines Spiels diskutieren können, darüber, wie man die Phantasie spielt.

»Ich werde hierbleiben«, sagte Carol.

Sie beobachtete mich genau, wollte sehen, wie ich reagieren würde. Ich war überrascht, wie sicher sie sich ihrer selbst zu sein schien, als hätte sie dieses Gespräch schon mit sich selbst geführt und beide Perspektiven der Diskussion durchgespielt, bis nur noch dieser eine Standpunkt übrigblieb.

»Ich möchte mit dir zusammensein«, betonte ich. »Darum geht's doch. Das ist doch das einzig Wichtige.«

»Dann kannst du hierbleiben, wenn du willst«, sagte sie mit einem Anflug von Wut.

Es war für sie ein leichtes, mir den restlichen Tag aus dem Weg zu gehen. Als ich, ziemlich verzweifelt, die Grenze überschritt und versuchte, mit ihr zu sprechen, beschwerte sie sich bei Baruk über den Zustand der Toiletten, und er ließ mich dort schuften, bis sie glänzten und Carol am Ende ihrer Schicht schon gegangen war.

Sie hatte in ihrer ganzen Art und besonders bei Entscheidungen ein neues Tempo entwickelt, das mich beunruhigte. Hinter ihrer kompetenten Fassade ist Carol oft zögernd und unsicher. Sie sieht mich an, damit ich die Richtung angebe. Ich führe diese neue Unabhängigkeit auf eine Krise in ihrem Leben zurück, weil sie der endgültigen Entscheidung immer näher rückte. Es ist verständlich, daß sie ein Bedürfnis nach Sicherheit hatte, daß sie die von Gefühlen vorangetriebenen Ereignisse im Griff haben wollte.

Wenn die Flucht real war, dann hatte Carol eine neue Macht über mich. Ich spürte diese Veränderung im Machtgefüge. Ich hatte in bezug auf meine Zukunft nichts zu sagen.

»Es tut mir leid«, sagte ich am nächsten Tag zu ihr.

Sie schaute mir in die Augen. »Wir werden zusammensein, sobald es sicher ist«, sagte sie sanft.

»Wir gehen auf die Bahamas«, sagte ich. Es war wie eine Geschichte.

»Aber zunächst muß ich hierbleiben. Ich muß hier so lange weiterarbeiten, bis sie mich nicht mehr verdächtigen. Deswegen dürfen wir uns die nächsten zwei oder drei Monate nicht mehr miteinander unterhalten.«

»Warum? Was für einen Unterschied macht es schon? Niemand weiß etwas über uns.«

»Wenn du hier raus bist, möchte ich nicht, daß irgend jemand eine Verbindung zwischen uns herstellt. Nichts. Dann wird hier überall Bundespolizei sein. Wenn sie in diese Abteilung kommen, möchte ich nicht, daß irgend jemand sich daran erinnert, daß du mich je gegrüßt hast.«

»In zwei Monaten werde ich draußen sein?«

»Zwei. Vielleicht auch drei. Du mußt Geduld haben. Vielleicht sogar sechs. Ich weiß nicht genau, wann, bis alles zusammenpaßt.«

»Sechs Monate?«

»Du darfst nicht mit mir reden. Du darfst nicht mehr hier in der Nähe des Käfigs rumhängen.«

Ich ließ mir das durch den Kopf gehen.

»Frag mich nicht, wie«, sagte sie. »Frag mich nicht, wie ich's machen werde. Wenn alles bereit ist, geht's los.«

»Ich möchte nicht, daß du etwas Gefährliches machst«, sagte ich.

»Du mußt mir vertrauen.«

Ich schwieg, versuchte zu entscheiden, ob das real war und was es bedeuten konnte.

»Kannst du das?« beharrte sie. »Kannst du mir vertrauen?«

»Ja.«

»Denn ab morgen werde ich mich dir gegenüber abweisend verhalten. Es muß echt aussehen. Aber es wird weh tun, auch wenn du weißt, daß ich nur so tue.«

Ich nickte, veranschlagte sechs Monate, Zeit innerhalb der Zeit.

Sie berührte meine Hand, aber sie schaute mich nicht an. »Ich möchte, daß du dir meiner sicher bist«, sagte sie.

»Du mußt nichts beweisen.«

»Ich möchte aber. Ich möchte, daß du dir meiner sicher bist.«

»Du hast schon genug getan.«

»Ich möchte mit dir zusammensein.« Sie seufzte, weil sie Worte benutzen mußte, eine Art Scheitern. »Das tun, was wir nicht gemacht haben.«

Ich konnte kaum sprechen. »Es ist zu gefährlich«, sagte ich, obwohl ich bereit war, alles wegzuschmeißen, um sie zu besitzen. Haut an Haut, einen einzigen Moment lang. Sie war es wert, für sie zu sterben.

»Es gibt eine Möglichkeit«, sagte sie. Sie schaute weg, ihre Schüchternheit war ihr deutlich anzusehen. Ich sah, wie ihre Lippen ein Wort formten, zögerten. Sie schaute mich wieder an, lächelte. Sie war geil, schelmisch und liebevoll. »Morgen habe ich Spätschicht. Ich werde um acht im alten Büro sein.«

»Ich werde dasein«, sagte ich. »Ich klopfe viermal, dann weißt du, daß ich's bin.«

»Nein, das funktioniert nicht. Was ist, wenn sie dich irgendwo brauchen?«

»Nach dem Abendessen gibt es für mich nicht mehr viel zu tun. Um acht haben es sich alle gemütlich gemacht.«

»Irgend jemand könnte nach dir rufen.«

»Dann würde ich gehen. Ich müßte gehen.«

»Und wenn sie dich nicht rufen? Wenn sie dich suchen und nicht finden?«

»Sie würden mir ein paar Minuten geben. Sie kennen mich. Sie würden nicht gleich das ganze Haus auf den Kopf stellen.«

»Sie trauen dir nicht.«

»Klar tun sie das.«

»Sie trauen dir nicht. Ich weiß es.«

»Was willst du mir damit sagen?«

Ich stand in der Tür zum Käfig der Krankenschwestern. Es war ein gefährliches Terrain. Normalerweise hätte ich dort nicht so lange herumgehangen. Carol berührte meine Wange. Sie fuhr mit der Fingerspitze an meinem Gesicht entlang bis zu meinem Mundwinkel. Ich konnte nicht denken. Ich hatte ein kribbelndes Gefühl in der Magengrube, daß ich aus dem Käfig rausgehen mußte, aber ich war berauscht von ihrer Berührung, wie am Boden festgeklebt. Dann sank ihre Hand nach unten.

»Wir müssen einander vertrauen«, flüsterte sie.

»Ich mache alles, was du willst.«

»Du mußt draußen vor dem Büro bleiben. Nur so können sie wissen, wo du bist.«

In dieser Nacht wachte ich gerade rechtzeitig auf, kurz vor dem Punkt, von dem es kein Zurück mehr gibt, mitten aus einem sexuellen Traum mit Janie. Es störte mich, daß ein Teil von mir immer noch an der alten Loyalität festhielt.

Am nächsten Morgen ging ich unter die Dusche, obwohl ich erst abends geduscht hatte. Ich schnitt mich beim Rasieren und ärgerte mich über die unschöne, kleine, schwarze Blutkruste unter dem Kinn. Ich fühlte mich wie ein junger Bräutigam. Ich zog ein frisches Hemd an, dann zog ich es wieder aus, weil ich es für den Abend aufheben wollte. Ich hatte Angst, daß jemand diese Aktivitäten mitbekam. Ganz plötzlich fühlte ich mich sehr augenfällig.

Carol kam mit der Drei-Uhr-Schicht und ignorierte mich. Immer wenn ich es geschafft hatte, mich in ihre Nähe zu arbeiten, ging sie weg. Baruk ging nicht um drei, was mir Sorgen machte.

Ich überlegte, ob er etwas vorhatte. Ich war voller unsinniger Ängste. Selbst wenn er nur eine doppelte Schicht arbeiten mußte, vergrößerte er das Risiko für uns. Baruk war innerhalb der Abteilung immer in Bewegung, schaute nach Dingen, die nicht an ihrem Platz waren, kam aus dem Nichts, um mich nach etwas zu fragen, was nicht in sein Konzept einer normalen, alltäglichen Erklärung paßte.

Ich hielt Ausschau nach Zeichen, daß irgend etwas schiefgegangen war, und dann machte ich mir Sorgen, daß mein auffälliges Verhalten jemanden darauf bringen könnte, daß etwas im Gange war. Ich war total nervös vor Vorfreude. Als ich zu den Patienten in ihre Zimmer ging und ihnen ihre Tabletts mit Essen reichte, zitterten meine Hände.

Baruk war schlechter Laune. Ich bekam nichts davon ab. Er brüllte einen Wärter an – ich glaube, es war Fairburn –, weil er einen Insassen ins Fernsehzimmer gelassen hatte, der eigentlich im Bett hätte liegen sollen. Die Red Sox spielten gerade. Jeder wollte mit seiner Arbeit früh fertig werden, besonders die Wärter, damit sie in der Tür herumlungern und das Spiel anschauen konnten.

Ich bemühte mich, unsichtbar zu sein. Als ich sah, wie Baruk Fairburn im Korridor eine Strafpredigt hielt, versuchte ich, wie ein Geist an ihnen vorbeizuschweben.

»Und Sie!«

Baruk hielt mich mitten im Satz fest. Fairburn nutzte die Gelegenheit, um zu verschwinden.

»Wohin gehen Sie?« wollte er wissen. In seinen Augen war ein finsteres Glitzern.

»In das Gerätschaftskämmerchen, Sarge.«

»Warum?«

»Um den Zerstäuber aufzufüllen. Die Fenster müssen geputzt werden.«

»Verdammt richtig. Wenn Sie denken, Sie könnten das Spiel sehen, vergessen Sie's. Sie putzen die Fenster.«

»Richtig, Sarge.«

»Lassen Sie das!«

»Wie bitte?«

Gemächlich durchquerte er, die Hände auf dem Rücken verschränkt, die hundertfünfzig Zentimeter, die uns trennten. Sein Gesicht machte ein paar Zentimeter vor mir halt. Es ist eine Standardtaktik zur Einschüchterung. Baruk ist zehn Jahre jünger als ich, und obwohl er einen stämmigen, muskulösen Körper hat, ist er fünf Zentimeter kleiner als ich, und ich hatte mit den Gewichten so viel trainiert, daß ich es mit jedem unbewaffneten Mann aufnehmen konnte.

Ich wartete darauf, daß er sagte, was er auf dem Herzen hatte. Wenn sie angeschnauzt werden, haben Insassen eine Art, sich in den Hintergrund ihres Kopfes zurückzuziehen und dem Wärter vor ihnen nur ihre toten, glasigen Augen zu präsentieren. Aber in mir entflammte ein wilder Trotz, und ich starrte zurück. Eine ganze Weile standen wir Auge in Auge da, in Konfrontation verbunden. Er wollte, daß ich etwas sagte, aber ich weigerte mich, auch wenn ich dafür an diesem Abend alles verlieren würde.

Ich schaute rechtzeitig nach unten. Baruk rührte sich eine Sekunde nicht, dann drückte er die Schultern nach hinten und schob die Brust vor. Ich spürte, wie die Anspannung in ihm sich löste.

Fairburn kam zurück.

»Sarge?« setzte er an.

Aber Baruk, den Blick unverwandt auf mich gerichtet, hob die Hand, und Fairburn verzichtete auf die Frage, die er eben hatte stellen wollen. Baruk bog den Kopf zurück und kniff die Augen zusammen.

»Seien Sie nicht herablassend, Cody.«

»Bin ich nicht, Sarge.«

Baruk nickte, als würde er darüber nachdenken, während sein Gesicht all das, wofür ich in seinen Augen stand, zurückwies.

»Sie glauben, ich kriege nicht mit, was Sie vorhaben?« fragte er. In seinen Mundwinkeln saß ein kleines, bitteres Lächeln.

»Wie meinen Sie das, Sarge?«

Baruk äffte einen überheblichen Tonfall nach: »›Wie meinen Sie das, Sarge?‹« Er schnaufte. »Jetzt reicht's mir aber!«

Fairburn wechselte unruhig von einem Fuß auf den anderen, er wußte nicht, ob er bleiben oder gehen sollte. Ich wollte etwas sagen, aber Baruk schnitt mir das Wort ab.

»Sie glauben, weil Sie einen Doktortitel haben, sind Sie was Besseres als ich.«

»Sarge, ich habe keinen ...«

»... ich höre es in Ihrem Tonfall. Sie machen sich lustig, Cody.«

»Wirklich nicht, Sarge.«

»Und wissen Sie, was mich nervt, was mich wirklich nervt? Daß Sie denken, Sie können an mir vorbeihuschen, und ich merke es nicht.« Er wartete, aber ich hütete mich, den Mund aufzumachen. »Glauben Sie, Sie können mich reinlegen?«

»Nein.«

Er betrachtete mich eine Weile nachdenklich. Er wünschte sich einen vernichtenden Sieg, der etwas beweisen würde.

»Okay«, sagte er, als hätte er schon das Interesse verloren.

Ich ging davon, und ich wußte, daß seine Augen mir bei jedem Schritt bis zum Gerätschaftskämmerchen folgten. Als ich die Tür aufstieß, wäre es natürlich gewesen, mich umzudrehen und zurückzuschauen, aber ich wußte, daß er wußte, daß ich wußte, daß er mich beobachtete.

Ich fing mit den Fenstern am Käfig der Beamten an, wo Baruk mich jedesmal, wenn er den Kopf umwandte, sehen konnte. Ich dachte, er würde es schnell müde werden, mich zu beobachten, aber er ignorierte mich. Ich arbeitete mich gleichmäßig den Korridor hinunter, nahm mir Zeit, Reinigungsmittel auf die Plexiglasscheiben zu spritzen. Ich sprühte die Flüssigkeit gemächlich auf die Oberfläche des Fensters und rieb, um unsichtbare Flecken zu entfernen. Dann reinigte ich die Scheibe schnell und präzise mit der Gummikante des Wischers.

Ich putzte alle Fenster des inneren Rands der U-förmigen

Krankenstation und ging extra zum Käfig der Beamten, um Baruk zu fragen, ob ich eine Pause machen durfte. Er sollte das Gefühl haben, er wüßte, wo ich war.

Er hatte sich in seinem Drehstuhl nach hinten gelehnt und die Beine weit von sich gestreckt. Die Füße hatte er unter den Metallschreibtisch geklemmt und hielt sich damit fest. Sein Mund war offen – ein eingefrorenes, starres Zähnefletschen –, und er starrte auf einen Punkt hoch oben an der Wand, während er mit einem Werkzeug seines Schweizer Offiziersmessers zwischen seinen Zähnen pulte. Er wußte, daß ich ihn umbringen konnte. Er genoß die Macht, verletzbar zu sein – aus dem Gleichgewicht, leicht in dem Drehstuhl schaukelnd, mir halb den Rücken zugewandt – und doch zu wissen, daß ich ihn nie anfassen würde. Baruk dachte, es sei seine Macht, die ihn begleiten würde, wohin er auch ging.

»In Ordnung, wenn ich jetzt zu Abend esse, Sarge?« fragte ich.

Eine Sekunde lang dachte ich, er hätte mich nicht gehört, doch dann schürzte er die Lippen und nickte zögernd, als ob seine Gedanken nur sehr langsam von dem sehr präzisen Punkt zwischen hart und weich ganz hinten in seinem Kopf zurückkehrten. Ich wartete, ob er noch etwas sagen wollte, aber er schwieg.

Ich saß auf einem umgedrehten Korb im Gerätschaftskämmerchen. Es war ein ruhiger Ort, mehr Privatheit gab es in Denning nicht. Mein Kopf schwirrte. Es gab zu viele Möglichkeiten. Ich hatte Angst, Carol zu verlieren. Das war die Möglichkeit, die ich am meisten fürchtete – daß sie mich in die Wüste schickte. Ich dachte über unsere Gespräche nach. Ich analysierte noch einmal ihren Tonfall, ihre Wahl des einen statt eines anderen Wortes als Zeichen dafür, daß sie die Beziehung beenden wollte, aber ich hatte die Gespräche in Gedanken so oft wiederholt, daß ich nicht wußte, ob ich mich noch an das erinnerte, was wirklich zwischen uns gesagt worden war, obwohl ich mich an die Worte noch genau erinnerte. Aber Worte sind kaum mehr als abgenagte Knochen.

Im Schwesternzimmer gab es eine Uhr, aber ich ging nicht zu Carol. Ich ging an dem Käfig der Beamten vorbei, um auf die Uhr hinter Baruk zu schauen, aber er bekam sofort mit, was ich wollte. Die Uhrzeit sollte mir eigentlich egal sein.

»Was ist los, Cody? Hast du heute abend eine heiße Verabredung?«

Den Spruch bringt er immer, wenn er mich dabei erwischt, wie ich während einer Schicht mehr als einmal auf die Uhr schaue. Wenn Baruk mal einen Ausdruck findet, der ihm gefällt, dann macht er gerne und oft Gebrauch davon. Entweder mag er die Wiederholung, oder er weiß, wie weh es mir tut. Ich hatte diese Worte jahrelang alle paar Wochen gehört, aber an diesem Abend versetzten sie mich in Panik.

Die Zeit spielt einem Streiche, wenn man sich dermaßen danach sehnt, daß sie vergeht. Ich hatte Angst, zu früh zu dem alten Büro zu kommen. Und dann, als ich nicht riskieren konnte, mich allzusehr zu beeilen, fürchtete ich, zu spät zu kommen. Endlich war ich mit allen Räumen an der rechten Seite des U fertig, trat zurück, rekelte mich für alle, die mir womöglich zusahen, nahm den Zerstäuber und den Gummischrubber und ging gemächlich den Korridor hinunter.

Ich konnte nicht normal gehen. Wenn man darüber nachdenkt, wie ein Arm mit dem zusätzlichen Gewicht des Zerstäubers schwingen sollte oder in welchem Winkel sich das Knie beim normalen Gehen anwinkelt, löst der Gang sich auf. Ich wußte nicht mehr, wie man sich natürlich bewegt.

Ich ging an dem leeren Käfig der Krankenschwestern vorbei und riskierte einen Blick auf die Uhr. Ich ging um die Ecke. Dieser Korridor war dunkler; und an seinem Ende war früher ein weiterer Eingang zur Krankenstation gewesen, aber sie hatten ihn zugemacht. Der Korridor endete jetzt in einer Sackgasse, auf der linken Seite war das alte Büro und auf der rechten das Arztzimmer. Die Lichter in den Zimmern der Patienten waren ausgeschaltet.

Wenn man vier Jahre lang keine Frau geliebt hat, ist man wieder eine Jungfrau, verängstigt und dankbar. Ich verlangte nach ihr wie ein Tier. Und gleichzeitig wollte ich genau das nicht – reinen Sex. Ich wollte sie wirklich spüren.

Vor der Tür des alten Büros hielt ich an und warf einen Blick zurück den leeren Korridor entlang und lauschte auf die plötzlich lauter werdenden Geräusche der Männer, die das Spiel verfolgten. Ich wollte etwas sagen, was Carols Stimme wecken würde, aber ich hielt mich an ihre Regeln. Die Tür hatte ein Fenster, vor dem auf der Innenseite ein Rollo heruntergezogen war, und der orangefarbene Widerschein der Flutlichter aus dem Hof hinter dem Büro drang an den Rändern des Rollos vorbei und durch den Belüftungsschlitz über der Tür. Ich legte die Hände an die Tür, lehnte den Kopf an das Fenster und konzentrierte mich auf ihre Anwesenheit auf der anderen Seite der Tür. Sie gab keinen Laut von sich. Ich wollte ihren Namen aussprechen und versuchte, sie auf der anderen Seite der Tür zu spüren, nur fünf Zentimeter von mir entfernt. Ich fühlte einen Bruchteil ihrer Gegenwart und versuchte, ihn festzuhalten und ihn zum Wachsen zu bringen, aber er glitt mir aus den Händen; sie verschwand, und ich war allein.

Ich schob meine Finger durch den schmalen Schlitz in der Tür, der früher für Laborumschläge benutzt worden war, und tastete blind in dem orangefarbenen Licht auf der anderen Seite herum, suchte durch das Loch nach einer Berührung, und endlich fühlte ich zarte Haut an mir vorüberstreichen. Meine Finger krümmten und reckten sich verzweifelt nach ihr.

Auf der anderen Seite hörte ich das Knacken eines Möbelstücks, und ich glaubte, einen Schatten über das Flutlicht aus dem Hof gleiten zu sehen. Dann nichts mehr. Ich überprüfte den Korridor. Ich hatte das Geräusch des Spiels vergessen, und in diesem Moment brandete es auf, Wärter und Insassen schrien gleichzeitig. Ich zögerte. Ich war vor lauter Ungeduld, Angst und animalischer Erregung kurz vorm Durchdrehen. Ich hatte das Bedürfnis, etwas zu tun oder die Gelegenheit für immer verstreichen zu lassen. Wie einen kühlen Luftzug spürte ich gleichzeitig eine Vorahnung, daß sich eine andere Bewegung näherte, als ob in einer anderen Ecke des Gefängnisses jemand, den ich nicht bedacht hatte, sich auf eine Flugbahn begeben hätte, die ihn rechtzeitig hierherbringen würde, um mich zu stören. Etwas berührte meine Finger. Vielleicht eine Zunge. Ich hatte nicht bemerkt, wie fest ich in den Schlitz griff, mich festklammerte, Angst hatte loszulassen, Angst, den Griff zu lösen und nach den Kufen des Hubschraubers zu greifen, der gerade eben abhob für die Flucht übers Dach.

Ich zog den Reißverschluß auf. Ich überprüfte den Korridor. Auf den Zehenspitzen stehend, schob ich meinen erigierten Schwanz durch den Briefschlitz. Ich hängte mich mit den Fingerspitzen an den Türrahmen, drückte mich gegen den Schlitz und wartete endlos lange, mit klopfendem Herzen, nackt im orangefarbenen Licht.

Schließlich berührte sie mich. Sie strich mit einem Finger an der Unterseite entlang, und Wonne überschwemmte mich. Sie glitt mit einer Fingerspitze langsam einen Pfad entlang, der quälend nah an den geheimen Punkten der größten Lust vorbeiführte, und hielt dort inne, wo ich sie schweigend bat, weiterzumachen, noch einmal von vorn zu beginnen. Sie wartete.

Sie hielt mich leicht zwischen Finger und Daumen und zog mich weiter in den Raum. Ich schob mich, so weit es ging, auf die Zehenspitzen und drückte mich noch fester gegen die Tür, und als ich mich an meine Fingerspitzen hängte, fühlte ich, wie ich durchrutschte und auf der anderen Seite baumelte. Ich griff nach dem Wischer in meiner Gesäßtasche, hakte ihn oben in den Sims neben dem Belüftungsschlitz und hängte mich daran.

Ich fühlte eine Zunge spiralförmig lecken, befeuchten, mit einer schmerzhaften Intensität einzelne Nervenenden auswählen. Sie drückte zu, und ich spürte, wie ich in sie hineingesogen wurde. Ihre Lippen wichen zurück, mit einem kleinen, wohlkalkulierten Widerwillen, der mich beinahe schreien ließ. Ich wagte nicht, mich zu bewegen. Ich schwankte auf den Zehenspitzen, drückte mich flach gegen die Tür und packte den Griff des Wischers, als wäre er ein Eispickel, der mich am Felsen hielt. Die Lippen bewegten sich so langsam, daß ich vor lauter Enttäuschung, Qual und Entzücken gegen die Tür hämmern wollte. Sie machte mich hilflos. Mit der gleichen Kontrolliertheit zog sie sich zurück, bis vorn zur Spitze und ließ mit einem letzten Drücken los, das mich erzittern ließ, plötzlich nackt und kalt im unbekannten Raum auf der anderen Seite.

Sie verschwand. In dieser Pause demonstrierte sie mir ihre Macht über mich: geben und vorenthalten. Sie kontrollierte jede Nuance der Erregung. Einen Herzschlag lang gewährte sie unendliches Vergnügen, hörte dann, ihrem geheimen Rhythmus folgend, auf und ließ mich an schmerzenden Fingern am Türrahmen hängen. Jeder einzelne Teil von mir drängte durch diesen Schlitz. Ich war ein stummes, blindes, hilfloses Ding, das in der Dunkelheit kramte, um seinen Platz zu finden. Sie quälte mich, und ich wetterte gegen sie. Als sie mich wieder berührte, hätte ich fast geschluchzt vor Dankbarkeit. Meine Beinmuskeln, kaum noch fähig zu gehorchen, zitterten vor Erschöpfung. Die Schmerzen, das Strecken meines Körper gegen die Tür und die durch ihre Pausen ausgelöste Marter liefen zusammen, vereinten sich im Moment der Erlösung.

Ich lieferte mich ihr nicht aus. Ich machte nicht die Augen zu und gab mich nicht der Erregung hin. So sah ich Baruk, als er um die Ecke kam, obwohl er kein Geräusch machte. Ich hakte den Wischer von der Leiste über der Tür los und drehte mich ein bißchen von ihm weg, während ich behutsam nach oben griff, um die Belüftungsschlitze zu schrubben. Baruk kam auf mich zugeschlendert. Die Hälfte von mir beobachtete sein Näherkommen; die andere Hälfte war auf der anderen Seite der Tür verloren, wo ich in einen Rhythmus hineingezogen wurde, der unbekümmert weiterging.

Ich griff nach unten nach dem Zerstäuber, der an der Türklinke hing. Meine Finger ertasteten ihn. Mit der Hälfte meines Verstands versuchte ich mich darauf zu konzentrieren, den Zerstäuber in die Hand zu bekommen. Ich war auf der anderen Seite der Tür verloren. Ich spaltete mich ab. Sich ausbreitende Wellen der Angst trafen auf Wellen des Entzückens.

Baruk kam, die Hände auf dem Rücken verschränkt, langsam auf mich zu. Er schaute nach links und rechts in die Zimmer, während er vorbeiging, als ob nicht ich sein Ziel sei, als ob ich nur zufällig an seinem Weg läge. Ich sprühte die Scheibe über der Tür ein und erhaschte aus dem Augenwinkel eine Richtungsänderung, als er den Korridor überquerte, um eine Tür zu überprüfen. Und die ganze Zeit über hielten diese Lippen mich, preßten mich, ließen mich fallen, in einem Prozeß, der immer schneller zum Höhepunkt drängte.

Baruk blieb zweieinhalb Meter vor mir stehen. Er hielt seine Hände hinter dem Rücken, die Füße waren gespreizt, und er verlagerte sein Gewicht auf die Fußballen. Ich fühlte ein Schaudern durch mich hindurchgehen, ein Vorgeschmack des Orgasmus', während Baruk mich betrachtete.

»Möchten Sie einen Stuhl oder etwas, Cody?« fragte er schließlich.

Auf der anderen Seite der Tür erstarben beim Klang seiner Stimme alle Bewegungen.

»Sie werden sich noch einen Bruch holen, wenn Sie sich so strecken«, sagte Baruk.

»Ja, Sarge«, brachte ich heraus.

Ich griff nach oben und fuhr mit dem Wischer in einem Bogen über die Scheibe über der Tür. Ich hing schwankend an der Kante des Türrahmens. Auf der anderen Seite begann die Bewegung wieder. Der Wischer fuhr leise und weich über das Glas.

»Wie bitte?« wollte Baruk wissen.

Er runzelte die Stirn und kam einen Schritt auf mich zu.

»Ich sagte: ›Ja, Sarge.‹«

Meine Stimme war abgewürgt. Ich wurde weggetragen. Ich versank. Ich hatte Angst, ich würde aufschreien, als ich ertrank. Ich explodierte in das Unbekannte auf der anderen Seite. Ich verlor mich. Ich griff mit beiden Händen nach dem Sims über der Tür, und das Leben wich mit einem Keuchen aus mir.

»Sehen Sie, was ich meine?« sagte Baruk. Er musterte meine Haltung. »Es muß eine bessere Möglichkeit geben, das zu machen.«

»Ich weiß«, sagte ich.

Auf meiner Stirn stand der Schweiß. Ich fühlte mich weich und schwach, voller Zärtlichkeit. Meine Beine waren kurz davor nachzugeben. Sie zitterten, und ich spürte, daß meine Fersen nach unten sackten und ich sie nicht mehr richtig hochziehen konnte. Ich wischte ruckartig über den Rest der Scheibe. Baruk hinter mir war still, und als ich mich wieder umsah, stellte ich fest, daß er weggegangen war.

Carol wechselte eine Woche später in die zweite Schicht, und ich sah sie nur noch, wenn eine Krankenschwester krank war und sie eine doppelte Schicht arbeiten mußte, oder wenn ich um die Mittagszeit zur Abteilung zurückkam. Auch vorher hatte sie kaum mit mir gesprochen, es sei denn, es war jemand dabei. Ohne unsere gestohlenen Augenblicke war ich einsam. Sie legte Wert darauf, jedem, der es mitbekam, klarzumachen, daß sie mich nicht wahrnahm.

Dann warf sie mir, wenn die anderen uns den Rücken zukehrten, aus heiterem Himmel einen schüchternen, unbeholfenen Blick zu, als wüßte sie nicht mehr, wie sie ihre Lippen in Einklang mit ihren Gefühlen bewegen sollte. Dann schmolz ein bißchen von dem Schmerz weg, und mein Vertrauen in sie wuchs wieder. Diese Zeichen der Liebe dauerten immer nur einen kurzen Moment, sie waren so flüchtig, daß ich manchmal daran zweifelte, daß es sie überhaupt gegeben hatte.

Ich war aufgewühlt und nervös. Der sexuelle Appetit war wie eine Wunde, Carol hatte sie geöffnet, und sie heilte nicht. Es gelang mir nicht, die Gedanken an sie zu verdrängen. Die Sehnsucht nach ihr beherrschte mich. Manchmal war ich wütend auf sie, auf den Gedanken an sie. Es gibt Drogenhändler, die Proben ausgeben, um Kunden an sich zu binden, und zu Zeiten, wo ich sehr enttäuscht war, kam ich mir genauso vor. Ich erhaschte im

Korridor einen Blick auf sie, als sie um eine Ecke verschwand, und ich empfand eine Erregung, die mein Herz schneller schlagen ließ. Es war rein körperlich, animalische Hitze. Ich haßte es, daß der Sex mich beherrschte. Ich fühlte mich unzulänglich, weil er subtilere Gefühle so leicht verdrängte. Aber auch der Sex war durcheinander. Wenn Carol mir im hellen Tageslicht die kalte Schulter zeigte – umhüllt von einer unverdorbenen, weißen Uniform und ausgestattet mit der klaren Schärfe, für die Eyeliner, Rouge und Lippenstift sorgten –, hatte ich Schwierigkeiten, diese Person mit der sinnlichen Gegenwart hinter der Tür in Verbindung zu bringen.

Ich verstand, warum sie sich so verhielt, aber im Herzen glaubte ich nicht daran, daß sie mich wirklich rausholen würde. Ich hatte das Gefühl, umsonst zu leiden, doch ich hatte keine Vorstellung davon, wie erfinderisch Carol war!

Aber ich hoffe, Sie verstehen inzwischen, warum ich sie jetzt, wo ich die Chance dazu habe, bei mir behalte. Ich weiß, daß sie sich eine Menge Gedanken über den ursprünglichen Plan gemacht hat. Aber er enthielt eine Trennung, und ich habe keinen Grund, auf ein gütiges Schicksal zu vertrauen, das uns wieder vereint. Pläne haben es so an sich, daß sie schiefgehen. Ich hatte Angst, ich würde sie nie wiedersehen, wenn wir uns erst mal auf dem Parkplatz vor der Notaufnahme getrennt hätten und ich zu dem sicheren Ort gefahren und Carol zu ihrer täglichen Schicht nach Denning zurückgekehrt wäre. Als wir also auf der Intensivstation wieder zusammengekommen waren, sah ich keinen Grund, eine weitere Trennung zu riskieren. Deshalb habe ich sie mitgenommen.

Außerdem zog der ursprüngliche Plan zu viele Unsicherheiten nach sich. Die Polizei wäre das Besucherprotokoll durchgegangen und hätte eine geheimnisvolle Frau aufgetischt, die den Krankenschwestern der Intensivstation ähnelte: gleiches Alter, fast die gleiche Haarfarbe, gleiche Größe und so weiter. Vielleicht wären sie ein paar Tage hinter Vera hergewesen. Aber früher oder später hätten sie nach einer Verbindung zwischen der Aushilfskraft auf der Intensivstation und der Krankenschwester auf der Krankenstation im Gefängnis gesucht. Die Perücke und die Brille hatten vielleicht die Aushilfsvermittlung getäuscht, aber hätte eine geborgte Identität, basierend auf dem Examenszeugnis einer Klassenkameradin auf der Krankenpflegeschule, wirklich einer genaueren Untersuchung standgehalten?

Zuerst war Carol sauer, daß ich sie »gekidnappt« hatte. In der Hitze der Wut und dem Streß der Flucht wurden verletzende Dinge gesagt. Inzwischen hat sie, glaube ich, erkannt, daß es genau so ist, wie es sein soll: alles oder nichts.

Ich glaube wirklich nicht, daß ich ihr Leben ruiniert habe. Es stimmt in gewisser Weise, daß sie mir ihr Leben geopfert hat. Jetzt kann sie nicht mehr zurück. Sie kann nicht mehr zu ihrem Leben als Krankenschwester zurückkehren, in einer Wohnung in einem netten Wohnviertel leben. Aber was war das überhaupt für ein Leben? Wenn es so kostbar war, warum schlug sie dann den Weg ein, den sie wählte? Manchmal ist das Schicksal wie Bungee Jumping: Menschen brauchen einen kleinen Anstoß, um ihren Weg zu finden.

KAPITEL

vier

Liebe Sandy,
Sie sagten, ich hätte Carol verführt. Das ist eine Lüge! Sie wollen uns manipulieren und sie gegen mich aufhetzen. Das wird Ihnen nicht gelingen. Wir gehören zusammen. Wir sind eins.

Sie spotten über die Geschichte unserer Liebe. Es tut mir leid, daß Sie sich so überlegen fühlen. Der Bericht, den Sie gestern abend ausgestrahlt haben, troff vor Andeutungen. Warum sagen Sie es nicht direkt? Daß mit Carol etwas nicht stimmen kann, wenn sie so einen wie mich wählt: Ist das die Botschaft, die Sie an den Mann bringen wollen?

Glauben Sie wirklich, ich bin ein erbärmlicher Verlierer, der Frauen hinterherschmachtet und hofft, daß sie sich in mich verlieben? Glauben Sie, Carol hat mich aus dem Gefängnis geholt, weil ich ihr leid getan habe?

Ich habe sie gewonnen! Ich habe Carol für mich gewonnen.

Haben Sie eine Vorstellung davon, wie schwierig so etwas im Gefängnis ist? Wie schwer es für einen Mann, der im Gefängnis sitzt, ist, angesichts seiner Situation die Liebe einer Frau, die frei ist, zu gewinnen?

Nichts ist rein. So etwas gibt es in der Welt nicht. Habe ich Carol ausgenutzt? Ja. Ich gebe es freimütig zu. Es gefällt mir nicht, aber ich gebe es zu. Habe ich ihre Gefühle ausgenutzt? Ja! Ja! Ja! Gott weiß, daß ich darauf nicht stolz bin. Aber ich habe sie für ein selbstsüchtiges Ziel benutzt: Ich wollte aus dem Gefängnis raus. Ich habe sie manipuliert. Ich hasse dieses Wort! Ich habe sie wirklich manipuliert. Ich spreche es lieber selbst aus, ganz deutlich, als daß ich es zulasse, daß Sie im Fernsehen Ihre Theorien verbreiten. Lassen Sie uns die ganze Geschichte erzählen, damit nichts mehr im Verborgenen bleibt: Ich habe Carol manipuliert, und ich liebe sie mit jeder einzelnen Faser meines Daseins.

Es tut mir leid, daß unsere Liebe so laufen mußte. Aber wenn ich nicht gelegentlich ein kleines bißchen Zwang angewendet hätte, um die Dinge anzustupsen, hätte es keine Affäre gegeben. Ich wünschte mir, wir hätten uns einfach verliebt, wie man aus einem Fenster fällt, von einem Baum oder aus einem Kanu. Ich wünschte mir, etwas Einfaches und Unwiderstehliches wie die Schwerkraft hätte uns zusammengebracht, aber auf diesem Weg hätte es niemals passieren können. Ich mußte uns zusammenbringen. Ich mußte meine Intelligenz und meine Vorstellungskraft einsetzen. Offen gestanden schäme ich mich für ein paar der Dinge, die ich getan habe. Aber sie haben uns in eine Art von Kontakt gebracht, den wir sonst nicht kennengelernt hätten, ein Mittel zum Zweck.

Seit der Flucht ist Carol nicht mehr dieselbe. Bilden Sie sich bloß nicht ein, ich würde Ihnen irgendwelche entscheidenden Informationen geben, wenn ich Ihnen sage, daß sie stundenlang verschwindet, ohne mir zu sagen, wohin sie geht. Ich bekomme die schlauen Seitenhiebe sehr deutlich mit, die Sie einfließen lassen, um mich zu provozieren. Tatsache ist, sie braucht Raum. Sie muß nachdenken. Und ich will, daß sie alles weiß; das ist die einzige Möglichkeit. Aus irgendeinem Grund haben meine Worte für sie mehr Gewicht, wenn sie sie im Fernsehen hört. Die einzige Möglichkeit ist, alles, was ich getan habe, offen einzugestehen. Das geht vorüber. Unsere Schicksale sind miteinander verwoben.

In Block S ist auf den Fußboden ein gelber Streifen gemalt. Außerhalb seiner Zelle muß man immer über diesen Streifen gehen. In den ersten sechs Monaten auf der Krankenstation ging ich über eine imaginäre, gelbe Linie. Ich brach die Regeln nicht. Ich nutzte keine Freiräume aus. Ich war immer bereit zu arbeiten, wenn etwas getan werden mußte, egal, wie schmutzig der

Job war, auch wenn ich gerade Pause hatte. Ich verhielt mich vorbildlich.

Als Ergebnis davon ging Baruk locker mit mir um, und Carol, die mich beobachtete, wie ich vor den Augen des Sergeants die Kurve schnitt, erhob keine Einwände, wenn ich winzige Regelverletzungen beging, wenn Baruk nicht in der Nähe war. Und wenn ich Carol gegenüber die Grenze überschritt, vergaß ich nie, ganz schnell wieder einen Schritt zurückzutreten, um ihr zu zeigen, daß ich wußte, wo mein Platz war.

Wenn ich ihr zum Beispiel frische Handtücher brachte, hielt sie mir die Tür auf, so daß ich mit einem Fuß in den Käfig treten konnte, um sie auf die Ecke des Tresens zu legen. Es war tabu, die Türschwelle zu überschreiten. Theoretisch hätte ich, wenn ich der große weiße Hai gewesen wäre, reingehen, sie von der Tür wegdrängen, nach hinten in das winzige Bad schleppen und sie vergewaltigen können. Diese Angst schürte die Anstalt bei ihren Zivilbeschäftigten. Aber Carol wußte, daß ich das nicht tun würde. Und was war schon ein Schritt? Es schien keine große Sache zu sein, und es gab einfach keinen Grund, warum Carol sich hätte abmühen sollen, den Stapel Handtücher entgegenzunehmen, während sie sich gleichzeitig mit ihrem ganzen Gewicht gegen die Tür lehnen mußte, um sie aufzuhalten, wo es für mich doch so einfach war, um die Ecke zu huschen und sie ihr in einem ordentlichen Stapel auf den Tresen zu legen. Warum ein großes Geschrei machen um einen einzigen Schritt?

Wenn man streng an Regeln festhält, ist ein kleines Ereignis wie dieses, das außerhalb der Anstalt völlig bedeutungslos wäre, wie ein Keil. Es bedeutet etwas. Es bedeutet eine Menge. Es setzt einen Präzedenzfall. Es bedeutet, daß man es wieder tun kann, vielleicht noch ein bißchen weiter reingeht, jedesmal ein bißchen weiter, bis man etwas hat, was mehr ist als ein Symbol, nämlich einen wirklichen Fortschritt. So habe ich angefangen. Es war geplant. Jeder Schritt, den ich machte, geschah überlegt. Ich bin nicht stolz auf das, was ich getan habe, aber Sie müssen verstehen, daß alles, was ich tat, eine Frage des Überlebens war. Die Insassen schauten mich an, und sie sahen einen weichen Mann, einen Vertreter des Mittelstands. Wenn man nicht von der Straße kommt, wenn man nicht die gleiche Schule besucht hat, wird man niemals mit ihnen auf einer Ebene sein. Wenn die natürliche, unreflektierte Boshaftigkeit eines Mannes gezähmt wurde, kommt der Reflex nie wieder zurück. Ich weiß das. Was noch wichtiger ist: Die raubgierigen Wesen um mich herum rochen es sofort.

Aber Carol fühlte sich zu mir hingezogen. Ich war der einzige gebildete Mensch, mit dem sie sich unterhalten konnte. Es ehrte sie, daß sie mit Tanya, der anderen Krankenschwester, nicht zurechtkam. Tanya paßte in ihre Umgebung, weil sie grob und unempfindlich war, aber da die beiden die einzigen in dem Käfig waren, hatte Carol keine Wahl, sie mußte mit ihr so gut wie möglich zusammenarbeiten. Tanya war vielleicht fünf Jahre jünger als Carol, hatte blondes Haar und dicke Oberschenkel, die beim Gehen aneinanderrieben, so daß sie ein schabendes Geräusch machten. Tanya erzeugte statische Ladung. So wie sie ihre Hüften schwang und ihre große Brüste vorstreckte, hielten sie alle für die Göttin der Liebe. Diese grausame Frau machte die Insassen rasend, doch Tanya tat – allerdings sehr stümperhaft –, als merkte sie es nicht.

Wenn Tanya mit Carol im Schwesternzimmer war, erlaubte ich mir keine Freiheiten. Tanya machte sehr deutlich, daß es einen Klassenunterschied zwischen ihr und den Insassen gab. Für Tanya existierte ich nicht, außer wenn ich einen Botengang für sie erledigen sollte. In ihren Augen war ich kein menschliches Wesen. Während Carol jede Woche ein bißchen flexibler wurde, achtete Tanya auf den kleinsten Regelverstoß. Tanya bewachte die Grenze.

Ich erinnere mich noch gut, wie Carol mich in Tanyas Gegenwart das ersten Mal »Dan« nannte. Sie saßen in dem Käfig und schauten durch die stählerne Trennwand nach draußen.

»Dan«, rief Carol, »würden Sie mal nachsehen, ob Smith fertig ist mit essen?«

Ich machte mich auf den Weg und sah aus dem Augenwinkel, wie Tanya sich die Hand vor den Mund hielt und ein Gesicht machte, als hätte sie auf etwas Saures gebissen, und Carol fragte: »Dan?«

Um diese Zeit setzte ich das Gerücht in die Welt, Carol würde verdeckt für die State Police arbeiten. Ich weiß, daß ihr das eine Menge Scherereien machte, und ich hoffe, sie kann mir verzeihen.

Nach Ralphs Tod übernahm Eric den normalen Vollzug. Er war überzeugt, ich hätte auf der Krankenstation Zugang zu Medikamenten, und es war schwer, ihn vom Gegenteil zu überzeugen. Alle paar Wochen bestellte er mich in die zweite Etage, um Informationen aus mir herauszuquetschen. Normalerweise war Bentley bei ihm, der kurz nach mir von Block eins verlegt worden war. Es war offensichtlich, daß Eric und Bentley einander nicht über den Weg trauten, aber sie brauchten sich aus politischen Gründen.

»Diese Krankenschwester?« fragte Eric einmal. »Carol. Sie unterhält sich mit dir?«

»Ab und zu, aber Baruk beobachtet mich ständig.« Ich zuckte die Schultern. »Sie stellt Fragen.«

Ich sah, wie sein Blick härter wurde.

»Was für Fragen?« Er starrte mich an, musterte mich durch seine Brillengläser.

»Du weißt schon«, meinte ich. »Das Leben hier.«

»Was will sie wissen?«

»Was die Leute so machen.«

»Und, was machen die Leute so?« fragte Bentley, ohne mich anzusehen, denn er überwachte die Halle. Er wirkte gleichgültig.

»Sie sieht, daß Leute auf die Krankenstation kommen, denen es schlechtgeht wegen Drogen. Sie sieht die vielen Katastrophen.«

»Wenn sie das alles auf der Krankenstation sieht, was fragt sie dich denn dann noch?« wollte Eric wissen.

»Es bedeutet nichts. Sie macht auf ihre Art nur ein bißchen Konversation.«

»Sie macht Konversation?« fragte Bentley. »Wieso macht sie Konversation mit einem Insassen?«

»Ich weiß nicht.«

»Häh? Was hältst du davon?« drängte Eric.

»Ich weiß nicht«, erwiderte ich unsicher.

»Fragt sie dich nach Drogen?« drängte Eric. »Häh? Fragt sie?«

Ich schwieg.

Bentley, der am Geländer lehnte, schnaubte verächtlich. »Lehrer!«

»Du weißt es nicht?« fragte Eric.

»Okay«, kapitulierte ich, stellte mich dumm.

»Was für Fragen stellt sie dir über Drogen?« wollte Eric wissen.

»Allgemeines, nichts Besonderes. So wie: ›Ist es ein großes Problem?‹ ›Was nehmen die Leute?‹«

»Was die Leute nehmen? Das ist nichts Spezielles?«

»Warum fragt sie dich das alles?« fragte Bentley. Sein Blick war unbarmherzig.

»Sie fragt mich, weil ich da bin. Sie fragt mich jede Menge Fragen. Über alles mögliche. Sie fragt mich nach den Aufsehern.«

Bentley wirkte interessiert.

»Bleib bei den Fragen, die sie dir über Drogen stellt«, sagte Eric.

»Nein«, meinte Bentley. »Erzähl uns, was sie über die Aufseher wissen will.«

»Warum?« fragte Eric.

»Was will sie über die Aufseher wissen?« fragte Bentley und trat einen Schritt auf mich zu.

»Ich weiß nicht – ob es nicht schrecklich sei, daß es ihnen nicht gelingt, den Drogenfluß aufzuhalten.«

»Und?«

»Sind sie gewissenhaft? Ob ich welche kenne, die sich bestechen lassen.«

»Das hat sie dich gefragt?«

»Ich weiß nicht – einmal vielleicht. Ist schon 'ne Weile her.«

Ich verließ Eric, der über dem Geländer hing und gedankenverloren zur gegenüberliegenden Etage starrte, während Bentley ihm etwas ins Ohr flüsterte.

Vier Tage später setzte sich Sammy Shay im Speisesaal mir gegenüber hin. Er war sehr zufrieden mit sich.

»Diese Krankenschwester, um die du dich so bemühst. Die Dunkle.«

»Was ist mit ihr?« fragte ich vorsichtig.

»Du verschwendest deine Zeit.«

Er grinste affektiert und wartete ab, aber ich schwieg. Er schaute sich um. Ich schätze, im Speisesaal fühlte er sich relativ sicher.

»Ich hatte wenigstens den Mut, sie so zu behandeln, wie sie es verdient«, sagte er.

»Wie das?«

Er spielte auf Zeit wegen der optimalen Wirkung. »Weil die Dame ... ein Bulle ist.«

»So ein Quatsch«, erwiderte ich gleichgültig und stellte die Sachen auf meinem Tablett zusammen.

»Sie ist vom Scheiß-FBI«, sagte Shay. Er war ganz aufgeregt bei dem Gedanken. »Weißt du, was ich zu ihr gesagt habe?« Er kicherte unwillkürlich. »O Mann! Wenn ich das gewußt hätte!«

»Du weißt überhaupt nichts«, sagte ich.

»Jeder weiß es. Du brauchst dich beim nächsten Mal nur umzusehen. Keiner der Aufseher redet mit ihr. Sie wissen es auch.«

»Sie ist nicht vom FBI.«

»Klar ist sie. Frag deinen Sergeant auf der Krankenstation. Er hat einen Kumpel gebeten, sie zu überprüfen.«

»Sie ist nicht vom FBI.« Ich stand auf und nahm mein Tablett in die Hand. »Sie ist von der State Police«, erklärte ich ihm.

Ich wußte, daß das für Carol ein Risiko barg, und als das

Gerücht erst mal im Umlauf war, paßte ich auf, daß ihr nichts passierte. Aber es gab keine wirkliche Gefahr. Falls die State Police in Denning einen Einsatz gehabt hätte, wären sie daran interessiert gewesen, ein paar Aufseher zu schnappen, aber die Aufseher würden keine Polizeibeamtin umbringen.

Natürlich redete ganz plötzlich niemand mehr mit Carol. Baruk blieb auf Distanz. Sogar die geschwätzige Tanya beschränkte sich auf die anstehenden Dienstangelegenheiten. Wohin Carol auch ging, überall um sie herum entstand eine gedrückte Stimmung. Gespräche verstummten, wenn sie auftauchte. Beamte sahen ihr nicht mehr in die Augen. Die Leute machten sich aus dem Staub, oder sie warteten ab, nickten schweigend zu allem, was sie sagte, und starrten an ihrem Gesicht vorbei in die Ferne, bis sie ihres Weges ging und hörte, wie hinter ihr die Gespräche wieder aufgenommen wurden. Vielleicht auch ein Lachen, das auf ihre Kosten ging oder auch überhaupt nichts mit ihr zu tun hatte. Ich bemerkte den Ausdruck von Unverständnis auf ihrem Gesicht, und es tat mir in der Seele weh.

Baruk behandelte sie mit eisiger Korrektheit. Sie hatte etwas Mädchenhaftes an sich, wenn sie bei ihm stand und mit ihm redete. Sie stand locker da, die Beine über Kreuz und eine Hand in die Hüfte gestützt. Sie drehte sich ganz leicht – was sie zögerlich und unkörperlich aussehen ließ – vor Baruk, der mit beiden Beinen fest auf der Erde stand.

Einmal ging er weg, bevor sie alles gesagt hatte, was sie sagen wollte. Ich sah, wie sie das Gesicht abwandte, die Wange preisgegeben, als hätte ein Schlag ihren Kopf zur Seite geworfen. Sie riß sich zusammen.

»Oh, Rich?« rief sie ihm hinterher. »Rich?«

Baruk blieb stehen. Er wandte ihr den Rücken zu.

»Ich hab vergessen ...«, setzte Carol an.

Er drehte sich bedächtig langsam zu ihr um, als würde es ihm große Mühe bereiten.

»Ja?« fragte er leise in vollkommen neutralem Tonfall.

Er hat einen großen Mund und dicke Lippen, und er setzte ein schmales, starres Lächeln auf. Ich hatte ihn unterschätzt. Eine Augenbraue wurde genau in die richtige Höhe gezogen – fragend, ironisch –, und es war unmöglich, es genau zu sagen, bis man das Glitzern in seinen Augen sah. Ich dachte, Baruk sei zu subtilen Regungen nicht fähig, doch er war eine Maske der Höflichkeit.

Carol sah dies alles, und es vernichtete sie.

»Spielt keine Rolle«, sagte sie.

»Sind Sie sicher?« fragte Baruk unbarmherzig.

Sie schaffte es nicht, ihn anzusehen. Ich hatte sie zuvor nie so verletzt gesehen.

»Nein«, sagte sie. Ihre Unterlippe hing herunter. Sie hatte Mühe, die Kontrolle nicht zu verlieren.

Baruk starrte sie an und nickte selbstzufrieden.

»Nein?« fragte er. Er war sehr geduldig, zog den Schmerz in die Länge, machte sich über ihre Einsamkeit lustig.

»Vergessen Sie's«, sagte Carol verächtlich.

Sie schien einen Rest von Trotz hervorzukramen, der die Führung übernahm. Ihr Körper richtete sich auf. Sie hob den Kopf und verzog das Gesicht zu einem Lächeln, als sei alles nur Teil eines Spiels, nur Spaß.

Ich beobachtet das alles von einem Patientenzimmer aus, wo ich die Türrahmen abwusch. Ich war stolz auf sie.

»Ein andermal«, sagte sie zu Baruk.

Er zuckte die Schultern, drehte sich um und ging, wieder einmal der rohe Mann, der Alpha-Mann: Brustkorb vorgestreckt, Hände links und rechts der Gürtelschnalle eingehakt, gebieterisch im Schwung seiner Schultern, schlenderte er gemütlich davon. Sogar in dieser Machowelt hatte seine Pose etwas Pompöses.

Manchmal war Carol das Ebenbild von Isolation und Verwirrung. Bei einer Gelegenheit saß sie allein in dem Käfig, hatte die Augen geschlossen und die Hände vor das Gesicht gelegt. Sie atmete langsam in ihre Hände aus, bis ihre Lungen ganz leer waren, und dann atmete sie ihren ausgeatmeten Atem in kleinen Zügen wieder ein, als wolle sie feststellen, wie er roch. Das machte sie immer wieder, wie ein Tier, das hoffnungslos im Kreis läuft.

Niemand sagte ihr, was nicht stimmte. Sie wurde sehr einsam, und ich war ihr einziger Freund. Es war nur eine Frage der Zeit, bis sie sich an mich wandte, damit ich ihr half, das Geheimnis, das sie umgab, zu verstehen.

Sie lachte nervös, unglücklich. Sie wußte nicht, wie sie anfangen sollte.

»Ich habe das Gefühl, die Leute behandeln mich ...«

Sie bewegte ihre Hände in einer vagen Geste. Ich dachte, sie wäre kurz davor aufzugeben. Dann lag etwas Hinterhältiges in ihrem Blick, als hätte sie in mein Gesicht geschaut und dort ein Anzeichen dafür entdeckt, daß ich wußte, was los war.

»... als hätte ich irgend etwas Schlimmes gemacht.« Sie schüttelte ungläubig den Kopf. »Ich weiß auch nicht.«

»Das ist eine sehr festgefügte Gruppe«, sagte ich.

»Manchmal glaube ich, ich bilde es mir nur ein.«

»Sie sind in Ordnung, wenn man sie alle mal kennengelernt hat. Natürlich kenne ich sie nicht alle persönlich, aber sie haben sich mir gegenüber immer fair verhalten, meistens.«

»Sie drehen sich einfach weg, mitten im Gespräch.«

»Das gewöhnen sie sich an, weil sie die ganze Zeit nur mit Insassen reden.«

»Haben Sie das auch schon gesehen?«

Ich lachte. »Mich behandeln sie die ganze Zeit so. Willkommen im Club.«

»Wahrscheinlich.« Ich sah, wie sich ihr Mund entspannte, wie sie etwas sagen wollte, zögerte, dann wieder ansetzte. »Ich meine, haben Sie gesehen, daß sie mich so behandelt haben?« Sie riskierte einen Blick durch das Stahlgeflecht auf mein Gesicht.

»Sie meinen, Sie wie einen Insassen behandelt?«

»Haben Sie?«

»Nein«, erwiderte ich verwundert. »Nein, könnte ich nicht behaupten.«

Da ist er: der Verrat. Ich verriet die Frau, die ich liebe. Ich tat ihr weh. Aber ich mußte es tun. Ich mußte eine Situation schaffen, in der sie sich mir zuwandte. Es würde nur funktionieren, wenn sie mir die Hand reichte. Ich sah keine andere Möglichkeit, sie in meine Reichweite zu bringen. Es gibt Zeiten, da braucht das Schicksal einen Schubs, wie wenn die Nadel auf einer dieser alten 45er-Schallplatten hängenbleibt und immer und immer wieder das gleiche abgehackte Stück eines Liedes spielt – was dem Leben im Gefängnis übrigens sehr ähnlich ist.

Die Nachrichten verbreiteten sich schnell. Die Frage, auf welcher Seite man steht, ist im Gefängnis die allerwichtigste. Und hier war eine vollkommen neue Seite, die bislang noch niemand in Betracht gezogen hatte. Sie wurde sofort definiert und kategorisiert. Carol war eine Gang, bestehend aus einer Person.

Die Wärter verhielten sich ihr gegenüber sehr viel feindlicher als die Insassen. Sie unterzogen sie jeder denkbaren, unbedeutenden, gezielten Schikane. Im Interesse der Sicherheit läßt sich alles rechtfertigen.

Eines Tages kam sie auf die Krankenstation und hielt sich den Kopf fest. Ich dachte, sie hätten sie geschlagen. Sie hielt den Kopf gesenkt, lief beinahe, beide Hände in ihrem Haar. Ich versuchte sie anzusprechen, aber sie eilte an mir vorbei und schüttelte den Kopf, während sie mit den Tränen kämpfte.

Ich habe das in Gang gesetzt, dachte ich. Ich habe das ausgelöst.

Ich wäre bereit gewesen, mein Gesicht durch eine Fensterscheibe zu donnern, wenn ich es dadurch hätte wiedergutmachen können. Ihre Tränen waren eine Säure, die mich schlimmer verätzte als meinen eigenen Schmerzen. Sie wandte sich von mir ab, wollte nicht reden. Ich ertrug es nicht, sie weinen zu sehen. Ich ertrug den Schmerz ihrer Qual in mir nicht. Ich dachte darüber nach, durch eine Glasscheibe zu brechen, eine dünne, wie man sie bei Bilderrahmen verwendet, eine, die sich wie von selbst in spitze Scherben verwandelt. Ich stellte mir vor, wie ich aus der Tiefe nach oben auf das glitzernde Licht zuschwamm und durch das Glas brach, das Gesicht nicht von Wasser umströmt, sondern von Blut und Schnitten bedeckt, die meine Gesichtszüge abschliffen.

Ich hielt an diesem Bild fest. Es gab mir Halt, und ich fühlte, wie sich wieder eine Mitte formte, als ich hinter ihr her zu dem Käfig ging. Sie hatte die Deckenbeleuchtung nicht eingeschaltet, und es war schwer zu erkennen, was sie machte. Sie vollführte schnelle, verzweifelte Bewegungen zu ihrem Kopf, dann schüttelte sie ihr Haar wieder zurück. Es fiel ihr unordentlich um die Schultern, einzelne Strähnen standen nach der Seite weg, und dunkle Haarlocken hüpften umher. Sie war aufgelöst und zerzaust, als wäre sie gerade erst aufgestanden. Sie drehte sich um, so daß ich sie nicht sehen konnte.

»Was ist passiert?« fragte ich.

»Nicht jetzt.«

»Vielleicht kann ich helfen«, bat ich.

Sie saß, mir den Rücken zugewandt, vollkommen still da. Ihre Hände umklammerten ihren Kopf, die Finger weggestreckt, die Handflächen auf den Ohren, als könnte sie es nicht ertragen, noch irgend etwas zu hören. Ich wartete, hoffte, daß sie etwas sagen oder sich umdrehen würde. Plötzlich bewegte sie eine Hand, als hätte sie daß Gefühl, sie könnte nackt sein.

»Was haben sie mit Ihnen gemacht?« fragte ich.

Sie stieß einen tiefen, zitternden Seufzer aus, drehte sich um, und ich sah, daß sie die Zähne zusammengebissen hatte; ihr Gesicht war verkrampft, um Wut und Demütigung zu unterdrücken.

»Sie haben mir meine Haarnadeln weggenommen«, sagte sie schließlich. Sie ließ ein kleines, bitteres Lachen hören. »Wie kleinlich können Sie werden?« Sie hob die Hände zu einer Geste und vergaß dabei ihr Haar, so daß es ihr über das Gesicht und über den Rücken fiel.

»Ich dachte, sie hätten Sie verletzt«, sagte ich.

Ich war wie versteinert von der wilden Nacktheit ihres Haares, das ihr um den Kopf hing. Sie war neu für mich geworden.

In dem Blick, den sie mir durch den dunklen Vorhang ihres Haares, das ihr über die Augen hing, zuwarf, sah ich eine neue Person, die sich in ihr verbarg.

»Ich bin verrückt, wenn ich mich dadurch einschüchtern lasse«, sagte sie.

»Tun Sie es nicht«, erwiderte ich. Ich sah, wie ihre Schultern sich hoben und senkten. Sie bewegte ein bißchen den Kopf, als versuchte sie, die Gefühle abzuschütteln. »Lassen Sie sich von denen nicht fertigmachen.«

»Ich kann's nicht ändern.« Sie versuchte, die Worte so klingen zu lassen, als wäre sie nur aufgebracht, aber ihre Augen funkelten vor Wut. »Ich mußte eine nach der anderen rausnehmen. Sie fuhren mit einem Metalldetektor über meinen Kopf.«

»Das ist nur Schikane«, sagte ich.

»Bis jetzt war das noch nie ein Problem.« Sie schüttelte den Kopf und lächelte, als hätte ihre heftige Reaktion sie auf amüsante Weise überrascht. »Jetzt, ganz plötzlich sind Haarklammern ein Sicherheitsrisiko. Sie sagen, man könnte sie zum Öffnen von Schlössern benutzen.«

Sie war völlig selbstvergessen, unterhielt sich mit mir, als wäre ich einfach eine andere Person. Dann erinnerte sie sich daran, daß ich ein Insasse war, und versuchte Licht in das zu bringen, was man ihr angetan hatte. Sie bezog mich ein und stieß mich weg.

»Wissen Sie, was wir tun sollten?« sagte ich. »Ich habe eine Idee.«

Sie war sofort argwöhnisch, als hätte sie geahnt, daß ich einen Schritt auf sie zu machen würde. Aber sie zögerte. Es war nicht mehr ganz klar, auf welcher Seite sie stand, oder ob es überhaupt eine Seite gab, auf der sie stehen konnte.

»In Ordnung«, sagte sie. »Und welche?«

»Ich muß es Ihnen zeigen«, sagte ich, grinste, als würde das ein Spaß werden, und zeigte ins Innere des Käfigs.

»Nein«, erwiderte sie kategorisch.

Sie war nicht böse auf mich. Sie hatte die ganze Zeit gewußt, daß ich versuchte, in den Käfig zu kommen. Das alles passierte am Anfang, als ich sie gerade kennenlernte, bevor ich wußte, wie ich mich in der Kluft, die zwischen uns lag, bewegen mußte. Ich war zu schnell. Auch wenn sie nicht mehr auf der anderen Seite war, war sie noch nicht auf meiner Seite.

Ich gab ihr durch das Gitter hindurch Anweisungen.

»Öffnen Sie die Schreibtischschublade«, sagte ich. Sie tat mir meinen Willen. »Und jetzt nehmen Sie eine Büroklammer raus.«

»Nein«, sagte sie, weil sie merkte, auf was ich hinauswollte.

»Nehmen Sie eine Büroklammer«, drängte ich.

»Das funktioniert nie im Leben.«

Ich redete ihr gut zu. »Versuchen Sie es. Los.«

»Es sieht bestimmt dämlich aus.«

»Niemals.«

Ich war zu eifrig. Ich spürte ihre Kälte.

»Außerdem können sie das gleiche über die hier sagen.«

Sie rieb zwei Klammern zwischen Daumen und Zeigefinger und betrachtete sie. Ich wußte, sie würde es versuchen.

»Wie können sie ein Sicherheitsrisiko sein, wenn die Gefängnisverwaltung sie liefert?« fragte ich.

»Wahrscheinlich.«

»Und sie werden toll aussehen in Ihrem Haar. Sie können eine neue Mode kreieren.«

Mir war nicht klargewesen, wie viele Klammern sie brauchen würde, um ihr Haar hochzustecken. Ich war ihr Spiegel. Sie beobachtete mein Gesicht und neigte ihren Kopf ein bißchen, um mit zwei Händen eine bestimmte Stelle zu erreichen. Ich ermutigte sie und brachte sie fast zum Lachen. Schließlich nahm sie eine Handvoll Büroklammern und verschwand im Badezimmer am anderen Ende des Käfigs, um ihr Werk zu vollenden.

Sie kam in den Käfig zurück und drehte sich hin und her, um mir zu zeigen, was sie gemacht hatte; die Wirkung war großartig und ungewohnt, einzelne Klammern fingen das Licht der Tischlampe auf und glitzerten silbern wie Tautropfen in ihrem Haar.

»Was halten Sie davon?« fragte sie, obwohl sie die Bewunderung in meinen Augen sehen konnte.

»Sie schaffen's«, sagte ich.

Sie wirbelte herum, zeigte ihre Reize. Sie verblüffte mich. Sie war neu belebt, herausgeputzt, unterwegs zu einer Neujahrsparty, zu der ich nicht eingeladen war.

Sie beugte sich über den Tresen, und ich dachte, sie würde das Geflecht zwischen uns packen, die Barriere, die uns trennte, mit ihren Fingerspitzen kaputtreißen, aber im letzten Moment überlegte sie es sich anders.

»Hey.« Sie lächelte. »Vielen Dank für die Hilfe.« Sie schaute nach unten, um einen Aktendeckel mit Laborergebnissen vom Tresen zu nehmen. »Wirklich. Ich weiß das zu schätzen.« Sie warf mir ein Lächeln zu, dann öffnete sie die Mappe und wandte sich ab.

Sie wollte, daß ich ging. Ich war niedergeschmettert, aber es hätte mich nicht überraschen sollen. Eine Rolle ist wie eine Maske: Krankenschwester, Insasse. Mit einem Wort, mit einer bestimmten Betonung sagte sie mir, daß die Rollen immer noch in Kraft waren, daß die Masken wieder an ihrem Platz waren. Was immer auch meiner Ansicht nach passiert war, sie definierte den Augenblick, indem sie mir einen Hinweis gab: »Danke.«

Um diese Zeit herum schlug ich Carol vor, daß ich helfen könnte, die Vitalfunktionen zu überprüfen. Sie hätte eigentlich nein sagen müssen, aber sie brauchte Hilfe. Tanya redete damals nicht mit ihr, sie kommunizierte mit ihr, indem sie im Käfig der Krankenschwestern Nachrichten auf Papierfetzen hinterließ. Das gab Tanya alle möglichen Gelegenheiten, ihrem Teil der Arbeit aus dem Weg zu gehen und Carol eine größere Last aufzubürden, die das Gefühl hatte, sich um alle Arbeiten kümmern zu müssen, die liegengeblieben waren.

Baruk hatte seine berechtigten Zweifel – ihr zu helfen würde mir eine Entschuldigung liefern, mich an allen möglichen Orten aufzuhalten, an denen ich eigentlich nichts verloren hatte –, aber es war schwer, einem Insassen, der die Absicht zu haben schien, sich zu rehabilitieren, etwas zu verweigern. Außerdem mußte er sich mit einem Polizeispitzel in seiner Abteilung wirklich um wichtigere Dinge kümmern. Er hielt sich in seinem Teil des Korridors auf und machte nur gelegentlich seine Runde bis zum Käfig der Krankenschwestern.

Durch meine neue Aufgabe kam ich in engeren Kontakt mit den Insassen, die krank waren. Ich ließ mir Zeit beim Blutdruckmessen, beim Zählen von Puls- und Atemfrequenz, beim Ablesen der Temperatur von dem digitalen Thermometer und beim Reden. Ich liebte die Geschichten eines alten Bankräubers, der einen Polizisten erschossen hatte. Andere Insassen auf der Krankenstation waren Drogenopfer, hatten sich infiziert oder eine Überdosis genommen. Ich verbrachte sehr viel Zeit mit den Patienten, die an AIDS starben.

Es dauerte nicht lange, und ich hatte mich unentbehrlich gemacht. Tanya kapierte schnell, daß ich mich nützlich machen wollte. Statt zu arbeiten, zog sie es vor, den ganzen Tag am Tresen im Käfig der Krankenschwestern zu sitzen und niedergeschlagen darauf zu warten, daß die Schicht zu Ende war, daß ihr Leben vorbeiging. Ab und zu baute sich so viel Frustration in ihr auf, daß sie plötzlich den Korridor hinunterstürmte, um etwas aus dem Verkaufsautomaten im Aufenthaltsraum des Personals zu holen. Sie ließ mich alles machen, was ich gefahrlos tun konnte, außer Medikamente austeilen.

Tanya sorgte dafür, daß ich auch abends arbeiten konnte. Das erste Mal, als ich nach dem Abendessen auf der Krankenstation erschien, war ich überrascht, Nando vor dem Behandlungszimmer warten zu sehen. So wie er sich aufrichtete, als er mich erblickte, war mir klar, daß ihm der Gedanke, daß ich ihn dort gesehen hatte, nicht gerade gefiel. Der kleine, dunkelbraune Mann war reine, konzentrierte Aufmerksamkeit, ja, als ich auf meinem Weg zu dem Käfig der Beamten an ihm vorbeiging, hätte ich genausogut unsichtbar sein können.

Baruk arbeitete noch. Weil der Sergeant, der eigentlich Spätschicht hatte, ihm nichts von mir erzählt hatte, wußte er nicht, was ich zu dieser Stunde auf der Krankenstation wollte, und wir mußten Tanya suchen, damit sie es ihm erklärte. Sie war nicht im Käfig. Nando war verschwunden. Baruk klopfte an die Tür des Behandlungszimmers.

»Sind Sie da drin, Tanya?« fragte er.

»Ja«, rief sie. »Wer sucht mich?«

Er öffnete unschlüssig die Tür, denn das Bewußtsein, in einen medizinischen Bereich einzudringen, ließ ihn zögern. Tanya hatte Nando wohl gerade die Spritze gegeben. Baruk wollte etwas sagen, aber er wurde gefesselt von dem Bild, wie Nando in weißen Unterhosen, die Arbeitshosen bis zu den Knien heruntergeschoben, eine Spritze in seinem Oberschenkel, auf der Kante des Stuhls aus rostfreiem Stahl saß.

»Was?« wollte Tanya wissen.

»Kann ich Sie auf ein Wort sprechen?« fragte Baruk.

Er störte. Seine Augen klebten an der Spritze, die in Nandos Oberschenkel steckte. Baruk hing am Türrahmen und am Türgriff und lehnte sich in den Raum hinein, so daß er keinen Fuß hineinsetzte, und wartete darauf, daß Nando sich das Insulin injizierte, bevor er sagen konnte, warum er gekommen war.

Nando drückte den Spritzenkolben mit seinem Daumen nach unten und hielt ihn fest. Er starrte uns an, so wie wir ihn anstarrten. Dann zog er die Nadel mit einem professionellen Schwung heraus.

»Was gibt's denn?« fragte Tanya.

Nando schaute zur Seite, als ginge ihn das alles nichts an. Er inventarisierte die medizinischen Hilfsmittel auf dem Tresen. Seine Hand hing locker zwischen seinen Oberschenkeln, und die Spritze sah ich nicht mehr.

»Eine Frage wegen Cody«, sagte Baruk, schroff und formell vor uns Insassen.

Tanya richtete ihre Aufmerksamkeit auf Baruk, als sie zur Tür kam. Nando zog seine Hosen hoch. Jemand rief Baruk vom anderen Ende des Korridors, und er drehte sich um. Nando hatte die Handgelenke nach innen abgewinkelt und war dabei, die

Spritze in seinen Ärmel zu schieben, aber Tanya erinnerte sich und hielt ihm den roten Plastikbehälter hin.

»Cody arbeitet jetzt abends«, sagte sie.

Sie schüttelte den Behälter vor Nandos Nase, immer noch mit Baruk beschäftigt, und forderte ihn heraus, mich ihr wegzunehmen.

»Dieser Mann ist mein Arbeiter. Er arbeitet tagsüber.«

»Er macht beides. Lieutenant Silva hat es genehmigt.«

Nando schaute ihr ins Gesicht. Seine dunklen Augen waren reglos und ohne Tücke. Dann ließ er die Spritze fallen, und ich hörte das trockene Kratzen, mit dem die Nadel auf dem Plastik landete.

Ein paar Monate nachdem ich angefangen hatte, auf der Krankenstation zu arbeiten, starb der Superintendent in seinem Büro. Niemand hätte viel darüber nachgedacht, außer daß die Maschinerie der Zentralverwaltung sich langsam in Bewegung setzte, einen Ersatz zu berufen; und so wurde sein Stellvertreter amtierender Superintendent, und dessen Assistent wurde amtierender Stellvertreter, und so weiter in der Hierarchie abwärts; jeden traf es, der für irgend etwas im Gefängnis verantwortlich war, ein amtierender Irgendwas, provisorisch, seiner Machtbefugnisse unsicher, ständig auf der Hut.

»Gibt einem zu denken«, sagte ich zu Carol. »Einfach so zu sterben, ohne Vorwarnung.«

»Er hatte einen Herzinfarkt«, erwiderte sie. »Er war ein starker Raucher.«

»Ich würde ja damit aufhören, aber es hilft, die Zeit zu vertreiben.«

»Ich sollte auch aufhören. Ich nehme es mir immer wieder vor und tue es doch nicht.«

»Ich tu's, wenn Sie's auch tun«, sagte ich.

»Wie? Einfach so?«

Ich nahm meine Zigarette zwischen Daumen und Zeigefinger, ließ sie auf den Boden fallen und trat sie aus.

»Einfach so«, verkündete ich.

Sie lächelte und legte den Kopf schräg. Ein Teil von ihr zögerte immer, beobachtend, taxierend, argwöhnisch. »Totaler Entzug?«

»Nur so funktioniert's.«

»Ich weiß nicht.« Sie zuckte die Schultern.

»Ich könnte hier und jetzt Ihr Leben retten«, versicherte ich ihr.

Ich dachte, sie würde sagen, es spiele keine Rolle, erhaschte aber einen Schimmer von Überdruß und Enttäuschung auf ihrem Gesicht, den sie schnell wieder verbarg.

»Wahrscheinlich«, sagte sie.

»Ich habe es getan.«

»Sie haben nichts getan!«

»Klar hab ich. Ich hab aufgehört zu rauchen. Ich werde keine einzige Zigarette mehr rauchen.«

»Das kann ja jeder sagen.«

»Es ist leichter, wenn wir es zusammen machen. Dann muß ich Ihnen nicht beim Rauchen zuschauen.«

»Einverstanden«, seufzte sie.

»Versprechen Sie's.«

»Ich versuche es. Ich mache keine Versprechungen.«

Es war deutlich, daß Carol sehr darauf bedacht war, nicht auch nur im geringsten in etwas verwickelt zu werden. Sogar ein Versprechen brachte sie in eine Situation, womit ein anderer Mensch sie erpressen konnte. Aber ich sah sie in Denning nie wieder eine Zigarette rauchen. Am nächsten Tag tauschten wir unsere Erfahrungen aus.

»Woher soll ich wissen, daß Sie nicht zu Hause heimlich ein paar Züge stibitzt haben?« fragte ich sie.

»Sie müssen mir einfach vertrauen«, sagte sie in einem flotten, neckenden, flirtenden Tonfall, der mich hoffen ließ.

In einer Pause während der vormittäglichen Arbeit kamen wir zusammen und unterhielten uns über unser gemeinsames Verlangen, die Tricks unseres Körpers, auf die wir beinahe hereingefallen waren, und die Tricks, die wir uns ausgedacht hatten, um der Versuchung, eine Zigarette anzuzünden, zu widerstehen. Es war ungefährlich, sich über unsere gemeinsame Sehnsucht nach einer einzigen, letzten Lunge voll Zigarettenrauch zu unterhalten. Es war ungefährlich, weil es scheinbar um Zigaretten ging. Aber unter dieser Oberfläche ging es darum, sein Wort zu halten, ehrlich zu sein. Eine Metapher kann zur Wirklichkeit werden.

Darauf war natürlich nicht allzubald zu hoffen. Um diese Zeit änderte sich das Verhalten der Leute gegenüber Carol. Das Mißtrauen, das sie als Polizeispitzel auf sich gezogen hatte, verflüchtigte sich. Ich bemerkte, daß Beamte nickten, wenn sie an ihr vorbeigingen. Eines Tages kam ich um die Ecke und sah, daß Carol und Baruk miteinander lachten.

»Also, ich hab noch einiges zu erledigen«, sagte er. Er drehte sich um, ging aber nicht davon, und Carol trödelte herum.

»Ich sollte auch gehen«, sagte sie, aber sie bewegte sich ebenfalls nicht von der Stelle.

In der Art und Weise, wie ihre Körper in Beziehung zueinander standen, lag eine neue, offene Struktur. Carol, mit vorgestreckten Händen, Füße auseinander, drehte sich in den Hüften, war unschlüssig, wandte sich noch einmal um; Baruk stand mit beiden Beinen fest auf der Erde, seine Gesten entsprangen aus seinem Brustkorb, hielt sie mit entschlossenem Blick, in seiner Nähe wie ein kraftvoller Magnet.

In dieser Zeit kam ich eines Tages gerade vorbei, als Carol rückwärts den Käfig betrat. Sie hatte die Hände voll mit einem Klemmbrett und ein paar Infusionsnadeln und -spritzen, und ich sprang herbei, um ihr die Tür aufzuhalten. Sie bewegte sich seitwärts, rückwärts und drehte sich. Es wirkte wie eine sehr komplizierte, unsichere Art, an mir vorbeizugehen. Statt die Tür hinter ihr zufallen zu lassen, hielt ich sie mit dem Fuß auf. In der Hand hielt ich eine Cola, die Baruk mir gegeben hatte.

»Mit diesem Flur brauche ich bestimmt noch eine halbe Stunde«, sagte ich.

Ich hob die Cola hoch und hoffte, daß sie vorschlagen würde, sie für mich in den Kühlschrank zu tun.

»Wäre es vielleicht möglich ... ?«

Ich wollte keine große Sache daraus machen. Wir wußten beide, daß es gegen die Vorschriften war, aber es war heiß. Jeder hat ein Recht auf eine kalte Cola, nachdem er den Fußboden geputzt hat. Der Kühlschrank war für Medikamente, wie Nandos Insulin, aber wenn Tanya ihr Weight-Watcher-Zeug darin aufbewahren durfte, was sollte eine Dose Cola schon schaden?

»Sie ist noch zu«, sagte ich.

»Okay«, erwiderte Carol, »aber lassen Sie's nicht zur Gewohnheit werden.«

Sobald sie das gesagt hatte, wußte ich, daß ich zu schnell vorgeprescht war, und ein paar Wochen lang hielt ich mich zurück. Aber ich demonstrierte Carol bei jeder Gelegenheit, wie es war, warme Cola zu trinken. Einmal, als ich wußte, daß sie mir zuschaute, trank ich einen Schluck und fing angewidert an, den Rest der Dose wegzuschütten, hielt dann sozusagen inne, als ich mitbekam, daß sie mich beobachtete. Eine Cola bedeutet Ihnen vielleicht nicht sehr viel, aber im Gefängnis ist eine Dose Erfrischungsgetränk etwas sehr Wertvolles.

Am nächsten Tag rief Carol mir zu: »Ich kann die Dose in den Kühlschrank stellen.«

Ich zögerte. »Sind Sie sicher, daß das in Ordnung ist?«

»Sagen Sie's mir einfach, wenn Sie's möchten.«

Danach war es einfach, es zur Gewohnheit werden zu lassen.

Von da an arbeitete ich mich immer weiter in den Käfig der Krankenschwestern hinein. Ich war schon oft dringewesen, um den Boden zu putzen, aber dann war Baruk dabei und beobachtete mich, saß halb auf dem Tresen, quatschte mit Tanya und ließ Carol nicht aus den Augen. Tanya macht es nichts aus, wenn ich ein paar Schritte reinkam, denn dann mußte sie sich nicht von ihrem Stuhl erheben, um die Sachen entgegenzunehmen, die ich brachte. Ich machte es mir zum Prinzip, auch hineinzugehen, wenn Carol da war, damit sie nicht den Eindruck bekam, sie sei die einzige, die den Dingen bei Kleinigkeiten ihren Lauf ließ.

Eines Tages betrat ich nach Carol den Käfig. Ich hielt die Tür fest, als sie zurückschwang, ging direkt hinter ihr hinein und ließ die Tür hinter mir ins Schloß fallen. Ich war so leise, daß sie überrascht war, als sie sich umdrehte und mich sah.

»O Gott!« sagte sie und preßte sich die Hand aufs Herz.

»Hey, ganz ruhig!« antwortete ich und ging zum Kühlschrank.

Sie sagte nichts, und ich wußte, daß das keine gute Idee gewesen war. Ich blieb stehen und wollte etwas sagen, um sie zu beruhigen, aber sie schnitt mir das Wort ab.

»Dan, was machen Sie hier?«

Ich streckte die Hände aus und zog ein dummes Gesicht. »Ich wollte nur meine Cola aus dem Kühlschrank holen?«

»Ich meine, in dem Käfig. Was machen Sie hier in dem Käfig?«

»Ich tue das, was ich normalerweise auch tue.« Ich sah mich um, tat so, als würde ich nach etwas suchen, was die Regeln verändert hatte. Carol war nervös. Sie hatten die Lippen zusammengekniffen. Sie hätte mir befehlen können hinauszugehen, sie hätte, den Blick auf einen Punkt über meiner linken Schulter fixiert, ruhig, aber streng sagen können: »Gehen Sie bitte hinaus.« Sie hätte nach dem Telefon greifen können (»Oh, Rich ...«), und Baruk hätte mich aus dem Käfig hinausgeworfen, und ich wäre nie wieder auf der Krankenstation erschienen. So einfach war es. Wir waren um eine Ecke gegangenen, und ich war zu einem Menschen geworden; und es gibt Dinge, die man zu einem Insassen sagen kann, die man zu einem Menschen aber nicht sagen kann, ohne das Gefühl zu haben, ihn zu verraten.

»Sehen Sie«, sagte ich, »wenn es ein Problem gibt, müssen Sie es mir nur sagen.«

»Es ist kein Problem, nicht unbedingt ...«

»... weil es Ihr Käfig ist.«

»Ich weiß. Was ich sagen will, ist, es wäre nett, wenn Sie fragen würde, bevor Sie hier reinkommen.«

»Okay. Klar. Der einzige Grund, warum ich nicht gefragt

habe, war, daß Sie gesagt haben, es sei in Ordnung, wenn ich eine Dose Cola in den Kühlschrank stelle.«

»Richtig.«

»Wenn Sie Ihre Meinung ändern wollen, dann ist das Ihr gutes Recht.«

»Das will ich damit nicht sagen.«

»Also, dann sagen Sie's auf Ihre Art.«

»Es ist mein Job, der auf dem Spiel steht, Dan.«

»Okay.«

Ich wollte den Käfig betreten, aber ich wollte dort nichts Bestimmtes. Es ging nur um Gefühle – Grenzen zu überschreiten, einen Platz in ihrem Leben zu erobern.

»Lassen Sie uns Cody morgen freigeben«, sagte sie an diesem Nachmittag zu Baruk.

Die nächsten zwei Tage Ungewißheit waren die Hölle. Ich dachte, ich hätte mir die ganze Sache zwischen Carol und mir nur eingebildet. Je mehr ich darüber nachdachte, desto mehr schien die Beziehung eine Illusion zu sein. Es war ein Tanz von Vermutungen – nichts außer Nuancen, Tonfall, die Wahl des einen Wortes statt eines anderen. Ich hatte nichts Greifbares. Alle Zeichen, die ich von ihr erhalten hatte, hatte ich erzwungen; sie hatte sie nicht freiwillig gegeben. Ich dachte, ich hätte hinter die Maske geblickt, die Maske, die Carol tragen mußte, um als Frau im Gefängnis zu überleben, aber ich hatte nur mich selbst genarrt. Ich hatte mein Leben auf einer Illusion aufgebaut.

Ich merkte, wie ich verschwand. Ich verbrachte die Zeit im Kraftraum, verwandelte die Wut mit Hilfe meines Körpers in reinen physischen Schmerz. Ich erwog, mich wegen des Drogenhandels an Eric zu wenden. Das wäre eine Art von Selbstmord gewesen – nicht in dem Sinn, daß ich im Drogenkrieg umgebracht worden wäre, sondern indem ich das abtötete, was ich bis dahin versucht hatte, mir zu bewahren. Ich wollte mich von allem, was mir etwas bedeutete, befreien.

Aber Verzweiflung ist ein stabiles Fundament. Man kommt schließlich zu einem harten, soliden Kern. Ich weigerte mich,

Carol aufzugeben. Ich hoffte gegen die Hoffnung. Am Ende ist es keine Entscheidung, nichts Rationales. Man zelebriert einen Akt des Glaubens.

Es war nur eine Frage der Zeit, bis Eric mich auf die Spritzen ansprach.

»Laß uns einen Schritt nach dem anderen machen«, sagte er langsam.

Ich saß auf seinem Kojenbett, während er vor mir auf und ab ging und laut nachdachte. Eine Fliege zog über uns ihre Kreise, wobei sie ab und zu mit der weißgetünchten Decke kollidierte.

»Sie werfen die Spritzen in die roten Plastikbehälter, nicht wahr?« fragte er.

»Das müssen sie.«

Er machte eine ungeduldige Geste. »Alle, nicht wahr? Jede Spritze, die sie benutzt haben?«

»Wegen AIDS.« Ich merkte, daß er ärgerlich wurde, aber er sollte wissen, womit er es zu tun hatte. »An diesen Spritzen sind überall Viren.«

»Damit kommen wir klar«, sagte er ungeduldig. »Wir sorgen dafür, daß die Leute sie saubermachen. Ich möchte noch etwas über diese roten Behälter wissen. Was passiert damit, wenn sie voll sind?«

»Die sind nie voll. Die Krankenschwestern sollen sie nicht ganz voll machen. Sie sind nur halb oder zu einem Drittel voll, wenn sie sie rausschicken.«

»Und wenn ein Behälter verschwindet?«

»Dann stellen sie den ganzen Knast auf den Kopf.«

»Sie zählen die Behälter?«

»Ja.«

»Aber sie passen nicht genau auf, wie viele Spritzen in den Behältern sind.«

»So einfach ist es nicht«, widersprach ich.

»Wenn es einfach wäre, würden es jeder tun, richtig?«

»Sie lassen mich nie allein im Behandlungszimmer.«

»Nando sagte, du gehst dort ein und aus.«

»Warum klaut Nando nicht seine eigenen Spritzen, wenn es so einfach ist?«

»Okay. Du willst nicht? Sag's ihm selbst.«

Ich hätte mich drücken können, aber wir wußten beide, daß ich schließlich tun würde, was er verlangte. Ich bastelte eine Drahtschlinge, die ich in den roten Behälter schieben konnte, um eine Spritze herauszufischen. Ich probierte es aus, als Tanya und der Arzt mit einem Insassen beschäftigt waren, der einen Messerstich in den Bauch abbekommen hatte. Niemand im Behandlungszimmer kümmerte sich um mich oder dachte darüber nach, warum ich mich dort aufhielt. Es war einfach, mir eine Spritze zu schnappen, sie rauszuziehen und sie, mit der Kanüle nach oben, in meine Unterhosen fallen zu lassen.

Irgendwie, dachte ich, hat diese Methode, das tödliche Ding zu transportieren, etwas Richtiges an sich. Beugte ich mich nach vorn, wenn ein Beamter eine Stichprobe machen wollte und mich mit schweren Händen abklopfte, würde die verseuchte Nadel in mich eindringen. Das Risiko war nur gerecht. Es hielt mich davon ab, Spritzen allzu leichtfertig zu klauen, und es verband mich mit dem Risiko, dem ich einen mir unbekannten Insassen aussetzte, um meine eigene Haut zu retten. Eine war natürlich nicht genug. Sie wollten mehr von den tödlichen Dingern. So viele, wie sie kriegen konnten, bis ich erwischt wurde. Ich war ihnen egal. Ich war ein Instrument, das man benutzte, bis es auf die eine oder andere Art unbrauchbar geworden war.

Ich weiß nicht, wie Nando und Eric miteinander kommunizierten, bevor sie sich an mich hängten. Die Wege müssen mühsam gewesen sein, durch mehrere Personen vermittelt, mit all den Unsicherheiten, die das mit sich brachte. Indem ich die erste Spritze klaute, verdiente ich etwas, was man außerhalb des Gefängnisses Vertrauen nennt, obwohl es komisch ist, diesen Begriff auf zwei professionelle Paranoide wie Nando und Eric anzuwenden. In ihren Augen hatte ich das System geschlagen, sogar ein hochtechnisiertes System – aus irgendeinem Grund war Eric besonders beeindruckt, daß es mir gelungen war, die roten

Behälter zu überlisten. Ich hatte gezeigt, daß ich »willens war, mich der Realität zu stellen«, wie er es nannte, was bedeutete, daß ich willens war, Teil des schmutzigsten Geschäftes zu werden, nämlich virusinfizierte Nadeln zu recyceln, um meinen Arsch zu retten.

Der schnellste, sicherste Weg, eine Nachricht zwischen diesen Männern hin und her zu schicken, funktionierte so, daß ich mit Nando Kontakt aufnahm, wenn er abends wegen seiner Insulinspritze kam. Die meisten Nachrichten, die ich weitertrug, bestanden nur aus ein paar Worten. Am Anfang waren sie wie Teile eines Puzzlespiels, die bedeutungslos waren, solange man nicht das ganze Bild kannte.

Nando sagte zum Beispiel: »Sag ihm, er kriegt's morgen.« Aus irgendeinem Grund wollte er nie Erics Namen nennen. Oder Eric sagte: »Frag Nando, ob er fünf nimmt«, und Nando schüttelte ungeduldig den Kopf und sagte zu mir: »Sieben. Nicht mehr und nicht weniger!«

Nach und nach füllte ich die Leerstellen aus und bekam einen detaillierten Einblick in ihre Geschäfte, wenn sie über Preise für Drogen verhandelten oder Nando Eric daran erinnern wollte, daß er mit seinen Zahlungen in Verzug war, oder ihm den Tag der nächsten Lieferung mitteilte. Ein Teil des Geschäfts lief außerhalb der Gefängnismauern ab: Das war Nandos Organisation. Insassen, die Drogen wollten, gaben bei Eric ihre Bestellung auf, dann bezahlten Nandos Leute einen Besuch bei dem Freund oder Verwandten, der das Geld vorschießen würde. Insassen, die draußen niemanden hatten, kauften direkt von Eric und Bentley. Nando verfügte über das System, aber er steckte in Block eins fest; Eric hatte das Vertriebsnetzwerk, das er brauchte.

Ich gab mir Mühe, unsichtbar zu werden wie einer dieser Dolmetscher, die im Hintergrund sitzen, wenn sich Staatsoberhäupter treffen, ein unscharfes Gesicht auf dem Zeitungsfoto. Als sie mich schließlich vergaßen, wurden die Nachrichten länger.

»Sag Nando, die letzte Ladung war vollkommen verschnitten«, sagte Eric beispielsweise. »Die Kunden beschweren sich, um Himmels willen! Nein, sag das nicht. Sag irgendwas – ich weiß nicht. Sag ihm, die Qualität muß besser werden. Sag das. Find eine Möglichkeit, ihm das beizubringen, du weißt schon, respektvoll.«

Oder Nando zischte auf dem Weg zurück in den Hochsicherheitstrakt über die Schulter: »Er ist spät dran«, und ich sollte an seinem kalten Blick und der schroffen Art, mit der er die Wörter ausspuckte, ablesen, daß Eric besser daran tat, schnellstens zu bezahlen, oder er würde Schwierigkeiten bekommen.

Sie erwarteten von mir, menschlich und in der Lage zu sein, den Sinn zwischen den Worten, die sie einander schickten, zu interpretieren, und gleichzeitig sollte ich neutral bleiben wie ein Stück Telefonkabel.

Sammy Shay erledigte gelegentlich Botengänge für Eric. Er war ein aufdringlicher Mensch und redete ziemlich viel. Nach dem Vorfall mit Carol hatte ich nicht mehr sehr viel mit ihm zu tun, und dann erwischte ich mich dabei, wie ich seinen Namen in die Nachrichten einbaute.

»Der letzte Stoff war gut, aber wir können nicht die Mengen bewegen, von denen du sprichst. Shay müssen wir im Auge behalten. Vielleicht sollten wir den Preis runtersetzen, um die Nachfrage anzukurbeln«, sagte ich Nando mit der ausdruckslosen Nachrichtensprecherstimme, in der ich alle Botschaften weitergab.

»Welcher Shay?« fragte Nando gereizt.

Ich antwortete niemals auf Nandos Fragen. Das war Teil der Rolle, die ich etabliert hatte. Ich war nur der Bote. Als er mich jetzt also nach Shay fragte, dachte er nur laut nach, und die Tatsache, daß ich, ein Niemand, zugegen war, war vollkommen irrelevant.

»Sag ihm, der Preis ist der gleiche«, trug er mir auf. »Die Menge ist die gleiche. Das ist das Geschäft, das er abgeschlossen hat.«

An diesem Abend ging ich kurz vorm Einschließen zu Erics Zelle, um Bericht zu erstatten. Bentley war dort. Sie waren gereizt.

»Nando war stocksauer«, berichtete ich ihnen. »Er sagt, der Preis ist so, wie er ist.« Ich hielt inne und wartete, als könnte ich noch mehr sagen, würde mich aber zurückhalten. »Die Menge bleibt auch die gleiche. Du hast ein Geschäft abgeschlossen, jetzt mußt du dich auch daran halten.«

Eric und Bentley warfen einander Blicke zu. Sie hatten darüber diskutiert, bevor ich gekommen war. Sie verstanden sich und konnten die Folgen einschätzen und zum gleichen Ergebnis kommen.

Eric stieß so etwas wie ein nervöses Lachen aus. »Das Problem ist, der Typ versteht nichts von Betriebswirtschaft.«

»Hat er sonst noch was gesagt?« wollte Bentley wissen.

»Er sagte: ›Welcher Shay?‹«

»Shay ist ein Niemand.«

»Ich wußte nicht, was ich ihm darauf sagen sollte«, meinte ich.

Eric sprang von seinem Kojenbett auf. Seine Augen hatten einen wilden, verzerrten Ausdruck. »Du sagst ihm gar nichts. Du sagst ihm, verdammt noch mal, nichts, was wir dir nicht aufgetragen haben.«

»Ich hab nichts gesagt.«

Bentley kam ganz nah zu mir und zeigte mit einem großen Finger mitten in mein Gesicht. »Du bist der Bote. Verstanden? Sonst nichts.«

»Wir überprüfen die Nachrichten«, zischte Eric. »Ich bin, verdammt noch mal, hier derjenige, der die Dinge am Laufen hält!«

Er ging zur Rückwand der Zelle, und Bentley trat ihm erst im letzten Moment aus dem Weg. Ich schätze, die Respektlosigkeit, daß Eric beinahe in ihn hineingerannt wäre, gefiel ihm überhaupt nicht.

»Wieso fragt Nando nach Shay? Warum will er wissen, wer das ist?«

»Er war sauer. Mehr weiß ich auch nicht«, sagte ich. »Soll ich ihn morgen danach fragen?«

»Nein, sag ihm, Shay ist in Ordnung. Sag ihm, wir kennen Shay, und er ist okay.«

»Und wenn nicht?« fragte Bentley.

»Schmink dir das ab. Shay ist unter Kontrolle.« Eric wandte sich an Bentley, und ich wollte gehen. »Frag rum. Aber laß niemanden wissen, daß wir interessiert sind.«

»Warte!« rief er mir nach. Allmählich sah er richtig besorgt aus, und seine Augen huschten hin und her. Zu viele Dinge passierten auf einmal.

Insassen überlegen genau, wo sie sitzen. Ich studierte die Sitzordnung im Speisesaal so gründlich wie die CIA die Aufstellung für die Moskauer Parade zum ersten Mai. Ich prägte mir die Sitzordnung am Haupttisch ein: wer neben wem saß, wer in war und wer out. Wenn man sich die Ordnung vom ersten Tag an merkte und sie mit der des folgenden Tages verglich und wenn man die Veränderungen über die Zeit hinweg beobachtete, konnte man Machtverschiebungen mit einiger Sicherheit voraussagen. In den Drogenkriegen von Denning konnte diese Intelligenz der kleine Vorteil sein, der einem half zu überleben.

Am nächsten Morgen beim Frühstück setzte ich mich Shay gegenüber hin. Die Leute merken, wenn sie beobachtet werden. Shay wußte es. Wenn man weiß, daß man beobachtet wird, kann man sich nicht natürlich verhalten. Man steht sich selbst im Weg; wägt ab, wenn man intuitiv reagieren sollte; zögert, wenn man spontan sein sollte. Man nimmt Dinge wahr, die keine Bedeutung haben sollten, und benimmt sich verdächtig. Shay schaute sich um, grinste, und Männer senkten den Blick auf ihre Cornflakes. Insassen fühlten, daß er ausgeschlossen worden war. Es war der Instinkt der Herde.

Ich erinnere mich, wie ich auf meinen Vater hinuntergestarrt hatte, der in seinem Sessel eingeschlafen war, während im Fernsehen ein alter Spielfilm lief, ich hatte sein Gesicht betrachtet wie jedes x-beliebige andere Ding. Die gleiche seltsame Objektivität fühlte ich Shay gegenüber. Ich nahm die Klarheit seines einfachen, guten Aussehens in mir auf, die scharfumrissenen Konturen seiner Knochen und festen Muskeln, die sein weißes T-Shirt ausfüllten. Er rutschte auf seinem Stuhl herum. Das lockere, schlaue Grinsen, mit dem er mich anschaute, wurde unsicher, und seine blauen Augen wußten nicht mehr, wohin sie schauen sollten. Er wandte den Blick ab und zuckte die Schultern, und dann bemerkte er, daß Bentleys Augen auf ihm ruhten.

An diesem Abend traf ich Nando vor dem Behandlungszimmer. Er wartete auf Tanya, die noch im Aufenthaltsraum des Personals war.

»Eric sagt, sie behalten Shay genau im Auge.«

»Na und? Was geht das mich an?« Er breitete die Hände aus, um zu zeigen, wie frustrierend es war, mit Idioten zusammenzuarbeiten.

»Eric sagt, es ist einfach kein Geld da, um den Stoff umzusetzen. Sie möchten die Liefermenge verringern.«

»Wenn er ihn nicht absetzen kann, sollte er mal überprüfen, ob er nicht Konkurrenz bekommen hat«, knurrte Nando.

Er schob sich von der Wand weg. Tanya kam den Korridor entlang auf uns zu. Einen Moment lang lauschten wir zusammen der Reibung ihrer Oberschenkel.

»Sie wollten mehr Zeit«, sagte ich.

»Vielleicht verkauft jemand anders auf ihrem Terrain«, meinte Nando. »Vielleicht sollten sie darüber mal nachdenken.«

Eric konnte es kaum erwarten. Sobald ich den Block betrat, winkte er mir schon zu, ich sollte zu ihm hochkommen.

»Nando will wissen, was es mit diesem Scheiß über Shay auf sich hat. Warum beobachtet ihr ihn?«

Eric und Bentley sahen sich an.

»Was sollen wir sonst machen?« beschwerte Eric sich. »Wir müssen ihn erst mal beobachten. Wir müssen rausfinden, was er vorhat.«

»Das habe ich ihm auch gesagt«, sagte ich, »aber er war ziemlich genervt, so wie ›Was wollen die Kerle denn noch sehen? Warum erledigen sie die Sache nicht?‹«

»Hat er das gesagt? ›Warum erledigen sie die Sache nicht?‹« fragte Eric.

»Nicht wörtlich. Ich rede von seinem Tonfall. Die Art, wie er es sagte. So wie: ›Warum *beobachten* sie ihn?‹«

Ich wartete darauf, daß sie das schluckten. Allmählich wurde ihnen klar, was sie zu tun hatten.

»Ich hab ihm gesagt, daß ihr mehr Zeit braucht«, sagte ich, und sie nickten eifrig, als hätte ich ihnen einen großen Gefallen getan. »Er meinte, vielleicht verkauft jemand anders in eurem Terrain.«

Ich hätte wetten können, daß sie über diese Möglichkeit auch schon nachgedacht hatten, aber so wie sie es vermieden, einander anzusehen, war klar, daß sie es bis jetzt noch nicht offen ausgesprochen hatten.

»Unmöglich!« sagte Bentley.

Er schien sich sicher zu sein. Eric schaute ihn ein bißchen abschätzend von der Seite an. Der erste kalte Luftzug von Mißtrauen.

»Wir haben den normalen Vollzug unter Kontrolle«, sagte Eric. »Wir haben es perfekt organisiert. Komplett.«

»Mir gefiel nur nicht, wie Nando das sagte«, bemerkte ich.

»Was meinst du damit?«

»Ich weiß nicht – die Art und Weise, wie er das Wort ›vielleicht‹ aussprach. ›*Vielleicht* verkauft jemand anders in eurem Terrain.‹«

»Ich versteh's nicht«, sagte Bentley.

»Er spuckte es regelrecht aus. ›Vielleicht.‹ Sarkastisch. Du weißt doch, wie er ist.«

»Wer, zum Teufel, bist du?« wollte Bentley wissen. »Vielleicht dies, vielleicht das?«

»Warte!« meinte Eric zu ihm. »Er wollte damit was andeuten?«

»Ich glaube schon.«

»Aber was? Was wollte er damit andeuten?«

Ich zuckte die Schultern. »Ich weiß nicht. So wie er es sagte, klang es, als wüßtet ihr Bescheid.«

Am nächsten Abend wurde ich, kaum daß ich die Krankenstation betreten hatte, in den Block zurückbeordert wegen einer Einschließung. Man hatte Shay erwürgt in seiner Zelle gefunden, und es gab eine große Untersuchung.

Als ich Nando am nächsten Abend erzählte, daß Shay tot war, war die Nachricht bereits bis in den Hochsicherheitstrakt vorgedrungen.

»Gut«, sagte er und deutete an, daß er froh war, sich nicht auch um die internen politischen Angelegenheiten im normalen Vollzug kümmern zu müssen.

»Nando sagte: ›Gut‹«, erzählte ich Eric, und er lächelte ein bißchen und nickte mehrmals.

Danach redete niemand mehr davon, daß ich Spritzen schmuggeln sollte. Ich trug wie bisher Botschaften hin und her, aber meine Bemerkungen beschränkte ich auf ein Minimum. Die Kommunikation zwischen Eric und Nando ging immer mehr den Bach runter. Sie schienen nicht in der Lage zu sein, sich einander verständlich zu machen, und das ganz ohne meine Hilfe.

Eric und Bentley wirkten auch ziemlich mißtrauisch aufeinander zu sein. Bentley war nur noch selten in Erics Zelle, wenn ich zum Berichterstatten kam. Wenn er da war, wenn ich kam, plauderte Eric über Sport, bis Bentley sich von der Wand abstieß und sich aus eigenem Antrieb davonmachte.

Aber ich war gegen meinen Willen immer noch ein wichtiger Teil des Drogenhandels in Denning, und es schien keinen Ausweg zu geben. Ich war zu nützlich für Nando und Eric, als daß sie mich einfach hätten gehen lassen. Selbst anzudeuten, daß ich nicht an ihrem Geschäft beteiligt sein wollte, wäre tödlich gewesen. Ich kannte zu viele ihrer Geheimnisse. Mein Leben auf der Krankenstation lief gut; ich sah Carol fast jeden Tag, und meine Arbeit mit den AIDS-Patienten gab mir das Gefühl, etwas

Nützliches zu tun. Aber ich konnte und wollte nicht länger ihr Verbindungsglied sein. Es war, wie am Sklavenhandel beteiligt zu sein. Ich wollte nicht Teil davon sein, aber ich wollte auch nicht sterben.

Carol und ich hatten es vermieden, über unser Leben außerhalb von Denning zu reden. Eines Tages fragte Carol mich nach meiner Familie. Ich erzählte ihr von meiner Schwester, obwohl es da wirklich nicht viel zu berichten gab.

»Sonst niemand?« fragte Carol.

»Nein, wir hatten keine Kinder.«

Das »wir« war ein Loch im Straßenpflaster, in das man tunlichst nicht hineintrat. Aber diesmal wollte ich mich nicht an die Regeln, die wir stillschweigend aufgestellt hatten, halten.

»Vielleicht ist es unter den gegebenen Umständen besser so«, sagte Carol.

»Ich frage mich, ob die Dinge dann anders gelaufen wären? Aber ich glaube nicht.«

Carol schwieg. Sie ließ ihren Kopf hängen und füllte sorgfältig die Diätpläne für die Essenszustellung aus. Für einen Zuschauer mag es ausgesehen haben, als würde sie mich mit Geduld ertragen, sich das Gespräch gefallen lassen, weil sie zu höflich war, mir zu sagen, ich sollte verschwinden.

»Ich habe Janie geliebt«, erklärte ich ihr. »Ich weiß, daß das verrückt klingt, wenn jemand das sagt, der seine Frau umgebracht hat. Aber ich glaube, in dem Augenblick, in dem ich sie auf ihren Weg schickte, liebte ich sie mehr als je zuvor.«

Carol schaute nicht auf. Sie nickte, als könnte sie das verstehen. Ich dachte an Janie, und meine Stimme versagte, so daß ich ihr nicht noch mehr erzählen konnte.

»Ich hatte ein Kind«, sagte Carol leise.

»Was ist passiert?« fragte ich.

»Ich mußte ihn weggeben. Einen kleinen Jungen. Ich mußte ihn zur Adoption freigeben.«

»Ich kann mir nicht vorstellen, wie schwer das gewesen sein muß.« Ich war schockiert.

»Er war ein Baby und ich noch auf der Krankenpflegeschule. Es war die einzige Möglichkeit weiterzumachen, sonst hätte ich aussteigen müssen.«

»Sie mußten es tun.«

»Ich weiß, daß ich das Falsche getan habe, wissen Sie?«

»Ja, aber ich glaube nicht, daß Sie eine Wahl hatten.«

»Können Sie mir ein paar frische Handtücher holen?«

»Ja«, sagte ich.

Das war ihr gutes Recht. Carol hatte die Macht, ein Gespräch mit mir ohne Ankündigung, Entschuldigung oder gar Erklärung abzuschneiden oder das Thema zu wechseln. Sie schuldete mir nichts. Ein paar Minuten vertrautes Gespräch schufen noch nichts, was Ähnlichkeit mit einer Beziehung hatte. Im Gefängnis hinterlassen Worte keine Spur im Herzen. Dort gibt es nichts, auf das man sich verlassen kann.

So stand ich nach Shays Tod mit Carol. Die Verhältnisse zwischen Eric, Bentley und Nando waren so prekär, daß sie keine Zeit hatten, darüber nachzudenken, wie sie mich weiter in ihr Komplott einbinden sollten. Mehrere Monate lang berichtete ich alles strikt wortwörtlich. Die meisten Nachrichten hatten etwas mit dem Rückgang ihres Geschäfts zu tun. Vorher war es immer ein Problem gewesen, genug Drogen nach Denning hineinzubringen, um die Nachfrage zu befriedigen. Jetzt schien, laut Eric, niemand das Geld zu haben, um sie zu bezahlen; oder sie kauften es, laut Nando, woanders. Ich ließ sie es ausdiskutieren und verfolgte besorgt, wie das Verhältnis sich langsam wieder entspannte.

Die Idee der Shang pflanzte ich jemandem mit niedrigem Status ein. George arbeitete bei der Essenszustellung; er kam überall in der Anstalt herum und führte einen Einmannbetrieb, eine Art inoffizieller À-la-carte-Service. Ich unterhielt mich mit ihm, als er wegen einer Verbrennung am Arm ein paar Tage auf der Krankenstation das Bett hüten mußte. Eric trieb für alles, was er reklamierte, eine Steuer ein, sogar von Georges kleiner Nebenbeschäftigung.

»Und du mußt dich vor den Shang in acht nehmen«, sagte ich zu ihm.

»Vor wem?«

Ich ignorierte ihn, als hätte ich es ihm gegenüber nicht erwähnen sollen, falls er noch nicht wußte, wer sie waren.

»Sei einfach wachsam und laß dich nicht erwischen«, sagte ich noch auf meinem Weg nach draußen.

»Was? Wart doch mal 'ne Minute. Den was?«

Ich stand an der Tür der Zelle und warf einen Blick den Korridor hinunter. »Den Shang.«

»Was sind das, Chinesen?« George ärgerte sich, daß er fragen mußte.

»Ja, es sind Chinesen«, sagte ich wegwerfend. »Vergiß es.«

Um diese Zeit gab es eine regelrechte Fliegenplage. Niemand wußte, woher sie kamen. Ganz plötzlich war das ganze Gefängnis voll davon, sie summten gegen Fensterscheiben, landeten auf nackter Haut und flogen wieder davon, bevor man sie erwischte. Ich habe mal gelesen, daß diese plötzliche Vermehrung mit ihrem Reproduktionszyklus zu tun hat und daß man es mathematisch berechnen kann. Aber die Insassen redeten von einer Seuche. Es gab Gerüchte, daß die Fliegen in lange vergessenen Leichen brüteten und aufgescheucht worden waren. Man erzählte sich, sie würden Menschenfleisch essen. Männer hatten Angst, mit ihnen in Berührung zu kommen. Wenn eine Fliege auf ihnen landete, fuhren sie zusammen und sprangen auf.

Vielleicht war das der Grund, vielleicht wollten sie die Fliegen von den Schultern und vom Kopf fernhalten, vielleicht war es aber auch nur Zufall, daß in dieser Zeit Männer Zuflucht dazu nahmen, wie Scheiche Handtücher auf dem Kopf zu tragen. Es gab ein Bedürfnis nach neuen Moden. Es gab immer eine neue Art, sich zu kleiden, ein bestimmtes Muster, seine Turnschuhe zu schnüren, die der einheitlichen blauen Hose und dem weißen T-Shirt eine ulkige Note hinzufügten.

Eines Tages spazierten ein paar schwarze Insassen in der Halle herum und trugen Handtücher auf dem Kopf wie Scheichs.

Das ging dann so weiter, daß ein oder zwei Wochen lang nur die schwarzen Insassen sich auf diese Weise kleideten, während die Hispanic und die weißen Insassen ihre Chefs beobachteten, um zu sehen, ob sie die neue Mode mitmachten. Und wenn sie das taten, trugen für ein oder zwei weitere Wochen nur die Chefs Handtücher auf dem Kopf, wenn sie auf den oberen Etagen herumstolzierten, weil es ein Zeichen des Rangs war – und ein Zeichen von Respektlosigkeit, hätte ein anderer Gefangener ihre Hutmode übernommen.

Dann nahmen nach und nach die zweitrangigen Gefangenen die Mode auf – zuerst nur in ihren Zellen, dann auch öffentlich in der Halle, mit leuchtend bunten Hutbändern, um die Handtücher an ihrem Platz zu halten, wenn sie sich umdrehten und sie über ihre Schulter schwingen ließen. Das war der Kulminationspunkt einer Mode, wenn jeder, der eine Rolle spielte, den neuen Stil zur Schau stellte. Es gab ein Gefühl, Teil von etwas zu sein, einer Gemeinschaft von Männern, die sich entschlossen hatten, ihre Handtücher wie Scheichs auf dem Kopf zu tragen. Es war ein Zeichen von Solidarität in dieser Gruppe, wo die Loyalitäten sich ständig verschoben, und bedeutete nichts Spezielles.

Bei Gerüchten weiß man nie, wie die Sache ausgeht, weil es in ihrer Natur liegt, daß sie heimlich verschwinden. Und man kann nicht herumlaufen und sich erkundigen, ob die Geschichte sich verbreitet. Ein Gerücht hat ein Eigenleben. Eine Weile kann man nicht sagen, ob es tot ist oder ob es nur Kraft sammelt und bald im Speisesaal auftaucht, als Nachricht, über die jeder das Neueste wissen will.

Kein Gerücht kann es allein schaffen. Es muß von Umständen genährt werden, von wirklichen Ereignissen, damit es anschwillt und Substanz gewinnt, und in diesem Fall war es Eric selbst, der dazu beitrug. Er war regelrecht besessen von dem, was er Marktanteile nannte. Als er herausfand, daß einige Leute geringe Mengen Drogen zum Eigengebrauch schmuggelten, stellte er sie kalt. Aber statt dafür zu sorgen, daß jeder wußte, warum diese Männer verletzt worden waren, behielt Eric es für sich. Er machte sich Sorgen, wie es auf die Gefühle der Konsumenten wirken würde, wenn er als jemand vorgeführt wurde, der nicht alles bis ins Letzte unter Kontrolle hatte.

So ereignete sich jede Woche irgendein Überfall, ausgeführt von Gestalten, deren Köpfe mit Handtüchern umwickelt waren. Es wurden keine Drohungen gebrüllt, keine Warnungen, »was passieren würde, wenn«, kein »Das ist für ...«. Männer wurden aus unerfindlichen Gründen schweigend zusammengeschlagen, mit Stichwaffen verletzt oder umgebracht. Niemand wußte, wer der nächste sein würde und warum.

»Nando sagt, es muß aufhören«, sagte ich zu Eric. »Er sagt, es ist schlecht fürs Geschäft. Alle sind nervös. Sie führen zusätzliche Überprüfungen ein. Es ist schwierig, Stoff reinzubekommen.«

»Er hat damit angefangen«, erwiderte Eric. Er wirkte verzweifelt, zappelte herum, ohne eine Vorstellung zu haben, nach welchem Ziel er schlagen sollte. »Es war Nando, der mit dieser ganzen Sache angefangen hat, indem er den Vertrag auf Ralph ausdehnte.«

»Das hat er gesagt«, sagte ich zu ihm mit einem verwirrten Ausdruck im Gesicht.

»Da! Siehst du?« Er schaute sich um, aber es war niemand da, der Zeuge dieses Augenblicks hätte werden können. »Ich sag's dir doch«, sagte Eric, enttäuscht, daß ich der einzige war, dem er es erzählen konnte. »Ich sag's dir die ganze Zeit schon, daß es Nando war.«

»Er hat gesagt, es hat mit Ralph *angefangen*. Er – also Nando – sagte, wenn du dich um die Dinge gekümmert hättest, als es Ralph erwischt hat, hätten wir jetzt nicht diesen Ärger mit den Shang.«

»Das ist so ein dämlicher Quatsch! Es gibt keine Shang. Sie existieren nicht.«

»Wenn du sie gleich zu Anfang niedergetrampelt hättest, als sie noch schwach waren.«

Eric und Bentley mischten sich unter ihre Leute und fragten sie nach Shang. Je mehr sie fragten, desto größer schien Shang zu werden. Die Shang boten Schutz; sie besteuerten Prostitution; und am allerschlimmsten: Sie verkauften Drogen. Die Macht der Shang war so gewaltig, daß noch nie jemand direkt mit ihnen zu tun gehabt hatte. Wer immer ihre Führer waren, es waren bescheidene Männer, die es nicht nötig hatten, die Insignien der Macht so zur Schau zu stellen wie Eric. Sie mußten nicht erkannt werden, und das gab Spekulationen Nahrung, daß sie vielleicht gar keine Führer hatten, daß sie eher eine Bruderschaft waren als eine Gang, daß sie überhaupt keinen illegalen Handel betrieben, sondern genaugenommen gegen Drogen waren. Niemand wußte es. Statt dessen wirbelten die Gerüchte umher wie Qualm. Und dann waren da die Fliegen. Sie waren überall, landeten auf der nackten Haut der Männer und ließen sie plötzlich aufspringen.

Eines Tages wurde vor der Zelle eines Mannes ein Turnschuh gefunden. Ein einzelner Turnschuh. Das war nicht die Art von Gegenstand, die man versehentlich vor einer Zelle liegenließ. Nichts geschieht grundlos. Hinter allem steckt eine Absicht. Die Männer in dem Block sahen es als Hinweis, daß dieser Mann gezeichnet worden war. Sie redeten nicht mehr mit ihm. Es war, als wäre er mit einem Bann belegt worden, einem Voodoo-Zauber. Sie warteten, wandten sich ab, damit sie ihn nicht ansehen mußten, gingen, egal, wohin er kam, auseinander, damit sie nicht Zeuge wurden, von dem, was mit ihm passieren würde. Nichts geschah. Und die Tatsache, daß nichts geschah, ließ die Insassen nur glauben, daß diejenigen, die gegen ihn vorgingen, gerissen und geduldig waren.

Nando wollte einen Shang töten. Er war nicht wählerisch. Einem japanischen Insassen, der die Hälfte seiner fünfjährigen Strafe für versuchten Mord bereits abgesessen hatte, wurde in der Küche, wo er arbeitete, der Kopf halb vom Rumpf getrennt. Nando hatte etwas klargestellt, und nichts hätte Shang stärker legitimieren können. Wenn sie bis dahin nicht existierten, dann waren sie jetzt ins Leben gerufen worden.

Alle warteten auf die unvermeidliche Vergeltung. Zwei Tage

verstrichen ohne irgendeine Reaktion. Eine Woche ging vorbei, und immer noch war nichts passiert. Eric sah aus, als würde er nicht schlafen. Nando preßte die Lippen zusammen und blaffte mich an, als ich ihn fragte, ob er eine Nachricht für Eric hätte.

»Warum die Japaner?« fragte ich Eric.

»Wir schicken ihnen eine Nachricht.«

»Und was ist, wenn die Japaner überhaupt nichts mit Shang zu tun haben?« gab ich zu bedenken.

»Wir schicken trotzdem 'ne Nachricht. Wenn du darin verwickelt bist, ist es offensichtlich.«

»Ich weiß nicht. Ralph – der ist doch inzwischen Geschichte.«

Eric warf mir einen eigentümlichen Blick zu. »Nicht für mich«, sagte er.

»Es ist schon eine Weile her. Vielleicht erkennen die Leute den Zusammenhang nicht.«

»Es gibt jede Menge loser Zusammenhänge. Wenn du nicht siehst, wie sie zusammenpassen, ist das dein Problem. Das ist der Grund, warum du dort stehst und ich hier.«

Eric starrte mich mit offenem Mund an. Als er gemächlich nickend mein Gesicht musterte, wurden seine Augen hinter den Brillengläsern schmal und winzig.

»Ralph war ein guter Kumpel von mir«, sagte Eric. »Ich werde das nicht einfach so auf sich beruhen lassen.«

»Tja, du bist der Chef.«

»Das weiß ich«, sagte er leise und verstohlen. Ich hörte die Drohung im Hintergrund rumpeln. »Du hältst dich wohl für ziemlich clever, was, Cody?«

»Nein. Nicht wirklich.«

»Du glaubst, ich kapier nicht, mit was für einer Scheiße du mich fütterst?«

»Ich bin nur der Bote«, wandte ich ein.

»Du gibst nur die Nachrichten weiter, richtig? Du bist immer zur richtigen Zeit am richtigen Platz. Du bist immer da, wo was abgeht. Ist dir das schon aufgefallen?«

»Eigentlich nicht.«

»Eigentlich nicht.« Er nickte nachdenklich und betrachtete mich von oben bis unten. »Du warst hier, als es Ralph erwischt hat.«

»Eine Menge Typen waren hier.«

»Nicht sehr viele. Außer dir erinnert sich nur ein Typ, daß Leon in der Halle war. Niemand sah ihn die Duschen betreten.«

»Ich schon.«

»Außer dir.«

»Na und? Er wird es nicht an die große Glocke hängen. Er schlüpfte rein, machte Ralph fertig und schon war er wieder draußen. Was er macht, macht Leon ordentlich.«

»Und du, Cody? Machst du das gut, was du machst?«

»Ja, ich schätze schon. Worauf willst du hinaus?«

»Wenn es nicht Leon war, dann kannst nur du es gewesen sein.«

»Der Ralph umgebracht hat?«

»Richtig.«

»Ich glaube nicht.«

»Du schleichst herum wie ein Geist. Du bist der graue Mann. Niemand sieht dich kommen, niemand sieht dich gehen. Niemand achtet auf dich. Du bist unsichtbar und spielst keine Rolle. Außer daß du überall bist. Egal, was passiert, du bist da.«

»Deswegen bin ich so nützlich. Für dich und Nando.«

»Beweis es. Beweis mir, daß du nützlich bist.«

»Wie?«

»Bring Leon um.«

»Warum?«

»Jemand muß es tun.«

»Wozu soll das gut sein? Okay, ich bringe Leon um. Aber was ist damit erreicht?«

»Dann weiß ich, daß ich dir trauen kann.«

»Nando bringt mich um.«

»Entweder er oder ich. Du hast die Wahl.«

An diesem Abend hatte ich keine Möglichkeit, mit Nando zu reden, weil Tanya ihn ins Behandlungszimmer rief, sobald er da war. Ich war erleichtert. Ich hatte Angst, mit welchen Informationen ich herausplatzen würde, wenn er seine Augen auf mich richtete. Als ich zum Zellenblock zurückkam, fand ich unter meinem Kopfkissen eine selbstgebastelte Stichwaffe. Es war mal ein Metallöffel; um das breite Ende herum war als Griff ein Verband gewickelt, und der ursprüngliche Stiel war zu einem spitzen Werkzeug geschliffen.

»Haben Sie schon mal in einer richtigen Zwickmühle gesteckt?« fragte ich Carol.

»Ja, ich glaube schon«, antwortete sie vorsichtig. Sie war auf der anderen Seite des Stahlgeflechts dabei, Blutproben in Plastikröhrchen einzuordnen und sie zu den jeweiligen Laboranweisungen zu sortieren. Sie schaute mich nicht an.

»Zwischen etwas Falschem und etwas Falschem, und es gab keinen Ausweg?«

»Ja«, sagte sie mit größerer Sicherheit. Sie schob die Röhrchen in den metallenen Transportbehälter und hielt einen Moment inne.

»Ich bring das zur Kontrolle«, sagte ich und zeigte auf den Behälter.

»Es kommen noch welche.«

»Ich soll jemanden umbringen«, sagte ich. Angst schimmerte in ihren Augen auf. »Nicht hier. Mit der Krankenstation hat das nichts zu tun.«

»Können Sie es nicht jemand anderem sagen?« fragte sie.

Ich schaute weg. Wir wußten beide, daß sie so etwas sagen mußte. Es war ein Zug in dem Spiel. Sie mußte von ihrer Position als Angestellte ausgehen.

»Wem?« fragte ich mit einem bitteren Lächeln. »Wem soll ich es sagen?«

Ich wollte, daß die Stille mit all ihren Bedeutungen in sie eindrang. Es gab keine Antwort. Und der Grund, warum es keine Antwort gab, war der, daß ich da stand, wo ich stand, allein, auf der falschen Seite des Drahtgeflechtes. Ich konnte die Kluft niemals überbrücken. Nur sie konnte es.

»Könnten Sie nicht mit Sergeant Baruk reden?« fragte sie.

»Sie wissen, daß ich das nicht kann.«

»Inoffiziell?«

»Ich bin kein Verräter.«

»Ich weiß.«

»Ich bin aber auch kein Killer«, sagte ich. Sie wich meinem Blick aus. Ich schätze, sie dachte an Janie.

An diesem Punkt hätte sie weggehen müssen. Sie steckte nicht in dem Käfig fest. Wenn sie gewollt hätte, hätte sie erkennen können, was als nächstes kommen würde, nämlich etwas, in das sie sich nicht hätte hineinziehen lassen sollen.

»Ich möchte es nicht tun«, bat ich sie.

Sie hatte das Buch herausgeholt, in das wir die Vitalwerte eintrugen, und ich hatte Angst, sie würde gehen, obwohl es für die Runde eigentlich noch zu früh war.

»Dieser Mann bedroht mich nicht. Wahrscheinlich weiß er nicht mal, wer ich bin.«

Carol blätterte in den Seiten des Schnellhefters. Sie nickte, als wäre sie nur halb bei der Sache, aber ich wußte, daß sie mir zuhörte. Ich hing am Drahtgeflecht. Meine Lippen berührten es beinahe.

»Ich kann ihn nicht umbringen!«

»Schulden Sie ihnen Geld?« fragte Carol. »Sollen Sie es deswegen tun?« Sie sah mich an. Ihre Augen waren kalt. Sie blätterte noch eine Seite um. Eine brutale, abweisende Geste, die mich verletzte. »Ist es so?«

»Nein.«

»Warum sollen Sie es denn dann tun?«

»Weil sie, wenn ich es nicht tue, mich umbringen.«

»Es muß doch einen Grund geben«, sagte sie anklagend.

»Nein, die greifen einfach einen raus. Es ist wie bei einer Lotterie. Es ist Glück. Pech.«

Sie glaubte mir nicht und arbeitete weiter. Aber sie schickte mich nicht weg.

»Weil ich es schon einmal gemacht habe«, sagte ich schließlich. »Sie denken, weil ich schon einmal jemanden getötet habe, ist es einfach für mich.«

Ich sah in ihren Augen, daß sich ihr die Frage unwillkürlich aufdrängte. »Und, ist es so?«

»Ich bin nicht kaltblütig«, sagte ich. »Ich bin kein Killer. Sie kennen mich. Ich bin Highschool-Lehrer, um Himmels willen! Wie soll ich jemanden umbringen?«

Ich wartete darauf, daß sie sagte: »Tun Sie es nicht«, aber sie fragte: »Es geht um Sie oder ihn?«

»Ja.«

»Oder Absonderung.«

»Ich kann nicht den Rest meines Lebens mit Perversen zusammenleben.«

Sie starrte mich an, sagte aber nichts.

»Was würden Sie tun?« fragte ich sie.

Wir hörten Baruk kommen, und ich ließ das Drahtgeflecht los und trat einen Schritt zurück. Sie hätte mich ignorieren können. Sie hatte die Freiheit, zu gehen, und das machte ihre Antworten um so kostbarer.

»Ich würde fliehen«, sagte sie und kam aus dem Käfig, einen Metallkorb am Arm hängend, in dem der Behälter mit den Proben war, und ließ die Käfigtür hinter sich zufallen.

Nach dem Essen, als ich zur Arbeit auf die Krankenstation zurückkehrte, nahm ich die Stichwaffe mit. Es gab keinen Ausweg.

Nando haßte es, sich Insulin spritzen zu lassen, abhängig zu sein von einer Substanz, die jemand anderes ihm wie ein Almosen austeilte. Er hatte es eilig, es zu kriegen und dann wieder abzuhauen, daher war es ungewöhnlich, daß er vor einer der Zellen an der Wand lehnte und nicht vor dem Behandlungszimmer. Er schlenderte davon, als er mich um die Ecke kommen sah. Ich holte ihn ein Stückchen den Korridor hinunter ein, und er zeigte mit dem Kopf nach hinten in Richtung der Zelle, wo er gewesen war.

»Dieser Diego?« fragte er.

»Ja«, sagte ich. »Er ist erst vor kurzem eingeliefert worden.«

»Wieso ist er schon auf der Krankenstation?«

»Er ist ziemlich krank.«

Nando zog eine Grimasse. »Er simuliert. Ich kenne ihn. Er möchte sich aus der Menge raushalten.«

»Ich glaube nicht.«

»Glaubst du, er stirbt?«

»Ja. Er wird seine Strafe nicht zu Ende absitzen.«

»Zu schade.«

»Wenn er ein Freund von dir ist, werde ich ein Auge auf ihn haben.«

»Er schuldet mir Geld.«

Nando hatte Leute, die für ihn Schulden eintrieben; das machte er nicht selbst. Aber Nando schien sehr mit Diego beschäftigt zu sein und warf mehrmals einen Blick in Richtung seiner Zelle.

Ich zog die Stichwaffe aus meinem Ärmel und hielt sie Nando mit dem Griff nach vorn unter die Nase. Er griff kommentarlos danach, als hätte ich ihm lediglich eine Zigarette angeboten. Sein Gesicht veränderte sich, als er sie umdrehte und zwischen Zeigefinger und Daumen die Beschaffenheit der Klinge prüfte; seine Lippen preßten sich fester aufeinander, und seine Nasenflügel flatterten. Diego hustete, ein trockenes, gereiztes Bellen, das er kaum unterdrücken konnte, und Nando war augenblicklich aufmerksam. Ich dachte, er würde zu ihm gehen.

»Ich soll dich umbringen«, sagte ich zu Nando.

»Wieso?« Er wandte sich mir wieder zu, und ich sah das kalte Feuer in seinen Augen. »Du willst mich umbringen?« fragte er.

Er hielt die Stichwaffe etwa in Höhe seines Hosenbunds. Ich spürte, daß sein Körper vor mir sich wand wie eine Sprungfeder.

»Nein«, erklärte ich ihm. »Deswegen erzähle ich's dir ja.«

»Du hast nicht den Mumm.«

»Du hast recht«, sagte ich.

»Warum haben sie dich dann geschickt?«

»Weil ich dich ab und zu treffe. Mich würdest du nicht verdächtigen.«

»Warum?«

»Ich weiß nicht. Sie wollen das Geschäft. Ich vermute, sie wollen das Geschäft übernehmen.«

»Ich bin das Geschäft. Es gibt kein Geschäft ohne mich. In zwei Wochen bin ich weg. Und tschüs, Hochsicherheitstrakt. Dann gehe ich zurück auf die Straße.«

»Das ergibt keinen Sinn.«

Ich glaube, er überlegte, ob er mich niederstechen sollte, um Eric eine Botschaft zu übermitteln, aber es lohnte sich nicht, eine Anklage wegen Mordes zu riskieren, wo er doch in zwei Wochen gehen konnte. Er reichte mir die Stichwaffe verstohlen zurück.

»Was soll ich Eric sagen?« fragte ich.

Es klang dumm, selbst in meinen eigenen Ohren, und Nando warf mir einen geringschätzigen Blick zu. »Du willst, daß ich dir Schutz gebe, weil du nicht den Mumm hast, mich abzustechen? Damit mußt du allein klarkommen. Wenn du ein bißchen Verstand hättest, würdest du damit Eric kaltmachen.«

Als ich an diesem Abend in den Block zurückkam, setzte ich mich an den Tisch in der Halle, und Eric mußte runterkommen und in Sichtweite des Wärters mit mir reden.

»Ich warte«, bemerkte er. »Ich hab mir sagen lassen, Leon sieht immer noch ziemlich gesund aus. Hat auf dem Basketballfeld heute nachmittag ein richtig gutes Spiel gemacht.«

»Ich mußte erst mit Nando reden«, sagte ich.

Das verschlug ihm den Atem. »Du hast was?«

»Leon ist sein Mann.«

»Ich habe dir gesagt, du sollst es tun.«

»Ich bin kein Selbstmörder.«

»Ich sollte dich …«

»Nando sagte, es sei okay.«

»Leon umzulegen?«

»Nando sagte, falls Leon ein Shang ist, muß er erledigt werden. Aber es muß auf seinen Befehl hin geschehen. Niemand krümmt Leon ein Haar, bis Nando den Befehl dazu gibt.«

Ich hatte etwas Zeit gewonnen. Wenn Nando Eric unverzüglich umbringen lassen würde, war ich aus dem Schneider. In zwei Wochen, wenn Nando freikam, würden sich die Machtverhältnisse wieder verschieben. Die Ordnung brach zusammen. Jetzt schon waren Leute dabei, sich eine günstige Ausgangsposition zu verschaffen, für die Zeit, wenn Nando rauskam. Leon war einer von ihnen, und es bestand die Möglichkeit, daß ihn ein anderer umbrachte, bevor ich es tun mußte. Aber die Wahrscheinlichkeit, daß nichts von alldem geschah, war genauso groß. Eric arbeitete sich heran. Falls er, trotz meiner Bemühungen, sein Mißtrauen überwand und es der Mühe wert fand, einen neuen Weg zu suchen, um mit Nando zu kommunizieren, würde er überall meine Fingerabdrücke finden.

All diese Möglichkeiten setzten mich ganz schön unter Druck. Manchmal fühlte es sich an, als wären wir Teile einer großen Maschinerie, die am laufenden Band die Ereignisse, die wir lebten, ausspuckte. Wenn die Dinge sich in eine Richtung entwickelten, die mir gefiel, hatte ich das Gefühl, einen der Kontrollknöpfe gefunden zu haben. In Momenten der Hochstimmung schien ich Denning zu kontrollieren. Und in gewissem Maße tat ich das auch. Es war nicht so, als würde ich auf den Gedanken und Gefühlen von tausend Männern spielen wie auf dem Manual einer gigantischen Orgel, es war sehr viel riskanter, viel gefährlicher. Und die Dynamik der Ereignisse neigte dazu, jeden Moment die Richtung zu wechseln, so daß ich mit meinem eigenen Plan in die Falle lief.

Als der Drogenkrieg seinem Höhepunkt zusteuerte, war die Explosivkraft in der Luft zu spüren wie die Elektrizität der Gefühle von tausend Männern, die sich aneinander rieben. Die Insassen waren unruhig, gereizt, warteten darauf, daß etwas passierte. Egal, was. Man konnte beinahe das schwache Summen hören wie den Klang des Windes, wenn er durch Überlandleitungen hoch über unseren Köpfen bläst. Als wäre die Atmosphäre über uns bis zum Äußerten verdichtet, hielte sich zurück und versuchte, sich selbst zu zügeln, um nur eine Möglichkeit zu bleiben, die stets kurz davor war, Wirklichkeit zu werden. Es war das Geräusch eines Generators. Ein tiefes, tiefes Rumpeln an der äußersten Grenze des Gehörs. Es vibrierte durch uns hindurch, hallte so nah wieder, daß es sich anfühlte, als wären es unsere eigenen Gefühle. Man konnte es hören, wenn zur vollen Stunde »Bewegung« begann: Der Lärm brandete auf, wenn die Korridore sich mit Insassen füllten; sie schrien herum, liefen, um sich gegenseitig einzuholen, Handtücher flatterten um ihre Schultern, sie diskutierten, lachten, riefen sich beim Namen. Das war die Melodie, die Oberfläche. Unter dem Ganzen lag der Baß, das leise Rumpeln von Möglichkeiten, die sich gegeneinander schoben, von Ereignissen, die danach drängten, Wirklichkeit zu werden.

Das war die Realität, die mich einschloß, eine Realität, die ich selbst geschaffen hatte. Gleichzeitig war Carol so kurz davor, zu merken, was zwischen uns existierte. Liebe lag direkt unter der Oberfläche, bereit, hindurchzubrechen und zu Worten zu werden. Dies war der Punkt, an dem mein Leben in höchster Gefahr war, als ich beinahe riskierte, alles zu verlieren. Es war Carol, die mir die Idee der Flucht in den Kopf setzte. Carol zeigte mir die Tür, als sich alles um mich herum auf äußerst tödliche Weise verdichtete.

Genau so müssen Sie das auffassen, was als nächstes geschah. Ich hatte nicht sehr viele Möglichkeiten, Carol zu dem letzten Schritt zu bewegen. Es wäre sowieso passiert, aber es mußte früher passieren, weil die Gefühle nicht mehr ihren natürlichen Verlauf nehmen konnten. Ein paar Wochen vorher hatten wir uns über William Blake unterhalten. Ich hatte erwähnt, daß es nichts von ihm in der Gefängnisbibliothek gab, und ich wollte ihr zehn Dollar geben, damit sie eine Taschenbuchausgabe seiner Gedichte für mich kaufte.

»Sehen Sie«, sagte ich zu ihr, »wenn Sie sich nicht wohl dabei fühlen, dann lassen Sie's.«

»Dan, ich kann kein Geld von Ihnen nehmen. Das wäre eine strafbare Handlung. Sie wissen das.«

»Es ist eine reine Formsache.«

»Es ist Vorschrift.«

»Es tut mir leid, daß Sie so viel von Vorschriften halten.«

»Das tue ich nicht.«

»Bestimmt können Sie für sich selbst entscheiden, was richtig und was falsch ist? Sie dürfen sich Ihr Leben nicht von Vorschriften diktieren lassen.«

»Ich kann es nicht tun«, sagte sie und machte eine hilflose, unfertige Geste, die von ihrer Schulter ausging und in den Spitzen ihrer Fingernägel endete, und ich wußte, ich hatte sie. »Ich kann einfach nicht.«

»Okay«, sage ich resigniert mit ausdruckslosem Gesicht. »Halten Sie sich an Ihre Vorschriften.«

»Das sind nicht meine Vorschriften.«

»Sie haben sie gewählt.« Ich hob den Kopf, damit sie den Zorn in meinen Augen sehen konnte.

»Ich habe sie nicht gewählt. Sie gehören zu meinem Job.«

»Okay, es ist nur ein Job. Sie müssen Ihren Job machen.«

»Warum müssen Sie alles dermaßen aufbauschen?«

»Es geht ums Prinzip. Das hier ist eine Sache zwischen Ihnen und mir. Es ist ganz einfach. Was hat es mit irgend jemandem sonst zu tun?«

»Weil es nicht so einfach ist.«

»Sie schieben immer dieses Job-Argument vor, als wäre es ein Gummihandschuh, den sie anziehen müßten, bevor sie sich mit mir abgeben.«

»Das ist nicht fair!«

»Das Leben ist nicht fair.«

»Es ist nicht einmal wahr!«

»Die Wahrheit ist, ich bin ein Insasse. Das ist die Wahrheit.«

»Ich versuche, Sie wie ein menschliches Wesen zu behandeln. Für mich spielt es keine Rolle, was Sie getan haben.«

Als sie das sagte, starrte ich ihr auf der Suche nach etwas, das ich nicht fand, in die Augen. Ich lächelte traurig und schüttelte den Kopf.

»Es ist okay«, sagte ich höflich. »Es tut mir leid.« Ich machte ein paar Schritte und drehte mich wieder zu ihr um. »Ich habe Sie in Verlegenheit gebracht. Dazu hatte ich kein Recht. Ich bitte Sie um Verzeihung.«

Die nächsten paar Tage achtete ich auf Distanz. Ich ignorierte sie nicht, im Gegenteil, ich legte Wert darauf, hallo zu sagen, fragte sie nach dem Wetter und so weiter. Ich war freundlich und respektvoll. Aber ich vermied es, ins Gespräch mit ihr zu kommen.

Am Montag – nachdem sie das Wochenende frei gehabt hatte – fand ich dann versteckt unter den Gerätschaften auf dem Stationswagen, den ich immer mitnahm, wenn ich die Vitalfunktionen überprüfte, eine alte Ausgabe von Blakes *Lieder der Unschuld und Erfahrung*.

»Ich tu's in den Kühlschrank, bis Sie fertig sind«, sagte Carol, als wäre nichts.

»Ich komme mir vor wie ein Idiot«, erwiderte ich.

»Verschwenden Sie keinen Gedanken mehr daran.«

»Ich komme mir vor wie ein Idiot, weil ich Ihnen nicht vertraut habe.«

»Vertrauen Sie mir nicht.«

»Reden Sie keinen Unsinn«, flüsterte ich durch das Drahtgeflecht. Ich sang für meine Sängerin in ihrem Käfig. »Ich vertraue Ihnen.«

»Vertrauen Sie mir nicht«, beharrte sie. »Ich denke, das ist besser.«

Blake hatte ein großes Verständnis dafür, wie es ist, eingesperrt zu sein. Sooft ich eine Gelegenheit fand, erinnerte ich sie daran, was sie getan hatte, indem ich mich bei ihr für das Buch bedankte. Ich erinnerte sie an die Straftat, die sie begangen hatte. So erpreßt man die Frau, die man liebt. Ich wußte, was ich tat, und ich verstecke mich nicht. Wenn ich an meine Manipulationen denke, empfinde ich Ekel. Es gibt Gründe für das, was ich getan habe, aber keine Entschuldigungen.

Nachdem sie die Idee der Flucht aufgebracht hatte, nahm ich eines Tages das Buch mit, um ihr eines der Gedichte vorzulesen, die ich besonders mochte. Ich kam in den Käfig und lehnte mich an den Tresen. Sie reihte die Heftmaschine und einige Bleistifte in einer Reihe auf. Ein- oder zweimal, wenn ich hochschaute, sah ich sie einen Blick auf das Buch in meiner Hand werfen, und ich weiß, sie hätte alles gegeben, um es zurückzubekommen.

Um die Mitte einer Zeile zu betonen, schob ich mich vom Tresen weg und fing an, auf und ab zu gehen, während ich vorlas, als hätte ich gewissermaßen vergessen, wo ich war – mitten im Käfig.

»Was halten Sie davon?« fragte ich sie, als ich fertig war.

»Großartig.«

Ein paar Wochen später vollzogen wir unsere Beziehung.

Diese berechnete Manipulation der Gefühle einer Frau ist widerlich. Und die ganze Zeit schreibe ich über Liebe! Ich kann Ihre Verachtung spüren. Aber vergessen Sie nicht, daß Sie mich an Normen messen, die auf Ihrem eigenen, bequemen Leben basieren. Sie haben nie dem ins Auge gesehen, womit ich umgehen mußte. Beten Sie zu Gott, daß Sie das auch nie müssen. Aber solange Sie nicht selbst dort waren, wo ich war, bitte ich Sie, mir zu glauben, wenn ich Ihnen sage, daß Sie unmöglich verstehen können, was vernünftige, zivilisierte Menschen tun, um zu überleben. Nicht um zu leben – wir reden hier nicht über irgendeine bemitleidenswerte, biologische Existenz, obwohl die meisten Menschen damit zufrieden sind, sich in einem rein medizinischen Sinn an das Leben zu klammern –, sondern um als menschliches Wesen zu überleben, wie auch immer ich das definieren würde.

Ich hätte mit Drogen handeln können, aber ich tat es nicht. Stimmt, meine Akte ist in dieser Hinsicht nicht ganz sauber. Ich nahm Kokain von Vera. Ein paarmal brachte Eric mich dazu, für Nando Heroin auszuliefern, damit er es im Hochsicherheitstrakt verkaufen konnte. Ich besorgte ein halbes Dutzend Spritzen aus der Krankenstube. Es war das mindeste, was ich tun konnte. Wegen dieser Spritzen fühlte ich mich verdammt, obwohl ich Eric einen Behälter mit Bleichmittel gab, um sie zu sterilisieren. Wenn ich noch weniger gemacht hätte, wäre ich zusammengeschlagen worden, bis ich getan hätte, was sie verlangten.

Es ist keine Frage von Schuld. Ich akzeptiere diese beschränkte rechtliche Auffassung. Schuldig. Dort! Schuld ist einfach. Ich mache mir nichts aus Gesetzen, die beunruhigen mich nicht. Ich wollte, ich könnte Carol Wiedergutmachung leisten. Ich würde alles tun. Jetzt, wo wir frei sind, möchte ich nicht, daß die Vergangenheit zwischen uns steht. Obwohl sie es nicht offen aussprechen würde, glaubt sie, daß ich sie benutzt habe –, ich kann es fühlen. Und ich habe sie benutzt, ich habe sie manipuliert, weil man mich umgebracht hätte, wenn ich in Denning geblieben wäre. Ich tat nur, was ich tun mußte. Ich möchte, daß sie versteht, daß das, was ich getan habe, das Unausweichliche nur beschleunigte.

KAPITEL *fünf*

Liebe Sandy,
wir fahren ziemlich viel herum, Carol und ich. Wir sehen fern. Sie mag es nicht, wenn ich Ihnen schreibe, Sandy, sie sagt, ich hätte einen Todeswunsch. Aber ich glaube nicht, daß ich je glücklicher war, auch wenn es ein gestohlenes Glück ist. Es kann nicht ewig dauern. Aber ich habe es jetzt, und es tut mir leid, feststellen zu müssen, daß alles andere kaum zählt.

Carol hat neben den Briefen auch noch etwas anderes im Sinn: Sie möchte ein Versprechen von mir. Ich habe es ihr schon gegeben, aber sie ist noch hinter etwas anderem her. Sie greift nach einem Gefühl der Sicherheit, das wir niemals mehr haben können. Es gibt so vieles zwischen uns, was ungesagt bleibt. Das ist nicht einfach, wenn wir so eng beieinander in winzigen Motelzimmern leben.

Wir sind nicht wie Liebende. Wir versichern uns nicht gegenseitig unserer Gefühle. (Lesen Sie diesen Teil, wenn Sie können, in Ihrer Sendung.) In diesen Kämmerchen wird aus jeder unbedeutenden Handlung eine mit Bedeutung überfrachtete Geste. Eine einfache Bewegung gibt es eigentlich nicht. Jede Bewegung irgendeines Körperteils ist eine Offenbarung und ein Rätsel. Alles, was wir tun, sendet kleine, bedeutungsschwere Wellen durch den Raum. Manchmal sind die Implikationen so kompliziert, daß wir sogar davor zurückschrecken, ein Gespräch anzufangen. Man weiß nicht, wohin sie führen, die Implikationen der Implikationen. Manchmal unterhalten wir uns, und das Gespräch bricht ohne ersichtlichen Grund ab. Und wenn wir reden, sind die Worte mit Bedeutung überladen, oder sie verlassen unsere Münder zu leicht – wie fliegende Federn –, zu abgedroschen, um die Leere, die uns trennt, zu überwinden. Es gibt so vieles zu verstehen und mißzuverstehen.

Wir sind nicht wie gewöhnliche Liebende, weil wir uns selten berühren. Ich lege niemals meine Hand auf irgendeinen Teil von Carol, bis sie ihre Erlaubnis dazu gibt, obwohl ich mich jede einzelne Minute des Tages nach ihr sehne. Ich knistere wie jemand, der mit statischer Energie aufgeladen ist.

Ich habe Carol nie benutzt. Es tut mir leid, daß ich Ihnen jemals diesen Brief geschickt habe, denn ich wollte Carol da raushalten. Ich wollte sie vor dem bewahren, was auf mich zukommt. (Ich weiß, daß es nicht so bleiben kann.) Ich wollte Ihnen zeigen, daß ich hart und gefühllos war, daß ich sie kontrollierte. Der Brief wird sie nur verletzen. Sie versteht die zerrende Zärtlichkeit nicht, die ich fühle. Wovor ich mich am meisten fürchte, ist, daß ich sie daran gehindert habe, die Wahrheit zu verstehen. Während ich schreibe, fühle ich, wie ihre Blicke versuchen, mich zu durchbohren. Manchmal ist ihr Gesicht gelassen und hart; sie glaubt, sie kann sich schützen, indem sie nichts preisgibt; aber ihr Geist entweicht durch das Schimmern zwischen schwarzen Wimpern. Sie erinnert mich an diesen ersten Augenblick hinter den Gitterstäben, in der Dunkelheit von Block S, als ich dachte, Leben sei vielleicht möglich.

Carol hat Sicherheit im Sinn. Sie glaubt, dieses Leben könnte immer so weitergehen, wenn wir nur die Mittel hätten. Sie glaubt, wir könnten fliehen und irgendwo leben, zum Beispiel auf den Bahamas. Sie glaubt, ich könnte das, weil ich wüßte, wo Diegos Geld ist.

Diego war Patient in der Abteilung. Er kam sechs Wochen vor meiner Flucht von seiner Verurteilung durch ein höheres Gericht direkt auf die Krankenstation. Jeder schien von ihm zu wissen, noch bevor er überhaupt angekommen war. Er war keine wirkliche Berühmtheit, wie etwa eine wichtige Persönlichkeit der organisierten Kriminalität, aber es gab hier und da Anzeichen – wie zum Beispiel, daß er nicht die Eingruppierung durchlaufen mußte –, die darauf hinwiesen, daß er etwas Besonderes war.

Carol und Tanya waren benachrichtigt worden, und sie hielten sich in Bereitschaft und warteten, als zwei Beamte ihn in einem Wahnsinnstempo in einem Rollstuhl brachten. Er schwitzte und hatte Probleme mit dem Atmen.

»Kein schöner Anblick«, sagte Sergeant Baruk kopfschüttelnd.

Der Arzt diagnostizierte Lungenentzündung und bat Carol, eine Infusion vorzubereiten. Diego war einer der Männer mit AIDS in fortgeschrittenem Stadium, die nicht dahinsiechten. Er sah krank aus, aber nicht so, als läge er im Sterben. Er war wegen Drogenhandels zu einer siebenjährige Haftstrafe verurteilt worden, und Tanya sagte, auch wenn es einigermaßen gutginge, würde er das Licht am Ende des Tunnels nicht mehr zu sehen bekommen.

»Gebt mir 'ne Zigarette«, sagte Diego. »Ich will 'ne Zigarette.«

»Nicht mit Sauerstoff, das geht nicht«, erklärte Tanya ihm höflich.

Es lag Aufregung in der Luft. Wir machten etwas Wichtiges. Carol übernahm die Leitung, und ihre Wangen waren von einer leichten Röte überzogen. Sie war in ihrem Element. Sie sagte Tanya, was sie tun sollte, und Tanya tat es, ohne nachzudenken. Es sprang von ihr auf uns über, eine konzentrierte Aktion. Ich habe Carol nie so lebendig erlebt. Ich reichte ihr den Nasenkatheter, um den sie gebeten hatte. Sie nahm ihn mir mit einem schnellen Lächeln aus der Hand und konzentrierte sich beim nächsten Herzschlag schon wieder auf Diego. Die Erfordernisse der Situation versetzten sie in Spannung und gaben ihr einen Mittelpunkt, nach all den leeren Nachmittagen am Tresen in dem Käfig. Baruk stand im Hintergrund, ließ den Dingen ihren Lauf und gab acht, daß es keine Schwierigkeiten gab.

Das war der Abend, an dem ich Nando vor Diegos Tür traf. Er ging nicht in die Zelle hinein. Ein paarmal warf er einen Blick hinein und zog seinen Kopf wieder zurück, als wollte er nicht, daß die Person im Raum ihn sah, obwohl Diego ihn in seinem Zustand gar nicht erkannt hätte. Das Fieber hatte ihn verwirrt, und er murmelte vor sich hin und wälzte sich ruhelos im Bett herum. Später kam auch Baruk zu seiner Zelle; er stand neben Diegos Bett und schaute auf ihn runter, während Diego im Schlaf den Kopf hin und her warf.

Am zweiten Tag schienen die Antibiotika anzuschlagen, und Diego bekam von seiner Umgebung mehr mit. Er hatte nachts seine Laken schmutzig gemacht, und Tanya schickte mich zu ihm, um ihn sauberzumachen.

»O Mann, sieh dir das an!« Er hielt das Laken direkt über seinen Kopf. »Sieh dir das an«, stöhnte er und wandte das Gesicht ab. »Wie könnt ihr mich in dieser Scheiße liegenlassen?«

»Wir müssen dich saubermachen«, sagte ich zu ihm.

Er schaute auf die Schüssel mit Wasser und die Handtücher, die ich neben dem Bett abgelegt hatte, und richtete seinen Blick auf mich. »Was hast du vor, mich im Bett zu baden?«

»Genau. Dir das Zeug abzuwaschen.«

Er streckte sich aus und sah mir zu, wie ich mit dem Wasser und der Seife herumhantierte. Als ich mit dem nassen Handtuch auf ihn zukam, hatte er die Bettdecke immer noch bis zum Kinn hochgezogen. Er wartete, seine Augen wanderten von dem Handtuch in meiner Hand wieder zu meinem Gesicht. In seinen Gesichtszügen, und besonders in seinen nach oben gerichteten Augen war etwas, was mich an ein Bild im Wohnzimmer meiner Großmutter erinnerte: Jesus am Kreuz.

»Ich muß saubergemacht werden wie ein Baby.« Er klang verzweifelt. Seine Augen glänzten, und er schaute weg. »Laß es«, meinte er. »Ich kann es selbst machen.«

Diego ging es stetig besser. Alle auf der Krankenstation schienen sich für ihn zu interessieren. Er hatte große, tiefliegende Augen und ein wissendes Lächeln, und er gab einem das Gefühl, wahrgenommen und verstanden zu werden. Wir waren überrascht, wie schnell er wieder zu Kräften kam. Nach zehn Tagen saß er beim Essen schon seitlich auf dem Bett.

»Er ist immer noch schwach«, meinte Baruk.

Er und Carol standen vor dem Käfig der Beamten und diskutierten, ob man Diego schon verlegen konnte. Baruk hatte ein paar Finger in das Drahtgeflecht gehakt, die andere Hand in die Hüfte aufgestützt und schlenkerte vor ihr herum.

»Er kann sich nicht verteidigen«, sagte er. »Er könnte nicht mal ein Kind einschüchtern.«

»Okay, wenn Sie möchten, behalten wir ihn noch«, sagte Carol.

Sie trug eine neue Schwesterntracht mit einem Tunika-Oberteil, das ihre Figur betonte. Als sie losging zurück zum Käfig der Krankenschwestern, kam es mir so vor, als schaukelte sie mehr als sonst mit den Hüften, und obwohl sie es mir zuliebe tat, schaute Baruk ihr hinterher. Ich konnte keinen Anspruch auf sie erheben, so wie andere Männer das mit ihren Frauen taten, öffentlich, mit einer einfachen Berührung ihres Arms. Ich hatte keinen Zugang zu den zwei Dritteln ihres Lebens, die sie außerhalb der Gefängnismauern unter normalen Menschen verbrachte. Das war einen Monat vor unserer Flucht.

Diese Nacht war Nandos letzte Nacht in Denning. Er hatte fast die ganze Strafe im Hochsicherheitstrakt abgesessen, ohne jeglichen Versuch, wegen guter Führung vorzeitig entlassen zu werden. Ich dachte, er würde sich freuen. Statt dessen war er ziemlich neben der Spur. Er wartete vor der Tür zum Behandlungszimmer, drehte sich um, ging ein paar Schritte, drehte sich wieder um, stand mit gesenktem Kopf vor der Wand und trat mit den Spitzen seiner Turnschuhe gegen die Kacheln unten an der Wand.

Dann brachten sie Eric, dem aus einer Stichwunde im Nacken Blut spritzte. Alle stürzten in das Behandlungszimmer und versuchten, ihn wenigstens so lange am Leben zu halten, daß er, wenn er sterben mußte, es im Krankenwagen tat und nicht in Denning.

In dem ganzen Durcheinander ergriff Nando den Stationswagen, den ich zur Überprüfung der Vitalfunktionen immer mitnahm, und schob ihn zu Diegos Zelle.

»Bleib draußen«, warnte er mich. »Das ist eine Privatangelegenheit.«

Ich hörte Diego nach Luft schnappen, als Nando reinkam.

»Hallo, Diego«, sagte Nando leise. Er machte das Licht aus.

»Nando, ich schwör's dir!«

Während Nando wartete, war es still. »Ja?« fragte er am Ende. »Was schwörst du?« Er war ganz ruhig. »Alles, was ich wissen will, ist, wo das Geld ist.«

»Ich hab es nicht!«

»Aber genau das ist das Problem. Nicht wahr, Diego?« Er klang sehr geduldig, unterhielt sich mit einem Kranken. »Ist das nicht genau der Grund, aus dem du und ich dieses Gespräch führen? Ich schätze, es sind ungefähr eine Million zweihundertfünfzigtausend Dollar, die du nicht hast.«

»Nicht so viel. Nicht ein Viertel.«

Ich hörte, wie Diego sich im Bett bewegte, vielleicht versuchte er, sich aufzurichten oder umzudrehen, bevor Nando ihn wieder auf die Kissen drückte.

»Eher eine.« Diego klang müde und schwach. »Komm schon, Nando. Ich bin krank. Ich kann nicht richtig nachdenken.«

»Ich bin hier drin und betreibe das Geschäft an der Basis und passe jede Minute auf, damit mich niemand niedersticht. Du kommst und gehst und tust alles, was dein Herz begehrt.«

»So einfach war es nicht. Wir haben jetzt ziemlich harte Typen auf der Straße, genau wie hier drinnen. Du warst lange weg und weißt nicht mehr, wie es da draußen zugeht.«

»Vera sagt, das letzte Mal, als ihr beide eine Geldeinlage getätigt habt, waren es etwas mehr als zweihunderttausend Dollar. Es war weniger als eine Million drin!«

»Frag sie danach.«

»Du bist derjenige, der Zugang hat!«

»Sie hat sich bedient. Frag sie!«

»Rede keinen Scheiß. Wie soll sie ohne dich an das Geld kommen? Du solltest Vera Zugang verschaffen. Am letzten Tag des Gerichtsverfahrens solltest du Vera Zugang verschaffen. Aber du hast ihr keinen Zugang verschafft.«

Den Korridor hinunter entstand plötzlich Unruhe, Befehle

wurden gerufen. Die Tür zum Behandlungszimmer flog auf. Jemand rief nach dem Reanimierungswagen.

»Wo ist es?« fragte Nando.

Er machte irgend etwas. Ich hörte, wie er sich bewegte. Reiben. Ein Reißen, wie wenn man am Blutdruckmeßgerät den Klettverschluß aufriß.

»Hey!« rief Diego, verängstigt und schwach. »Was ist das?«

»Ich will wissen, wo es ist«, sagte Nando. Er hörte sich an, als würde er sich gleichzeitig auch noch auf etwas anderes konzentrieren.

»Ich hab es Vera gegeben!« sagte Diego heiser, die Worte kamen in einem Ansturm von Angst heraus. »Ich habe ihr Zugang verschafft, genau wie du gesagt hast.«

Irgend etwas hinderte ihn am Sprechen. Diego schnappte nach Luft. Ich hörte stumpfe Schläge auf einen festen Körperteil, dann das nachhallende Geräusch eines Hiebs auf den Brustkorb, keiner davon mit viel Kraft ausgeführt. Ich hörte, wie der Stuhl über den Boden gezogen wurde, als Nando ihn sich ans Bett zog.

»Wenn du es leergeräumt hast, will ich wissen, wo du's hingetan hast. Wenn es ein Nummernkonto ist, will ich die Nummer wissen.«

»Es tut mir leid, Nando. Es tut mir wirklich leid.«

»Alles, was ich will, ist das Geld. Das ist alles. Es spielt keine Rolle, warum du es getan hast, die Entschuldigungen, die Scheiße. Sag mir einfach, was ich wissen muß.«

»Es ist weg«, verteidigte sich Diego.

»Sag nicht so was.«

Ich hörte das Zischen, mit dem Nando den Blasebalg an der Manschette des Blutdruckmeßgeräts betätigte.

»Wie ist das?« fragte Nando.

»Tu das nicht!« bat Diego heiser.

Ein weiteres Zischen war zu hören, eine Pause, als ob Nando das Ergebnis betrachten wollte, dann zwei weitere.

»Jetzt will ich, daß du's mir sagst«, meinte Nando.

Ich wartete darauf, daß Diego etwas sagte, aber in dem Raum

war es still. Ich wartete, aber es gab kein Geräusch mehr. Ich riskierte einen Blick in den Raum und zog den Kopf schnell wieder zurück, bevor Nando mich sah. Diego lag im Bett, die Manschette war um seinen Hals gewickelt. Nando saß auf dem Stuhl. Er beugte sich über das Bett und hielt sein Ohr an Diegos Mund, als lauschte er einer Beichte. Ich wartete, wie es schien, ziemlich lange Zeit vor der Tür. Niemand sagte etwas. Dann hörte ich ein langes Seufzen, als Nando die Luft aus der Manschette ließ.

Diego keuchte: »Huh! Huh!«

»Du hattest Gelegenheit, darüber nachzudenken«, sagte Nando. »Das war nur ein Vorgeschmack.«

»O Gott, Nando! Es gibt kein Geld, Mann!«

Er wollte noch etwas sagen, wurde aber abgewürgt, und ich hörte das pfft, pfft, pfft, als Nando den Gummiball drückte und in schneller Folge pumpte.

»Cody!« brüllte Baruk vom anderen Ende des Korridors. Er winkte ungeduldig. »Beweg deinen Arsch hierher!«

Ich sollte helfen, Eric auf das fahrbare Bett zu heben. Er sah weiß und tot aus und war mit einer Art schleimiger Schweißschicht bedeckt, so daß meine Finger unter seinen Schultern keinen Halt fanden, als es daran qing, ihn vom Tisch auf die Fahrtrage zu heben. Der Arzt führte Herz-Lungen-Wiederbelebung an seiner Brust durch, aber er schien nur die Bewegungen zu machen. Als Eric dann auf der Krankentrage lag, mußten wir warten, bis alles neben ihn auf die Trage gepackt und der Halter mit der Infusion befestigt war. Baruk war am Telefon. Das Tor hatte noch nicht die Freigabe bekommen, den Krankenwagen in den Gefängnishof zu lassen.

»Das liegt bei dir, Kumpel! Wie heißen Sie noch? Figueroa? Okay, Figueroa, dieser Typ hier stirbt, und es steht Ihr Name drauf ... Nein! Ihr Name. Und ich sage Ihnen, er sieht nicht besonders gut aus ... Dann rufen Sie die Kontrollstelle an und besorgen Sie sich die Freigabe!«

Er knallte den Hörer auf.

»Okay, laßt ihn uns rausbringen. Wir treffen den Krankenwagen am Empfang. Los!«

Ich ging mit ihnen den Korridor hinunter, blieb aber hinter ihnen, um ihnen nicht im Weg zu sein. Baruk schritt voran wie ein Polizist auf einem Motorrad, der die Straße für eine Wagenkolonne des Präsidenten freimacht, zwei Beamte schoben die Bahre, und der Arzt lief nebenher und drückte regelmäßig auf Erics Brust. Während alle anderen zu laufen schienen, ging Carol besonders schnell und pumpte Sauerstoff durch den Handblasebalg, als existierte sonst nichts auf der Welt. Als sie vorbeigingen, warf niemand auch nur einen Blick in Diegos Zelle, und Nando schlüpfte direkt hinter ihnen in Position und bewegte sich in ihrem Windschatten bis zum vorderen Käfig.

Ich hatte Angst vor dem, was ich in Diegos Zelle finden würde. Falls er tot war, schämte ich mich, daß ich nichts getan hatte, um ihm zu helfen. Im Gefängnis verliert man schnell das Gefühl der Verantwortung für andere. Es schrumpelt innerhalb von wenigen Tagen zusammen wie die Nabelschnur eines Neugeborenen, außer in Diegos Fall, denn ihm gegenüber empfand ich so etwas wie Fürsorge. Aber das taten wir alle, sogar Baruk. Obwohl der Impuls töricht war und obwohl er in dieser Umgebung keine Existenzberechtigung besaß, hatte ich das Gefühl, ich hätte ihn verraten.

Ich machte das Licht an. Diego sah aus, als wäre er im Begriff zu platzen. Sein Gesicht war angeschwollen und schwarz. Er war bewußtlos, aber seine Augen waren offen, fielen ihm vor Verblüffung fast aus dem Kopf, starrten auf einen Punkt weit hinter der Decke.

Der Ballon hing über das Kopfteil des Bettes. Nando hatte das Ventil so fest zugedreht, daß ich beide Hände brauchte, um es aufzuschrauben. Ich riß den Klettverschluß auf und beobachtete, wie das Blut langsam aus Diegos Kopf abfloß. Es schien einen Mechanismus in Gang zu setzen, denn er fing leise bellend wieder an zu atmen.

Als ich Diegos Hände losgebunden hatte, hörte ich vom anderen Ende des Korridors die Krankenschwestern und Beamten vom Krankenwagen zurückkommen. Diego war immer noch bewußtlos, aber er schien allmählich aufzuwachen. Einmal hustete er so heftig, daß es seinen Oberkörper regelrecht hochwarf. Wenigstens waren seine Augen zu. Unsicher hob er eine Hand Richtung Kehle und ließ sie wieder aufs Bett fallen. Ich trat zur Seite, damit man mich von der Tür aus nicht sehen konnte.

Sie kamen mit der Bahre wieder an der Tür vorbei, und sie unterhielten sich nicht, was bedeutete, daß Eric tot war. Tanya rief mich aus dem Behandlungszimmer zu sich, damit ich ihr beim Putzen half. Ich wartete. Diegos Augenlider flatterten. Er stöhnte und wollte sich aufsetzen. Als wäre ihm soeben etwas eingefallen, öffnete er dann plötzlich ganz weit und wachsam die Augen und starrte mich an, der ich am Fußende des Bettes stand.

Ich habe noch nie solche schauerlichen, blutunterlaufenen Augen gesehen. Bis auf die dunklen Pupillen waren sie leuchtend rot. Es war unmöglich, den Ausdruck in ihnen zu deuten. Wir starrten einander ein paar Sekunden lang an, gespannt, konzentriert und ohne etwas zu verstehen. Diego schien Probleme zu haben mit der Vorstellung, daß er immer noch am Leben war. Er bewegte die Lippen. Behutsam räusperte er sich und versuchte, erneut zu sprechen. Ich goß ihm etwas Wasser in einen Pappbecher, hielt seinen Kopf in meiner Armbeuge und half ihm beim Trinken.

»Wo ist er?« flüsterte er. »Er ist zurück im Hochsicherheitstrakt«, sagte ich.

Ich hielt ihn immer noch wie ein Kind, wie etwas Kostbares und leicht Zerbrechliches. Er schaute mich mit diesen schrecklichen Augen an, als hätte er vergessen, was ich machte, weil ich ihn immer noch festhielt. Ich ließ seinen Kopf wieder auf das Kissen sinken.

»Er wird morgen entlassen«, erklärte ich ihm.

Baruk stand an der Tür. Diego schloß die Augen; er lächelte, als er sich umdrehte. Baruk blieb einen Moment stehen, um zuzusehen, um das Bild von mir und Diego in sich aufzunehmen.

»Ich möchte Sie auf ein Wort sprechen«, sagte er.

Wir gingen eine Weile im Korridor auf und ab, dann wandte er sich mir zu.

»Wo, zum Teufel, haben Sie gesteckt, Cody?« brüllte er. »Sie wollen diesen Job behalten? Nicht wahr?«

»Ja.«

»Dann machen Sie Ihre verdammte Arbeit!«

Er war außer Atem. Er hatte seine Geschmeidigkeit verloren und sah zerzaust und durcheinander aus, als hätte Erics Notfall ihn zermürbt.

»Ich habe eine Augenentzündung«, sagte Diego am nächsten Tag zu mir.

Ich schob ihm das Thermometer in den Mund. Er sah mir mit seinen schauerlichen Augen ins Gesicht, während wir auf das Piepen warteten, das anzeigte, daß seine Temperatur auf dem Display abzulesen war.

»Das ist normal«, meinte ich.

Ich griff nach unten, um das Thermometer wieder zu nehmen.

»Und?« fragte er. »Wie hoch?«

»Sechsunddreißig-vier.«

»Sechsunddreißig-vier«, sagte er. »Das ist gut. Drei Tage hintereinander.«

Ich saß seitlich auf seinem Bett und maß ihm den Blutdruck, da legte er mir die Hand auf die Schulter.

»Was glaubst du? Sechsunddreißig-vier. Vielleicht ist das meine Glückszahl.«

Ich spürte, wie seine Finger über meine Schulter wanderten, mich abmaßen, zerstreut nach einem Orientierungspunkt suchten, und dann, als er gleichsam wieder zu sich kam und sich an das Wer und Wo erinnerte, gab er mir einen freundlichen Klaps.

Ich machte die Manschette des Blutdruckmeßgeräts ab, und das reißende Geräusch des Klettverschlusses ließ ihn herumfahren. Er schaute auf die Manschette und dann auf mich.

»Hast du ein Problem mit dem Ding?« fragte ich ihn.

»Wie glaubst du, habe ich mir das wohl zugezogen?« fragte er und zeigte auf seine Augen.

Ich schämte mich zu antworten.

»Hast du jemals eine solche Bindehautentzündung gesehen?«

»Nein.«

»Der Arzt auch nicht. Er glaubt, es ist irgendein sonderbarer Virus, den nur Leute mit dieser Krankheit bekommen.«

Ich wollte dieses Thema beenden, aber Diego mißverstand mich.

»Keine Sorge, es ist nicht ansteckend«, sagte er. »Gestern abend hat ein Typ versucht, mich zu erwürgen.« Er nickte in Richtung der Manschette in meinen Händen. »Damit.«

Ich wickelte die Manschette um seinen Arm. Diego lehnte sich zurück und starrte an die Decke.

»Es war ein Typ, der Informationen wollte«, sagte er. »Er hat mir das Ding um den Hals gelegt.« Er lachte. »Um den Hals!« Er drehte sich um, um meine Reaktion nicht zu verpassen. »Weißt du? Er hat es richtig fest aufgepumpt. Dann ließ er die Luft wieder raus. Dann, weißt du, hat er es noch ein paarmal aufgepumpt: Ich werde ohnmächtig, bin kurz vorm Abnippeln, er läßt ein bißchen Luft raus. Ich komme zu mir, er pumpt die Manschette wieder auf. Die ganze Zeit stellt er mir Fragen.«

Anscheinend hatte ich einen Moment innegehalten bei dem, was ich tat.

Er schüttelte den Kopf. »Das willst du bestimmt nicht hören«, sagte er.

Seine Hände waren unentwegt in Bewegung, während er redete, und eine von ihnen landete kurz auf meinem Arm und flatterte schon wieder durch die Luft davon, bevor ich etwas dazu sagen konnte. Jeder sehnt sich nach einer menschlichen Berührung.

»Wir sind nur Freunde, nicht wahr?« erinnerte ich ihn.

»Was auch immer«, erwiderte er mit einem vieldeutigen Grinsen und einem Schulterzucken. »Wie immer du es nennen willst.«

»Weil das alles ist, was wir jemals sein werden.«

»Ich weiß, ich weiß. Diese Krankenschwester werde ich niemals ausstechen. Ich weiß das.«

»Carol?«

»Du glaubst, ich seh das nicht? Mann, du kannst doch deine Augen nicht von ihr lassen!«

»Es ist nur, weil wir oft zusammen arbeiten. Wir harmonieren gut miteinander.«

»Nein, du liebst sie. Ich sehe es in deinen Augen. Du willst mit ihr zusammensein. Du willst, daß sie deine Frau wird.«

»Vergiß es. Das wird nie passieren.«

»Warum nicht? Mach weiter so. Brich mir das Herz.«

»Nicht hier drin. Nicht in diesem Leben.«

»Wenn du glaubst, daß du hier jemals rauskommst, laß es mich wissen. Vielleicht kann ich dir noch ein Hochzeitsgeschenk geben.«

Bei seinem Gewicht war er fanatisch, er bestand darauf, sich jeden Tag zur selben Zeit in denselben Kleidern selbst zu wiegen. Er legte eine Hand auf meine Schulter, damit er leichter von der Waage wieder runterkam, und ließ sie einen Moment länger als notwendig dort liegen. Er zuckte die Schultern und lächelte mit einem inneren, sonnigen Frieden, von dem ich glaube, daß er ihn immer schon hatte, eine Disposition zur Liebe zum Leben. Er bezog Carol mit ein. Ich glaube, er tat es für mich. Wir gewöhnten uns an, uns am Ende ihrer Schicht in seinem Zimmer zu treffen. Die beiden flirteten miteinander. Carol hatte auf ihre typische Art – sie tat etwas und wirkte gleichzeitig so, als tue sie es nicht – die Hand in die Hüfte aufgestützt und sagte, hochnäsig spottend und mit hochgezogen Augenbrauen, zu Diego: »Oh, tatsächlich?« als Antwort auf eine freche Bemerkung von ihm. Ich vermisse ihn.

Diego redete gerne über die alten Tage. Er war erst fünfunddreißig, aber er hatte schon zwei Leben gelebt. Er und Nando kamen aus der gleichen Stadt in der Dominikanischen Republik. Sie waren zusammen nach Amerika gekommen, um in den Suffolk

Downs zu arbeiten, und endeten als Kokain-Dealer in Lawrence. Ich wollte ihn davon abhalten, mir über ihr Geschäft zu erzählen, denn etwas über Nandos Geschäfte zu wissen, war gefährlich.

»Nando war derjenige, der versucht hat, mich umzubringen, als ich hierherkam.« Er zwinkerte mir lächelnd zu, als wäre das eine dieser eigenartigen, ironischen Geschichten aus dem Leben eines Menschen, die man sich erzählt, wenn man sich gerade kennengelernt hat. »Was hältst du davon – mein bester Freund, seit wir Kinder waren?«

»Ich war derjenige, der dich gefunden hat.«

»Und du hast nie was gesagt«, sagte er. In seinen Augen lag ein Glitzern, zärtlich und verstohlen.

Es war gegen die Vorschriften, aber sie ließen Diego in seiner Zelle rauchen. Nicht, weil er im Sterben lag, denn jeder in Denning bewegte sich auf den Tod zu, mehr oder weniger schnell, doch Baruk machte bei Diego eine Ausnahme, weil er etwas Besonderes war. Er machte etwas Besonderes aus sich. Feierlich aufgebahrt, von einem halben Dutzend Kissen gestützt, ließ er sein Lächeln und das Leuchten in seinen Augen jedem, der ihn besuchte, zuteil werden. Er hatte den Bogen raus, wie er Leute dazu brachte, ihn zu besuchen. Ich beobachtete ihn, aber ich weiß nicht, wie er es machte. Sergeant Baruk lungerte an der Tür seiner Zelle herum, und Diego wechselte ein paar Worte mit ihm, bevor irgend etwas in seinem Benehmen sich veränderte, und sich Baruk, ohne daß Diego direkt abweisend war, freundlich dazu aufgefordert fühlte, seiner Wege zu gehen.

Ich legte die Überprüfung der Vitalfunktionen so, daß Carol Diego sein AZT-Medikament gab, wenn ich zu ihm kam. Er brachte mich ihr auf eine neckende, respektlose Art näher, die Carol dazu verführte, etwas aus sich herauszugehen.

»Sie sollten diesen Typen zur Krankenpflegeschule schicken«, sagte er zu ihr.

Über Carols Gesicht huschte ein kleines Lächeln, aber sie sah mich nicht an. Es war der Tag, nachdem ich mit dem Buch, das sie mir geschenkt hatte, in ihrem Käfig herumspaziert war.

»Sehen Sie, wie er den Blutdruck mißt?« fragte Diego.

»Er ist wirklich gut. Es tut überhaupt nicht weh.«

»Hören Sie auf herumzualbern«, sagte Carol zu Diego, aber nicht streng. »Nehmen Sie diese mit Wasser. Jeden Tag, wenn ich sie Ihnen gebe, ist es so, als hätten Sie's noch nie gemacht.«

»Jeder Tag ist ein neuer Tag«, sagte Diego.

»Sie sind voll davon«, bemerkte Caroll und lächelte. Sie bog den Kopf zurück. »Wieviel?« fragte sie mich mit beherrschter Stimme.

Ihre Augen richteten sich auf mich und konnten das, was in ihnen war, vor einer dritten Partei, die alles sah, unmöglich verbergen. Ich nannte ihr den Wert, während sie auf einen Punkt auf der Wange unter meinem linken Auge schaute.

»Sie haben ein bißchen Temperatur«, sagte sie zu Diego.

»Ja? Und wer ist dafür verantwortlich?« fragte er vielsagend und schaute an ihr vorbei auf mich. Wenn wir allein waren, benahm er sich nicht so.

Carol drehte sich um, unwillkürlich neugierig und ein bißchen beunruhigt.

»Warum hast du das gesagt?« fragte ich ihn, als sie weg war.

»Na und?«

»*Wie* du es gesagt hast.« Plötzlich dachte ich, ich hätte mich verhört.

»Was ist mit der Temperatur? Ist sie zu heiß für dich?« Diego lachte. »Ich, also, ich mag es heiß.« Er rutschte im Bett herum.

»Hör mal«, sagte ich. »Mach dir bloß keine falschen Hoffnungen.«

»Aber ich mag dich.« Er griff träge nach oben nach den Muskeln an meinem Oberarm. »Ich mag dich wirklich«, sagte er und ließ die Hand wieder sinken.

»Ich möchte nicht, daß du das so sagst.«

»Warum sollte das ein Problem für dich sein, wenn ich dich mag? Das verstehe ich nicht.«

»Ich möchte eben nicht, daß du dir falsche Hoffnungen machst, mehr nicht.«

»Ich habe alle möglichen Hoffnungen.« Er lachte mich aus. »Ich habe den ganzen Tag nichts zu tun, als mir alles mögliche auszumalen.«

Er gab mir das Gefühl, Teil dessen zu sein, was vor sich ging, wenn ich nur seinen Blick erwiderte.

»Sieh mal, ich habe damit nichts zu tun. Okay?«

»Hey, was soll ich schon tun?« Diego klopfte sich auf die Brust wie ein an AIDS sterbender Tarzan. »Was soll ich schon tun, mich auf dich stürzen?«

»Ich wollte dir nur sagen, daß mich das ganze Gerede nervös macht.«

»Du glaubst, daß ich dich anstecke, wenn ich dich anschaue, hä?«

Ich wollte etwas sagen, um das zu verneinen, aber er hielt die Hand hoch.

»Ich weiß«, sagte er. »Ich hätte das nicht sagen sollen, als die Braut hier war. Was ich dir sagen will, ist, daß ich mich um dich kümmern kann.«

»Das ist nicht nötig.«

»Du glaubst nicht, daß ich das kann?«

»Ich weiß nicht, wovon du redest.«

»Du weißt nicht, was ich tun kann. Was ich habe.«

»Ich habe diesen Job«, sagte ich. »Ich bin startklar.«

»Ich bitte dich nicht, etwas zu tun, was du nicht tun willst.«

»Nein?«

»Wir sind Kumpel, richtig?« Er wollte mir die Hand schütteln, plötzlich sehr ernst.

»Ja«, erwiderte ich. Er hielt meine Hand mit beiden Händen fest, als könnte ich ihn davor schützen, zurück unter die Oberfläche zu rutschen.

Dann plötzlich ließ Diego meine Hand los und fiel in die Kissen zurück. Er stieß einen tiefen Seufzer aus und schloß die Augen. Ich saß bei ihm und beobachtete, wie er einschlief.

»Weißt du«, sagte er, als ich an der Tür war, »du kannst es nicht mitnehmen.«

Als ich den Stationswagen zurück zum Behandlungszimmer geschoben hatte und an die Tür klopfte, ließ Carol mich rein und ging dann weg von mir zum anderen Ende des Zimmers zurück, wo sie gerade Probenbehälter in den Schrank stapelte. Ich fing an, die Geräte sauberzumachen, warf die schmutzigen Futterale für die Thermometer raus und stellte Wasserkrüge in das unterste Fach des Stationswagens. Sie war immer noch wütend wegen dem, was ich mit dem Buch gemacht hatte, und schaute mich nicht an.

Wenn zwei Menschen so tun, als wären sie Luft füreinander, hat das Schweigen eine bestimmte Qualität. Es gewinnt an Substanz. Als wir so unseren Beschäftigungen nachgingen, war jede unserer kleinen, mechanischen Bewegungen wie eine Zeile in einem schwer verständlichen Gedicht. Ich mußte mich konzentrieren – in meine Arbeit vertieft und gleichzeitig offen für Möglichkeiten –, damit die Bedeutung hervortreten konnte, damit ich die Zeichen der Gefühle erspähte. Ich lauschte auf die undeutlichen Verbindungen zwischen den Geräuschen – das Klimpern von Metall auf Metall, das Reißen eines Papierhandtuchs, das aus dem Spender gezogen wurde, das leise Quietschen einer Gummisohle, das Rascheln ihrer Kleider –, die nur im Kontext des Ganzen verstanden werden konnten, am Ende des Stückes.

Die Atmosphäre um uns herum war getrübt und verdichtet von lauter herumwirbelnden, herrenlosen Vorsätzen. Wir waren Roboter. Wir hielten die Absicht zurück. Wir ärgerten uns über Worte. Sogar Gedanken kamen dem Feind zu Hilfe. Handlungen waren kurz davor, ausgeübt zu werden, und wurden unterdrückt. In dieser Substanz bestand die Gefahr, daß sich Worte spontan bildeten, ohne unseren Willen, aus eigenem Antrieb: die spontane Verbrennung des Offensichtlichen, das in Töne ausbricht.

Sie räusperte sich, um zu bekunden, daß sie nicht zu Dank verpflichtet war, daß sie sogar in diesem Medium frei war, daß sie unter Wasser atmen konnte. Ich konzentrierte mich nur darauf, mit ihr zusammenzusein, auf meine reine, physische Erregung in ihrer Gegenwart.

»Sie gehen gut mit ihm um«, hörte ich sie sagen.

Als ich mich umdrehte, bemerkte ich, daß sie mich schon eine Weile anschaute. Sie lehnte an der Kante des Tresens unterhalb des Schranks und überprüfte Einträge auf einem Klemmbrett.

»Es tut mir leid, was passiert ist«, sagte ich. »Mit dem Buch herumzuwedeln. Es war dumm.«

»Sie haben einen guten Einfluß auf ihn«, sagte sie. Ich muß sie ziemlich dämlich angesehen haben. »Diego«, soufflierte sie. »Manchmal kriegen sie ihn nicht dazu, irgend etwas zu machen. Jedesmal, wenn er seine Medikamente verweigert, gibt es einen Bericht über den Vorfall. Dann hat er ein schlechtes Blutbild, und sie machen uns dafür verantwortlich.«

Sie drehte sich um und nahm eine weiße Styroportasse vom Tresen.

»Ich tue, was ich kann«, sagte ich zu ihr.

Sie hielt die Tasse fest, drückte mit den Daumen den Deckel ab und hob sie mit beiden Händen an den Mund. Sie trank den Kaffee und schaute mich währenddessen über den Rand der Tasse hinweg an.

»Ich sollte Ihnen das wirklich nicht sagen.« Sie schaute weg und wählte ihre Worte sorgfältig. »Aber irgendwie gehören Sie ja auch zum medizinischen Personal. Nicht wirklich zum Personal. Aber, Sie wissen schon.«

»Klar.«

»Sie überprüfen seine Vitalfunktionen.« Sie sprach mit Bedacht. »Sie sind einer von denen, die seinen Zustand überwachen.«

»Ja?« versuchte ich sie zu ermutigen.

»Die Sache ist die ...« Sie schaute auf. »Diego hat nicht mehr lange.«

»Wir haben Typen in ihren Block zurückgeschickt, die haben schlimmer ausgesehen.«

»Sie müßten seine Blutwerte sehen, um das zu beurteilen. Er hat überhaupt keine Helferzellen mehr.«

»Ist das schlecht?«

Sie nickte. Sie nahm mich für das, was sie mir sagen wollte, in Augenschein.

»Sie möchten, daß ich mich um ihn kümmere?« Ich dachte, sie sollte sich besser auf die Socken machen und Baruk dazu bringen, die Sicherheit zu verstärken.

»Er ist einsam«, sagte Carol. »Ganz allein in dem Zimmer.«

»Anzunehmen.«

Jeder ist einsam, dachte ich. Ich wollte dieses Gespräch durchbrechen und zu dem Gespräch dahinter vordringen, aber Carol kontrollierte die Situation. Sie hielt sie genau in der Ebene fest, in der sie sie haben wollte, und ich hatte keine Ahnung, ob nicht vielleicht jemand draußen vor dem Behandlungszimmer herumhing.

Sie wollte noch mehr sagen, aber ich wollte die Macht, die sie über mich hatte, brechen. Ich nahm den Plastiksack aus dem Mülleimer und schob einen neuen hinein, ging zur anderen Seite des Raums und ließ den Abfall in den halbvollen Sack fallen.

»Warten Sie eine Minute«, sagte sie. Am Boden der Tasse war eine kleine Pfütze aus milchigem Kaffee, die sie herumwirbelte. Sie warf den Kopf zurück und kippte sich den Kaffee in den Mund, und ich beobachtete, wie ihre Kehle sich bewegte, als sie trank, und ihre Zunge hervorschnellte und den letzten Tropfen von ihrer Oberlippe leckte.

»Hier«, sagte sie und ließ die Tasse in den Sack fallen, den ich ihr aufhielt.

Ich schaute zu, wie er fiel und in einer Ecke zwischen einem zerknitterten Blatt Papier und einem Orangensaftbehälter liegenblieb.

»Noch was?« fragte ich.

»Fürs erste nicht.«

Alles, was sie sagte, hallte voller weiterer Bedeutungen wider. Ich wandte mich ab.

»Dan?«

Es war das erste Mal seit vielen Tagen, daß sie mich mit meinem Namen ansprach. Sie sagte es sanft, fast schüchtern, und mein Herz lief über. Es fühlte sich an wie eine Umarmung. Ich ging zu ihr zurück. Ich wäre noch näher getreten, aber sie hatte die Hände auf die Rückenlehne eines Stuhls aufgestützt und benutzte ihn als Schutzschild zwischen uns. Sie trug einen neuen Lippenstift, der ihre Lippen dunkel und exotisch machte.

»Seien Sie nett zu Diego«, sagte sie.

»Sagen Sie mir, was ich tun soll. Ich tue alles, was Sie wollen.«

»Alles, was ich sage, ist, seien Sie freundlich zu ihm.«

»Ist mit ihm irgend etwas Besonderes?« fragte ich.

»Nein« , erwiderte sie schnell.

Sie lächelte, und ihre Lippen öffneten sich weit, entblößten mit straff gespannten Lippen ihre Zähne, aber ihre Augen waren nicht beteiligt.

»Okay?« fragte sie.

Ich erwiderte ihr Lächeln, versuchte, sie zu beruhigen, versuchte, ihre Augen zu fesseln, sie durch ihre Augen zu wecken. Das geschäftsmäßige Lächeln verschwand, und nach und nach sanken ihre Mundwinkel nach unten, und ihre Stirn runzelte sich. Dann wurde ihr Gesicht für mich lebendig, und ich wußte, daß ich durchgebrochen war.

Ich verstaute die Styroportasse hinter einer Reihe von Behältern im Besenschrank. Als ich sie weggestellt hatte, war auf dem Boden ein Teelöffel voll Kaffee mit Milch gewesen, aber als ich die Tasse am Ende des Tages aus ihrem Versteck holte, war die Flüssigkeit bis auf einen einzelnen, dickflüssigen Tropfen verschwunden. Ich ließ ihn am Innenrand vorbeilaufen, so daß sich der eingetrocknete Rest dort auflösen konnte, und als die Flüssigkeit wieder zusammengelaufen war, legte ich den Kopf in den Nacken, und der einzelne Tropfen fiel auf meine Zungenspitze und lief nach hinten, verteilte sich und deutete Süße an, bis er versickerte wie ein Fluß in der Wüste. Ich zögerte es so lange wie möglich hinaus, und als ich dann schluckte, war der Geschmack so schwach, daß es auch die Erfahrung eines anderen Menschen hätte sein können.

Der Lippenstift am Rand war dick und dunkel. Es war eine Abschürfung, wo die Haut hinweggefegt wurde und das Blut darunter zum Vorschein kam. Der Abdruck von Carols Unterlippe war an den Mundwinkeln scharf und zum Rand hin zunehmend verschmiert. Ich legte meine Lippen dorthin, wo ihre gewesen waren, und kippte die Tasse nach hinten, um ihre Gegenwart zu spüren. Ihr Geruch war da. Ich glitt mit der Zungenspitze über den karmesinroten Fleck und saugte mit geschlossenen Augen ihren würzigen, parfümierten Stoff auf – vollkommen dieser Sinneswahrnehmung hingegeben, bis sie mich ganz ausfüllte und sonst nichts mehr existierte.

»Schreib mir 'nen guten Wert auf«, sagte Diego ein paar Tage später, als ich zu ihm kam, um seine Temperatur zu messen.

»Wieviel möchtest du denn?« fragte ich ihn.

»So viel, daß Nando mir vom Hals bleibt.«

»Nando ist weg.«

»Seine Freunde sind hier. Früher oder später wird einer von ihnen mich besuchen.«

»Dann gib ihm, was er verlangt.«

»Und wenn ich es nicht habe?« Er lächelte. Er dachte, er würde mich necken.

»Ich weiß nicht, wovon du redest«, meinte ich.

»Klar weißt du das.«

»Ich will es nicht wissen.«

»Es ist ziemlich viel. Ziemlich viel Geld. Ich rede über eine wirklich große Summe.«

»Ich will damit nichts zu tun haben.«

»Du glaubst, ich weiß nicht, daß du für Nando gearbeitet hast? Du glaubst, ich weiß nichts über dich und Vera? Daß sie dir ihre Zunge in den Mund geschoben hat? Richtig? Hm! Es war gut, was? Die reizende Vera! Wenn es jemand anderes gewesen wäre, hätte Nando ihn umgebracht. Aber es war geschäftlich. Richtig? Rein geschäftlich. Also war es in Ordnung.«

Er lachte und ließ sich zurück in die Kissen fallen, musterte mich die ganze Zeit, um zu sehen, wie ich reagierte.

»Jedenfalls«, sagte er, »bist du eh nicht Veras Typ.«

»Ich wollte es nicht machen, aber sie ließen mir keine Wahl.«

»Das ist gut. Wenn Nando das Gefühl gehabt hätte, du genießt es, daß Vera dir ihre Zunge in den Mund schiebt, hätte ihm das überhaupt nicht gefallen.«

»Warum hat er's dann nicht selbst gemacht?«

»Zu offensichtlich. Viel, viel zu offensichtlich. Deswegen haben sie dich ausgesucht«, sagte Diego. »Es ist unübersehbar, daß du nicht die Gerissenheit der Straße hast. Man merkt es sofort.«

»Du warst doch damals nicht mal hier.«

Diego grinste. »Ich habe das Ganze arrangiert.« Es schien ihm zu gefallen, daß man Notiz von ihm nahm.

Er streckte sich in den Kissen aus, dann drehte er den Kopf langsam von einer Seite zur anderen und rieb sich den Nacken.

Ich versuchte, nach außen hin ruhig zu erscheinen. Es gab in Denning Zeiten, da war ich so ohne jegliche Hoffnung, daß ich mit dem Kopf gegen die Wand meiner Zelle schlagen wollte. Auch jetzt noch, außerhalb des Gefängnisses, in Motelzimmern aus dünnen Fasergipsplatten, gibt es Zeiten, in denen ich das dumpfe Aufschlagen von mir gegen ein Ding, das nicht zurückschlägt, spüren möchte. Ich möchte das benommene Gefühl kurz vor dem Schmerz spüren und den dicken, salzigen Geschmack von Blut, das mir in den Mund sickert. Ich möchte das Krachen hören, fühlen, wie sich etwas in mir verschiebt, und wissen, daß ein Teil gebrochen ist. Ein Teil von Block S ist fest in mir verankert.

Wie sollten Sie das verstehen können? Sie sind eine schöne Frau, Sandy. Was könnte Ihnen fremder sein? Sie müssen verstehen, daß ich nicht über ein Gesicht rede: Es ist der ängstliche, hoffnungsvolle Mann, der sich nur einen Millimeter unter der Haut versteckt, nicht das tiefere Dasein, dasjenige, das hinter den Augen herausspäht. Es war diese dünne Lage von Gefühlen zwischen mir und der Welt, die ich in Block S gegen die Wand knallte.

Versuchen Sie, sich vorzustellen, wie das ist, zu etwas so Dichtem zusammenzuschrumpfen, daß es keinen Platz mehr gibt für

Licht oder Menschlichkeit. Ein sehr schweres, dunkles Wesen. Als ich mit dem Kopf gegen die Wand hämmerte, war es kaum mehr als Haut und Knorpel, die zwischen der kalten Wand der Zelle und diesem harten Ort in meinem Innern gefangen waren.

Ich ertrage es nicht, auf die Barmherzigkeit von einer Frau angewiesen zu sein, die jeden Augenblick ihre Meinung ändern kann. Ich möchte nicht sterben. Ich möchte mich nicht selbst zerstören. Ich möchte Schaden zufügen und erleben, ich möchte die Wildheit von Schmerz und Zerstörung. Darin liegt eine Freiheit. Man kann Dinge so lange kompensieren, daß sie keine Rolle mehr spielen.

Heute war Carol fast sechs Stunden weg. Ich habe den ganzen Tag geschrieben. Ich hielt es nicht länger aus, allein in dem Motelzimmer auf sie zu warten. Bis jetzt war ich mir nicht im klaren, wie wenig Denning bedeutete. Ich bin frei, aber Carol ist für sechs Stunden weggegangen, und ich bin immer noch ein Gefangener.

Ich stehe auf und gehe zu dem Fenster, das auf die Parkplätze hinausführt. Es ist keine gute Idee, die Sonnenblenden hochzuziehen, aber ich schiebe die Jalousielamellen auseinander, damit ich hinaussehen kann. Der Anblick der Welt da draußen – des Gehsteigs, der Parkbuchten, des Verkehrs, der auf der Straße vorbeirauscht – erleichtert mich nicht. Da ist ein Gefühl, stärker als der Schmerz der Einsamkeit und als das Gefühl, sie bis zur Unbeseeltheit eines wilden Tieres zu vermissen.

Ich stehe vor dem Fenster und lasse den Impuls wachsen, bis er sich fast in Handlung umsetzt, und dann wieder schwinden. Es ist wie ein Brechreiz, der immer stärker wird, bis man sich fast übergeben muß, und dann wieder zurückgeht, zurück zu einem Zustand, der nur ein Gefühl ist, etwas, von dem man abgelenkt werden kann. Ich stehe vor dem Fenster und drücke beinahe mein Gesicht hindurch. Ich fühle, wie die Scherben durch die Lücken in der Sonnenblende dringen, um mich zu durchbohren, und die schrecklichen Kanten öffnen ein Dutzend schlaffer, sichelförmiger Schnitte auf meinen Wangen und über meinen Augen.

Der Berufsverkehr dröhnt an meinem Zimmer vorbei, und Carol ist immer noch nicht zurück. Ich liebe Carol, obwohl ich Angst habe, daß die Wahrscheinlichkeit von Schmerz sehr viel höher ist als die Möglichkeit des Glücks. Ich bin mir nicht sicher, ob ich Glück noch erkennen würde. Es ist etwas, das ich in der Fernsehwerbung gesehen habe. Ich weiß, daß sie mich nicht verläßt.

Kurz nach diesem Gespräch mit Diego bat Carol mich, den Behandlungsraum sauberzumachen. Es gab einen Keil, der die Tür aufhielt, aber sie schob ihn mit den Zehen weg und ließ die Tür zufallen.

»Hältst du das für eine gute Idee?« fragte ich sie.

»Ich habe das ernst gemeint, was ich über die Flucht von hier gesagt habe«, begann sie.

Ich war enttäuscht, daß sie das Thema schon wieder zur Sprache brachte. Es war eine Phantasie, die zu zerbrechlich war, um sie allzusehr zu strapazieren.

»Es wird jede Menge Geld kosten«, erklärte ich ihr.

»Ich kann verschiedene Sachen vorbereiten, aber es hängt davon ab, wie du es machen willst.«

»Du brauchst Geld, um Leute auszuzahlen.«

»Nicht, wenn du clever bist.«

»Na ja, clever sind wir ja, aber ich glaube, dazu braucht es noch ein bißchen mehr«, erwiderte ich. Ein weicher, fleischiger Teil von mir wollte für immer in Denning bleiben und das, was ich schon hatte, nicht aufs Spiel setzen.

»Du mußt mir, bevor wir den nächsten Schritt machen, sagen, ob du das hast, was nötig ist, um von hier zu fliehen.«

»Ich kann alles machen, was ich machen muß.«

»Ich möchte nicht, daß du im letzten Moment weichherzig wirst und es dir anders überlegst.«

»Ich mache alles«, sagte ich. »Ich mache alles, was ich tun muß, um mit dir zusammenzusein.«

Als meine Schicht an diesem Abend zu Ende war, hörte ich in dem Quietschen des Stahltors, das sich auf der Krankenstation hinter mir schloß, ein Singen. Es war ein jubelndes Geräusch eines plötzlichen Hochfliegens, ein aufwärtsgerichteter Schrei. Es war Freude in dem Geräusch und Hemmungslosigkeit, so wie man sich vielleicht fühlt, wenn man von einer Bergwand aus in einen Aufwind hineinkatapultiert wird, für einen schrecklichen Augenblick von Unsicherheit gepackt wird und Angst vor der Schwerkraft hat, bevor man den Auftrieb der Luft spürt. Ich schwang mich empor und glitt entlang einer unsichtbaren, unvermeidlichen Linie vorwärts. Gegen alle Aussicht auf Erfolg, hatten meine Flügel in der Luft einen Aufwärtstrieb gefunden.

Am nächsten Morgen war ich darauf vorbereitet, daß Carol mich ignorieren würde. Es war ihr Muster – ohne Vorwarnung einen Schritt auf mich zuzumachen, zu ihren eigenen Bedingungen, und sich dann zurückzuziehen, als wäre zwischen uns nie etwas gewesen. Statt dessen wollte sie, daß ich mit ihr ihre Runde drehte, und sie teilte die Medikamente aus, während ich die Vitalfunktionen überprüfte.

»So ist es effizienter«, sagte sie zu Tanya.

Der Korridor war gerade breit genug, daß wir unsere Stationswagen nebeneinander herschieben konnten.

»Hast du darüber nachgedacht, was ich gesagt habe?« fragte sie, sobald wir um die Ecke waren.

Ich konnte nicht anders, ich mußte sie anschauen, um in ihrem Gesicht nach der Aufregung zu forschen, die ich in mir spürte. Aber Carol war immer maskiert. Sie starrte mit einem müden, geistesabwesenden Ausdruck in den Augen stur geradeaus.

»Kennst du mich inzwischen immer noch nicht?« fragte ich sie. »Ich verändere mich nicht.«

»Ich weiß«, sagte sie. Ihre Mundwinkel verzogen sich zu einem verstohlenen Lächeln.

Ich hätte es gerne noch einmal gehört, gelauscht, wie sie meine Zustimmung im bestmöglichen Sinne als selbstverständlich voraussetzte.

»Wir müssen in dieser Sache zusammenhalten«, sagte sie.

»Wir müssen uns gegenseitig vertrauen. Ich bin in deinen Händen. Ich bin vollkommen in deinen Händen, so sehr vertraue ich dir.« Sie sprach leise, und mit einer Zärtlichkeit, die mich ganz schwach machte.

Wir gingen in die erste Zelle. Ich sagte ihr die Werte an. Sie teilte die Medikamente aus, und wir gingen zu dem Patienten in der nächsten Zelle. So wie sie sich benahm, hätte ich genausogut aus ihrem Blickfeld verschwunden sein können.

»Wir brauchen Diegos Hilfe«, sagte sie, als wir ein langes Stück Korridor hinuntergingen.

»Wozu?« fragte ich.

»Er hat Geld.«

»Ich dachte, du hättest gesagt, wir brauchen kein Geld.«

Sie seufzte. »Und was ist mit neuen Ausweisen? Womit sollen wir ein Hotelzimmer bezahlen? Hast du mal darüber nachgedacht ?«

»Noch nicht.« Es war zuviel, um es mir vorzustellen. Eine Reise zur Sonne.

Wir betraten eine weitere Zelle. Ich sagte ihr die Temperatur an. Sie verteilte die Medikamente, und wir gingen hinaus.

Diego schaute uns hungrig an.

»Ah, die hübsche Carol«, sagte er verstohlen und streckte zum Gruß die Hände aus. »Und Dan.«

»Was gibt's Neues bei Ihnen, Diego? Irgend etwas, das ich wissen sollte?«

»Ich weiß nicht«, sagte er, und fing an, sich aufzuspielen, vielsagend, geziert. »Wieviel wollen Sie wissen?«

Carol schaute auf das Krankenblatt hinunter und tat, als würde sie es nicht mitbekommen. Diego warf mir einen schrägen Blick zu.

»Alles«, sagte Carol. Ihr Gesicht war ausdruckslos, und Diego hatte keine Ahnung, ob sie es ernst meinte oder sich ein Späßchen mit ihm erlaubte.

»Ich wünschte, es gäbe etwas, das ich Ihnen erzählen könnte. Tatsache ist, daß ich das, was ich will, nicht bekomme.«

Carol stand da, eine Hand auf die Hüfte gestützt, bereit für etwas Gräßliches. »Und das wäre?«

»Schokoladenpudding«, sagte Diego mit einem höflichen Lächeln.

»Ja? Ist es das, was Sie wirklich wollen?«

Ich legte ihm die Manschette des Blutdruckmeßgeräts um den Arm.

»Hey, nicht zu fest«, sagte er zu mir.

»Haben Sie irgendwelche Probleme?« fragte Carol ihn.

»Mit ein bißchen Hilfe von meinen Freunden komme ich klar«, sagte Diego.

Ich sagte Carol die Temperatur, und sie gab Diego seine Medikamente. Er war der letzte Patient.

»Kommt er mit?« fragte ich, als wir zum Behandlungszimmer zurückgingen.

»Er ist zu krank.«

»Warum sollte er uns dann helfen«?

»Ich weiß nicht«, erwiderte sie. Carol schob ihren Stationswagen mit ausgestreckten Armen, so daß sie beinahe aufrecht ging, die Augen nach vorn gerichtet. »Denk darüber nach«, sagte sie, als die Wege der Stationswagen sich trennten. »Du findest einen Weg.«

»Du kannst sie nicht mitnehmen«, sagte Diego an diesem Abend.

»Wieso glaubst du, daß ich irgendwohin gehe?« fragte ich ihn.

Ich wollte lachen, es bagatellisieren. Ich saß auf seinem Bett, und es lag eine Spannung in der Luft, die das Atmen erschwerte.

»Wohin auch immer«, meinte er. »Du kannst sie nicht für immer bewahren.«

»Was?« fragte ich ihn.

»Deine Jungfräulichkeit.« Er schenkte mir ein spitzbübisches Lachen, gefährlich und gleichzeitig verheißungsvoll; er tat nur so, als ob. »Früher oder später wirst du sie aufgeben. Ich weiß es.«

»Ich glaube nicht.«

Wir hörten die Insassen, die im Tagesraum saßen und sich das Baseballspiel anschauten. Seine Finger berührten meinen Handrücken.

»Du bist eine Jungfrau, nicht wahr?«

»Ich war verheiratet, erinnerst du dich?«

»Du weißt genau, wie ich das meine.«

Seine Finger strichen über die Furchen in meinem Handrücken. Er sagte etwas; nach einer Weile antwortete ich; dann wartete er; dann sagte er noch etwas. In den Pausen versuchte ich zu atmen.

»Nichts dabei.« Er bewegte meine Hand. Ich spürte seinen Oberschenkel unter dem Laken. »Außer daß du etwas aufgeben mußt.«

»Ich weiß nicht«, meinte ich. Er drückte meine Hand auf seinen Oberschenkel. Ich hatte Angst, ihn anzuschauen.

»Wie lange bist du hier drin, Dan?«

»Vier Jahre.«

»Und die ganzen vier Jahre hattest du niemals einen Freund?«

»Nein.«

»Das glaube ich nicht. Nie?«

»Ich hab's nie gemacht.«

»Weil du ein gutaussehender Mann bist. Genaugenommen sehr gutaussehend. Hat dir das noch niemand gesagt?«

»Nein. Ich glaube nicht.«

»Bestimmt irgend jemand, du verarschst mich! Behauptest, noch Jungfrau zu sein, nur um der Sache etwas mehr Würze zu verleihen. Ich wette, ein scharfer Hengst kam daher und hat dir Liebesschwüre ins Ohr geflüstert. Habe ich recht? Komm schon. Willst du's mir nicht verraten?«

»Ich habe niemals so etwas gemacht.«

»Du mußt dich mir gegenüber nicht so zieren. Ich glaube nicht, daß du in Wirklichkeit so bist, weil ich dich beobachte. Hast du das gewußt?«

»Nein.«

»Wenn du hier bist, beobachte ich alles, was du tust, ganz genau.«

»Warum?«

»Weil ich dich mag. Ich mag dich wirklich, Dan.«

Ich sah in Diegos hungrige Augen. Er suchte etwas in meinem Gesicht. Er war weich, offen und voller Bedürfnisse. Ich hätte wetten können, daß er mich gern geküßt hätte. Er betrachtete meine Lippen, meine Augen, meine Lippen und wieder zurück. Ich klammerte mich an Carols Bild, an den Klang ihrer Stimme. Ich wollte etwas sagen, irgend etwas, um die Stille zu durchbrechen.

»Ich mag dich auch«, sagte ich zu ihm. Das Sprechen fiel mir schwer, und ich mußte wegsehen.

Diego lachte. Ich hatte seine Gefühle verletzt. »Du willst behaupten, du hast das noch nie mit jemandem gemacht?« fragte er.

»Ich mache so was nicht.«

»Und wieso hast du dann einen Steifen?«

»Hab ich nicht.«

»Ich schon.«

Er schob meine Hand seinen Oberschenkel hinauf und hielt sie mit beiden Händen fest. Ich ließ ihn gewähren, mein Wille war verschwunden. Ich hatte diese fürchterliche Angst, ich würde mich in etwas anderes verwandeln.

»Du hast immer einen Steifen«, sagte ich.

Ich hatte Angst, ihn durch das Laken zu spüren. Ich hatte Angst, daß ich ein anderer sein würde, wenn ich ihn berührt hätte, und daß ich niemals wieder der gleiche sein würde wie vorher.

»Du hast recht«, sagte Diego. »Aber woher weißt du das, Dan? Hä?«

»Ich weiß es nicht. Aber so, wie du die ganze Zeit redest, ... du redest ständig so, als hättest du einen.«

»Ich wette, du hast nachgesehen, wenn du kommst, um die Vitalfunktionen zu überprüfen. Du hast hingelinst, nicht wahr?«

Er mußte das Zittern meiner Hand zwischen seinen Händen gespürt haben. Ich hatte keine Gewalt mehr über diese Hand. Ich wollte ihm sagen, daß das Zittern eine Lüge war, aber Diego behielt seinen neckenden Tonfall bei, als wäre das, was passierte, nicht wirklich wichtig. Es gab zu viele Schichten von Bedeutungen, um sich um alle zu kümmern. Mir war schwindlig, und ich spürte, wie ich nach hinten fiel.

Diego schob meine Hand ans obere Ende seines Oberschenkels und ließ sie dort liegen. Ich fühlte seinen Schwanz neben meinen Fingern. Es war nicht so schlimm, nichts passierte.

Ich tastete ihn ab. Ich schaute an die Wand, so daß ich Diego nicht ins Gesicht sehen mußte. Ich ging über diesen schmalen Grat, und ich dachte, wenn ich in seine Augen sehen würde, würde ich die Balance verlieren und abstürzen. Ich umfaßte seinen Schwanz mit den Fingern, so daß ich seine Konturen fühlen konnte, und hörte, wie Diego ganz plötzlich scharf ausatmete. Er drehte seinen Kopf auf dem Kissen zur Seite und schloß die Augen. »O Gott«, flüsterte er.

Da hätte ich gehen können. Er schaute mich nicht an und hatte den Kopf abgewandt. Ich hörte, wie die Stimmen der Männer im Tagesraum wegen des Spiels lauter wurden. Ich hätte aufstehen, aus dem Zimmer gehen und meinen Platz bei den anderen hinten im Tagesraum einnehmen können.

Ich hatte mich nicht bewegt. Vielleicht spürte Diego, daß ich gehen wollte. Ich fühlte seine Finger auf meiner Wange. Ich bemerkte, daß ich die Augen geschlossen hatte. Er lächelte, als ich ihn anschaute, ein hoffnungsvolles, zärtliches Lächeln. Er erinnerte mich an einen dieser Sechzehnjährigen in der Highschool, der sich in mich verknallt hatten, dessen Gesicht erwartungsvoll aufgeleuchtet hatte, wenn ich in seine Richtung sah.

»Ich mag dich wirklich«, flüsterte er.

Er wollte noch mehr sagen, hielt aber inne. Seine Fingerspitzen folgten einer Linie auf meinem Gesicht, die nur er kannte. Sie folgten einer geheimen, kurvigen Straße, die an meinem Mundwinkel endete, und sie zögerten an meinen Lippen. Ich dachte an Carol, die sechzehn Kilometer weit weg in ihrer Wohnung in ihrem Bademantel mit untergeschlagenen Beinen auf der Couch saß und, die Augen auf den Fernseher gerichtet, langsam einen Joghurt löffelte.

Ich spürte, wie seine Finger ihre Wanderung wieder aufnahmen, dann zog er die Hand weg. Er hatte etwas Schüchternes, das ich vorher noch nie bemerkt hatte.

Diego sagte: »Wir können es so machen, wie du willst.« Er schien Probleme zu haben zu sprechen. »Du kennst mich. Ich bin für alles bereit.« Ich spürte seine Hand auf meinem Kopf. Er streichelte mein Haar. Ich spürte, wie seine Finger in meinem Haar verweilten. »Aber für dich ist es etwas anderes.«

»Ich kann nicht«, sagte ich zu ihm.

Ich wollte es erklären, wußte aber die genauen Gründe nicht. Er erwiderte nichts.

»Ich kann's nicht.«

Diego hielt mein Handgelenk mit beiden Händen fest. Ich hatte es nicht bemerkt, bis ich meine Hand wegziehen wollte. Er würde mich nicht gehen lassen.

»Bitte«, flüsterte er sehr nah. »Bleib.«

Ich wollte etwas sagen, aber die Worte kamen nicht. Mein Hals war verstopft. In meinem Kopf traf ich die Entscheidung, zu gehen, aber ich spürte keine Erleichterung. Die Traurigkeit war in mich eingedrungen, zog mich schwer nach unten, hinderte mich daran, mich zu bewegen. Ich versuchte, mich zu räuspern.

»Macht nichts«, sagte Diego. Seine Stimme war schnodderig. »Hey. Ich schätze, es war einen Versuch wert.« Er hielt immer noch mein Handgelenk fest. »Du kannst mir keinen Vorwurf machen, daß ich es versucht habe. Richtig?«

»Es tut mir leid«, sagte ich.

»Bleib noch 'ne Minute bei mir«, sagte er. »Nur 'ne Minute.« Er legte mir die Hand auf die Schulter. »Ich mache nichts.«

Er zog sich an meiner Schulter hoch, und es war nur natürlich, daß ich meinen Arm unter ihn schob, um ihn zu stützen. Ich hielt ihn, und er drehte sich und legte seinen Kopf an meine Brust, dann schob er ihn ein paarmal hin und her, um eine bequeme Haltung zu finden. Ich hielt ihn. Ich spürte die Wärme seines Körpers und dachte, was für ein Verräter ich doch war. Ich fragte mich, was Carol wohl machte, so weit weg.

Ein paar Tage später sagte ich zu Carol, wir seien bereit, zu gehen.

»Bist du sicher?« fragte sie.

Ich bemerkte einen Zweifel in ihrem Gesicht. Sie wollte etwas sagen, dann überlegte sie es sich anders, weil es nichts gab, was sie hätte fragen können, was sie beruhigt hätte.

Carol ist zurückgekommen. Sie schläft jetzt. Ich weiß nicht, wohin sie geht. Ich frage sie nicht. Um mich herum passieren Dinge, die vor mir verborgen bleiben sollen. Wenn wir zu unserem Auto gehen, präge ich mir die Autos ein, die in der Straße neu geparkt sind, besonders die, in denen Leute sitzen. Ich beobachte die Taxis um uns herum. Ich halte Ausschau nach zufälligen Zusammentreffen. Es gibt Räder, die sich in Rädern bewegen. Es gibt nicht nur ein Ding, das sich bewegt, es gibt eine Menge kleiner Dinge. Zusammengenommen lassen sie sich nicht zu einem einzelnen Ding addieren. An diesem Punkt dient es meinem Ziel nicht, noch irgendwie besonders zu sein.

Als ich vorhin sagte, Carol sei keine Geisel, wollte ich deutlich machen, daß sie nicht in Gefahr ist. Ich wollte nicht, daß irgendwelche Staatspolizisten, die uns zufällig bei einer routinemäßigen Verkehrskontrolle anhalten, mich abknallen, um die Lady zu retten. Ich meinte auch, daß sie immer frei war, zu kommen und zu gehen. Ich bin der Gefangene, der sich in Motelzimmern verstecken muß. Ich gehe nur nach draußen, wenn wir ein paar Stunden durch die Gegend fahren, damit das Zimmermädchen saubermachen kann.

Nach dem ursprünglichen Plan, Carols Plan, hätte ich sie mit mir nehmen sollen, aus der Intensivstation raus, die Treppen runter und durch die Notaufnahme auf den Parkplatz, wo wir uns trennen sollten. Dort stand für mich ein Auto mit dem Schlüssel im Zündschloß. Während die Polizei nach einem Mann mit einer weiblichen Geisel gesucht hätte, wäre Carol nach Denning zu ihrem Job zurückgekehrt.

Aber ich wäre ein Narr gewesen, wenn ich mich vor der Notaufnahme von ihr getrennt hätte. Wenn man auf der Flucht ist, kann alles mögliche passieren. Vielleicht hätte ich sie nie wiedergesehen. Ich dachte, zumindest kann ich – wer weiß? – ein paar Stunden, ein paar Tage mit ihr zusammensein. Wir sind glücklich gewesen. Ich hatte nie erwartet, daß es so lange dauern würde. Ich hatte Carol, und ich behielt sie bei mir.

Carol wehrte sich, als ich auf dem Parkplatz ihren Arm nicht losließ, aber nicht sehr. Was konnte sie schon tun? Sie konnte keine Szene machen und Aufmerksamkeit erregen. Und ich hatte die Waffe. Als ich sie ins Auto zwang, war sie außer sich. Ich ließ sie trotzdem fahren.

»Wohin?« Sie starrte unverwandt in den Rückspiegel. »O Gott!«

Sie war kurz davor, in Panik auszubrechen. Wir fuhren fast auf ein anderes Auto drauf, das an einer roten Ampel gehalten hatte.

»Was mache ich?« fragte sie. Sie konnte nicht denken.

»Du wartest darauf, daß die Ampel grün wird.«

Sie stieß einen tiefen, zitternden Seufzer aus. »Okay«, sagte sie.

»Dann machen wir das, was wir vorher auch machen wollten. Wir fahren zu dem Zimmer, das du gemietet hast.«

»Das funktioniert nicht. Es ist ein Einzelzimmer in einem Hotel. Die erlauben keine Besucher über Nacht. So ein Hotel ist das nicht.«

»Was ist mit der Adresse, die du mir genannt hast – falls ich dir eine Nachricht zukommen lassen wollte?«

»Vergiß das.«

»Was ist es – eine Bar? Ein Laden?«

»Vergiß es.«

»Wohnt dort jemand?«

»Es ist jemand, den ich nicht hineinziehen möchte. Sie ist verwirrt. Man weiß nie, wie sie reagiert. Das war nur, falls du eine Nachricht für mich hast und es keine andere Möglichkeit gibt. Nur als allerletzter Ausweg.«

»Na ja, genau den brauchen wir jetzt.«

»Nein.«

»Wenn dieser Ort der Trumpf ist, dann müssen wir ihn jetzt ausspielen.«

»Nein! Nein! Nein!« schrie sie.

In ihren Augen waren Tränen, und ich legte eine Hand auf das Lenkrad, denn obwohl sie immer noch geradeaus starrte, schien sie nicht zu sehen, was vor ihr war.

»Ich habe nicht all das mitgemacht, um dorthin zurückzugehen!« sagte sie durch zusammengebissene Zähne. »Das ist nicht das, um was es hier geht!« Sie schüttelte den Kopf. »O Gott, was habe ich nur getan?« Sie schlug mit der flachen Hand auf das Steuer. »Ich muß verrückt gewesen sein!«

»Ganz ruhig«, sagte ich zu ihr. »Du fährst mehr als sechzig Stundenkilometer.«

Tränen liefen ihr übers Gesicht. Sie hob die Hand, um sich die Augen abzuwischen, und merkte, daß sie immer noch die Brille der Intensivstation trug. Sie riß sie herunter, kurbelte das Fenster nach unten und schleuderte sie nach draußen.

»Du Scheißkerl!« schrie sie.

Ein Kind in dem Auto, das neben uns fuhr, lachte und machte seinen Freund, der neben ihm saß, auf uns aufmerksam.

»Dreh wenigstens das Fenster hoch«, sagte ich. »Wir wollen nicht, daß Leute sich an uns erinnern.«

Wir bogen in eine Wohnstraße ab und hielten an. Es standen nur ein paar Autos am Straßenrand, weil alle bei der Arbeit waren. Carol atmete ein paarmal tief durch. Sie rieb sich mit den Handrücken die Augen, um die Tränen wegzuwischen; als sie ihre Hände anschaute, sah sie, daß sie mit Make-up verschmiert waren.

»Sieh mal, Dan« , sagte sie. »Es ist noch früh genug, daß du mich bei meinem Auto absetzen könntest. Dann fährst du zu dem Zimmer und wartest auf mich, so wie wir es geplant haben, und ich bin rechtzeitig für meine Schicht wieder in Denning.«

»Wir können jetzt nicht zurück.«

Sie drehte sich in ihrem Sitz herum und legte eine Hand an mein Gesicht. »Siehst du nicht, was du mir antust?« Sie hielt mich mit ihren Augen fest und strich mit den Fingerspitzen über eine Wange. »Die ganze Sache ist die, daß ich nichts damit zu tun habe. Siehst du das nicht? Ich kann nichts damit zu tun haben. Wie soll ich dir helfen, wenn wir uns beide vor der Polizei verstecken müssen?«

»Ich möchte dich bei mir haben«, sage ich. »Ich möchte dich jetzt nicht verlieren.«

»Das wirst du nicht. Wir sind zusammen, das weißt du. Wir waren immer zusammen.« Mit der linken Hand griff sie nach hinten zum Türgriff. »Es kann immer noch gutgehen. Aber ich muß draußen sein.«

»Wenn du gehen willst«, sagte ich zu ihr, »dann bist du frei, zu gehen. Ich werde dich nicht gegen deinen Willen festhalten.«

Sie wandte sich ab und schaute nach vorn durch die Windschutzscheibe. Sie versuchte, eine Entscheidung zu treffen, umklammerte das Steuer und schaukelte frustriert im Sitz vor und zurück.

»Verstehst du es denn nicht?« schrie sie und schlug erneut mit der flachen Hand auf das Lenkrad.

»Ich habe es nur aus einem einzigen Grund getan: Weil ich mit dir zusammensein will. Wenn du nicht mit mir zusammensein willst, dann geh jetzt.«

Sie wurde sehr still. »Du weißt, was du da tust, nicht wahr?«

Ich rückte die Waffe in meinem Gürtel zurecht. »Wir verlieren Zeit«, sagte ich. »Wir müssen ein Versteck suchen.«

Carol hatte für mich Kleidung unter dem Sitz deponiert, und ich zog mich um. Aber sie trug immer noch ihre Schwesternuniform, und sie fiel dadurch ziemlich auf. Wir parkten an einem kleinen Einkaufszentrum, und sie sagte mir ihre Größe.

»Da drin brauchst du das da nicht«, sagte sie und warf einen Blick auf die Waffe.

Ich zog das Hemd aus der Hose, so daß es über die Hose hing und schob die Waffe tiefer. »Siehst du«, sagte ich, »so sieht man sie nicht.«

»Aber du brauchst sie nicht. Warum nimmst du das Risiko auf dich?«

»Man weiß nie«, erwiderte ich.

Ich fühlte mich ihrer nicht sicher. Falls Carol die Waffe als etwas ansah, für das sie verantwortlich war, war so die Chance größer, daß sie noch im Auto war, wenn ich zurückkam.

»Man kann nicht vorsichtig genug sein«, sagte ich, stieg aus und ging über den Parkplatz auf den Laden zu, ohne mich umzusehen.

Ein Motel zu finden, war nicht ganz einfach. Es war das Wochenende des vierten Juli, und bei den meisten Motels waren die »Besetzt«-Schilder erleuchtet. Wir fuhren ziemlich lange herum. Als wir etwas Richtiges gefunden hatten, parkte Carol an einer Seite des Büros, damit man hören konnte, daß wir mit dem Auto gekommen waren, aber nicht allzuviel davon sehen konnte.

»Ich besorg uns ein Zimmer«, sagte Carol. »Ich wünschte, ich hätte diese Brille nicht weggeschmissen.«

»Glaubst du, ein Zimmer ist in Ordnung?«

»Warum nicht?«

»Ich möchte nicht, daß du ...«

»Zwei Menschen, ein Mann und eine Frau – es ist normal. Außerdem haben wir sowieso nur Geld für ein Zimmer.«

Sie gaben uns eins auf der Rückseite, wo wir das Auto außer Sichtweite von der Straße parken konnten.

Wir waren vorher noch nie wirklich allein gewesen. Carol zog sofort die Vorhänge zu und schaltete den Fernseher ein.

»Warum hast du den angemacht?« fragte ich sie.

»An Orten wie diesem hier macht man die meisten Geschäfte mit außerehelichen Affären. Und Leute, die ins Motel gehen, schalten den Fernseher ein, damit sie ihre Hemmungen verlieren, wenn sie beim Sex Lärm machen.«

»Wie kommt es, daß du das alles weißt?« fragte ich.

»Ich weiß es eben. Okay?«

Es war als Witz gemeint, aber er hatte eine dieser scharfen Ecken, die Menschen an einer zarten Stelle treffen, und sie wandte sich ab.

Eine Sendung über uns lief, und wir sahen uns den Teil an, in dem es um die Flucht ging. Carol stand bis zum Schluß da, ohne sich zu bewegen – erstarrt in der Bewegung, das Etikett von der Jeans, die ich für sie gekauft hatte, zu entfernen. Dann setzte sie sich aufs Fußende des Bettes und schlug die Hand vor den Mund.

»Es wirkt so unwirklich«, sagte sie und starrte vor sich hin. »Wenn man es im Fernsehen sieht, wirkt es nicht so, als könntest du es sein.« Sie wandte sich mir zu. Sie war schockiert. »Ich kann nicht glauben, was ich getan habe.« Sie war sich selbst ein Rätsel.

Ich ging zu ihr, um sie zu trösten, aber sie hob die Hand, um mich zurückzuhalten.

»Nein«, sagte sie verwirrt. »Ich muß nachdenken.«

»Sie wissen nicht, wer du bist«, erklärte ich ihr. »Sie haben das falsche Foto gezeigt. Sie glauben, du bist eine andere.«

»Ich brauche einfach ein bißchen Platz, das ist alles.«

»Es ist immer noch früh genug«, sagte ich, »wenn du zurückgehen willst.«

Sie dachte darüber nach. Jeder in ihrer Lage hätte darüber nachgedacht.

»Ich geh duschen«, sagte sie. »Ich muß mich entspannen. Ich werde eine schöne, lange Dusche nehmen.«

Carol ließ die ganze Zeit, in der sie im Bad war, die Dusche laufen. Ich ließ den Fernseher an. Nach einer Weile hörte ich ihn nicht mehr, aber ich war mir immer des Rauschens der Dusche bewußt.

Ich saß an dem Tisch am Fenster. Es war ein runder Tisch mit einer Kunststoffplatte mit Holzmaserung, darüber hing von der Decke an einer messingfarbenen Kette sehr niedrig eine Lampe. Um den Tisch herum standen ein paar Stahlrohrstühle, und an der Wand stand eine Kommode mit Schubladen und einem Fernseher darauf. Ein abgetretener, brauner Teppich bedeckte den Fußboden. Der größte Teil des Zimmers wurde von dem großen Bett eingenommen.

Ich schaute durch den Spalt zwischen den Vorhängen. Draußen brannte hell die Sonne, sie schien alle Farben aus den Dingen herauszuwaschen. Nur der kastanienbraune Müllcontainer, der an dem Lattenzaun stand, schien seine Farbe zu behalten. Er glühte im Sonnenlicht. Ich legte meine Finger in der Lücke zwischen den Vorhängen auf das Fensterbrett, so daß das Sonnenlicht darauf fiel. Wahrscheinlich war ich so blaß wie eine dieser Larven, die den Winter unter der Erde verbringen, und ich fragte mich, ob ich lange genug leben würde, um ein bißchen Bräune abzubekommen.

Die Dusche wurde abgedreht, und Carol kam direkt aus dem Bad.

»Sieh mal«, sagte sie.

Sie hatte einen strengen Gesichtsausdruck, was anzudeuten schien, daß sie eine Entscheidung getroffen hatte. Sie atmete tief ein. Dann ließ sie die Luft raus, ihre Schultern sanken nach unten, und die Spannung wich aus ihrem Körper.

»Sieh mal«, sagte sie. »Ich muß raus und ein paar Sachen besorgen.«

»Einverstanden.«

Ich stand auf, und dann sah ich an ihrer Miene, daß sie ohne mich gehen wollte.

»Es ist besser, wenn ich allein gehe. Glaubst du nicht auch? Sie suchen nach dir, nicht nach mir.«

»Vielleicht morgen«, sagte ich zu ihr.

Die Waffe lag auf dem Tisch neben mir. Ich sah, wie sie unwillkürlich einen Blick darauf warf. Sie war das Zentrum der Schwerkraft im Raum.

»Was willst du damit sagen?« fragte sie. »Daß ich nicht allein hier rausgehen kann?«

»Warum wartest du nicht bis morgen? Laß sich die Dinge da draußen ein bißchen beruhigen.«

»Weil es Sachen sind, die ich heute brauche.«

»Was für Sachen?« fragte ich sie.

Ich fühlte mich hilflos. Die Waffe machte mich schwach. Ich fühlte die Verbindung zwischen uns auseinanderreißen wie Kaugummi, der immer dünner wird. Ich hätte sie mit der Waffe, sogar mit meinen bloßen Händen, aufhalten können. Ich hätte alles, was ich wollte, mit ihr machen können, aber ich wollte sie nicht als Gefangene behandeln.

»Benimmt sich so ein Gentleman?«

Sie versuchte, die Situation so zu drehen, stümperhaft, übertrieben. Ihre Worte hatten etwas Altmodisches, als hätte sie sie von jemandem geborgt, von dem sie wußte, daß sie bei ihm eine gute Wirkung hatten.

»Was für Sachen?« drängte ich. Ich zog einen Stuhl raus und setzte mich, um den Impuls der Frage, die sich in mir aufbaute, zu brechen.

»Frauen-Sachen. Okay?«

»Warum heute? Warum jetzt? Warum die Eile?«

»Ich habe überhaupt nichts, erinnerst du dich?« Sie kam auf mich zu, und ich spürte die Macht ihrer Gegenwart. »Ich hatte nicht vor, hier zu sein. Es gab eine Änderung des Plans.« Sie blieb in einer kritischen Distanz vor mir stehen, kraftvoll, aber außer Reichweite. »Zum einen haben wir überhaupt kein Geld.«

»Ich kann uns jederzeit Geld besorgen.«

»Wie?« Sie nickte in Richtung der Waffe auf dem Tisch. »Damit?«

»Warum nicht?«

»Du wüßtest doch nicht, wie du's machen müßtest, oder?«

»Ich habe in Denning mit Typen gesprochen, die sich damit ihren Lebensunterhalt verdienten. Ich glaube nicht, daß man dazu einen Hochschulabschluß braucht.«

»Dan, die Bullen warten doch nur darauf, daß du deinen ersten Schnapsladen überfällst. Das ist doch genau das, was sie wollen. Sie sind sofort da und haben dich.«

»Nicht, wenn wir immer weiterfahren.«

»Nein!« Es kam lauter und wütender heraus, als sie beabsichtigt hatte. »Sieh mal.« Sie machte eine Faust und öffnete die Hand wieder. »Wir haben so lange daran gearbeitet. Richtig? Es gab eine Planänderung, und damit müssen wir jetzt klarkommen. Es ist das Unvorhergesehene. Das mußte so kommen.«

»Ich möchte, daß wir zusammenbleiben.«

»Das sind wir, wir sind zusammen. Aber das hier ist nicht Bonnie und Clyde. Okay? Das hier ist etwas ganz anderes. Wir können nicht weglaufen. Wir können keine Banken, Schnapsläden und so weiter ausrauben und immer weiterfahren. Wir erwarten nicht, in einem gloriosen Showdown zu sterben. Richtig? Es geht darum, von jetzt an glücklich zu leben. Richtig?«

Sie sah, daß sie mich mit Worten allein nicht erreichen konnte. Ich saß auf der Stuhlkante und wartete ab, wie nah sie kommen würde. Sie wollte mich berühren, mich mit einer Berührung überzeugen, aber sie hatte Angst, was sie mir damit erlauben würde.

»Bitte!« Ihre Finger ruhten auf meiner Schulter. Sie bettelte, ihre Augen ganz nah vor meinen. »Wir haben hier was Gutes. Alles, was wir tun müssen, ist, es nicht zu versauen. Okay?«

Sie suchte in meinen Augen nach einem Zeichen, daß ich die Wahrheit von dem, was sie gesagt hatte, begriffen hatte. Sie sah es sogar noch, bevor ich mir sicher war.

»Wie lange wirst du weg sein?« fragte ich sie.

Sie richtete sich auf, und ich empfand eine Bitterkeit, die ich wegzuschieben versuchte.

»Ein paar Stunden. Vielleicht drei.«

»Ich begreif's nicht. Wieso sollte das so lange dauern?«

»Zum einen muß ich das Auto loswerden. Das allein könnte länger als drei Stunden dauern.«

»Es ist riskant. Es wäre besser, ich würde dich begleiten.«

»Es ist weniger riskant, wenn ich es allein mache. Vergiß nicht, wen die Polizei sucht. Die suchen dich, denk daran.«

Ich haßte den Gedanken, daß sie wegging. Ich haßte mich selbst dafür, daß ich ihr mißtraute.

Als ich hörte, wie das Auto davonfuhr, schaltete ich den Fernseher aus. Dann schaltete ich die Lichter aus. Nach einer Weile gewöhnten sich meine Augen an die Düsterheit, die durch Dreiecke von Tageslicht erhellt wurde, das an den Rändern des Vorhangs in den Raum drang. Ich lag auf dem Bett und lauschte den Geräuschen des normalen Lebens, das um mich herum ablief. Wenn man eingeschlossen ist, bekommen ganz gewöhnliche Dinge ein exotisches Aroma, wie die leichten Vibrationen eines Lastwagens, der in der Nähe vorbeifährt, oder der Klang von Kinderstimmen, oder alte Leute, die sich anmurren. Ich lauschte auf all die Autos, die auf den Parkplatz fuhren, und wenn ihre Reifen beim Abbiegen in eine Parkbucht auf dem Belag quietschten, klopfte mein Herz schneller bei dem Gedanken, es könnte Carol sein – oder die Polizei.

Als Carol zurückkam, warfen die Lampen der vorbeifahrenden Autos Kreuzmuster an die Decke.

»Alles läuft gut«, sagte sie. Sie wirkte gutgelaunt.

Sie ohne ihre Uniform zu sehen, erschütterte mich. Ich hatte das Gefühl, sie verloren zu haben. In dem Moment fragte ich mich, ob ich jemals verstanden hatte, wer sie wirklich war. Da war immer diese andere Seite gewesen, ihr Leben außerhalb der Krankenstation, über die ich absolut nichts wußte.

»Wir haben genug Geld, um eine Weile klarzukommen.«

»Wo hast du es her?« fragte ich.

»Aus einem Geldautomaten.« Zögerte sie?

»Sie geben nicht mehr als zweihundert auf einmal raus.«

»Ich dachte, du würdest dich freuen.«

»Das tue ich auch. Ich bin nur überrascht, das ist alles.«

»Eigentlich habe ich es von meiner Mutter geborgt.«

»Was hast du ihr erzählt?«

»Was glaubst du? Ich habe ihr gesagt, es wäre ein Notfall. Sie ist meine Mutter. Was sollen all die Fragen? Mußt du alles ganz genau wissen?«

Ich bin mir selbst der größte Feind. Ich bin besitzergreifend, das ist das Problem. Mein Denken funktioniert, als wäre ich immer noch in Denning, wo man die Dinge, die man besitzt, jede Minute des Tages festhalten muß. Laß den Dingen ihren Lauf. Ich möchte Carol halten, sie in meinen Armen bergen, doch für Carol ist es zuviel, ich erdrücke sie. Wir sind Fremde, wirklich. Ich kann sie nicht besitzen. Liebe ist wie etwas Zerbrechliches. Ich habe Angst, ich zerquetsche sie, wenn ich versuche, sie zu packen. Wir stehen am Rand. Ich sehe, wie Carol die Lippen zusammenpreßt.

Motels verschlingen viel Geld. Ich mache mir keine Sorgen darüber. Carol schon; sie macht sich über sehr vieles Sorgen.

»Wir können nicht ewig so weitermachen«, sagte sie am zweiten Tag. »Wir können einfach nicht. Das Geld geht uns aus.«

In ihren Augen war ein wildes, rasendes Glitzern. Ich hob die Hand, um sie zu beschwichtigen.

»Okay.« Sie atmete tief durch. »Okay. Es sind nur du und ich. Wir müssen unseren eigenen Weg gehen. Wir müssen uns Geld besorgen. Ich meine, genug Geld. Es wird allmählich Zeit, zu überlegen, wie wir an Diegos Geld kommen.«

»Es ist Nandos Geld. Diego hat es nur für Nando aufbewahrt.«

»Wie auch immer. Wir müssen ran.«

»Ich weiß nicht, wo es ist.«

Sie glaubte mir nicht. »Du machst Witze.«

Ich schwieg.

»Sag, daß du Witze machst«, drängte sie. »Um Himmels willen!«

»Diego hat es mir nicht gesagt«, erwiderte ich.

»Du hast dich von ihm ficken lassen, und du weißt nicht, wo sein Geld ist?« Sie lachte. »Wir sind völlig aufgeschmissen. Weißt du das? Ich weigere mich, das zu glauben. Ich weigere mich einfach.«

Sie schaute mich wieder an, als versuchte sie, mich neu zu sehen, ihr Gehirn dazu zu bringen, mich anzusehen, als hätte sie noch nie ein Auge auf mich geworfen.

»Das ist ein Test, richtig?« fragte sie, immer noch unfähig zu glauben, was ich gesagt hatte. »Das ist so eine Art Test der wahren Liebe.«

»Ja«, meinte ich.

»O Gott.«

Sie setzte sich aufs Bett. Sie sah verängstigt aus. Ihre Augen huschten auf der Suche nach einem Ausweg hin und her über ein Stück des schäbigen Teppichs vor ihr.

»Ich weiß nicht, Dan« , sagte sie. »Ich verstehe dich nicht. Ich weiß nicht, welche Psychospielchen du jetzt gerade spielst. Ich weiß nicht, was du vorhast.«

»Das Geld ist nicht das wichtigste«, sagte ich zu ihr.

Sie schaute mich mitleidsvoll an. »Siehst du nicht, worum es hier geht?«

»Es geht nicht um Geld.«

»Nein, es geht nicht um Geld. Aber wir brauchen Geld. Sonst gehen wir nirgendwohin, außer zurück nach Denning. Begreifst du nicht, daß wir nicht sehr weit kommen ohne das Geld?«

»Alles zu seiner Zeit.«

»Was soll das heißen?«

»Was ich sage. Wir haben das, was wir brauchen, wenn wir es brauchen.«

»Dann hast du gelogen, als du gesagt hast, du wüßtest nicht, wo es ist?«

»Warum ist das für dich so wichtig?«

Carol stand auf und setzte sich auf die Ecke des Bettes, die mir am nächsten war.

»Wir sind so weit gekommen«, sagte sie sanft. »Das schwerste Stück haben wir geschafft.« Sie legte ihre Hand auf meinen Arm. »Wir sind aus Denning rausgekommen. Der letzte Teil sollte einfach sein – das Geld zu schnappen und sich davonzumachen. Mit Geld kannst du alles machen.«

Sie stand abrupt auf und ging, die Arme fest um den Oberkörper geschlungen, zwischen dem Bett und der Kommode mit den Schubladen hin und her. In der Art, wie sie ihren Körper drehte, lag eine Leidenschaftlichkeit, die ich an ihr noch nicht gesehen hatte.

»Gott, ich hätte gerne eine Zigarette!« sagte sie. »Warum habe ich keine Zigaretten mitgebracht? Weil ich wußte, ich würde gerne eine rauchen wollen, deswegen. So fängt es an, nicht wahr? Streß. So fängt man wieder damit an.« Sie hielt inne. »Hast du keine Angst, Dan? Fürchtest du nicht, die Bullen könnten uns kriegen und dich für den Rest deines Lebens einsperren? Um ehrlich zu sein – gestern –, ich habe nicht erwartet, daß du noch da bist, wenn ich zurückkomme.«

»Wohin sollte ich denn ohne dich gehen?«

»Sag's mir.«

»Ich weiß nicht. Es gibt keinen Ort.«

»Du brauchst mich jetzt nicht mehr.« Sie setzte sich auf die Kommode mit den Schubladen und starrte mich, die Hände vor der Brust verschränkt, an. »Ich habe dich rausgeholt. Ich habe meinen Zweck erfüllt. Das ist es doch, nicht wahr? Du hast mich dazu gebracht, das zu tun, was du wolltest.«

»Das ist nicht alles.«

»Jetzt willst du, daß ich die Beine breit mache, richtig? Du möchtest ein bißchen was im voraus?«

Sie riß den Reißverschluß ihrer Handtasche auf und suchte auf dem Boden nach etwas Kleinem.

»Ich weiß nicht, warum du so redest«, sagte ich. »Was ist in dich gefahren?«

»Hier!« Sie warf ein in Alufolie eingeschweißtes Kondom aufs Bett. »Du willst es mir besorgen?«

Ich verstand nicht, warum sie weinte. »Was ist los?« fragte ich sie.

Sie warf ein zweites Kondom aufs Bett. »Du ziehst besser zwei über, nur für alle Fälle.«

Die Tränen flossen rascher. Es waren nicht so sehr die Tränen, die mich rührten, sondern der schmerzliche Ausdruck in ihrem Gesicht, als würde etwas in ihrem Innern auseinandergerissen.

Ich hielt sie in meinen Armen und brachte sie zu Bett. Ich spürte, wie sie hin und her schaukelte, und ließ mich von ihrem Rhythmus mittragen.

»Ich wollte nicht, daß es so wird«, schluchzte sie.

»Ich hätte dich niemals in die Sache reinziehen sollen«, log ich.

Sie weinte bitterlich. Ich spürte ihren Schmerz, als wäre es mein eigener. Ich wollte ihn mit meinem Körper aufsaugen, ihn in mich aufnehmen und von ihr wegziehen.

»Ich war so egoistisch«, flüsterte ich.

»Nein«, hörte ich sie murmeln.

»Wenn ich dich wirklich lieben würde, hätte ich dich niemals in mein Leben hineingezogen. Wenn ich dich wirklich lieben würde, hätte ich meine Zeit abgesessen und dich in Ruhe dein Leben leben lassen.«

Ich spürte, wie sie sich in meinen Armen herumdrehte, und löste meinen Griff. Sie drehte sich um, um mir ins Gesicht zu schauen. »Liebst du mich wirklich?« fragte sie.

»Ja«, sagte ich. »Ich liebe dich.«

»Du benutzt mich nicht nur?«

»Niemals«, sagte ich zu ihr. »Du bedeutest mir die ganze Welt. Es gibt nichts anderes.«

Ihre Augen waren unverwandt auf mein Gesicht gerichtet. »Es gibt keine Möglichkeit, es zu beweisen, nicht wahr?«

Sie lag auf dem großen, flachen Bett schweigend in meinen Armen. Sie war auf der Hut, und es würde eine ganze Weile dauern, bis sie sich entspannen und sich an mich schmiegen würde. Ich wartete auf sie und betrachtete die Muster der Straßenlampen zwischen dem oberen Rand der Vorhänge und der Decke.

Wir lagen eng beieinander, und sie bewegte sich ab und zu ein bißchen, um es sich bequemer zu machen, und so kamen wir nach einer Weile zusammen. Es schien ganz natürlich zu sein. Zuerst lag sie neben mir, dann drehte sie sich so, daß ihr Kopf auf meinem Brustkorb ruhte, und als sie sich noch ein bißchen drehte, spürte ich, wie ihre Brust sich kurz unterhalb meiner Rippen an mich schmiegte. Sie legte den Arm um mich, um sich festzuhalten.

»Halt mich fest«, flüsterte sie.

Ich hatte meine Arme bereits um ihre Schultern gelegt. Ich schob sie etwas tiefer, um das Gewicht ihres Körpers zu stützen. Sie murmelte, scheinbar schläfrig, etwas, was ich nicht verstand, und gleichzeitig schob sie ihr Knie über meine Oberschenkel. Sie trug eine schwarze Hose aus einem leichten Sommerstoff, der sich sehr glatt anfühlte, als meine Finger darüberfuhren. Sie drückte sich so verstohlen gegen den Oberschenkel zwischen ihren Beinen, daß ich mir zunächst nicht sicher war, daß sie mich ermunterte, bis sie sich zurückzog und wieder anschmiegte.

»Du wirst doch was überziehen, nicht wahr?« fragte sie, dabei sprach sie, sie flüsterte nicht, in meine Brust hinein.

»Ja, klar«, sagte ich. Ich war schockiert, unfähig, ihren Gedankengängen zu folgen. »Bist du sicher, daß du das willst?«

»Natürlich will ich.«

Sie fuhr mit der Hand seitlich an meiner Brust entlang bis zu meiner Hüfte und dann nach vorn, ganz leicht, so daß nur die Fingerspitzen den Stoff der Jeans berührten. Sie fand mich.

»Möchtest du es denn nicht?« fragte sie selbstsicher.

Ich wagte nicht zu sprechen.

»Ich glaube, du willst«, sagte sie.

Ihre Finger folgten der Kontur unter dem Stoff. Ich wußte nicht, daß es möglich war, sich so langsam zu bewegen und immer noch den Eindruck von Bewegung zu erwecken, den geringsten Hinweis auf Reibung. Ich existierte nur noch an dem Punkt, an dem sie mich berührte. Ich hielt die Luft an und zitterte, während die Berührung ihrer Finger mich fast wahnsinnig machte.

Sie wickelte sich um mich, hob den Kopf, um mich unterhalb der Mundwinkel zu küssen, und ich spürte die Wärme ihres Atems auf meiner Haut. Ich sah die Reflexion der Straßenlampen in ihren Augen. Ansonsten waren sie dunkel und tief, ein Schatten der sich in der noch tieferen Dunkelheit des Zimmers abzeichnete.

»Manchmal kenne ich dich kaum«, meinte sie.

Ihre Finger folgten der Linie meines Kinns, dem Rand meiner Ohren über die Schläfen in einem Bogen bis zur Wange.

»Dann habe ich wieder das Gefühl, ich kenne dich schon ewig.«

»Ich habe das Gefühl, schon immer darauf gewartet zu haben, dich kennenzulernen«, sagte ich zu ihr.

»Das ist witzig, nicht wahr? Wie das Gefühl, daß du schon mal hier warst?«

»Ich war noch nie hier?« sagte ich, und sie lachte.

Ich hatte Angst, ihre Kleider zu berühren. Seit ich sie kannte, war sie immer weit weg gewesen, und es gelang mir nicht, dieses Gefühl beiseite zu schieben. Sie machte meinen Gürtel auf, zog, um die Schnalle aufzubekommen. Es gab so viel, was neu an ihr war. Sie schaute mich an, wie ich reagierte, und ich küßte sie auf den Mund. Als ich meine Zunge in sie hineinschob, zog sie sich zurück.

»Du wirst auch nicht grob sein?«

»Das ist nicht meine Art.«

»Weil ich so was nicht mag. Ich kenne ein paar Frauen, die behaupten, so was nicht zu mögen, und in Wirklichkeit sind sie ganz heiß drauf. Aber ich mag es wirklich nicht.«

»Ich versprech's.«

Der würzige Geschmack ihres Lippenstifts war in meinem Mund, vertraut und fremd, so wie das Déjà-vu, von dem sie gesprochen hatte, weil ich mich einen Moment lang nicht daran erinnerte, woher ich ihn kannte. Ich beugte mich vor, um noch mehr zu schmecken, und sie kam mir entgegen.

»Du wirst nicht vergessen, mit wem du zusammen bist?« flüsterte sie.

»Niemals«, sagte ich.

Sie klammerte sich an mich und drückte ihren Kopf gegen

meine Brust. Ich hielt ihren Kopf mit meinen Händen. Ich hielt die Welt: ihre Hoffnungen, Gedanken und Gefühle. Ich hielt die Unendlichkeit zwischen meinen Händen.

»Ich weiß, mit wem ich zusammen bin«, sagte ich zu ihr und streichelte ihr Haar. »Ich weiß, wer du bist.«

Das schien sie zu beruhigen. Sie glitt leise und verstohlen wieder an mir hoch zu meinem Gesicht. Ich hob den Kopf, um sie zu küssen, und ihre Lippen trafen einen Moment lang meine Lippen, dann schoben sie sich weiter zu meinem Mundwinkel, meiner Wange, meiner Kehle.

Sehr vorsichtig drehte ich sie auf den Rücken. Sie konnte mich nicht länger als eine Sekunde anschauen. Sie warf mir mit ängstlichen Augen einen kurzen Blick zu, plazierte mich im Raum, suchte nach der genauen Stelle, wo mein Mund und meine Augen waren im Verhältnis zu ihrem Mund und ihren Augen. Meine Augen waren unverwandt auf sie gerichtet.

Sie drehte den Kopf, und ich konnte ihr Gesicht nicht mehr sehen. Sie griff nach hinten; ihre Hand tastete durch die Luft, um den Weg zu meinem Gesicht zu finden. Ihre Finger ertasteten meinen Nasenflügel und glitten hinunter zu meinem Mund. Sie berührten meine Lippen, als könnte sie dort die Wahrheit in Braille-Schrift lesen. Ich küßte ihre Fingerspitzen.

»Ich verspreche dir, daß ich dir niemals weh tue«, sagte ich.

Sie nickte mehrmals, sie wollte mir glauben.

»Warte«, sagte sie.

Carol zog sich ihr T-Shirt über den Kopf. Ohne nachzudenken, faltete sie es zusammen, dann merkte sie, was sie tat, und warf es zur Seite. Sie hakte ihren BH auf und zuckte die Schultern, so daß er halb nach unten rutschte und ihre Brüste befreite. Ich fing eine Brust mit der hohlen Hand auf und ließ sie durch meine Finger gleiten. Ihre weiche Haut war zart, aber die Brustwarze war dunkel und hart, eine fremde Erscheinung. Es war eine geheimnisvolle Materie, die von irgendeiner Quelle in ihrem Innern an die Oberfläche geströmt war. Ich umkreiste die Warze mit der Fingerspitze und hörte, wie sie die Luft scharf einsog. Gleichzeitig beobachtete sie mich, um zu sehen, welche Macht sie über mich hatte.

»Du bist schön«, sagte ich zu ihr.

Ihre Augen waren noch dunkler geworden. Ich konnte nicht darin lesen. Sie hatten sich in Flüssigkeit verwandelt.

Ihr Mund war geöffnet, und ich küßte sie jetzt ohne Widerstand, schob meine Zunge zwischen ihre Lippen und zog sie mit dem Beigeschmack von Lippenstift und Speichel, in dem noch eine Spur Kaffeearoma war, wieder in meinen Mund hinein.

Ich streckte mich neben ihr aus und küßte ihre Brust. Ich wollte ihren Körper Zentimeter für Zentimeter erkunden.

Ich wollte sie entzücken. Ich schob meine Lippen über ihre Warze und saugte leicht daran und spürte, wie ihr Rücken sich durchbog, als wir den Höhepunkt der Spannung erreichten, und dann ließ ich sie wieder zwischen meinen Lippen herausgleiten.

Sie seufzte. »Das ist schön.«

Ich machte es noch einmal. Ich spürte, wie ihr Rücken sich bog, sich mir entgegenhob, und dann das Loslassen des Atems, den sie angehalten hatte.

»Schön und langsam«, sagte Carol. Sie legte mir die Hand auf den Kopf und streichelte mein Haar, um mir zu zeigen, was langsam war, und eroberte sich allmählich das Kommando über mich zurück.

Als ich mich umdrehte, um mich auszuziehen, drehte sie sich von mir weg, streifte ihre Unterhose ab und rutschte in einer einzigen fließenden Bewegung unter die Bettdecke. Ich stand nackt neben dem Bett, versuchte, mich mit den Händen zu bedecken. Langsam zog ich die Decke vom Bett. Carol hielt das Laken fest. Ich zog leicht daran, und sie ließ es los.

»Bitte, tu mir nicht weh«, sagte sie.

Ich kniete neben dem Bett nieder und küßte ihre Füße. Ich hatte Angst vor mir selbst, vor der heftig wogenden Mischung aus Erregung und Verehrung.

»Ich bete dich an«, hauchte ich.

Von der anderen Seite des Bettes sah Carol mich an. Ich konnte ihr Gesicht kaum erkennen. Sie streckte die Hand nach mir aus und zog mich hoch, an ihren Oberschenkeln entlang, an ihrem Bauchnabel und ihren dunklen Brustwarzen vorbei. Ihr Gesicht war nicht zu erkennen. Ein Lastwagen, der auf der Straße draußen vorbeirumpelte, erhellte den Raum. Ich ließ meine Hand über ihren Bauch gleiten und fühlte unten ihr seidiges Haar. Sie öffnete die Oberschenkel, und ich schob meine Hand dahin, wo sie weich und naß war. Ich hatte Angst, was ich tun würde, obwohl ich nicht wußte, was das war – der rohe, gewaltvolle Akt eines wütenden Insassen.

Sie streifte mir ein Kondom über und zog mich an sich. Als ich in sie hineinglitt, stieß sie ein leisen Schrei aus – vielleicht Bedauern, vielleicht Loslassen.

Niemand weiß, warum die Menschen im Akt der Liebe derart kämpfen. Leidenschaft ist eine Art Panik. Carol war wie eine Ertrinkende. Sie wand sich und schrie auf. Sie klammerte sich an mich, als wäre ich ihre einzige Hoffnung zu überleben, umschlang meinen Körper und hielt sich mit der Verzweiflung eines Menschen, der nicht untergehen will, mit ihren Oberschenkeln an mir fest. Gleichzeitig kämpfte sie mit mir, drückte gegen meine Schultern und wand sich in meinen Armen, als ob sie sich befreien wollte, um nach oben an eine Oberfläche zu treiben, von der ich sie zurückhielt.

Ich schob mich so weit wie möglich in diese ertrinkende Frau hinein. Um mich selbst zu retten, hielt ich sie fest und ließ sie nicht entkommen. Ich war eine verlorene Seele, rang um eine unmögliche Vereinigung, rücksichtslos und begierig, mich selbst zu verlieren, bezwungen von dem heidnischen Wunder, in einen anderen Körper einzudringen.

Ich spürte einen nie gekannten Frieden. Ich lag auf dem Rücken. Nach einiger Zeit drückte Carol sich mit den Ellenbogen hoch, um mich anzuschauen. Ihr Gesicht war ein Geheimnis im Schatten. Mehrmals dachte ich, sie wollte mir etwas sagen, hielte aber inne, weil sie nicht wußte, wie sie anfangen sollte. Als ich ihr Gesicht berührte, ließ sie sich auf meinen Körper sinken. Da, wo ihre Brüste meinen Brustkorb berührten, waren sie kalt und feucht vom Schweiß. Die Straßenbeleuchtung warf einen bernsteinfarbenen Schimmer auf ihre Schultern, und als ich sie dort küßte, hatte ich den salzigen Geschmack von Schweiß an meinen Lippen.

Es gibt Zeiten, da kann ich Carols Gesicht nicht deutlich erkennen. Einmal, während der Frühlingsferien, auf einem Klassenausflug zum Metropolitan Museum mit einigen Schülern aus den oberen Klassen verliebte ich mich in ein Pastellbild von Degas: eine Frau, die im Bad hockt. Ich ging näher – ich dachte, ich würde das Bild dann besser sehen können –, aber die Frau verschwand. Alles, was ich sehen konnte, waren Flecken von Kreide und Kreuzschraffierungen auf einer Oberfläche, die meine Augen nicht durchdringen konnten. Ich trat einen Schritt zurück, und da war sie wieder, gebeugt, naß und rosafarben, aber unerreichbar. Carol verschwand auf die gleiche Art und Weise. Ich höre die Worte, die sie spricht, ich sehe die Umrisse ihres Gesichts, ich erlebe die Gefühle, die sie in mir weckt, aber ich bin eine solch nahe Begegnungen nicht gewöhnt, und es gibt Augenblicke voller Panik, in denen ich die Person nicht erkenne. Dann kehrt sie, mit einer Geste, die ich schon hunderte Male gesehen habe, in mein Blickfeld zurück.

Wie lange habe ich Zeit, bis man mich einfängt? Oder umbringt in einem Feuergefecht mit der State Police? Eine Woche? Zwei? Zwei Monate? Wer weiß, wieviel Glück ich habe? Wenn man in der Gegenwart lebt, spielen diese Dinge keine Rolle. Nichts hat eine Bedeutung, die über den gegenwärtigen Augenblick hinausgeht. Es ist eine Erleichterung, ohne versteckte Andeutungen zu leben. Jedes Ereignis, jede Berührung von Carols Hand auf meinem Arm ist ein Punkt; es gibt keine Verbindungslinien zwischen den einzelnen Punkten, keine Linien, die zu Punkten in der Vergangenheit führen, an die man nie denken würde, oder in die Zukunft, die man noch nicht sehen kann, oder seitlich wie der Zug eines Springers zu einem Punkt, den man niemals hätte voraussehen können. Und falls es diese stillschweigenden Folgerungen gibt, muß ich sie nicht enträtseln, hier, wo immer ich auch bin, außerhalb von Denning. Man nimmt dankbar das, was man kriegen kann. Jeden kostbaren Moment. Es stimmt, was man über das Leben im Angesicht des Todesurteils sagt.

KAPITEL
sechs

Liebe Sandy,
es ist alles auseinandergefallen. Ich habe einen Traum gelebt.

Ich bin ein Narr. Es war von Anfang an eine einzige Farce. Ich existiere überhaupt nicht. Ich klammere mich an den Schmerz, an den Strick, der mich mit einem Ruck zurückzieht, wenn ich kurz davor bin, die Orientierung zu verlieren. Es ist kein richtiger Schmerz – es ist mehr der Gedanke, wie der Schmerz sein könnte. Der wirkliche Schmerz erträgt es nicht, daß man über ihn nachdenkt. Es ist eine Leere ohne Gefühl.

Ich denke über einen kleinen, wirklichen Schmerz nach. Er ist leicht zu handhaben, und er lenkt mich von der gefährlichen Spitze weg zu einem Schmerz hin, der wie ein freier Fall ist. Wenn ich mich vorsichtig bewege, die Ferse des einen Fußes vor die Zehen des anderen setze, kann ich diesem kleinen Schmerz folgen wie einer gelben Linie, ohne abzustürzen.

Ich sitze in einer Ecke einer städtischen Bücherei, schreibe zornig, versuche, mit den Bildern und Gefühlen, die durch mich hindurchschwirren, Schritt zu halten. Wenn ich schnell genug schreibe, kann ich den Strom in handhabbare Schlucke verlangsamen; ich kann den Schmerz schlucken, ohne zu ertrinken.

Ich konzentrierte mich auf die Wimper, die in Carols Auge war. Sie machte sie verrückt, an diesem Tag auf der Krankenstation, aber ich konnte ihr nicht helfen, bevor sie mich nicht in den Käfig der Krankenschwestern hineinließ. Dort war ich, in der verbotenen Zone, als Baruk auftauchte.

Ich war wütend auf mich selbst, weil ich alles aufs Spiel gesetzt hatte. Ich hatte Angst, den Job auf der Krankenstation zu verlieren. Noch schlimmer, ich hatte Angst, Carol würde gefeuert werden. Den Rest des Tages bewahrte ich die Wimper, in ein Stück Papiertaschentuch gefaltet, in der Brusttasche meines Hemdes auf. An diesem Abend in meiner Zelle, in der Minute bevor die Lichter ausgeschaltet wurden, nahm ich das Taschentuch heraus, um dieses winzige Stück von ihr zu betrachten. Man hat keine Ahnung, wie ausgezeichnet eine Wimper zugespitzt ist, bis man sie unter die Lupe gelegt hat. Ich hatte Angst, das wäre alles, was ich je von ihr besitzen würde. Als die Lichter ausgingen, lag ich wach und dachte darüber nach, was ich tun würde, um sie nicht zu verlieren: alles.

Am nächsten Morgen wachte ich auf, lange bevor es Zeit war aufzustehen. Während der Nacht hatte die Wimper sich fast zu einem Kreis zusammengerollt. Im Bad, wo ich mich ungestört rasierte, balancierte ich sie auf der Fingerspitze und hob sie hoch und berührte damit das Weiß meiner Augen. Die Tränenflüssigkeit nahm sie auf. Ich versuchte, das Blinzeln zurückzuhalten, aber die Zuckung brach durch meine Finger. Ich blinzelte noch einmal und spürte, wie die Wimper über die Pupille kratzte. Als ich in den Spiegel schaute, sah ich sie auf dem rosafarbenen Fleisch an der Innenseite des Lids liegen.

Ich versuchte, das Auge offenzuhalten, aber es flatterte und zuckte, und eine Träne löste sich und rollte über meine Wange. Ich schloß die Augen und erschuf ein Wunschbild von Carol, atmete langsam und tief, während das Bild sich nach und nach um das neue Element herum zusammensetzte. Ich wartete, bis das Zucken vollkommen abgeklungen war. Dann ließ ich die Augenlider vorsichtig von selbst aufgehen. Ich ließ sie aufgleiten, kämpfte nicht gegen den Reflex an, der das Auge fest zudrücken würde, glich ihn aber aus, besänftigte ihn, ging in ihn hinein und hob ihn auf. So macht man das mit Schmerzen: Man muß hineingehen und sie zu einem Teil seiner selbst machen.

Der Beamte rief, ich sollte zur Arbeit gehen. Sooft ich im Laufe des Tages das Zucken in meinem rechten Augen spürte, hielt ich in dem, was ich gerade tat, inne und schaute in die Ferne. Es war, wie in die Sonne zu starren. Ich ging durch den Schmerz hindurch, und wenn ich auf der anderen Seite herauskam, war der Reflex verschwunden. Manchmal erwischte ich meine Hand, wie sie sich automatisch nach oben hob, um das Auge zu reiben. Erst im allerletzten Moment, kurz bevor sie mein Gesicht berührte, zwang ich sie nach unten. Das Auge tränte, und ich blinzelte und machte weiter. Im Laufe des Tages wurde Corals Wimper von einem schleimigen Gewebe umhüllt. Die Idee, um eine Irritation herum Sekrete abzusondern wie eine Auster um ein Stückchen Kies, gefiel mir. Aber die Wimper löste sich allmählich auf, und ihr Gewebe wurde Teil meines Körpers, aufgelöst, verloren. Am dritten Morgen war die Wimper verschwunden.

Ich erinnere mich an die Folterqualen dieses winzigen Stückes von ihr in mir, das sich seinen Weg bahnte wie ein Splitter in meinem Fleisch. Ich denke jetzt daran, kämpfe gegen den Impuls des Körpers an, ersticke die Bewegung, mit der ich den Fleck sauber hätte wegwischen können, und ich beherberge die Erinnerung an den Schmerz. Ich halte ihn ganz fest. Ich mag die scharfen Kanten des Gefühls, seine Definition. Hier ist sie präzise. Es ist eine Gegenwart statt einer Abwesenheit.

Die ersten zwei Tage nach unserer Flucht ging ich nicht nach draußen, außer um ins Auto zu steigen und zum nächsten Ort zu fahren. Carol entschied, wohin wir als nächstes fuhren, und sie war sehr wählerisch, obwohl die Eigenschaften, nach denen sie angeblich Ausschau hielt, jeden Tag andere waren: dieses war zu teuer, jenes sah zu billig aus; dieses war zu nah am Highway und zu auffällig, jenes war zu weit vom Highway weg und fiel wahrscheinlich um so mehr auf. Ich überließ es ihr. Ich war damit beschäftigt, Ausschau nach Schwierigkeiten zu halten, Autos zu zählen, mir Muster einzuprägen, zu beobachten, wer uns womöglich folgte. Jeden Nachmittag fuhren wir vor ein abgelegenes Motel. Ich dachte, sie hätte einen Instinkt, den richtigen Ort auszuwählen. Bis ich die Landkarte in meinem Kopf sah, bemerkte ich nicht, daß alle Hotels, in denen wir übernachteten, um ein Hauptgebiet herum lagen, das Carol für uns ausgewählt hatte.

Am zweiten Tag stiegen wir in ein Auto, das ich noch nie zuvor gesehen hatte, einen Pontiac Grand Prix.

»Wo kommt den dieses Auto her?« fragte ich sie.

»Ich hab's letzte Nacht bekommen.«

Sie beugte sich mit zur Seite gedrehtem Kopf über das Steuer. Die Arme hatte sie unter dem Armaturenbrett ausgestreckt, und in ihrem Gesicht war ein geistesabwesender Ausdruck. Sie hielt Drähte aneinander, und die Maschine hustete und erstarb. Sie versuchte es noch einmal. Die Maschine drehte sich und sprang endlich an, als sie ein bißchen Gas gab.

Sie rutschte auf ihrem Sitz zurecht und baute sich hinter dem Steuer auf, gab erneut Gas und lauschte auf die Antwort. »Guter Kerl«, sagte sie und tätschelte stolz das Armaturenbrett.

»Wie, bekommen?« fragte ich sie.

»Ich hab's geklaut«, antwortete sie.

»Wie?«

Wir fuhren aus dem Parkplatz raus, und sie beugte sich vor, um zu sehen, ob von meiner Seite Verkehr kam.

»Wie man eben Autos klaut.«

Als wir auf der Straße waren, warf sie mir einen schnellen Blick zu, um zu sehen, wie ich darauf reagierte. Sie war mit sich zufrieden, glücklicher hatte ich sie seit der Flucht noch nicht erlebt. Wir fuhren ein paar Meilen. Ich drehte das Radio an, schaltete durch die verschiedenen Sender und drehte es wieder ab.

»Du magst das nicht?« fragte sie.

»Ich mag Country and Western nicht«, sagte ich.

»Es ist trotzdem ein schönes Lied.«

Sie fing an, die Melodie zu summen.

»Wo hast du gelernt, wie man Autos klaut?« fragte ich sie schließlich.

»Ich hatte einen Freund, der's mir beigebracht hat.« Sie schaute zu mir herüber, prüfte meine Reaktion, griff nach unten, um das Radio wieder einzuschalten, und bewegte den Kopf im Takt der Musik. »Ich war sechzehn. Er ging zur Air Force, und das war das Ende des Ganzen.«

Ich nickte und spürte, daß sie sich veränderte, unberechenbar wurde. »Man gerät in alles mögliche hinein, wenn man sechzehn ist«, sagte ich. »Es bedeutet nichts. Nicht notwendigerweise.«

»Wir machten es dauernd.« Sie lächelte durch die Windschutzscheibe und bewegte sich, die Hände oben am Lenkrad, im Takt der Musik. »Ein Auto für den Abend schnappen, auf den Highway rausfahren und schauen, was es draufhatte. Auf dem Heimweg ließen wir es auf irgendeinem Parkplatz oder sonstwo stehen.« Sie warf mir einen schnellen Blick zu. »Aber ich hab nie welche verkauft. Ich hab's nie wegen des Geldes gemacht.«

An diesem Abend verschwand sie wieder und sagte mir weder, wohin sie ging, noch – als sie wieder da war –, was sie gemacht hatte.

»Ich will nicht mal, daß du mich fragst«, sagte sie. »Es ist besser, wenn du es nicht weißt.«

Für mich war es eine Qual, es nicht zu wissen. Aber ich wußte, daß ich nicht jeden ihrer Schritte überwachen konnte. Ich würde sie verlieren, wenn ich versuchte, sie in mein eigenes Gefängnis zu stecken. Ich verstehe Vertrauen nicht. Ich habe es noch nie begriffen. Wieso sollte man etwas von jemandem vermuten, wenn man es überprüfen kann? Und wenn man es nicht überprüfen kann, warum sollte man die Vermutung anstellen? Ich versuchte, nicht darüber nachzudenken, und das war ein Fehler. Ich wollte Schmerz vermeiden. Ich habe in allererster Linie Angst vor mir selbst, meine eigene Energie wendet sich gegen mich. In einer Raserei des Zweifels könnte ich mich selbst in Stücke reißen. Hinterher ist immer alles offensichtlich – deswegen heißt es ja auch »hinterher«.

Am nächsten Morgen fuhren wir mit dem gleichen Auto vom Motelparkplatz, aber mir fiel auf, daß wir ein neues Nummernschild hatten. Ich sagte nichts. Dieser Tausch war sinnvoll, denn es war zu riskant, jeden Tag ein Auto zu stehlen, warum also nicht die Nummernschilder austauschen? Am nächsten

Morgen hatte das Auto ein anderes Nummernschild, obwohl Carol, bis auf eine halbe Stunde oder so, den ganzen Abend bei mir gewesen war. Hätte ich darauf kommen müssen, daß uns jemand »half«? Manche Dinge sind zu offensichtlich, als daß man sie sehen könnte. Ich war wie in einem Delirium, mit ihr zusammenzusein. Wenn sich in dem Bild Risse zeigten, die immer breiter wurden, wollte ich sie nicht sehen. Außerdem waren unsere Tage gezählt.

Auf die Helligkeit der Sommersonne war ich nicht vorbereitet. Ich war den breiten, offenen Raum der Straßen nicht gewöhnt, wo Fahrzeuge und Menschen aus allen Richtungen kamen, mehr als ich jemals genau beobachten konnte. Im Gefängnis kennt man seine Umgebung, jede einzelne Minute. Man weiß, wer jeder ist. Jeder Insasse geht mit seiner eigenen Zone um sich herum umher.

An diesem Tag hielten wir zum Frühstück bei einem Howard Johnson's, statt zu einem Drive-in-Schalter bei McDonald's oder Burger King zu fahren. Ich stieg langsam aus dem Auto und schaute mich um. Das Licht war hell. Es gab keine Schatten. Ein Auto fuhr auf den Parkplatz und direkt in eine Parkbucht, ohne zu bremsen, als wir auf dem Weg zum Restaurant den Platz überquerten. Es fuhr nur ein paar Zentimeter an uns vorbei. Wir betraten das Restaurant und warteten an dem Schild, auf dem steht, daß die Tischdame einen plaziert. Ich wartete, stand für alle sichtbar vor dem ganzen Restaurant. Ich kam mir vor wie ein Marsmännchen. Ich hatte das Gefühl, alle würden mich ansehen.

Ich beobachtete die Leute am Tisch vor uns beim Essen. Da war eine Frau, die ab und zu in unsere Richtung schaute, und ich dachte, jeden Moment würde das Licht des Begreifens in ihren Augen aufscheinen, und sie würde mich erkennen.

»Du starrst«, sagte Carol flüsternd.

Ein Mann ging an uns vorbei. Er kam von hinten, und ich hatte ihn nicht bemerkt. Er kam, glaube ich, von der Toilette und ging zu seinem Tisch zurück. Als er an mir vorbeiging, streifte er mich mit seinem Ärmel. Ich war nicht darauf vorbereitet, daß jemand von hinten kam, und sprang zurück.

Er sagte: »Tut mir leid.«

Ohne nachzudenken fuhr meine Hand zu der Waffe in meinem Gürtel unter dem karierten Hemd. Er sah, wie meine Hand sich bewegte; dann hob er seine Augen zu meinem Gesicht, er überlegte, sortierte. Aber es war ihm nicht gegeben, zur Frühstückszeit in einem Howard Johnson's zu einer tödlichen Schlußfolgerung zu kommen.

»Ich glaube, da hinten wird gerade ein Tisch frei«, sagte Carol, und er ging vorbei.

Eine Serviererin kam mit Speisekarten und führte uns zu einer Sitzgruppe. Ich nahm mir Zeit, um zu sehen, ob der Mann noch einen Blick zurückwarf, aber er tat es nicht. Die Bedienung kam mit Kaffee zurück, und ich bestellte ein Westernomelett.

»Ich wollte, du würdest mir das Ding geben«, sagte Carol. »Wir brauchen es nicht mehr.«

»Ich fühle mich besser damit«, erklärte ich ihr.

»Wozu soll es gut sein? Es macht nur Schwierigkeiten.«

»Man weiß nie.«

»Es macht mich nervös.«

»Mich beruhigt es.«

»Ich dachte, du würdest es gegen diesen alten Mann ziehen.«

»Ich wollte nur sichergehen, daß es gut verstaut ist.«

»Hast du nicht gesehen, wie der dich angeschaut hat?«

»Er kam direkt auf mich zu. Was hätte ich denn tun sollen?«

»Dan, das hier ist nicht Denning. Das sind einfach nur Menschen. Das ist die wirkliche Welt.«

Ich zuckte die Schultern. »Ich war nicht auf ihn gefaßt, das ist alles.«

Ich wollte, daß sie sorgenfrei war. Wenn sie es war, konnte ich es auch sein. Ich wollte nicht, daß sie den Augenblick verdarb.

Carol starrte mich mit einem leeren, unpersönlichen Gesichtsausdruck an. Sie beugte sich über den Tisch und senkte die Stimme. Ich sah, wie sich eine ältere Frau quer durch den Raum zu uns umdrehte.

»Du würdest jemanden abknallen, nur weil er dir zu nahe gekommen ist?« fragte Carol.

Ich starrte die alte Frau an, und sie schaute schnell weg.

»Man muß die Situation unter Kontrolle haben«, sagte ich. »Man kann die Dinge nicht laufenlassen, bis es zu spät ist.«

»Aber es geht uns doch *gut*«, sagte sie, immer noch ganz nah zu mir gebeugt. »Du *hast* die Situation unter Kontrolle. Alles ist« – sie hielt inne und berührte meine Hand, um dem Wort Nachdruck zu verleihen – »*gut.*«

Sie richtete sich auf. »Glaubst du nicht?«

»Doch.«

Ich wollte mit ihr zusammen noch mal ganz von vorn anfangen. Sie entglitt mir so leicht. Sie veränderte ihre Gestalt, so daß ich sie nicht erkannte. Manchmal war sie wie ein Double, eine Ersatzfrau für die wirkliche Carol, dann schimmerte sie wieder durch.

»Es ist sehr gut«, sagte ich zu ihr.

Wir sahen einander in die Augen. Ich fühlte, daß wir uns so nah waren wie nie zuvor. Carol lächelte. Sie strahlte vor Glück. Direkt unter ihren Mundwinkeln waren kleine Grübchen, die mich vor Zärtlichkeit schmelzen ließen. Ich kann nicht glauben, daß ich mir das nur eingebildet habe.

Die Bedienung kam mit Tellern voller Essen. Ich spielte mit dem Omelett, pickte mit der Gabel die roten und grünen Stückchen raus, zu sehr mit der Liebe beschäftigt, um mich ums Essen zu kümmern. Wir waren einander zugewandt. Ich dachte, wir wären es. Immer wenn ich aufsah, tat sie es auch, und wir lächelten uns an. Wenn sie schüchtern war und ich wegschauen mußte, machte es nichts aus. Wir brauchten keine Worte.

Jetzt denke ich zurück an diese Tage und versuche, mich an die Stellen in unseren Gesprächen zu erinnern, als sie versuchte, mir klarzumachen, was los war. Eine bestimmte Modulation; die Wahl eines Wortes statt eines anderen. Ich bin selbst schuld, daß ich es nicht eher merkte. Hätte ich es wissen müssen? Ich glaube, sie versuchte, es mir zu sagen, auch gegen besseres Wissen.

Was sie dachte, war ihr besseres Wissen. Ich hörte nicht hin. Ich lauschte auf die Lücken zwischen den Worten.

»Wir müssen Geld auftreiben«, sagte sie.

»Es wird sich schon welches finden.«

»Was?«

»Ich weiß nicht.« Ich war jenseits von Hoffnung oder Angst. Im freien Fall ist es leicht, sich der Illusion hinzugeben, man könnte fliegen.

Ein paar Momente schwieg sie, ließ den Kopf hängen, spielte mit den Fingern in einer Milchpfütze, schob sie in eine Richtung, verband die flüssigen Punkte miteinander.

»Du machst dir überhaupt keine Gedanken, nicht wahr?« fragte sie schließlich.

Mir war nicht klargewesen, wie durcheinander sie war. Zuerst dachte ich, sie wäre wütend, dann sah es eher so aus, als sei sie verletzt.

»Ich setze mich für dich aufs Spiel.« Sie spielte mit der Milch, dann sah sie zu mir auf, sagte, was sie zu sagen hatte, schaute wieder nach unten. »Ich habe alles für dich aufgegeben: Wohnung, Job, Karriere. Was passiert mit meiner Katze? Ich werde meine Zulassung verlieren – sie ziehen sie ein. Ich werde niemals wieder als Krankenschwester arbeiten können.«

»Ich tue alles für dich«, erklärte ich ihr. »Das weißt du.«

»Nein, das weiß ich nicht.«

Ihre Stimme war scharf. Sie schaute auf, und ich war derjenige, der wegschaute. Sie hatte heftig an dem gezerrt, was mich mit ihr verband. Ich hatte nicht bemerkt, daß sie das Ende des Taus aufgenommen hatte.

»Du hast Dinge gesagt.« Sic hatte ihre Stimme unter Kontrolle. »Du hast darüber geredet, wie du dich fühlst. Aber es hat zu nichts geführt. Wir sind immer noch hier und haben fast kein Geld mehr.«

»Was soll ich denn deiner Meinung nach tun?«

»Wenn uns das Geld ausgeht, war's das. Wir können nirgendwo hin.«

»Was ist mit dem Ort, wo ich dir eine Nachricht hätte hinterlassen können.«

»Nein.«

»Nein? Das ist alles? Nein?«

Sie schaute weg.

»Was soll ich deiner Meinung nach tun?« fragte ich sie, obwohl wir es beide wußten.

»Wenn das Geld aufgebraucht ist, gehst du zurück nach Denning. Das ist sicher. Sie stecken dich für den Rest deines Lebens in Block S. Wenn das Geld aufgebraucht ist, haben wir auch kein Geld für Benzin. Wir können nicht weiterfahren. Wir können nirgendwo hin. Verstehst du? Wenn das Geld aufgebraucht ist, ist alles vorbei. Du. Ich. Alles. Es bedeutet, daß wir … diese ganze Sache für nichts durchgemacht haben. Nichts. Dan. Wir haben diese ganze Sache für nichts durchgemacht.«

»Du willst Nandos Geld«, sagte ich.

»Wir brauchen es.« Sie griff über den Tisch nach meinen Händen. »Dan.« Sie drückte sie und hielt mich mit ihrem Blick fest. Das Gefühl war in sie zurückgekehrt. »Wir brauchen es jetzt! Ich möchte dich nicht darum bitten müssen.«

»Tu's nicht. Ich will nicht, daß du das tust.«

»Ich habe alles getan, was ich tun kann. Wenn du willst, daß wir weitermachen, mußt du etwas tun.«

»Ich habe dir schon mal gesagt, daß ich nicht weiß, wie man an das Geld rankommt.«

Sie schaute mich mit Bedauern in den Augen an. Ihre Lippen waren geschürzt, beinahe verächtlich. Aber ich blieb standhaft. Ich hatte schreckliche Angst, sie würde mich aufgeben, obwohl ich ihre Liebe auf die Zerreißprobe gestellt hatte.

»Du hast mir gesagt …«, fing sie an. Sie mußte innehalten, um ihre Stimme unter Kontrolle zu bringen. »Du hast mir gesagt, du wüßtest, wie man an das Geld kommt. Du hast mir das gesagt, bevor ich deine Flucht aus Denning organisiert habe. Ich habe dir vertraut. Und jetzt sagst du mir, du hast mich angelogen?«

»Das Geld ist auf einer Bank«, sagte ich schließlich.

»Wo?«

»Auf den Caicosinseln. Das ist irgendwo in der Karibik.«

Carol beobachtete mich. Sie wußte nicht, ob sie mir das glauben sollte.

»Es wird uns nicht guttun«, sagte ich.

»Gib uns eine Chance.«

»Wir haben nicht mal das Geld für Benzin, wie sollen wir denn zu den Caicosinseln kommen?«

»Wir finden einen Weg.«

»Das Konto hat eine Nummer. Es ist wie bei einem Safe. Man muß die Nummer wissen, um an das Geld zu kommen.«

»Wie lautet die Nummer?«

»Das ist alles, was ich weiß. Die Nummer hat Diego mir nicht verraten.«

»Vertraust du mir nicht, Dan, nachdem wir all das zusammen durchgestanden haben?«

Ich spürte, daß ich baumelte, mein ganzes Gewicht hing an einem verschlissenen Faden weit über dem Abgrund.

»Ich vertraue dir«, sagte ich feierlich. Es sollte wahr sein, und auf die Art, auf die ich es meinte, war es wahr. Ich meinte, ich vertraute dem Teil von Carol, der ihr selbst nicht vollkommen bewußt ist, dem Teil, der noch nicht entstanden ist.

»Du schuldest mir was, verdammt noch mal!« schnauzte sie mich an.

Dann zerriß ihr Gesicht, und sie schaute nach unten. Ihre Augen waren fest zusammengepreßt, und sie drückte die Lippen fest gegen ihre Zähne. Sie schüttelte den Kopf, als wollte sie leugnen, was sich in ihrem Gesicht abzeichnete, aber ein Schluchzen drang aus ihrer Kehle und schüttelte urplötzlich ihre Schultern.

»Ich weiß«, sagte ich zu ihr. »Ich schulde dir alles.«

Ihre Gefühle zerrten an mir. Ich spürte ihre Verzweiflung, als wäre es meine eigene. Die ganze Zeit war ich blind gewesen für ihr Unglück. Ich hatte mein Schicksal bereits akzeptiert, aber sogar in diesem Stadium hatte Carol die Hoffnung auf ein normales Leben noch nicht aufgegeben.

»Es fällt alles auseinander«, flüsterte sie, weil sie ihrer Stimme nicht traute. Sie redete mit sich selbst, starrte ungläubig auf einen Fleck zwischen den Tellern. Ihre Wimperntusche lief ihr übers Gesicht und sie wirkte verschwommen und unscharf. »Es sollte doch ein ganz neues Leben werden. Aber es ist alles schiefgegangen.«

Sie atmete tief ein und hielt die Luft an. Ihr Gesicht ordnete sich wieder: das Kinn, die Wangen, die Lippen wurden fester und kehrten zu ihrer Bestimmung zurück. Ich spürte die Anstrengung, die es sie kostete, sich wieder unter Kontrolle zu bringen.

»Ich hätte das nicht sagen sollen«, sagte sie. Sie hatte sich wieder im Griff, tupfte sich die Augen ab und betrachtete das Ergebnis auf der Serviette. »Daß du mir was schuldest? Das habe ich nicht so gemeint. Ich versteh's nicht. Ich versteh's einfach nicht.«

»Ich möchte dich nicht verlieren«, sagte ich.

»Du wirst mich niemals verlieren«, sagte sie. Sie lächelte beruhigend, ein tapferes Lächeln. Da hätte ich es wissen sollen.

»Gib mir wenigstens die Waffe.« Sie schlug es beiläufig vor, als wäre es ihr eben erst eingefallen. Sie kramte einen Spiegel aus ihrer Handtasche und musterte ihr Gesicht. »Ich geh mich mal ein bißchen frischmachen.« Sie stand auf und sah sich nach der Damentoilette um. »Ich wollte, du würdest dich beruhigen.«

Im Auto handelten wir einen Kompromiß aus. Ich würde die Waffe nicht mehr mit mir herumtragen, sondern sie statt dessen unter dem Fahrersitz lassen.

Ich hatte mir vorgenommen, Carol zu folgen, wenn sie an diesem Abend ausging. Aber am Nachmittag, nachdem Carol uns in einem neuen Motel eingeschrieben hatte, zog ich sie zu mir aufs Bett, und wir liebten uns.

In diesen Momenten waren wir immer noch schüchtern. Ich hatte Angst vor mir selbst. Nackt kannten wir uns nicht, und unser Zusammenkommen war angefüllt mit geheimnisvollen Möglichkeiten. Wenn ich sie berührte, glaubte ich an Magie, und ich glaube immer noch daran. Ihre Brustwarzen heben sich dunkel von ihrer milchweißen Haut ab. Sie schmeckt nach einer seltenen Frucht, die noch nie zuvor jemand gekostet hat. Beim Orgasmus wendet sie sich ab und schüttelt den Kopf, als weigerte sie sich zu kommen. Sie unterwirft sich dem Gefühl nur, wenn es sie überwältigt, und dann schreit sie einmal auf, als hätte sie Angst. Ich schreibe diese Dinge nieder, um die Schmerzen zu lokalisieren, wie eine Wimper zwischen dem Lid und dem Weiß des Auges. Wenn ich mir selbst Schmerz zufüge, weiß ich, wo er sitzt.

Als sie aus dem Bad kam, war sie angezogen. Sie sammelte schnell die Kleider zusammen, die auf dem Boden verstreut waren. Carol ist eine Sauberkeitsfanatikerin, die darauf besteht, T-Shirts zu bügeln. Sie sagte, wir müßten unsere Kleider waschen. Sie würde sie zu einem Waschsalon, den sie ein paar Blocks die Straße runter entdeckt hatte, bringen. Ich sagte, ich würde mit ihr kommen, und sie meinte, es würde verdächtig aussehen, zwei Leute im Waschsalon, wo doch einer allein es locker schaffte. Besonders wenn einer von uns im Adamskostüm wäre. Sie machte es mit einer solchen Selbstverständlichkeit, daß ich erst, als sie die Tür schloß, merkte, daß sie alle meine Sachen mitgenommen hatte.

Als sie mit den Kleidern im Matchsack nach Hause kam, waren sie noch warm vom Trockner. Die ganze Zeit, die sie weg war, hatte ich mir Fragen aufgesagt, mit denen ich mich auf sie stürzen wollte, sobald sie wieder da war. Hinterlistige, indirekte, beiläufig gestellte, harmlose Fragen. Fragen, die sie auf die Koordinaten von Zeit und Ort festgelegt hätten. Doch als sie zurückkam, lächelnd, ein bißchen außer Atem – »Und? Hast du mich vermißt?« –, schmolz mein Verdacht dahin. Frischgewaschene Kleider anzuziehen, die immer noch warm sind, hat etwas sehr Beruhigendes.

Am nächsten Tag war das Nummernschild das gleiche, aber das Auto hatte gewechselt. Ich will Sie nicht damit belästigen. Ihnen zu erzählen, welche Marke. Ich bin mir sicher, daß Sie inzwischen herausgefunden haben, daß die ersten Wagen kein

Grand Prix und kein Monte Carlo waren. Bitte stellen Sie mich nicht als Lügner hin. Ich werde Ihnen keine Informationen geben, die zu meiner Verhaftung führen könnten. Ich habe, entgegen der Behauptung Ihres Psychiaters in der Sendung an diesem einen Abend, keinen Todeswunsch.

Als ich einen Monte Carlo (und ein paar andere Dinge) erwähnte, waren das Desinformationen, keine Lügen. Desinformationen sind etwas anderes als Lügen. Desinformation heißt, jemandem etwas zu erzählen, was nicht der Wahrheit entspricht, weil man das tun muß. Lügen ist reiner und einfacher Betrug – die Leute reinlegen, sie in etwas hineinziehen, ihre Gefühle mit seinen eigenen durcheinanderbringen, so daß man sie benutzen kann.

Im Gefängnis verlernt man, mit Geld umzugehen. Carol hatte unser Geld und kaufte die Dinge, die wir brauchten, bei ihren Ausflügen. Inzwischen hatten Sie die »Geiseln«-Geschichte und ein echtes Foto von ihr im Fernsehen gebracht, aber sie behauptete, es wäre ein schreckliches Foto und würde ihr gar nicht ähnlich sehen; ihre Tarnung, sagte sie, wäre effektiver als meine, also war es besser, wenn sie sich in der Welt draußen um unsere Angelegenheiten kümmerte. Ich dachte nicht viel darüber nach, daß wir kein Geld hatten, bis ich sie genauer kontrollieren wollte. Ich weiß jetzt, daß das eine weitere Schicht ihrer Kontrolle über mich war. Ich band mich an sie. Als ich darüber nachdachte, kam ich auf den Gedanken, daß sie es so arrangiert hatte, weil sie fürchtete, ich könnte sie verlassen. Als wir später in ein Restaurant gingen, steckte ich das Wechselgeld ein.

Das nächste Mal, als sie zum Hinterausgang raus zum Auto ging – sie behauptete, sie kriegte den Knastkoller –, ging ich vorn raus und stolperte direkt in ein Taxi.

»Wohin?« fragte der Fahrer in einem Tonfall voller Groll gegen die Welt. Er erinnerte mich an die Aufseher in Denning.

Er machte sich nicht die Mühe, zu wenden, sondern fixierte mich im Spiegel, so daß ich auf einen Schlitz schaute, in dem ein Stück Kopf mit Augen zu sehen war.

Carol stand auf dem Vorplatz und wartete darauf, sich in den Strom der Autos auf der Straße einzufädeln. Ich rutschte tiefer in den Sitz, und der Fahrer kippte den Spiegel so, daß er mich weiterhin beobachten konnte.

»Ich möchte, daß Sie dem schwarzen Auto folgen, das gerade vom Motelparkplatz fährt«, sagte ich.

Er blies die Luft zwischen den Lippen aus, als hätte ich ihn gerade völlig fertiggemacht, und war empört. »Ich hab's. Sie sind Privatdetektiv, richtig?« fragte er sarkastisch.

»Nein. Sie ist meine Schwester.« Ich wußte nicht, was ich sonst noch sagen sollte, außer etwas Ähnliches wie die Wahrheit. »Ich mache mir Sorgen um sie.«

»Was ist mit ihr? Geht sie auf den Strich?«

An die Möglichkeit, daß Carol sich für uns auf diese Art und Weise opferte, hatte ich nicht gedacht. Ich schämte mich, daß ich ihr mißtraute, obwohl ich nicht wußte, wessen ich sie verdächtigte. Die körperlosen Augen sahen etwas davon. Der Mann vor mir mit seinem breiten Nacken schob sich im Sitz zurecht. Alles, was ich im Spiegel erkennen konnte, waren Lippen.

»Diese Mädchen.« Die Lippen waren feucht und bewegten sich hungrig. »Sie machen alles – *alles* – für eine Nase voll Kokain.«

»Ich weiß«, erwiderte ich.

»*Ich* weiß«, sagte er, »weil sie genau da sitzen, wo Sie jetzt sitzen. Ich sehe es. Ich höre, was sie zu den Freiern sagen. Dieses Zeug – es würde Ihnen den Magen umdrehen.«

Der Mann rutschte herum, so daß er einen Blick auf mich werfen konnte. Er runzelte die Stirn, die Augen starrten durch mich hindurch, huschten immer wieder über mich hinweg. Ich beobachtete die Straße. »Sie werden sie verlieren«, sagte ich zu ihm. Er fiel zurück, zwischen uns waren drei Autos.

»Nicht wahr. Sie wissen, daß das völlig scheißegal ist?« sagte er. Er hätte genausogut über die Aussichten der Red Sox sprechen können. »Wenn sie auf Koks ist, wenn es das ist, vergessen Sie's.«

»Ich möchte sie nicht verlieren.«

»Hey, wollen Sie fahren?«

»Nein.«

»Wirklich nicht?«

»Nein, ich möchte nicht fahren.«

»Gut, in Ordnung. Dann lassen Sie mich das machen.«

An einer grünen Ampel bog Carol rechts ab. Die Ampel wurde gelb, und die Bremslichter des Autos vor uns leuchteten auf. Der Fahrer zog das Taxi links an den Autos vorbei und beschleunigte, als die Ampel auf Rot sprang. Nachdem wir abgebogen waren und wieder geradeaus fuhren, drückte er, zufrieden mit sich, den Rücken durch.

»Sehen Sie, ich hab das schon mal gemacht«, sagte er. »Als ich bei der Polizei war.« Das Stück Kopf warf einen schnellen Blick nach hinten, um zu sehen, wie ich reagierte.

»Tatsächlich?«

»Hab ich Sie schon mal irgendwo gesehen?« fragte er.

»Ich glaube nicht.«

»Warum nicht?«

»Wie, warum nicht?«

»Warum glauben Sie nicht, daß ich Sie schon mal irgendwo gesehen habe?« Die Augen waren zusammengekniffen, beunruhigt, konzentriert.

»Weil ich Sie auch noch nie gesehen habe.«

»Das habe ich nicht gesagt. Sehen Sie, ich sagte, ich habe *Sie* noch nie gesehen. Ich habe nicht gefragt, ob Sie *mich* schon mal gesehen haben.«

Ich wollte Carol nicht aus den Augen verlieren. Um das Gespräch zu beenden, sagte ich: »Ich habe in Florida gelebt. Deshalb haben Sie mich noch nie gesehen.«

»Florida, was?«

»Ja.«

»Davon haben Sie Ihre gute Farbe.«

»Ich war krank und bin gerade aus dem Krankenhaus gekommen.«

»Gerade rechtzeitig, um Ihrer Schwester aus der Klemme zu helfen.«

»Ach, leck mich doch!« sagte ich zu ihm.

»Soll ich vorbeifahren?« fragte er und konzentrierte sich wieder auf seinen Job.

Carol war vor ein Dunkin' Donuts in einem kleinen Einkaufszentrum gefahren und hatte eine Parkbucht in der Nähe eines der Ausgänge genommen, abseits der Geschäfte.

»Fahren Sie auf den Osco-Parkplatz«, sagte ich zu ihm.

Er parkte das Taxi zwischen anderen Autos, mit dem Rücken zu Dunkin' Donuts. Ich wollte mich umdrehen, um Carol sehen zu können.

»Nicht«, warnte er mich scharf. »Drehen Sie sich nicht um.«

Ich dachte, er wäre gegen den Türrahmen gerutscht, aber er hatte sich so hingesetzt, daß er Carols Auto im Rückspiegel im Visier hatte.

»Sie wartet«, sagte er. »Sie ist klug, die da. Sie steigt nicht aus dem Auto. Sie sieht sich erst in Ruhe um.«

Ich war ungeduldig, wollte es selbst sehen. Ich wollte nicht durch die Augen dieses Mannes etwas über die Frau, die ich liebte, erfahren.

»Drehen Sie sich bloß nicht um«, sagte er. »Sie schaut jetzt in diese Richtung.«

»Wenden Sie das Auto«, sagte ich ihm.

»Beugen Sie sich vor, als würden wir uns unterhalten. Ich stelle den Seitenspiegel so, daß Sie sie sehen können.«

Ich kauerte mich nach vorn, das Gesicht vor den viereckigen Ausschnitt, der in das Plexiglas geschnitten war. Er schob sich schwer atmend ein paar Zentimeter rüber und neigte sich zur Seite, um an den Hebel an der Beifahrertür zu kommen.

»Wie ist das?« fragte er.

Ich sah einen quadratischen Ausschnitt eines braunen Daches. »Weiter runter«, sagte ich, »und nach links.«

Er kämpfte, keuchte und drehte sich auf dem Sitz. Sein Hemd rutschte aus der Hose. Er sah hilflos aus. Ich fragte mich, was er wohl tun würde, wenn er erfuhr, daß ich das Fahrgeld nicht hatte. Ich würde ihn wohl bitten, mich zu einem ruhigen Fleckchen zwischen den Läden auf der anderen Seite zu fahren, um ihm die Nachricht dort beizubringen.

»Wie ist das?« fragte er. Er war vor lauter Anstrengung ganz kurzatmig. Ich konnte das Auto jetzt sehen. Es war leer.

»Was ist passiert?« fragte ich. »Ich kann sie nicht sehen.« Ich hätte mich so gern umgedreht.

»Mist.«

Er drückte sich millimeterweise mit einem Arm hoch. Ich lauschte dem regelmäßigen Geräusch seines Atems, der durch seinen offenen Mund ächzte, während er den Spiegel an der Windschutzscheibe zurechtrückte.

»Ah-ha. Ja. Da wären wir. Sie ist reingegangen.«

Er schwieg eine ganze Weile, schob sein Gesicht so nah an den Spiegel, daß es aussah, als versuchte er, durch seine Pupillen in seinen Kopf hineinzusehen.

»Kennen Sie den Typ?« fragte er schließlich.

»Wen?« fragte ich ihn. Ich drückte die Hände gegen das Plexiglas. »Welchen Typ?«

Er lehnte sich wieder zur Seite, und die mühselige Prozedur, den Seitenspiegel zu richten, fing wieder von vorn an.

»Nein«, sagte ich zu ihm. »Weiter links. Weiter.«

»Wer ist das, ein Dealer?«

»Welcher? Der mit der Baseballmütze? Nein? Zurück nach rechts. Ein bißchen hoch. Ich sehe sie! Zurück. Weiter zurück! Ich habe sie gesehen! Da ist sie! So ist es gut!«

Carol saß an einem Tisch. Ich konnte ihr Profil erkennen. Sie unterhielt sich mit jemandem im Schatten. Ich erhaschte einen Blick auf seine Hände. Sie war sehr aufgeregt, sagte etwas und bewegte in einer plötzlichen Geste ihre Hände auf ihn zu, dann schaute sie schnell zu beiden Seiten, ob sie Aufmerksamkeit auf sich zog. Sie schaute sich sehr oft um und auch aus dem Fenster. Ob sie wohl überprüfte, ob Polizei in der Gegend war? Oder hielt sie nach mir Ausschau?

Ich konnte nicht erkennen, mit wem sie sich unterhielt. Der Himmel spiegelte sich in der Scheibe, und eine große, strahlendweiße Wolke hinderte meinen Blick daran, in das Innere des Ladens einzudringen, wo sie saß. Ich sah ihre Hände in diese Spiegelung hineingehen, nach etwas auf der anderen Seite des Tisches greifen und näherziehen. Ich sah seine Arme in schwarzem Leder aus der Wolke kommen, und es waren seine Hände, die sie festhielt und auf die sie mit geschlossenen Augen ihre Lippen drückte, den Kopf wie im Gebet vor ihm gesenkt. Er wollte seine Hände zurückziehen, aber sie hielt sie fest, zog sie noch näher an sich heran. Als sie sie schließlich losließ, lag auf ihrem Gesicht ein niedergeschlagener Ausdruck.

Das Atmen fiel mir schwer. Das Atmen fällt mir schwer. Ich muß die Flut der Schmerzen eindämmen.

»Ach, Mist«, sagte der Taxifahrer.

Meine Welt stand auf dem Kopf. Das Licht war rein und unerschütterlich. Die Zeit verlangsamte sich. Ich konnte jedes ungeheure Detail jeder einzelnen Bewegung erkennen. Alltägliche Dinge schienen greifbarer zu sein, durchdrungen von einer unnatürlichen Schwere.

»Sie müssen das gar nicht sehen, richtig?« fragte der Fahrer. »Sie kennen den Typ?«

»Das dauert nicht lange«, erklärte ich.

»Sie haben das schon mal gemacht.«

»Ich schätze«, sagte ich.

»Gehen Sie weg, das ist der einzige Weg.«

»Man weiß es nicht, bis man es gesehen hat.«

»Niemand kann es einem erklären.« Er verschob seine massige Gestalt, und die Augen in dem Spiegel starrten mich an. »Sie mußten es selbst sehen, richtig? Man glaubt es nicht, bis man es selbst gesehen hat.«

»Wir warten«, sagte ich zu ihm.

Er zuckte die Schultern, zog eine Rolle Geldscheine aus seiner Tasche und machte sich daran, sie glattzustreichen, wenn sie Eselsohren hatten.

Ich klebte am Spiegel. Sie redeten noch. Carol schien enttäuscht. Sie ließ den Kopf hängen, hatte sich von ihm abgewandt, schaute in meine Richtung. Er sagte etwas, und sie schüttelte den Kopf. Ich war mir nicht sicher, aber es kam mir so vor, als kämpfte sie mit den Tränen. Seine tröstende Hand kam langsam auf ihr Gesicht zu, und sie schob sie weg, aber zögernd. Vielleicht bildete ich mir das ein. Sie sagte etwas, war wütend, beschuldigte ihn. Sie schaute auf, um seine Reaktion zu sehen, dann wieder weg.

Sie starrte raus auf den Parkplatz, schaute und schaute doch nicht, sah nichts. Sie wirkte müde und erschlagen. Sie musterte die öde Landschaft: die Fassade des Drugstore, einen streunenden Hund, der jede Menge Zeit hatte, die Autos, eine Frau in einem Buick Regal, die von einem Autotelefon aus telefonierte, zwei Typen, die in einem Taxi saßen, der Passagier beugte sich vor, um mit dem Fahrer zu reden. Ich sehnte mich danach, daß ihre Augen auf mir ruhten, auch wenn ich für sie unsichtbar war. Ihre Augen glitten über mich hinweg.

Traf sie da eine Entscheidung? Seine Hand kam wieder langsam auf sie zu, und sie ließ es zu, daß sie sich ihrem Gesicht näherten. Die Finger berührten ihre Wange. Sie zog sich nicht zurück. Die Hand berührte ihr Gesicht, die ganze Handfläche schmiegte sich an sie und hielt ihr Gesicht, als wäre es eine kostbare Flüssigkeit, die es festzuhalten galt. Ihr Gesicht löste sie auf, sie schloß die Augen, so hungrig war sie nach der Berührung der Hand, und eine fast schmerzhafte Seligkeit, ein federleichtes Glück überwältigte sie; ihr Mund öffnete sich, sie bog mit geschlossenen Augen den Kopf in den Nacken, und die Tränen strömten ihr über die Wangen.

Wenn man ein Gesicht kennt, gibt es Punkte, geheime Sicherungen, die nur eine zarte Berührung benötigen, kaum mehr als einen Hauch, um Gefühle freizusetzen. Ich hätte diese Hand sein können. Ich hätte sie mit dieser Berührung gebändigt und sie zur Kapitulation gezwungen.

Ich versuche, mich an sie zu erinnern, wie sie, geblendet von ihren Gefühlen, aus dem Fenster des Cafés schaute und den

Blick langsam über einzelne Dinge wandern ließ, die sie näher betrachtet. Sie hielt nicht nach etwas Besonderem Ausschau. Sie wußte kaum, daß ihre Augen offen waren. Hat die Sonne in diesem Moment in dem Spiegel reflektiert und ihre Aufmerksamkeit erregt? Sie wußte nicht, wonach sie suchen sollte. Wie hätte sie sonst diesen winzigen Punkt, wo sie hinschauen mußte, finden sollen, den bestimmten Blickwinkel durch den Tunnel auf einen bestimmten Außenspiegel auf einem Parkplatz, der sie zu mir führte?

Denn genau das passierte. In einem Moment starrte sie nur so in die Luft, im nächsten richteten sich ihre Blicke auf den Spiegel. Ihre Augen wurden sofort ganz schmal. Man hätte denken können, ein Sonnenstrahl hätte sie geblendet, so daß sie die Augen zusammenkneifen mußte. Aber ich sah, wie ihr Blick schärfer wurde. Es war unheimlich. Die Ausrichtung, der Blickwinkel war großartig: Sie hatte auf den Parkplatz geschaut, in den Spiegel, und mich gesehen.

Ein Wunder geschah, und dann war es vorbei. Die Welt ordnete sich darum herum neu. Obwohl der Kontakt nur einen Moment gedauert hatte, klang er in meinem Kopf nach wie das Nachbild des Aufleuchtens eines grellen Lichts. Er tut es immer noch. Ich frage mich, ob es Carol überhaupt ins Bewußtsein drang. Ich denke viel über die Natur der anderen Person – der möglichen aber nicht verwirklichten Person in jedem von uns – nach.

Carol wandte sich wieder dem Mann zu, der ihr gegenübersaß. Die Hand verschwand hinter einer Wolke, die sich im Fenster spiegelte. Carol zog eine Serviette aus dem Spender auf dem Tisch und betupftc die Spuren ihrer Tränen. Sie schaute sich um, ob jemand etwas mitbekommen hatte, und tupfte mit der Serviette schwungvoll die Augenwinkel ab, wobei sie die Augen besonders weit aufriß, um das Make-up, das noch in Ordnung war, nicht zu verschmieren.

Ich vermute, daß er sie fragte, ob sie in Ordnung sei, weil sie mehrmals nickte, und ich sah, wie sie »ja« sagte.

Sie schenkte ihm ein kurzes, tapferes Lächeln und sagte etwas Ähnliches wie: »Mir geht's gut. Wirklich.«

Ich glaube, an diesem Punkt stand er von seinem Stuhl auf, denn sie hob ihren Kopf einen Moment. Dann sah sie wieder nach unten auf den Tisch vor ihr. Es muß hart für sie gewesen sein, und ich sah, wie sich ihre Schultern in einem tiefen, langsamen Seufzer bewegten. Sie schüttelte als Antwort auf etwas, was er gesagt hatte, den Kopf und sah nicht mehr auf, als er davonging. Im düsteren Inneren des Ladens sah ich seine Gestalt hinter ihr vorbeigehen, und nach einem Moment gab sie nach und warf einen Blick über die Schulter, um einen letzten Blick auf ihn zu erhaschen, aber da war Baruk schon durch die erste Tür verschwunden.

Es war viel zu warm für eine Lederjacke, wahrscheinlich trug er sie, um eine Handfeuerwaffe zu verbergen, die in seinem Hosenbund steckte. In dem Zwischenraum zwischen den beiden Glastüren zog er den Kopf ein, um eine Pilotensonnenbrille aufzusetzen. Er schaute nicht zurück, kam nach draußen in die Sonne und blieb stehen, um die Welt um ihn herum zu inspizieren. Seine Hand wollte nach oben greifen, da hin, wo normalerweise seine Mütze saß, wollte in der ihm eigentümlichen Geste vor dem Kopf vorbeistreichen, so daß sie vor dem Abzeichen vorn auf der Mütze einen Bogen beschrieb. Ohne Uniform war er ein ungewohnter Anblick, als wäre er jemand mit einer Familienähnlichkeit, ein Bruder vielleicht oder ein Cousin. In dem Moment, als er dort vor der Tür stand, sich reckte und ein bißchen auf die Zehenspitzen hob, konnte ich kaum glauben, daß er es wirklich war.

Baruk ließ sich Zeit. Er schaute nach links und nach rechts auf die Teile des Parkplatzes, die er aus dem Inneren des Cafés nicht hatte einsehen können. Ich bin mir sicher, der Anblick des Taxis, in dem zwei Männer saßen, gefiel ihm nicht, aber er muß gewußt haben, daß wir ihn, wären wir ein Kommando einer Polizeiüberwachung, längst umzingelt hätten, bevor er nach draußen in den offenen Raum des Parkplatzes treten konnte.

Carol war mit etwas auf dem Tisch beschäftigt, wischte mit einer Serviette an einer Pfütze herum. Sie schaute ab und zu schnell hoch, um ein paar flüchtige Blicke auf ihn zu erhaschen, wie er zum Auto ging.

»Sie haben zwanzig Mäuse auf dem Taxameter«, sagte der Fahrer. »Sie hatten genug, oder was?«

»Warten Sie noch ein bißchen«, sagte ich zu ihm.

Baruk wurde bei der Ausfahrt aufgehalten, er wartete auf eine Lücke im Verkehr. Ich konnte ihn sehen, wenn ich den Kopf leicht drehte und ihn aus dem Augenwinkel beobachtete. Es gab keine Lücke im Verkehr, aber er fuhr, mit einem jähen Quietschen seiner Reifen, trotzdem raus.

»Dann geben Sie mir schon mal was im voraus«, sagte der Fahrer.

»Was?«

»Geben Sie mir die zwanzig.«

Carol machte sich fertig, zu gehen. Sie sah stur geradeaus, als würde sie über etwas nachdenken. Sie riß sich zusammen, schloß die Stellen, an denen sie die Gefühle hatte heraussickern lassen. Dachte sie darüber nach, zum Motel zurückzufahren, zu mir? Ich hatte Angst, meine Augen von ihr abzuwenden. Wenn ich jetzt meine Augen von Carol abwandte, würde ich sie womöglich nie wiedersehen.

»Sie haben's nicht, oder?« fragte der Fahrer müde.

»Nein«, sagte ich zu ihm. »Alles, was ich habe, sind zehn.«

»Dann geben Sie mir die.«

Im Seitenspiegel war eine winzige Carol dabei aufzuräumen. Sie stellte ihre Kaffeetasse in Baruks und ging außer Sichtweite zu den Türen. Ich schob dem Fahrer eine Handvoll Eindollarscheine durch den Schlitz und grub in meinen Taschen nach dem Wechselgeld, das ich in den letzten Tagen gesammelt hatte.

»Hier«, sagte ich.

Er zählte die Scheine. Dann schaute er über die Schulter und sah die Münzen in meiner Hand.

»Sie bedauernswertes Stück Scheiße«, sagte er.

Carol kam raus. Sie sah sich nicht um und ging langsam, wie benommen, zu ihrem Auto.

»Behalten Sie's«, sagte er. »Ich möchte Ihr Scheißwechselgeld nicht.«

Sie ging ganz nah an uns vorbei. Ich hatte Angst, er würde mich direkt vor ihren Augen aus dem Taxi schmeißen, aber ich glaube, er wollte aus der Nähe einen Blick auf Carol werfen. Ich sah sie nicht an, aber ich lauschte auf jeden ihrer Schritte, ein schlurfendes Geräusch von Leder auf dem Asphalt des Parkplatzes, als sie erst näher kam und sich dann entfernte.

Vertrauen ist kein natürlicher Impuls, unser natürlicher Zustand ist Mißtrauen. Wenn wir eine Verbindung mit einem anderen Menschen eingehen wollen, müssen wir unseren Argwohn überwinden, und das geht mir gegen den Strich. Um wirklich zu lieben, muß man gegen seine Natur handeln. Liebe steht immer auf dem Prüfstand, sie lebt von einem Augenblick zum nächsten und steht, riskant, auf Messers Schneide.

Sie hat Baruks Hand geküßt oder seine Finger, egal. Na und? Ich versuche, das Bild heraufzubeschwören, es festzuhalten, wie es wirklich passierte. Ich kann nicht alles auf einmal einlassen. Man muß die Blende setzen und die Zeit für die Belichtung genau richtig bestimmen, um das wahre Bild zu bekommen. Ja, ich sah, daß sie es tat. Es geschah. Es war real. Aber was bedeutete es? Sie berührt mit ihren Lippen die Finger eines Mannes. Es muß überhaupt nichts bedeuten.

Ich stehe am Rand von etwas, was ich nicht bestimmen kann. Alles ist ein Teil von etwas Größerem – ich spüre es, auch wenn ich nicht weiß, was es ist. Ich kann das ganze Bild nicht sehen, also ergeben die einzelnen Teile, jedes für sich, keinen Sinn. Ohne den Zusammenhang mit dem Ganzen mißversteht man leicht die Bedeutung des einzelnen kleinen Teils – einer Episode, sagen wir, in Dunkin' Donuts. Nur wenn man die Teile mit anderen Teilen zusammenfügt, erkennt man ein Muster oder den Anfang von etwas, was ein Muster sein könnte. Ich kriege es aber nicht hin, daß die Teile zusammenbleiben. Warum sind die wichtigsten Dinge oft so groß, daß wir sie nicht begreifen können, zu groß, um sie mit einem Schluck Verstehen hinunterzuspülen? Ich atme tief durch. Ich werde neu anfangen.

Wenn man zurückblickt, kann man ein Muster erkennen, das einem vorher nicht in den Sinn gekommen ist. Ereignisse fallen an die richtige Stelle, zuerst langsam, und dann immer schneller, stellen Verbindungen her wie ein Flipperautomat, der Punkte zählt. Baruk war immer da. Ich hatte ihn als Teil des Hintergrunds mißverstanden.

Einmal ging Carol auf der Krankenstation den Korridor entlang, während ich den Boden wischte. Sie hatte nicht mit mir geredet, seit ich ihr die Wimper aus dem Auge entfernt hatte. Als sie näher kam, hatte ich das Gefühl, sie würde stehenbleiben, um etwas zu mir zu sagen, ein paar Worte ohne besondere Bedeutung, vielleicht ein verstohlenes Lächeln – irgendein Zeichen, das mir Hoffnung geben würde, daß ich das, was wir hatten, nicht zerstört hatte.

Der Boden war naß. Ich wrang den Mop aus, um einen Pfad für sie trockenzuwischen. Ich war der Bettler. Sie war die Lady. Ich stützte mich auf den Mop und senkte den Kopf. Ich glaubte, eine Pause in ihren Schritten zu spüren, ein winziges Zögern. Alles, was ich brauchte, um einen Sonnenstrahl in mein Dasein zu bringen, war ein kurzer Blick von ihr.

Aber sie ging an mir vorbei, in Gedanken mit etwas anderem beschäftigt, das keinen Platz für mich ließ. Ich atmete den frischen Geruch von Seife oder Körperlotion ein, der sie immer umgab, und weg war sie.

Ich lag auf dem Bauch und näherte mich der Stelle, über die sie gegangen war, als mir bewußt wurde, daß leise Schritte um die Ecke kamen und ich die schwarzen Schnürschuhe mit den Gummisohlen sah, die Baruk gehörten.

»Was ist los, Cody?« fragte er. »Schlafen Sie bei der Arbeit?«

»Nein, Sarge«, antwortete ich unverzüglich.

»Sie sehen aus, als wollten Sie es sich gerade in der fötalen Lage gemütlich machen.«

»Ich hab den Boden überprüft.«

»Ja?«

»Ich wollte sehen, ob er abgezogen werden muß.«

»Sie haben diesen Boden doch erst letzte Woche abgezogen.« Er wartete auf meine Antwort.

»Richtig«, sagte ich.

Baruk starrte in mich hinein, als wäre ich ein Ausblick vom höchsten Punkt seines Hügels. Er betrachtete mich mit einem kleinen Lächeln. Er ließ sich Zeit. In seinen Augen war ein Glitzern, eine Mischung aus Amüsement und Geringschätzung.

Er schüttelte verwundert den Kopf. »Seinen Verstand zu verlieren, ist ziemlich schrecklich, Cody.«

»Ich weiß, Sarge.«

»Sie sind der beste Arbeiter, den wir in dieser Abteilung je hatten, aber Sie sind reichlich bekloppt.«

»Wie Sie meinen, Sarge.«

»Verrückt wie ein Fuchs.«

»Das bin ich.«

Jetzt sehe ich den Hohn hinter dem Grinsen. Für ihn war es nur ein Scherz! Wie lange hatte Baruk von seinem guten Aussichtspunkt geschaut, seinem versteckten Platz des geheimen Wissens, und überlegen und affektiert gegrinst, während ich mich zentimeterweise voranarbeitete – eine Schnecke, die seinen Pfad kreuzte, während ich versuchte, auf das Leben zuzukriechen?

War es Zufall, daß er den hinteren Korridor entlanggeschlendert kam, als Carol und ich uns zum ersten Mal liebten? Ich ertrage den Gedanken nicht, daß er es wußte, daß er uns demütigte, daß er den Moment mit seiner Anwesenheit besudelte!

Baruk hat uns in seinen eigenen erbärmlichen Plan hineingezogen. Donnerstag abends saß er in einem Rollstuhl hinten im Tagesraum und sah sich zusammen mit allen anderen auf der Krankenstation die Baseballspiele an. Für Baruk war das mehr als ein einfacher Zuschauersport.

»Welche Mannschaft gefällt Ihnen?« fragte Baruk mich eines Abends.

»Ich weiß nicht«, erwiderte ich. »Die Indians vielleicht.«

»Nee, keine Chance. Die Red Sox, gar keine Frage.«

»Die Indians haben ihre letzten vier Spiele gewonnen.«

Baruk drehte sich um und sah mich an. Er wirkte verärgert. »Das ist genau der Punkt.« Er drehte sich wieder nach vorn, um dem Spiel zu folgen. »Klar haben die Indians ihre letzten vier Spiele gewonnen, so daß alle glauben, sie seien am Zug. Deswegen gibt es eine Spanne von drei Punkten. Die Indians haben den Höchststand erreicht, das konnte man bei ihrem letzten Spiel sehen. Deswegen setzen kluge Leute ihr Geld auf die Sox.«

Das Spiel ging weiter, aber Baruk konnte es nicht seinlassen. Er mußte seine Ansicht durchsetzen.

»Sehen Sie, was ich meine?« wollte er wissen.

»Ja.« Ich nickte, während ich mich auf das Spiel konzentrierte. »Ich verstehe, was Sie sagen.«

»Jedenfalls setzen Sie Ihr Geld da, wo alle setzen, dann kriegen Sie auch keine Punkte. Da ist nichts für Sie drin.«

Die Sox schienen nicht ins Spiel zu kommen. Als sie zurückfielen, saß Baruk vornübergebeugt da, die Ellenbogen auf die Knie gestützt, und schaukelte im Rollstuhl vor und zurück. Er rauchte eine Zigarette nach der anderen, zog so oft an ihnen, daß sie vorn ganz spitz wurden.

»Vertrau ihm nicht«, sagte Diego zu mir.

Ich wäre nie im Leben auf die Idee gekommen, Baruk zu trauen, aber Diego mochte es, mich in sinnlose Gespräche zu verwickeln. Er gab mir immer wieder Informationen – wie kleine Geschenke. Er sagte: »Das wird eines Tages für dich nützlich sein«, aber ich verstand nicht, was er meinte.

»Er ist nachsichtig mit dir«, sagte ich. »Du hast ein Zimmer mit Klimaanlage. Er läßt dich auf der Krankenstation bleiben.«

»Er spielt zuviel«, sagte Diego. »Er steckt bis zum Hals drin. Er hat 'ne Menge Schulden. Ich meine, *wirklich* 'ne Menge.«

»Na und?«

»Ich habe immer noch ein paar Freunde.«

»Und was sagen deine Freunde?« fragte ich.

»Jemand hat gerade Baruks sämtliche Schuldscheine aufgekauft.« Er lugte mich aus dem Augenwinkel an, um meine Reaktion nicht zu verpassen. »Es war Nando. Jetzt hat Nando ihn in der Hand.«

Baruk spielt mit uns – sowohl mit Carol als auch mit mir! Diesen Teil müssen Sie vorlesen, Sandy. Baruk benutzt uns beide!

Wo ist Zärtlichkeit? Wo ist Verehrung? Ich kann nicht glauben, daß das Schicksal mich grundlos ins Gefängnis gebracht hat. Es gibt keinen Zufall. Ich bin nicht geflohen, um ein Leben in Motels zu führen, für nichts. Ich weigere mich, an ein »grundlos« zu glauben. Auch in den tiefsten Tiefen der Verzweiflung fand ich einen Grund, am Glauben festzuhalten. Auf dem feuchten Fußboden des Korridors auf der Krankenstation suchte ich die trocknenden Umrisse von Carols Schritten. Ich drückte meine Wange an die Stelle, wo sie ihren Fuß hingesetzt hatte. Ich lebte von den bloßen Resten ihrer Nähe! Ich existierte von einem Tag zum anderen von Fragmenten, die ein Leben außerhalb von Denning nicht hätten in Gang halten können.

Ich besitze nichts, was ein anderer wollen könnte, außer die Polizei, die meinen Körper will. Und sie werden ihn kriegen, zur gegebenen Zeit. Ich möchte, daß alle anderen betroffenen Parteien begreifen, daß ich nicht weiß, wo das Geld ist. Und mit »betroffenen Parteien« meine ich jeden, den ich in diesem Brief auch nur beiläufig erwähnt habe – sie werden sich selbst wiedererkennen, auch wenn außer mir niemand ihre Gegenwart am Bildrand bemerkt hat. Ich schwöre Ihnen allen, Diego hat mir nichts gesagt, was Sie alle zusammen nicht schon wissen. Ich wußte nie, wo das Geld war. Lassen Sie mich in Ruhe. Lassen Sie Carol in Ruhe. Auch sie hat das, was Sie wollen, nicht. Der Polizei sage ich, beobachten Sie Baruk. Baruk. Baruk. Baruk. Er steckt bis zum Hals drin. Verhaften Sie ihn. Sperren Sie ihn ein. Geben Sie ihm, was er verdient.

In der Stille dieser städtischen Bibliothek, umgeben von Papiergeraschel, Räuspern und Stühleknarren, kann ich Ihnen das sagen: Ich bin nicht nichts. Wie sehr ich mich auch konzentriert haben mag, wie sehr zusammengepreßt und verdichtet meine Menschlichkeit auch wurde, um zu überleben, ich werde nicht nichts sein. Ich werde Carol lieben. Sie wird mißverstanden. Sie wurde verführt. Sie wurde mehr von ihren eigenen Gefühlen verführt als von seinen Manipulationen. Er ist klug, das räume ich ein. Aber seine Klugheit kann die Wahrheit nicht verdrehen.

Im wesentlichen ist Carol unverändert. Ein tieferer Teil von ihr bleibt wahr – kann nicht falsch sein. Sie weiß das nicht einmal. Carol kennt sich selbst nicht. Das ist eins der Dinge, die mir sofort an ihr auffielen, das war die Tür, durch die sie mich einließ.

KAPITEL
sieben

Liebe Sandy,
ich warte darauf, daß Sie den letzten Brief lesen. Ich möchte erleben, wie Baruk bloßgestellt wird. Ich möchte ihn im Scheinwerferlicht sehen. Ich habe auch Nachrichten über seine Verhaftung erwartet, aber es sind keine gekommen. Warum nicht? Was ist so schwierig daran? Die Polizei muß ihn doch nur verhaften. Zu Hause. In Denning. Der Gedanke, daß Baruk eine Strafe absitzt, gefällt mir. Wird er es überleben, mit Vergewaltigern und Kindermördern im Absonderungsblock? Vielleicht gibt ihm einer seiner alten Kollegen einen Job auf der Krankenstation. Ist es möglich, daß Sie den Brief bereits erhalten haben und daß Baruk sich der Verhaftung entzogen hat? Man unterschätzt ihn leicht. Baruk trägt seine Arbeitskleidung wie ein Verwundetenabzeichen. Er hat sich selbst zum Verstummen gebracht, daran hat er gearbeitet. Nicht einmal er selbst erinnert sich noch daran, wie klug er ist. Er ist der klassische Fall von einem, der weniger leistet als erwartet und der frühzeitig merkt, daß er zu rastlos ist, um den Rest seines Lebens hinter einem Schreibtisch zu verbringen. Er ist gerissen. Würde mich nicht wundern, wenn er entkommen wäre. Irgendwo werde ich zufällig auf ihn stoßen.

Ich mache mir Sorgen, daß Carol zu tief mit drinsteckt. Sie weiß nicht, daß es Gegenströmungen gibt. Mir wurde das auch erst klar, nachdem ich tagelang in öffentlichen Büchereien gesessen hatte und mir die Verschiebungen des Wer, Was und Warum durch den Kopf hatte gehen lassen. Erst jetzt ist mir klar, wie all die Motive in einem einzigen Brennpunkt zusammenlaufen. Ich glaube, daß hinter dem Leiden dieser schrecklichen Tage eine Absicht steckte, die mich zu dieser Erkenntnis führte.

Zugegeben, zunächst gab ich sie erst einmal auf. Mein Glaube war auf die Probe gestellt worden. Nach dem, was ich gesehen hatte, konnte ich den Gedanken nicht ertragen, mit Carol in einem Motelzimmer eingeschlossen zu sein. Aber sie kennt sich selbst nicht: Ich muß das immer wieder betonen, um mir den Gedanken zu vergegenwärtigen. Was ich fühlte, als ich sie mit Baruk zusammen sah, ist unwichtig. Verletzte Gefühle sind am Ende bedeutungslos. Gefühle sind fleischlich. Meine Liebe mußte hart und dauerhaft sein, und das erkannte ich nur langsam, schmerzhaft.

Mehrere Tage lang trieb ich umher. Ich versank in der Verzweiflung, die mir von Block S vertraut war. Ich verbrachte meine Nächte in Obdachlosenheimen mit anderen verlorenen Seelen. In der Dunkelheit schlichen Gestalten durch die Bettreihen: Männer, die das Bad suchten, verwirrte Menschen, die aus dem Bad kamen und den Weg nicht mehr fanden, Diebe, die Uhren von Handgelenken stehlen wollten, oder Turnschuhe, die nicht an einem Körperteil festgebunden waren, Einsame, die nach einer Einladung in ein anderes Bett Ausschau hielten, Kinder in erwachsenen Körpern, die Angst vor der Dunkelheit hatten. Ein geistig zurückgebliebener Mann schrie im Schlaf und hörte nicht auf, bis ihn jemand wachrüttelte. Männer masturbierten angestrengt im Streben nach einem winzigen Funken Befriedigung. Alte Männer husteten die ganze Nacht hindurch, vorsichtig, geduldig.

Ich blieb wach und schlief tagsüber. Ich lag wach und dachte darüber nach, wie die Welt sich wohl verändern würde, wenn ein Feuer durch diesen Zufluchtsort rasen und all diese Menschen, die innerhalb seiner verschlossenen Türen schliefen, töten würde. Würde das Schicksal durch den Verlust dieser Seelen verfälscht? Ich fragte mich, ob Gottes Plan so verschlungen war, daß er von jedem ineinandergreifenden Stückchen Menschlichkeit auf diesem Planeten abhing, oder ob sich das Schicksal aus einer Fährte durch die menschliche Rasse zusammensetzte, wie ein Blitzstrahl, der sich seinen gezackten Weg entlang einer Spur von bestimmten Molekülen in der Unendlichkeit der Atmosphäre sucht. Ich dachte daran, wie Carol und ich uns in Denning gefunden hatten, und an die Wege, die uns beide dorthin geführt hatten. Ich wunderte mich über sie, daß sie meine Augen in einem Seitenspiegel eines Taxis gefunden hatte. Nur indem ich dort war, hatte ich mich selbst in den Pfad des Schicksals, dieses Blitzstrahls, gestellt.

Ich bin ein Teil von etwas. Ich sehe oder höre es nicht, dennoch spüre ich es wie das schwache Zittern in der unmittelbaren Umgebung von Maschinen. Ich weiß, daß ich nicht verfolgt werde. Ich habe alles mögliche getan, um meinen Hintern in der Öffentlichkeit zu zeigen. Ich bin nachmittagelang leere Vorstadtstraßen auf und ab gegangen, wo niemand hinter mir hergehen konnte, ohne aufzufallen. Um genau zu sein, ich habe mich nackt ausgezogen und jedes einzelne Kleidungsstück durchsucht, jedes Ding, das ich bei mir trug, um auszuschließen, daß ich irgendwie verwanzt worden war. In extremen Situationen muß man extrem rational vorgehen. Es ist unbedingt erforderlich, daß man klar denkt. Ich muß jede einzelne, logische Möglichkeit nach der anderen ausschließen, bis nichts mehr übrigbleibt als Sicherheit.

Trotzdem werde ich das Gefühl nicht los, daß ich nicht allein bin. Ich muß dem dringenden Bedürfnis widerstehen, ständig über die Schulter nach hinten zu sehen. Manchmal gebe ich nach und drehe mich schnell um, in der Hoffnung, irgend jemanden bei einer verdächtigen Bewegung zu erwischen. Aber hinter mir hält niemand inne, ändert die Richtung oder wendet sich ab. Alle verhalten sich normal. Ich weiß, daß in einem wortwörtlichen, physikalischen Sinn niemand bei mir ist. Aber ich spüre eine Gegenwart. Man weiß, wenn man beobachtet wird, man spürt ein unbestimmtes Unbehagen wie ein Jucken am Hinterkopf und zwischen den Schulterblättern. Das ergibt überhaupt keinen Sinn, weil ich auf die wichtigste Art und Weise einsam bin. In den Bibliotheken und Obdachlosenunterkünften war ich so einsam, daß mein Leben bedeutungslos war. Ich existierte nur in meinen schmerzlichen Erinnerungen. Ich hatte kein Ziel, bis ich das größere Bild spürte, dessen Teil ich war.

Ich vermisse Carol. Eines Tages, als ich ziellos durch die Straße ging, glaubte ich, einen Blick auf sie zu erhaschen, wie sie in ein Auto stieg. Ich lief auf sie zu, aber sie drehte sich um, als sie die schnellen Schritte hörte, und ich erkannte, daß es nicht Carol war. Ich weiß, daß wir immer noch verbunden sind. Ich spüre, daß es sie zu mir hinzieht. Sie ruft nach mir in einem Traum, bei dem kein Ton über ihre Lippen kommt. Wir bewegen uns aufeinander zu. Die phantastische Maschinerie des Schicksal dreht sich, Verbindungen straffen sich, und langsam und mit großer Anstrengung werden wir zu dem Punkt in Zeit und Raum gezogen, wo unsere Wege sich kreuzen. Zusammen mit all den anderen – wie Baruk –, die nicht wissen, daß sie unbedeutende Rollen spielen, die nicht erkennen, daß sie eine abwärts fahrende Rolltreppe hochgehen, die sie, trotz ihrer Anstrengungen, trotz der Illusion von Freiheit, der sie nachhängen, zu dem verabredeten Punkt bringen wird.

Deswegen bin ich hierhergekommen, zu der Adresse, von der Carol gesagt hatte, daß sie nur als allerletzter Ausweg genutzt werden sollte. Ich habe dieses brennende Gefühl, daß bald irgend etwas passiert. Um mich herum ist ein Druck wie ein schwerer, schwarzer Himmel, kurz bevor ein Gewitter losbricht. Energie hat sich angestaut, und sie kann kaum noch zurückgehalten werden. Es gibt ein Zusammentreffen von Umständen. Menschen, Orte und Motive gleiten in eine Konfiguration: Die Einzelheiten sind mir nicht bekannt. Ich halte Ausschau nach Zeichen, aber ich weiß nicht, wonach ich suchen soll.

Als ich hier ankam, schlief ich in einem großen alten Cadillac. Er ist wie ein Boot. Er muß zwanzig Jahre alt sein. Er hat 67500 Kilometer auf dem Tacho und verläßt nur ganz selten einmal die Garage. Er hat noch die Original-Lederpolsterung. Ich kann mich auf dem Rücksitz ausstrecken und umgeben von dem beruhigenden Geruch nach altem Auto und Leder in den Schlaf gleiten. Ich habe diesen Geruch nicht mehr gerochen, seit ich ein

Kind war, und er hat seine geheime Bedeutung aus der Kindheit behalten. Er gibt mir die Illusion, vollkommen in Sicherheit zu sein!

Meine Sommer verbrachte ich auf dem Rücksitz eines Ford, nicht eines Cadillac. Mein Vater war ein schweigsamer, leichtsinniger Fahrer. An seinem Gesicht war nicht abzulesen, was er vorhatte. Bei einem Ausflug zum York Beach nahm er mich mit ins Meer. Ich war sieben Jahre alt und ganz verrückt nach dem Wasser, obwohl die größeren Wellen mich einschüchterten. Aber mein Vater hielt mich an der Hand, und wir ließen uns von ihnen tragen, wenn sie an den Strand rollten. Immer wenn eine Welle uns erreichte, zog er mich am Arm, und während ich nach oben schwebte, schwemmte die Welle meine Beine unter mir weg. Das eisige Wasser ging mir bis zur Brust, als mein Vater sich entschloß, mich loszulassen; ich weiß nicht, warum. Die nächste Welle warf mich um. Ich kam unter Wasser, aber ich fing in dem dunklen, stillen Wasser an zu treten und um mich zu schlagen, und einer meiner Schläge traf den Körper meines Vaters. Ich schlug noch einmal aus und traf ihn. Ich packte eine Handvoll Haut und zog mich näher an ihn. Ich schlang die Arme um seinen Nacken und hielt mich ganz fest. Es war nicht ein Gefühl vollkommener Sicherheit, und ich hätte ihn erwürgt, wenn mich das zurück an den Strand gebracht hätte.

Nachts ist die Garage vollkommen still und dunkel. Es ist sehr heiß, und der Geruch nach Leder und Öl erfüllt die Luft. Ich bin die Stille nicht gewohnt. Sie ist zu offen. Die Dunkelheit enthält zu viele Möglichkeiten. In der ersten Nacht hörte ich ein Flüstern. Die Worte waren undeutlich, und ich konnte sie nicht verstehen. Als ich mich aufs Lauschen konzentrierte, verschwanden die Geräusche, als ob diejenigen, die sich unterhielten, aufhörten zu sprechen, sobald sie spürten, daß ich aufmerksam war. Ich ließ mich in den Schlaf gleiten, und das Geräusch fing wieder an. Es schien von einer Seite zu kommen. Ganz langsam, so leise wie möglich, setzte ich mich auf und lehnte den Kopf an das Fenster auf der Beifahrerseite. Was ich gehörte hatte, war ein trockenes Kratzen an der Seitentür der Garage. Als ich mich bewegte, hörte es auf. Ich wartete, und schließlich hörte ich vom unteren Ende der Tür ein tiefes Schnüffeln.

Ich wußte, daß der Hund meine Witterung aufgenommen hatte, weil er plötzlich ganz ungeduldig wurde, und ich hörte, wie er mit seinen Pfoten an den betonierten Treppenstufen kratzte. Er kratzte an der Tür herum, stieß seine Schnauze durch den Spalt, und ich hörte, wie er die vertraute Mischung aus Öl, Zigaretten und Lederpolstern einsaugte und, unter diese scharfen Gerüche gemischt, den Schweiß eines Mannes. Er winselte frustriert, weil er nicht zu mir gelangen konnte. Er würde jeden Moment anfangen zu bellen. Ich schob mich, den Kopf voran, aus dem Fenster, und als meine Hände den staubigen Boden der Garage berührten, tastete ich mich auf ihnen vorwärts, bis auch meine Beine aus dem Auto waren. Die ganze Zeit über war der Hund still, lauschte aufmerksam auf meine Bewegungen. Ich legte meine Hände an den Spalt unten an der Tür. Der Hund war ängstlich, er schnupperte, dann sprang er zurück, kam wieder nach vorn, um noch einmal an mir zu riechen, schließlich zwängte er seine Schnauze in den Spalt, um noch einmal zu schnuppern. Dann leckte er mir die Finger.

Jetzt wußte ich, daß Gypsy einsam war. Als ich die Tür aufmachte, kam er mit angelegten Ohren und unsicher wedelndem Schwanz auf mich zu. Ein schwarzer Hund, eine Labrador-Mischung, leicht zufriedenzustellen. Ich ließ ihn zu mir kommen. Ich zeigte ihm meine Hände, bevor ich sie ausstreckte, um ihn zu streicheln. Als ich ihn fast berührte, bog er den Kopf ängstlich zur Seite, linste auf die Hand, die sich ihm näherte, war aber willens, das, was der Mensch ihm zufügen wollte, zu erdulden. Er trug seinen Namen auf einer runden Scheibe an seinem Halsband, aber er hieß nicht Gypsy. Vielleicht ist er registriert, und ich weiß, Sie wünschen sich nichts sehnlicher, als die Erlaubnisscheine für Hundehalter durchzusehen.

Ein Pfad führte von der Hintertür der Garage zum Haus, ich

rief leise Gypsys Namen und schob mich rückwärts durch eine Lücke in der Hecke, die entlang des Pfads in die Dunkelheit dieses vorstädtischen Hinterhofs führte. Ich kauerte mich auf den Fersen vor einen Baum, und Gypsy kam zu mir, diesmal zutraulicher, um die verschiedenen Teile meines Gesichts zu schmecken. Er leckte meine Wangen, und ich spürte, wie seine warme Zunge die Stelle zwischen Wange und Augenbraue überquerte und kurzzeitig im Augenwinkel meines geschlossenen Auges verweilte. Ich bin in diesen letzten paar Jahren nur sehr selten berührt worden. Niemand hat die Winkel meines Körpers geschmeckt. Ich denke darüber nach und frage mich, ob ich für Carol nahtlos war, ohne die Unterbrechungen der Oberfläche, die ihr erlaubt hätten, Erscheinungen zu erforschen, die mich erfahrbar gemacht hätten.

Gypsy war ein warmes Loch in der Dunkelheit einer toten Welt. Gelegentlich brach sich ein winziges Stückchen eines fernen Lichts in seinen Pupillen und zeigte mir seine funkelnden Augen. Zum erstenmal hörte ich das stetige Getöse von Insekten und ließ mich in dieses Geräusch hineinschmelzen, nur um seine Lücken und Unregelmäßigkeiten zu erfahren. Gypsy blieb an einem bestimmten Punkt im Schatten in der Nähe stehen, um die Erde mit ein paar Tropfen zu bespritzen. Später hörte ich das Rascheln des Laubs vom Vorjahr, als er die Grenzen seines Territoriums neben dem Maschendrahtzaun ablief. Ich starrte hinauf in den Nachthimmel, in die endlose Weite.

Oberhalb der Hecke in Richtung der Straße war der Himmel vom orangefarbenen Glühen der Stadt erhellt. Ich überlegte, wo in diesem Glühen Carol wohl war. Ich erwog die Möglichkeit, daß ich im Laufe des Tages eines der Sauerstoffmoleküle, die durch ihren Körper geströmt waren, eingeatmet hatte. Ich fragte mich, ob ich, wenn ich durch das Einkaufszentrum spazierte, meine Hand auf eine Stelle legte, die Carol berührt hatte. Ob das FBI – eine Spur verfolgend, verzweifelt hinter einem Fall her –, irgendwo auf einem Messinggeländer oder einem Schaufenster, wo meine Hand einen Moment geruht hatte, Fingerabdrücke finden würde, seine und ihre, in der Magie des Schicksals überlappt, miteinander verschmolzen.

Ich schaute nach oben in den Nachthimmel und hätte jaulen können wie ein Werwolf oder schreien wie ein Mann, der sich in einen Leichenschänder verwandelt, ein Mann, dem die Seele entrissen wurde. Ich stand unter dem Baum und streckte der blinden Natur meine Hände entgegen: Ich stand an der Klippe und bereitete mich darauf vor abzuheben, mich irgendeiner gütigen Macht im Universum auszuliefern, die mich retten könnte, mein Leben zu riskieren, um einen neuen Anfang zu gewinnen.

Tagsüber hielt ich mich im Kriechboden oberhalb der Garage auf. Es war eng und unbequem, und ich schwitzte in der heißen Luft, die sich unter dem Dach staute. Der größte Teil wurde von einem kleinen Boot eingenommen, das sie dort verstaut hatten, zugedeckt mit unterschiedlich langem Bauholz, das von irgendeinem Zimmermannsjob übrig war, und Gardinenstangen. Unter dem Staub hatte die Farbe noch ihren seidigen Schimmer, wahrscheinlich für ein Kind ein teures Geschenk, das kaum benutzt worden war. Wenn ich neben das Boot krabbelte, hatte ich einen guten Blick durch die Oberlichter der Räume auf der Rückseite des Hauses.

Das Haus war ein großes viktorianisches Gebäude, das einst renoviert worden war und in einer zweite Phase des Verfalls steckte. Es war mit dunklen Schindeln und grünen Zierleisten verkleidet, die zersplittert waren und an den spitzen Dachgesimsen und um die Fenster herum die weiße Spachtelmasse darunter entblößten. Nur ein Teil des Hauses war bewohnt. Ich konnte in die Küche sehen und in eine Art gemütliches Wohnzimmer im Erdgeschoß sowie in ein Schlafzimmer im ersten Stock, wo die Dame des Hauses nachts schlief. In den Schatten des alten Hauses sah sie aus wie Anfang Fünfzig. Sie war eine gutaussehende Frau mit hohen Wangenknochen und ausgeprägten Lippen. Sie verbrachte viel Zeit mit ihrer Erscheinung, saß morgens an ihrem Schminktisch vor dem Spiegel, um Grundierung und Lippenstift aufzutragen und verschiedene Dinge in ihrem restlichen Gesicht zu verteilen, die ich nicht erkennen konnte. Sie hatte ihr Haar rotblond gefärbt. Wenn sie aufstand, war es an ihrem Hinterkopf plattgelegen und stand an den Seiten ab, aber sie gab sich Mühe, es aufzutoupieren und es so in Form zu bringen, wie sie es haben wollte.

Sie schien kaum etwas zu essen, außer hier und da ein Stück Toast. Tagsüber ging sie regelmäßig zum Kühlschrank, um sich ein Glas Perrier einzuschenken, das sie dann aus einem Behälter mit Orangensaft auffüllte. Zuerst verstand ich das nicht, bis ich sah, daß sie ihren täglichen Bedarf wieder auffüllte, indem sie eine Flasche Wodka aus dem Keller holte und den Schnaps in die leere Perrierflasche goß.

Sie setzte sich eine Zeit für den ersten Drink. Ich beobachtete, wie sie immer öfter auf die Uhr schaute, wenn die Zeit näher rückte. Erst als ich das Haus betrat, fand ich heraus, daß sie eine Küchenuhr so eingestellt hatte, daß sie klingelte, wenn es Zeit war. Bis das Klingeln losging, wußte sie nicht so recht, wie sie sich die Zeit vertreiben sollte. Sie stand auf der Hintertreppe und rief nach Gypsy. Ich sah, wie er den Kopf hob und sie mehrere Sekunden lang von hinter der Hecke aus anschaute und dann in seinen Erkundungen fortfuhr. Sie ging wieder rein, und ich sah sie von einem Raum in den anderen gehen. Einmal stand sie, die Arme fest um sich geschlungen, in einem Kimono am Schlafzimmerfenster. Sie starrte wütend aus dem Fenster, schüttelte gelegentlich den Kopf und murmelte vor sich hin. Dann drehte sie sich, aufgeschreckt von dem Klingeln, plötzlich um.

Erst wenn das Klingeln losgeht, fängt Debbies Tag wirklich an. An diesem ersten Tag war sie verwirrt, weil sie, ihren eigenen Regeln folgend, angezogen sein muß, bevor sie sich den ersten Drink genehmigt. Wenn es klingelt, gibt sie zwei Eiswürfel in ein hohes Glas, gießt Wodka hinein, dann Orangensaft, rührt die Mixtur mit einem speziellen, langen Löffel um und hebt ihren mageren Arm, um das Glas gegen das Licht zu halten und die Farbe der Flüssigkeit beurteilen. Nach diesem Ritual ist sie bereit, sich ins Wohnzimmer zurückzuziehen, wo sie den Fernseher einschaltet, es sich im Lehnstuhl gemütlich macht und die Füße auf einen Polsterhocker legt. Bis dahin ist Gypsy gewöhnlich zurück, und sie tätschelt ihm liebevoll den Kopf, bevor sie zum ersten Mal das Glas an die Lippen führt.

Es ist eine ruhige, heruntergekommene Gegend. Morgens gibt es kaum Verkehr auf der Straße. Ein brauner UPS-Wagen kommt gegen zehn und liefert Päckchen mit dem aus, was die Leute aus Katalogen bestellt haben; eine oder zwei Stunden später dreht der Briefträger seine Runde. Es sind kaum Kinder auf der Straße. Es ist eine Gegend, wo ältere Leute wohnen, wo die Frauen zu Hause bleiben und wo ein einzelner Mann, der den Gehweg entlangspaziert, mit Sicherheit Aufmerksamkeit erregt, was bedeutet, daß ich, als ich einmal in der Garage war, erst wieder in der Dunkelheit rauskommen konnte.

Debbie hätte nichts bemerkt. Sie war vollauf mit *Schatten der Leidenschaft* und *Zeit der Sehnsucht* beschäftigt. Während der Werbepause in *Reich und Schön* lief sie in die Küche, um ihr Glas aufzufüllen. Zu Beginn von *Jung und Leidenschaftlich* ließ sie Gypsy wieder raus, und wenn die Serie zu Ende war, döste sie allmählich ein.

In den letzten Tagen habe ich von der Hand in den Mund gelebt. Abends trank ich warmes Wasser, das sich in dem aufgerollten Gartenschlauch eines Gartenhauses abgesetzt hatte. Vor zwei Tagen hatte ich zum letzten Mal etwas gegessen, aus einem Müllcontainer hinter einem chinesischen Restaurant. Als ich sah, wie Debbie in dem Lehnstuhl eindöste, wußte ich, daß das, wenn ich nicht warten wollte, bis die Nacht hereinbrach, die einzige Chance war, die ich kriegen würde. Sobald ich aus der Seitentür der Garage trat, kam Gypsy zu mir. Er schnupperte an mir und wedelte mit dem Schwanz, war aber immer noch ein bißchen ängstlich, als ich stehenblieb, um ihn am Kopf zu streicheln. Dann folgte er mir glücklich den Pfad entlang zur Hintertür. Er protestierte nicht, als ich die Fliegentür aufmachte, um hineinzugehen.

In der Küche beobachtete Gypsy mich einen Moment, aber als ich mich nicht bewegte, ging er zu seinem Napf und fing an, den Rest seines Frühstücks zu fressen. Ich hätte mir das, was ich brauchte, holen und in die Garage zurückgehen sollen. Ich brauchte Lebensmittel, aber das war nur ein Köder, um mich zu meinem Schicksal zurückzulocken, um mich in den Strom zurückzulocken, in die Mitte des Flusses, wo die Ereignisse am schnellsten dahineilten. Ich wußte, was ich tat. Ich war mir des Risikos, das ich auf mich nahm, indem ich einen Fuß in dieses Haus setzte, bewußt.

Ich ging langsam auf das Wohnzimmer zu. Das Haus roch – sogar im Juli – muffig und verwahrlost. Aus dem Fernseher drang der Beifall aus irgendeiner Gameshow und übertönte alle Geräusche, die mir über Debbies Zustand hätten Auskunft geben können. Als ich um die Ecke bog, lag sie im Lehnstuhl und schlief mit offenem Mund. Ich beugte mich über sie, und da verstopfte etwas ihre Kehle, und sie hielt so lange die Luft an, daß sie beinahe wach wurde, aber es ging vorbei, und sie atmete normal weiter.

Sie war zehn Jahre älter, als sie von meinem Beobachtungsposten in der Garage aus ausgesehen hatte. Die Haut an ihren Mundwinkeln war schlaff. Unter ihren Augen waren Tränensäcke, die sie mit Make-up abgetönt hatte, aber so, wie sie den Kopf nach hinten gelegt hatte, wirkte der Trick aus der Nähe nicht. Ihre äußere Erscheinung war noch verzweifelter und hoffnungsloser. Die Zuschauer im Fernsehen klatschten frenetisch, und Debbie bewegte sich und seufzte. Ich ging um den Lehnstuhl herum hinter sie. Bislang hatte ich den Fernseher nicht beachtet. Es war ein altes Modell mit einem großen Bildschirm, der in einen hölzernen Schrank mit schrägen Beinen eingebaut war. Das Bild, das sie eingeschaltet hatte, um den Tag davor zu verbringen, war in unheimlichen Pink- und Grüntönen gehalten, so daß die Teilnehmer aussahen, als wären sie von einem fremden Planeten rekrutiert worden.

Ich verließ sie und ging zurück in die Küche. Gypsy kam zu

mir, als ich die Tür des Kühlschranks öffnete, und wedelte hoffnungsvoll mit dem Schwanz. Es gab ein bißchen Mortadella, die scharf roch, und ich gab ihm eine Scheibe davon. Er packte sie mit seinen Zähnen und lutschte und schnappte die Scheibe Zentimeter für Zentimeter, während ich Milch direkt aus der Flasche trank. Ich klappte zwei Scheiben Brot zusammen und tunkte sie in die Mayonnaise. Mit einem Finger löffelte ich Erdnußbutter direkt aus dem Glas. Im Brotkasten hatte ich ein paar Törtchen zum Auftoasten gefunden, und ich stopfte mir gerade eines davon in den Mund, als mir bewußt wurde, daß Gypsy, der bis dahin jede meiner Bewegungen aufmerksam verfolgt hatte, mich nicht mehr beachtete.

Ich sah mich nicht sofort richtig um. Ich überlegte, wie lange sie da wohl schon stand, mitten in der Tür. Schließlich schluckte ich den Mundvoll Kuchen und drehte mich um. Da war niemand. Ich hörte ihre Schritte aus dem vorderen Teil des Hauses und dann, wie die Haustür geöffnet wurde. Dann machte sie die Tür zu und schloß sie ab. Wahrscheinlich war sie direkt an der Küche vorbeigegangen, ohne mich zu bemerken; aber das war auch nicht wahr. Sie kam mit einer Handvoll Briefe und der zusammengefalteten Zeitung durch die Halle zurück und warf einen Blick in die Küche. Sie hielt inne und sah aus, als wollte sie etwas sagen, dann überlegte sie es sich anders und ging statt dessen ins Wohnzimmer.

Sie schaltete den Fernseher aus, und ich wartete in der plötzlichen Stille, stellte mir vor, wie sie das Telefon fest ans Ohr drückte, dem Klingeln lauschte und darauf wartete, daß die Polizei am anderen Ende abhob. Ich hörte das Knistern, als sie die Zeitung bei den Todesanzeigen aufschlug, dann war es wieder still. Ich hätte durch die Hintertür hinausschlüpfen können, aber ich habe keinen anderen Ort, an den ich gehen kann, oder eine andere Zukunft. Das ist jetzt nicht die Zeit wegzulaufen, sondern mich tiefer in die Dinge, die um mich sind, hineinzubegeben. Ich hörte Debbies frustrierten Seufzer, dann legte sie die Zeitung zusammen und warf sie zur Seite.

Sie stand in der Küchentür und hatte die Augen zusammengekniffen, entweder aus Verwirrung oder weil sie kurzsichtig war.

»Haben Sie mir nicht wenigstens etwas zu sagen?« beschwerte sie sich.

»Es tut mir leid«, sagte ich zu ihr.

Sie schien darüber nachzudenken. »Na ja, wenigstens haben Sie so viel Anstand, sich zu entschuldigen.«

»Er sah hungrig aus. Und Sie waren eingeschlafen.«

Sie beugte sich vor, und Gypsy wedelte bei so viel Aufmerksamkeit mit dem Schwanz. »Warst du hungrig, Prinz?« Als sie ihn Prinz nannte, legte er den Kopf schief und ließ den Schwanz hängen. »Warst du das?«

»Ich dachte, sein Name sei Gypsy«, sagte ich. »Das steht auf der Plakette dort an seinem Halsband.«

Sie zauste ihm das Nackenfell und kraulte ihm die Ohren. »Prinz. Gypsy.« Er schaute hoch, als sie seinen Namen nannte. »Wie auch immer, er hat verschiedene Namen. Nicht wahr? Du bist für mich der Prinz, nicht wahr?«

Als sie sich wieder aufrichtete, schaute sie mich lange an, als müßte ich ihr bekannt vorkommen.

»Ich mache nachmittags immer ein kleines Nickerchen«, erklärte sie mir.

»Ich wollte Sie nicht stören. Ich habe in den Kühlschrank geschaut und etwas Frühstücksfleisch gefunden. Davon habe ich ihm ein Stück gegeben.«

»Jetzt haben Sie einen Freund fürs Leben.«

Sie betrachtete meine Kleider. Ich spürte, wie ich ihr immer verdächtiger vorkam, dann sah sie sich meine Hände an und warf wieder einen Blick in mein Gesicht.

»Wo haben Sie Ihr Werkzeug«, wollte sie wissen.

»Im Keller.«

Sie wollte etwas sagen, dann hielt sie inne, um darüber nachzudenken. »Die Geschirrspülmaschine ist da drüben«, sagte sie. Sie wartete, ob ich ihr soweit folgen konnte.

»Richtig.«

In ihren Augen war ein Glitzern. »Was macht Ihr Werkzeug denn dann im Keller, wenn das Gerät, das repariert werden muß, hier oben in der Küche steht?«

»Wegen der Anschlüsse. Ein Teil des Problems hängt mit der Schaltung unten im Keller zusammen.«

Sie nickte. Ich warf einen Blick auf die zwei Türen und fragte mich, welche wohl die Speisekammer war und welche zur Kellertreppe führte.

»Ich dachte, Sie wären längst fertig«, sagte sie.

»Noch nicht ganz«, erwiderte ich. »Eine Kleinigkeit noch.«

»Und wieviel? Wir haben nicht den ganzen Tag Zeit, wissen Sie.«

Ihr Mund öffnete sich zu einem trägen Lächeln. Sie sah an mir hoch und runter. Sie war sechzig, und sie sah mich genauer an. »Nur damit Sie wissen, daß ich Sie nicht nach Stunden bezahlen werde.«

»Es ist ein bißchen komplizierter, als ich dachte.«

»Verstehen Sie mich nicht falsch. Ich habe nichts dagegen, einen Mann im Haus zu haben.«

Sie lächelte und schob die Hüften hin und her. Sie hatte eine gute Figur, und ich ließ sie spüren, daß ich sie anschaute.

»Wenn ich das Problem mit dieser Schaltung nicht löse, muß ich morgen wiederkommen, um alles fertig zu machen.«

»Sie können morgen wiederkommen, aber ich muß Sie bitten, daß Sie heute bis halb vier fertig sind. Ich habe um vier einen Friseurtermin, und Sie müssen um halb vier fertig sein.« Wir wandten uns beide zu der Uhr über dem Herd zu.

»Oh, mein Gott!« rief sie.

»Sie haben noch Zeit genug«, sagte ich zu ihr.

»Sehen Sie doch!« Sie wandte sich besorgt zur Tür um.

»Sie schaffen's schon.«

»Ich hab nur fünf Minuten, um mich fertig zu machen! Das reicht niemals. Und das Auto muß warmlaufen.«

»Ich fahre Sie«, sagte ich.

Sie wandte sich, plötzlich von Hoffnung beseelt, zu mir um. »Ich glaube nicht, daß ich in Ihr Auto steigen könnte. Ich bin da ziemlich altmodisch.«

»Einverstanden. Wir nehmen Ihres.«

»Würden Sie? Macht das nicht zu viele Umstände?«

Unterwegs erzählte Debbie mir, daß sie schon seit zwanzig Jahren zum gleichen Schönheitssalon ging.

»Die verstehen meinen Hauttyp«, sagte sie.

»Man sieht's«, sagte ich zu ihr.

»Oh, oh. Sie Lügner!« kicherte sie.

Der Schönheitssalon lag in einer kleinen Einkaufspassage, die fast von dem Einkaufszentrum, das davorgebaut worden war, verschluckt wurde. Es gab dort auch noch eine Reinigung, einen Schuhladen mit Sonderangeboten und einen Laden, der Baseballkarten und Comics verkaufte.

»Und Sie sind sicher, daß es Ihnen nichts ausmacht, auf mich zu warten?« fragte sie.

»Kein Problem. Ich habe ein paar Sachen im Einkaufszentrum zu erledigen.«

»Es könnte 'ne Weile dauern. Wunder brauchen ihre Zeit, wissen Sie.«

»Ist in Ordnung!«

Sie lachte, ihre Augen fest auf mein Gesicht gerichtet. »Wissen Sie«, sagte sie, »aus irgendeinem Grund denke ich dauernd, Sie heißen Jack. In Gedanken nenne ich Sie Jack.«

»Dan«, sagte ich, als wollte ich sie erinnern, obwohl sie mich nicht nach meinem Namen gefragt hatte.

Wir stiegen aus dem Auto, und sie wartete, bis ich abgeschlossen hatte, und streckte die Hand nach den Schlüsseln aus. »Also, bis nachher.«

»Warten Sie«, sagte ich, als sie gehen wollte, und sie drehte sich verwirrt um. »Wenn die fertig sind, wie soll ich Sie denn dann erkennen?«

Sie lächelte, aber ich merkte, daß ich es übertrieben hatte. Als ich sie verließ, hatte ich das Gefühl, unter dem Haartrockner könnte sich in ihrem Kopf alles entwirren. Es bereitete Debbie kein Kopfzerbrechen, daß das, was zwischen uns hin und her ging, keinen Anfang hatte, aber die Zukunft, und ich mit ihr, neigte ebensosehr dazu, aus ihrem Blickfeld zu verschwinden. Als ich ihr zuschaute, wie sie – auf ihren Pumps trippelnd, die Handtasche fest unter den Arm geklemmt – zu ihrem Termin eilte, überlegte ich, ob es ihr aufgefallen wäre, wenn ich die Schlüssel behalten hätte. Ich hatte noch nie das Gefühl, daß mein Schicksal sich auf etwas derart Fragwürdiges gründete, auf etwas, was gegenüber dem Einfluß kleiner Zufälle so offen war wie Debbies zerbrechliche Fähigkeiten. Während ich zur Hintertür des Einkaufszentrums ging, hatte ich das Gefühl, mein Leben hinge an einem seidenen Faden.

Das Einkaufszentrum war ein sehr gefährlicher Ort, zu viele Menschen, die mich erkennen konnten. Es war ein bißchen wie in Denning. Sie hatten sogar Sicherheitskräfte, die an den Ausgängen herumhingen, obwohl diese hier junge Burschen waren, die sich die meiste Zeit mit ihren Freunden unterhielten. Sie trugen nur Schlagstöcke, und sie sahen nicht aus, als könnten sie damit umgehen.

Oberflächlich betrachtet war die Sicherheit locker, und es waren nicht die Menschen in Uniform, die mich beunruhigten. Unter der Oberfläche war das Einkaufszentrum ein Ort, aus dem man nur sehr schwer schlau wurde. Nichts passierte, alles passierte. Es war ein geschlossener Raum mit vielen Menschen, die herumliefen und kaum etwas anderes zu tun hatten, als sich in anderer Leute Angelegenheiten zu mischen und Ärger zu machen. Die meisten Männer sahen in ihren Sommershorts aus wie Milchgesichter, als würde man sie mästen. Die Frauen stolzierten herum, zurückhaltend und zielstrebig. Sie schritten mit ihren Einkaufstaschen durch die Menge, setzten ihre Füße in den hochhackigen Schuhen mit einem herzlosen Klicken fest auf den Boden auf oder bewegten sich in leisen Turnschuhen.

Unter der Oberfläche wimmelte es in dem Einkaufszentrum von Signalen. Es war schwierig, die Menschen im Auge zu behalten, die möglicherweise etwas miteinander zu tun hatten, weil ich mir anfangs nicht sicher war, ob ich wußte, wie ich sie entdecken sollte. Zwei oder drei Menschen näherten sich einander auf eine Art, die wirkte wie ein vorher verabredetes Muster. Dann gingen sie in verschiedene Richtungen auseinander, ohne sich gegenseitig auch nur eines Blickes zu würdigen. Ich hatte das überwältigende Gefühl, daß etwas im Gange war. Aber egal, was ich tat, ich kam nicht dahinter. Ich sagte mir, daß es nicht notwendigerweise etwas mit mir zu tun haben mußte, aber immer, wenn ich mir gerade vernünftig zugeredet hatte, wurde ich von dem Gefühl übermannt, hinter meinem Rücken ginge etwas sehr Wichtiges, das etwas mit mir zu tun hatte, vor sich.

Ich hatte das konstant nagende Gefühl, eine Nachricht, die entscheidend war für meine Zukunft, zu übersehen. Ich dachte, das hieße Carol. Es war, als würde ich mitten in einer von Debbies Gameshows leben, bei der alles auf dem Spiel stand. Ich hatte die Vokale, aber sie ergaben keinen Sinn, doch ich war kurz davor, es zu verstehen. Alles, was ich brauchte, war ein passender Konsonant, aber ich bekam keinen.

Menschen haben die merkwürdige Fähigkeit zu spüren, wenn jemand sie ansieht. Man fühlt es sofort, dennoch ist es phänomenal, mit welcher Exaktheit man selbst aus einiger Entfernung weiß, daß jemand einen ansieht und nicht den Menschen, der neben einem steht. Wenn Menschen einen direkt anschauen, sieht man ihre Pupillen als perfekte Kreise; wenn sie auf etwas neben einem schauen, ist das, was man von ihren Augen sieht, eine Ellipse. Und der Unterschied zwischen einem perfekten Kreis und einer sehr breiten Ellipse, die nur einen halben Millimeter kleiner ist als ein Kreis? Für das bloße Auge? Auf zehn Meter? Unmöglich, das geht über die Auflösung des menschlichen Auges hinaus und grenzt ans Unheimliche.

Unter den richtigen Umständen kann dieses Phänomen – daß man weiß, wenn einen jemand anschaut – sensible Menschen dazu bringen, über die Möglichkeit von Telepathie nachzudenken. Ich weiß, daß es lächerlich ist, an Telepathie zu *glauben*. Aber es ist nicht verrückt, die *Möglichkeit* von Telepathie zu erwägen und sich davor in acht zu nehmen.

Viele Menschen im Einkaufszentrum schauten mich an. Normalerweise war das nicht mehr als ein flüchtiger Blick. Die Leute schlendern in das Einkaufszentrum hinein und schauen die Leute an, die an ihnen vorbeigehen. Aber wenn viele Menschen einen anschauen, fragt man sich doch, warum. Es kann einen unsicher machen. Man fragt sich, was man an sich hat, daß sie einen rauspicken. Man ertappt sich dabei, daß man gegen seinen Willen und sogar gegen besseres Wissen über die Möglichkeit einer *Abmachung* nachdenkt.

Ich prägte mir Gesichter ein. Ich versuchte, mich zu erinnern, wer mit wem zusammen war. Ich sah mir jeden, der auf mich zukam, genau an, und dann jeden, der von mir wegging, und alle Menschen, die herumschlenderten und so aussahen, als würden sie sich Schaufensterauslagen ansehen. Ich änderte in unvorhersehbaren Mustern die Richtung. Wenn etwas vor sich ging, würde es früher oder später eine Unachtsamkeit geben, und die würde ich mitbekommen.

In erster Linie suchte ich in der Menge nach bestimmten Gesichtern. Ich bin Ihnen immer noch einen Schritt voraus, und mehr braucht es nicht. Ein Schritt ist alles, was ich benötige.

Ich war immer noch hungrig. Ich mußte mir eine Stunde um die Ohren schlagen, bis Debbie fertig war, und ich hatte genug Geld für ein Eis. Bei Brigham's wartete ich in einer Schlange, die von der Theke bis zur Tür reichte. Ich lümmelte mich an die Theke und versuchte, die Stimmen der glücklichen Menschen an den Tischen hinter mir auszuschalten. Sie sahen auf, als ich reinkam, aber nicht alle auf einmal; ein Mensch warf einen Blick in meine Richtung, dann sah er wieder nach unten; danach hob ein anderer seinen Kopf und schaute fast sofort wieder weg; dann schien eine andere Person, die sich unterhielt, zu zögern und nach einem Wort zu suchen, ihre Augen huschten über mich hinweg, und dann redete sie dort weiter, wo sie aufgehört hatte.

Man konnte fast eine Reihenfolge erkennen, wie bei einer richtigen Mannschaft. Ich weiß nicht, wie sie es koordinierten. Ich weiß nur folgendes: Immer wenn ich hochsah, schien irgend jemand in meine Richtung zu schauen.

Ich stand am Tresen, und direkt hinter mir war eine Gruppe Mädchen, schätzungsweise im Collegealter. Sie waren selbstbewußt und hübsch, und unter dem Lächeln, das sie sich gegenseitig schenkten, waren hundert geheime Bedeutungen verborgen. Ich wandte ihnen den Rücken zu und versuchte, sie zu ignorieren, aber sie grinsten blöde. Ich dachte, sie würden mich necken, weil ich allein war, aber ich würde mich nicht in etwas hineinziehen lassen. Ich reagierte nicht einmal, als eine von ihnen in ihrem Erzählstrom den Namen Carol fallen ließ.

»Nein!«

»Das hat sie aber gesagt.«

»Hat sie nicht! So was würde sie nie tun. Ich glaub das nicht.«

»Ich erzähl dir nur, was Carol gesagt hat.«

»Und was?«

»Sie gingen in ein Motel.«

»O Gott!«

»Es ist wahr!«

»Sie ist nicht sein Typ.«

»Bobby hat die Autos vor dem Zimmer auf dem Parkplatz gesehen. Seines und ihres.«

Es war Klatsch. Ich verstand nicht alles, aber ich bekam das stereotype Vor und Zurück mit, den Chor mechanisch heruntergerasselter Zweifel, und immer die Bitte um mehr. Es war eine Fassade. Der Klang der Stimme war leicht und lachend, aber ich wußte, wenn ich hinter mich sehen könnte – wenn ich mich so schnell umdrehen könnte, daß sie keine Zeit hätten, ihre Gesichter zurechtzurücken –, würde ich den Ausdruck von Geringschätzung sehen und eine schwache Ahnung davon bekommen, daß sie nicht miteinander sprachen, sondern mir ihre Worte wie Spucke in den Rücken schleuderten.

Die Botschaft der Schwesternschaft war nicht besonders subtil. Sie nannten mich einen Narren. Sie erzählten mir, daß Carol mich benutzt hatte. Sie versuchten, mich zu provozieren, und dachten, wenn sie mich quälten, würde ich mein wahres Selbst zeigen. Und die geringste öffentliche Aufmerksamkeit würde mich zurück nach Denning verfrachten. Alle Menschen rundherum schienen zu wissen, wie die Wetten liefen.

Als ich an der Reihe war, brach die Unterhaltung hinter mir ab, als wollten sie meine Stimme ohne die Hintergrundgeräusche hören, um die Nuancen des Ausdrucks von Schwäche, von Dummheit zu analysieren. Ich bestellte Chocolate Chip in einer Waffel. Sobald ich den Mund aufmachte, hörte ich, wie das Gekicher hinter mir wieder einsetzte. Ich spürte ihren Spott auf der Haut an meinem Rücken, ein juckendes, kriechendes Glühen wie von einem Sonnenbrand – ein Brand der Scham. Aber ich weigerte mich, mich provozieren zu lassen. Ich würde mich nicht zu ihnen umdrehen.

»Der andere.«

»Welcher andere?«

»Sie geht mit beiden gleichzeitig?«

Ich zog eine Serviette aus dem Spender. Ich wollte mich umdrehen und aus dem Restaurant gehen, aber ich blieb stehen, um die Serviette um die Spitze der Waffel zu wickeln und zu lauschen. Ich hätte nicht nachgeben sollen. Es war Schwäche.

»Er ist reich«, sagte eines der Mädchen.

Vielleicht sagte sie es auch gar nicht, weil sie es nicht aussprechen mußte, »er ist reich«, oder »er ist Rich.«

Sehen Sie, wovon ich umgeben bin? Da waren Lügen, aber ich ließ es zu, daß sie in meinen Kopf eindrangen.

»Sie sagt, sie liebt ihn.«

»O ja.«

»Welchen?«

»Den mit dem Mercedes, natürlich.«

Allmählich ging die Unterhaltung zu Themen über, denen ich nicht folgen konnte, wie wenn man über den Bootsrand sieht, während man sich vom Ufer entfernt und den Punkt erreicht, an dem man den Meeresboden nicht mehr erkennen kann, sondern nur das tanzende Spiegelbild der Meeresoberfläche, die den Himmel und die Wolken reflektiert.

Nach Brigham's ging ich ziellos umher, lief in dieser gigantischen Maske herum. Die Luft war klimatisiert. Ich hatte das Gefühl, mich durch ein dichtes, psychologisches Medium zu bewegen, als wäre die Menschlichkeit eine Substanz. Ich blieb vor Schaufenstern stehen und versuchte, Bummler auszumachen, die ebenfalls stehenblieben. Ich hatte das überwältigende Gefühl, daß alle wußten, wer ich war, daß alle wußten, daß die anderen es wußten, daß aber niemand es zugeben würde. Ich bewegte mich innerhalb eines Diagramms, in dem Linien in stillschweigendem Einverständnis jeden einzelnen mit allen anderen verbanden. Ich stand allein. Der Druck war kaum noch auszuhalten. Mehrmals war ich kurz davor zusammenzubrechen. Carol war ehrlich zu mir, sie liebte mich mit dem gleichen glühenden Glauben, mit dem ich sie zärtlich liebte. Daran klammerte ich mich.

Ich verließ das Einkaufszentrum durch den Hinterausgang und ging zu der Passage. Es konnte gut sein, daß Debbie vergaß, daß es mich gab, und ohne mich wegfuhr, wenn ich nicht vor ihr wieder am Auto war. Ich weiß jetzt, daß es auf Messers Schneide stand, ob sie, wenn sie mich sah, sich überhaupt noch daran erinnerte, wer ich war. Ich schaute mir im Bastelgeschäft die Modellbausätze für Flugzeuge an, von wo ich einen guten Blick auf den Parkplatz und auf Debbies Caddie hatte. Auf dem Parkplatz war ziemlich viel los, so daß es einfach war, Leute auszumachen, die nur herumhingen, und ich erkannte keines der Autos. Ein Lieferwagen mit der Aufschrift eines Elektrikers auf der Seite hätte ein Überwachungsfahrzeug sein können, aber ich ging nicht davon aus, daß die Polizei versuchen würde, mich mit nur einem Auto zu schnappen, und die anderen wären nicht so geschickt vorgegangen.

Der Mann im Hobbyladen hatte mich bereits zweimal gefragt, ob er mir helfen könnte, als Debbie in mein Blickfeld trippelte.

Sie ging schnell, und ihre entschlossene Kopfhaltung verriet, daß sie einen erfrischenden Drink aus dem Kühlschrank im Sinn hatte.

»Sie sehen großartig aus«, rief ich ihr von der anderen Seite des Autos zu.

Sie stand mit dem Rücken zu mir und suchte nach dem Schlüssel, um die Tür aufzuschließen. Sie drehte sich um, unsicher, wer ihr das Kompliment gemacht hatte. Ich ging um das Auto herum auf ihre Seite, so daß sie mich besser sehen konnte.

»Oh, Sie!« sagte sie und starrte mich an. Sie lächelte erwartungsvoll, unbestimmt, hoffte, ich würde die Leere füllen.

»Also, Sie haben doch nicht gedacht, ich würde Sie allein nach Hause fahren lassen, nicht wahr?«

»Man weiß nie«, sagte sie vorsichtig.

Sie war mißtrauisch, aber sie wollte keinen Anstoß erregen. Sie schien Erfahrung mit solchen Situationen zu haben: sich ihren Weg ertasten, auf Zeit spielen, nichts verraten. Sie hatte herausgefunden, daß sich die Menschen früher oder später selbst erklärten, wenn man bereit war abzuwarten.

»Ich muß zum Geschirrspüler zurück«, sagte ich.

»Das stimmt.«

Sie schaute mir angestrengt ins Gesicht, aber ich glaube nicht, daß es irgendeine Erinnerung hervorrief. Jedenfalls lächelte sie mir ins Gesicht, und ich streckte die Hand aus, um nach dem Gewirr von Schlüsseln zu greifen, aber sobald sie spürte, daß ich sie ihr aus den Fingern nehmen wollte, zog sie sie mit einem Ruck weg.

»Es ist Zeit, daß wir nach Hause fahren«, erinnerte ich sie. »Glauben Sie nicht?«

»Ich weiß das.«

»Ich würde mich glücklich schätzen zu fahren, wenn Sie erlauben.«

Sie war immer noch unentschlossen. »Aber, kann ich Ihnen vertrauen?« fragte sie. Es fing an wie ein Gedanke, der sich in Sprache verwandeln wollte, aber sie drehte sich, und es endete in einem Flirt. Sie hatte eine Hand in die Hüfte gestemmt und ein Lächeln auf den Lippen. »Das ist die Frage.«

»Ich weiß nicht«, sagte ich. »Möchten Sie wild und gefährlich leben?«

Sie warf mir die Schlüssel zu. »Vergessen Sie nur nicht, daß ich Sie nicht nach Stunden bezahle.«

»Entspannen Sie sich«, sagte ich, während ich schwungvoll die Tür aufmachte, »das läuft alles unter Garantie.«

Abends vertreibe ich mir die Zeit im Keller damit, in Schachteln mit alten Fotos zu stöbern und mir Highschool-Jahrbücher und andere Erinnerungsstücke anzusehen. Merkwürdig, ich finde im Haus keine einzige Spur der Person in den Jahrbüchern. Außer Debbies Zimmer und einem anderen im ersten Stock sind die Schlafzimmer alle anonym. Sogar als Gästezimmer mangelt es ihnen an Charme und Wärme. Das andere Schlafzimmer im ersten Stock gehörte Jack, Debbies letztem Mann. Den Kleidern nach zu urteilen, die in seinem Schrank hängen, war Jack ein Mann mit einem teuren Geschmack. Es gibt ein Gestell mit eleganten Schuhen, die mir perfekt passen. Alles in dem Haus ist von bester Qualität, aber zwanzig Jahre aus der Mode.

Im Laufe des Abends schnüffelt Gypsy immer wieder an der Kellertür, und ich höre Debbie rufen: »Prince, geh da weg! Du bekommst Tollwut!« Er ignoriert sie, obwohl er überraschend folgsam ist, wenn sie ihn bei seinem richtigen Namen ruft. Ich frage mich, wer ihn erzogen hat. Debbie nicht. Es tut mir leid, sagen zu müssen, daß er zu jung ist, als daß sie die Person in den Jahrbüchern sein könnte.

Ich höre die Schritte von Debbies Ausflügen zum Kühlschrank, und im Laufe des Abends werden sie immer langsamer und schlurfender. Wenn ich das Gefühl habe, daß sie endlich eingeschlafen ist, gehe ich hinauf. Ich habe es übernommen, sie in ihr Bett zu tragen und sie zuzudecken. Sie wacht kaum auf. Die Geste scheint ihrem Naturell perfekt zu entsprechen, und morgens hat sie keine Erinnerung daran. Für Debbie ist jeder Tag ein neuer Tag.

Ich lasse Gypsy ein letztes Mal raus und schaue mir den Nachthimmel an, während er sein Geschäft erledigt. Drinnen begleitet er mich, während ich die Eingänge des Hauses sichere. Die Fenster sind solide und können nicht aufgebrochen werden, ohne Lärm zu machen. Die Haustür ist aus Eiche und könnte ebensogut für eine Burg gemacht sein. Die Kellerfenster sind aus Eisen, aber eines der Scharniere ist fast abgerostet. Die meisten Sorgen mache ich mir über die Küchentür. Das Schloß ist zerbrechlich und würde beim geringsten Stoß nachgeben, deshalb klemme ich einen Stuhl unter die Klinke, um die Tür zu blockieren, und nehme ihn morgens, bevor Debbie aufsteht, als erstes wieder weg.

Bevor ich in den zweiten Stock gehe und mich schlafen lege, gehe ich durch das stille Haus. Das orangefarbene Licht der Straßenlaternen verleiht den Räumen etwas Unheimliches. Sie wirken nicht real, sondern so, als wären sie für eine Ausstellung im Smithsonian Institute unter dem Thema »Wohnzimmer, ca. 1970, nordöstliches Amerika« eingerichtet worden. Es ist sehr schwierig, etwas zusammenzustellen, was einwandfrei typisch ist. Das kleinste Detail zerstört den Gesamteindruck. Tagsüber denke ich darüber nach, wie ich Ereignisse arrangieren soll, und nachts, wenn ich durch dieses Haus gehe, frage ich mich, ob ich mitten in einem sorgfältig arrangierten Täuschungsmanöver lebe. In der Diele steht eine tickende Uhr. Während alle anderen im Haus schlafen, tickt die Uhr durch die Nacht. Das Ticken hat etwas Beruhigendes und Gemütliches. Aber warum ist da eine Uhr, die tickt, wo wir heutzutage doch schweigende, von Elektrizität angetriebene Uhren haben? Die Dinge können so typisch sein, daß sie schon wieder etwas Befremdliches an sich haben. Wenn ich durch diese seltsamen, orangefarbenen Räume wandere, trifft es mich, daß man so leicht auf die äußere Erscheinung der Dinge hereinfällt, genarrt von ihren klaren, viereckigen Abschlüssen, und die Tatsache völlig aus den Augen verliert, daß eine gegebene Situation sehr leicht umschlagen kann.

Daß die behagliche Szene sich herumrollt wie das Drehen und

Strecken eines Schönheitsfehlers in einer Glasscheibe. Daß sie sich komplett herumdreht und eine Rückseite zeigt, die sehr viel bedrohlicher ist, wenn man einen Blick darauf werfen könnte.

Baruk will Nandos Geld. Viele Räder drehen sich. Baruk ist nur ein kleines Rädchen. Hier ist etwas, um den Schlund der Schicksalsmaschine zu öffnen.

»Machst du Massagen, Dan?« fragte Diego mich. Er reckte sich und schaute mich, ein kleines, geheimes Lächeln auf den Lippen, aus schläfrigen Augen an.

Das war etwa um die Zeit, als Carol anfing, mit mir über Flucht zu sprechen.

»Nein«, sagte ich. Ich hatte gerade seine Vitalfunktionen überprüft und packte meine Geräte wieder auf den Stationswagen.

»Ich wollte dir etwas sagen«, sagte Diego. »Etwas, was gut für dich sein könnte.«

»Es ist nicht gut, allzuviel zu wissen«, entgegnete ich.

»Das ist gut, glaub mir. Es ist das, was alle wissen wollen.«

Er merkte, daß ich zu wenig wußte, als daß er mich mit winzigen Stückchen von Information hätte interessieren können.

»Ich muß bald gehen«, erklärte ich ihm. »Ich muß auch noch bei den anderen vorbeischauen.«

»Hör mir zu«, sagte Diego. »Das könnte sehr nützlich für dich sein. Du weiß es noch nicht, weil du nicht weißt, was hier abgeht, aber was ich dir sage, könnte zu einem bestimmten Zeitpunkt sehr wichtig sein.«

Ich setzte mich auf das Fußende des Bettes. Diego schob seine Füße weg, um mir Platz zu machen.

»Da war etwas, was wir auf die Beine stellen mußten, als Nando auf Kaution auf freiem Fuß war«, fing er an.

»Nando hatte sich entschlossen, sich bei der Anklage wegen Drogenhandels schuldig zu bekennen, so daß er für drei oder vier Jahre aus dem Verkehr gezogen würde. Nando – er ist eben, wie er ist – wurde auf fünf Jahre verknackt, weil man ihm keinerlei Strafnachlaß gewährte.

Eine Woche vor der Anhörung trafen wir uns also in diesem Restaurant an der Route eins.

Vera hatte es ausgesucht. Es ist ein blöder Laden, tut so, als wäre es ein französisches Cafe. Kellner in gestreiften Hemden. Es ist kein Gartenlokal, richtig? Ein Restaurant? An jedem Tisch steht ein Sonnenschirm!

Nando ist schlecht drauf. Er fühlt sich fehl am Platz. Das Restaurant ist halb leer, und die Kellner stehen herum und beobachten uns, weil sie sonst nichts zu tun haben. Vera ist locker. Sie könnte als Italienerin durchgehen. Nando ist farbig. Normalerweise bleibt er unter seinesgleichen. Er glaubt, die Kellner blicken auf ihn herab.

›Was ist das hier?‹ will er wissen.

›Was stimmt damit nicht?‹ fragt Vera. ›Was ist so falsch an ein bißchen Klasse?‹

Nando ist sauer. Er spürt, daß ihm das Unternehmen aus den Händen gleitet, und er ist noch nicht mal im Knast drin. Vera macht die Züge. Ich halte mich bedeckt. Nur wir drei, wie wir unter diesem dämlichen Schirm sitzen. Vera in der Mitte.

›Ist doch nichts dabei‹, sagte sie, ›wenn ich mich verbessern will, wenn ich etwas mit ein bißchen mehr Klasse will.‹

Sic macht mit dem White-Russian-Cocktail rum, den sie bestellt hat, rührt die Eiswürfel mit einem Stäbchen, das die Form des Eiffelturms hat. Nando schaut in das Glas, folgt jeder Bewegung ihrer Finger, beobachtet, wie sich die Eiswürfel im Kreis drehen. Er ist empört, daß sie diesen Mist trinkt. Es verletzt ihn.

Sie ist seine Cousine, und er liebt sie. Er ist alt genug, daß er ihr Vater sein könnte, und Vera ist seine Cousine; das ist keine gute Situation. Sie reizt ihn mit ihrem italienischen Freund, mit seiner Corvette und seinen kräftigen Muskeln. Sie weiß nicht, was sie tut. Sie glaubt, Nando wäre ihr Onkel, und hat keine Ahnung, was er für sie empfindet. Nando selbst hat die halbe Zeit keine Ahnung, was für eine Laus ihm über die Leber gelaufen ist. Die zärtlichen Gefühle verwirren ihn. Und wenn er dafür sorgen würde, daß der Italiener verschwindet, wäre früher oder später ein anderer da. Das macht ihn verrückt. Er hätte sie ficken sollen, dann wäre die Sache für ihn erledigt gewesen. Aber er liebt sie, deshalb würde er das nie tun.

Vera ist da, weil sie zur Familie gehört. Einen engeren Partner als mich hat Nando noch nie gehabt. Ich mache ihm keinen Vorwurf daraus, daß er mir mißtraut. Ich konsumiere die Ware, und das ist ein Problem. Aber ich kümmere mich auch ums Geschäft. Nando weiß, daß er mir bis zu einem gewissen Punkt vertrauen kann, daß ich das Geschäft gut führe.

Nando weiß auch, daß er Vera nicht trauen sollte. Vera ist ehrgeizig. Sie hat die fixe Idee, daß sie mit dem Geschäft Geld machen kann, um dann in die High Society aufzusteigen. Bis zu diesem Treffen in dem französischen Restaurant hat Nando sie aus dem schmutzigen Teil des Geschäfts rausgehalten. Er hat ihr die Buchführung überlassen und andere Kleinigkeiten, aber sie hat die Ware nie zu sehen bekommen. Sie sollte sauber bleiben. Vera, die Prinzessin.

Wir wollten eigentlich nicht sie schicken, als sie dir das Zeug übergeben hat, doch wir hatten keine andere Möglichkeit. Nando war sehr nervös. Er hatte dich handverlesen, denn du warst perfekt. Du warst wie eine Jungfrau, Dan. Niemand würde dich verdächtigen. Er hatte eine Heidenangst, daß du's für Vera vermasseln könntest. Wenn du es vermasseln würdest, wenn man Vera deinetwegen mit Drogen erwischen würde, wäre Nando bis zum Ende der Welt gegangen, um dich umzubringen. Du wußtest das nicht? Gute Sache.

An diesem Tag im Restaurant verabredeten wir, daß ich mich um den Vertrieb kümmern sollte; verkaufen, aufteilen, verpacken, es raus auf die Straße bringen, Schmiergelder zahlen, – das ganze schmutzige Zeug. Vera ist Nandos Wachhund, alles Geld geht durch ihre Hände, aber sie wird das Geld nicht anrühren. Ich bin da, um dafür zu sorgen, daß sie die Bücher richtig führt, und sie ist da, um dafür zu sorgen, daß ich es auf die Bank bringe. Wir sollen uns gegenseitig kontrollieren.

Nando spricht mit mir, als wäre Vera nicht dabei. Vielleicht hat er das Ganze schon vorher mit ihr besprochen, aber ich glaube nicht. Er kann sie nicht einmal anschauen.

›Du denkst daran, daß das mein Geschäft ist. Auch im Gefängnis habe ich das Telefon. Ich bekomme jede Woche Besuch und werde alles erfahren.‹

Er ist nervös. Er kann sich nicht beruhigen. Erzählt mir alles zweimal und erinnert mich an Sachen, die ich schon weiß. Das ist verständlich für einen Typ, der für fünf Jahre in den Knast muß. Vera greift an ihm vorbei, um den Kellner festzuhalten, reicht ihm ihr Glas, als er vorbeigeht, als ob das die einzige Möglichkeit wäre, ihr Glas nachfüllen zu lassen.

›Was ist mit ihr?‹ will ich wissen.

›Ja, was ist mit mir?‹ sagt Vera und sieht mir direkt in die Augen. ›Glaub bloß nicht, daß du hier das Sagen hast, wenn Nando nicht mehr da ist.‹

›Ich hab das Sagen‹, sagt Nando. ›Ihr zwei werdet zusammenarbeiten.‹

›Was weiß sie denn schon?‹ sage ich. ›Sie kennt das Geschäft nicht.‹

›Du wirst ihr beibringen, was sie wissen muß‹, sagt Nando. Er sagt es ruhig wie ein Geständnis, und ich weiß, daß sie ihm zugesetzt hat.

›Ich brauche keine bevorzugte Behandlung‹, sagt Vera.

Sie knallt ihren Drink auf den Tisch, und die Leute an anderen Tischen drehen sich um. Ich weiß genau, daß Nando die Situation verabscheut, aber er hat kaum eine Wahl. Er traut uns nicht, aber er braucht uns, weil er für drei oder fünf Jahre weg muß. Er schaut nach unten, legt je einen Finger auf die Quadrate an der Ecke der karierten Tischdecke.

›Du bist verrückt, wenn du glaubst, daß ich mir von der Vorschriften machen lasse‹, sage ich und schiebe meinen Stuhl zurück, um zu zeigen, daß ich damit nichts zu tun haben will. ›Ich weiß, verfickt noch mal, nicht mal, was sie hier überhaupt macht.‹

›Paß auf, was du sagst‹, knurrt Nando und schaut sich um. Er würde jeden, der sich zu uns umdreht, so lange anstarren, bis er sich verlegen wieder abwenden würde. ›Rede nicht so über meine Familie.‹

›Oh‹, sage ich, ›sie weiß nicht, was ficken ist? Vera wurde in dieses Thema noch nicht eingewiesen?‹ Nando läßt das kalt, aber Vera geht in die Luft. Wenn sie wütend wird, kriegt ihr Gesicht etwas richtig Häßliches.

›Ja‹, sagt sie. ›Ich weiß, was ficken ist. Du wirst nie eine Frau sein, Diego, egal, was du dir antust. Weißt du, was? Ich habe etwas, was du niemals haben wirst. Deswegen ficke ich richtige Männer.‹

»Ja, ich weiß‹, sage ich ruhig. ›Ich hatte ein paar von ihnen.‹

Diese klugen Bemerkungen, die Vera und ich uns zuwerfen, tun Nando weh wie ein Magengeschwür, das in seinem Bauch brennt. Aber ich glaube, die Tatsache, daß Vera und ich uns nicht ganz grün sind – und heute haben wir noch einen guten Tag –, gibt Nando ein besseres Gefühl wegen seines Geschäfts. Es besteht nicht die geringste Gefahr, daß eine romantische Verwicklung uns beide zusammenbringen könnte. Wenn er auf Veras Seite die ganze Angst, die Loyalität, die Familienbande und auf meiner Seite die Schuld um der alten Zeiten willen addiert, rechnet Nando sich aus, daß wir beide uns nie zusammentun werden, um wegen des Geldes ein falsches Spiel mit ihm zu spielen. Vera und ich, wir sind wie Öl und Wasser.

Es funktionierte ziemlich gut. Alle sechs Monate stiegen Vera und ich in ein Flugzeug und gingen zu der Bank. Nando ließ es mich so einrichten, daß ein Schlüssel und eine Unterschrift notwendig waren. Ich behielt den Schlüssel zu dem Schließfach, aber um in den Tresorraum zu kommen, mußte man unterschreiben, und die einzige Unterschrift, die uns zu dem Schließfach brachte, war Veras. So konnte keiner von uns ohne den anderen an das Geld. Es war ein nettes Arrangement. Typisch Nando.«

Diego lag auf den Kissen und grinste mich an. Er war müde.

»Du machst dir keine Vorstellung davon, mit welchen Tricks

Vera versucht hat, mir den Schlüssel abzuluchsen. Einmal dachte ich, sie würde versuchen, mich umzubringen.

Sie hat es erwogen und hat mit jemandem gesprochen, der es mir erzählt hat. Aber sie ist nicht zur Verbrecherin geboren. Mit Vera gibt's immer zu viele Dramen. Wenn wir in die Bank gingen, trug sie einen langen Regenmantel, irgendeinen Hut und eine Sonnenbrille, um ihr Gesicht zu verstecken. Sie sagt, sie will nicht erkannt werden und möchte nicht, daß man sich an sie erinnert. Sie schmiert ihre Unterschrift quer über die Karte; während alle sich umdrehen, für den Fall, daß sie eine Reinkarnation von Jackie O ist.

In dem Schließfach ist jede Menge Geld – eine Million Dollar. Nicht so viel, wie drin sein sollte. Nando zufolge müßten genau eine Million zweihundertfünftausendunddreihundert Dollar in dem Schließfach sein, weil das die Summe ist, die wir nach Veras Angaben reingetan haben. Er hat das Geld gezählt. Er lebt dafür. Wenn Nando entlassen wird, macht er das Schließfach auf, packt das Geld zusammen und setzt sich auf einer hübschen kleinen Insel in der Karibik zur Ruhe – das ist sein Plan. Zu seinem Plan gehört auch – obwohl er das nie so gesagt hat, aber ich glaube, es lauert in seinem Hinterkopf –, daß Vera mit ihm kommt.

Das Problem ist, daß Vera die ganze Zeit Geld abgezweigt hat. Das zweite Mal, als wir zur Bank gehen, nehme ich das Geld aus der Tasche und fange an, es in das Schließfach zu tun. Vera nimmt sich einen Packen Banknoten, öffnet ihre Handtasche, wirft das Geldbündel hinein und läßt die Tasche wieder zuschnappen.

Ich sage: ›Was machst du da?‹ Ich kann es nicht glauben.

›Provision‹, sagt Vera. ›Wir sollten etwas bekommen für das, was wir tun.‹ Sie nimmt noch ein Bündel raus und stopft es mir in die Hemdtasche.

Ich sage: ›Hast du den Verstand verloren?‹

›Es ist ein Kredit‹, meint sie. ›Wir können's später wieder dazutun.‹ Sie starrt mich durch ihre große Sonnenbrille an. ›Bist du einverstanden?‹

›Nein‹, sage ich, ›ich bin nicht einverstanden.‹

›Dann erzähl's Nando‹, sagt sie, ›oder ich sag's ihm.‹

Sie weiß, daß Nando mir das nicht glauben würde. Sie weiß, daß Nando etwas Besonderes für sie empfindet, weil sie zur Familie gehört, wie ein Onkel mit einer Schwäche für seine Lieblingsnichte.

›Wir tun's wieder zurück, bevor Nando rauskommt‹, sagt sie. Aber das haben wir natürlich nie gemacht. Wenn ich nicht gewesen wäre, hätte sie ihn total ausgenommen.

Als Nando damals kam, um mir den Blutdruck zu messen, erzählte ich ihm, was passiert war, aber er wollte nichts davon wissen. Er will nicht glauben, daß Vera ihm so etwas antun würde. Nando ist ein ziemlich altmodischer Typ: Familie, Loyalität, – er glaubt an solche Dinge. Er sieht, was sie für eine ist, aber er will es nicht wahrhaben. Und Vera kann nicht darauf bauen, daß dieser Onkel-Nando-Scheiß ewig andauert. Sie hat eine Höllenangst, daß er das Schließfach aufmacht und merkt, daß Geld fehlt. Sie ist diejenige, die ihm gesagt hat, auf wieviel es sich im Laufe von fünf Jahren angesammelt hat. Wenn er's rauskriegt, bringt er uns beide um. Solange das Schließfach verschlossen bleibt, weiß er es nicht mit Sicherheit. Und ich habe den Schlüssel.«

Heute rief Debbie nach mir, als ich im Keller am Schreiben war. Auf diesen Moment habe ich gewartet, was auch immer geschieht. Als ich Ihnen den letzten Brief geschickt habe, Sandy, habe ich mein Schicksal in Gottes Hände gelegt. Jetzt muß das, was ich in Gang gesetzt habe, zu Ende gehen, obwohl ich schon an Debbies Tonfall hören kann, daß dies nicht der Ausgang ist, auf den ich gehofft hatte. Es kommt, wie es kommt. Ich werde diese Fortsetzung zwischen die Schecks für die Strom- und Gasrechnung auf das Tablett auf der Garderobe in der Diele legen, damit Debbie sie dem Briefträger gibt, wenn er kommt.

Es dauert eine Weile – sie sucht in der Küche und im Eßzimmer, ruft hoch in den ersten Stock –, bis Debbie sich daran erinnert, wo ich bin, doch dann steht sie in der Küche oben an der Kellertreppe und ruft nach unten. »Hey!« Es gibt eine kurze Pause, in der sie sich daran erinnert, daß ihr mein Name nicht mehr einfällt, also ruft sie: »Hier ist Besuch für Sie!«

KAPITEL
acht

Liebe Sandy,
»Ihr Sozialarbeiter ist hier«, sagte Debbie, während ich die Kellertreppe hochstieg.

Als ich oben ankam, sah sie mich an, als hätte sie mich nicht vorher schon gründlich von oben bis unten gemustert.

»Sie haben mir nicht erzählt, daß Sie einen Sozialarbeiter haben«, sagte sie anklagend.

»Ich hab sogar zwei«, erklärte ich ihr. »Einen Mann und eine Frau.«

Sie schaute mir ins Gesicht. In ihren Augen stand Furcht. Ihre Welt war dabei, sich zu verändern, und sie begriff es nicht.

»Es ist ein Mann«, sagte sie.

Ich atmete tief durch. Ich dachte, ich wäre ruhig, aber ich mußte mich kurz an den Küchentisch lehnen. Mir war leicht schwindlig, und mein Herz klopfte in meiner Brust wie wild.

»Wo ist er?« fragte ich.

»Ich habe ihn gebeten, an der Vordertür zu warten.«

Aber als wir in die Diele kamen, war die Haustür zu. Debbie ging ängstlich vor mir her, und ich zog den Brief aus meiner Tasche und schob ihn zwischen ein paar Schecks auf der Garderobe.

»Ich war so frei«, sagte Baruk. Er hatte im Salon gewartet und auf meine Bewegungen gelauscht, jetzt trat er an die Tür, wo wir ihn sehen konnten.

Er hatte für Debbie ein breites, gewinnendes Lächeln aufgesetzt, und seine Augen huschten nervös von ihr zu mir.

Er kam mit locker vor der Brust verschränkten Armen, die rechte Hand unter der Lederjacke, in die Diele.

»Hey«, sagte er und wandte sich mir zu, »wir haben uns lange nicht gesehen, Kumpel.«

»Stimmt wohl.«

Ich ging mit ausgestreckter Hand auf ihn zu, und er beobachtete mich, die ganze Zeit lächelnd, aufmerksam. Als ich näher trat, schob er die rechte Hand tiefer unter die Jacke, entsicherte seine Waffe und zog sie aus dem Hosenbund. Er ließ mich näher kommen, und als ich in seiner Reichweite war, hob er seine linke Hand und schlug meine im Zeitlupentempo weg.

Ich hatte Lust, ihn an Ort und Stelle umzubringen und ungeachtet der Waffe weiter auf ihn zuzugehen, mich schnell zu bewegen, um seine rechte Hand unter der Lederjacke festzuhalten, um an sein Gesicht und an seine Kehle zu kommen. Baruk wußte das. Er wich nicht zur Seite und wartete ab, was ich tun würde.

»Wir haben Sie gesucht«, sagte er. »Wir haben sogar ein paarmal hier angerufen, falls Sie eine Nachricht hinterlassen hätten.«

»Wovon reden Sie?« wollte Debbie wissen. »Er ist hier, um ein paar Dinge zu reparieren. Er kam, um ...«

»Die Geschirrspülmaschine«, sagte ich.

»Genau!«

»Dann dachte ich, es wäre vielleicht besser, ich würde persönlich vorbeikommen und mir ein Bild machen«, fuhr Baruk ruhig fort, »auf gut Glück.«

»Und warum braucht er einen Sozialarbeiter?« fragte Debbie.

»Er ist ein Mensch mit einem Problem«, sagte Baruk. »Er hat ein großes Problem und ist froh, daß ich hier bin. Ich bin der einzige Mensch, der ihm helfen kann.«

»Sie wären nicht gerade der erste gewesen, der mir eingefallen wäre«, sagte ich.

»Das ist allerdings das Risiko, das Sie eingegangen sind. Richtig? Es hätte auch sie sein können. Wenn alles nach Plan gelaufen wäre, wäre sie jetzt hier. Aber so ist es nicht. Ich bin hier.«

»Hey, was geht hier vor sich?« fragte Debbie eingeschüchtert mit schriller Stimme.

Wir beide wandten unsere Augen nicht voneinander ab.

»Sie verlieren«, sagte Baruk. Er starrte mich an, nickte langsam, forderte mich heraus, ihn anzugreifen. Es war genau das, was wir beide wollten.

Ich ließ die Spannung aus mir hinaus und schloß stillschweigend einen Pakt mit mir, daß ich ihn am Leben lassen würde, bis er mich zu Carol gebracht hatte.

Als ich einen Schritt zurücktrat, stieß Baruk die Luft, die er angehalten hatte, ganz langsam aus. Er wollte, daß ich mitbekam, wie er mit der rechten Hand die Waffe ordentlich in seinem Hosenbund verstaute. Er brauchte sie nicht, und er wollte mich das wissen lassen. Seine Hände kamen zum Vorschein, offen und leer. Er würde keine Waffe brauchen, um mich auszumanövrieren.

»Wäre jemand bitte so nett, mir zu erklären, was hier los ist?« fragte Debbie. Sie war sich ihrer selbst unsicher, wußte nicht so recht, ob sie nicht allein mit ihrem gesunden Menschenverstand verstehen müßte, was zwischen uns ablief.

»Machen Sie sich keine Sorgen, Debbie«, sagte Baruk. »Es ist eine alte Sache zwischen ihm und mir. Wir gehen sowieso bald. Dann sind wir Ihnen nicht mehr im Weg.«

»Wohin gehen Sie?« fragte Debbie. »Ich brauche ihn. Er repariert Sachen.«

»Sehen Sie, nach unserer Sitzung bringe ich ihn wieder. Wie wär's?«

»Ich habe das, was Sie wollen, nicht«, erklärte ich Baruk.

»Vielleicht haben Sie's, vielleicht auch nicht. Sie sind immer noch das Beste, was ich habe.«

Ich überlegte, ob ich weggehen sollte. Ich dachte darüber nach, mich von Baruk abzuwenden, durch die Hintertür hinauszugehen und den Betonpfad entlang zur Garage. Er hätte alles mögliche tun können. Ich glaubte nicht, daß er mich vor Debbies Augen erschießen würde, und ich traute Baruk nicht zu, daß er die Kälte aufbringen würde, auch sie zu erschießen. Aber meine Freiheit war nichts wert. Draußen vor der Hintertür dehnte sich die Welt in alle Richtungen aus, der ganze Planet; aber es war eine Welt der Blicke, Gesten, unsicheren Bedeutungen, Bedeutungslosigkeit. Ich spürte, wie das Schicksal zusammenschrumpfte. Ich war an dem Punkt angekommen, an dem es kein Zurück mehr gibt. Ich spürte das Ziehen der Maschine, die ich selbst in Gang gesetzt hatte.

»Wohin nehmen Sie ihn mit?« fragte Debbie. Sie spürte, daß an der Szene etwas nicht stimmte, auch wenn sie nicht sagen konnte, was.

»Sehen Sie«, murmelte Baruk und kaute an seiner Unterlippe. Er tat zu offensichtlich so, als würde er nachdenken. »Ich wollte das eigentlich nicht sagen. Aber ich bin in Wirklichkeit gar nicht sein Sozialarbeiter.« Er seufzte und zögerte weiter zu gehen. »Ich weiß nicht, was er Ihnen erzählt hat.«

»Was?« fragte Debbie. Sie schaute mich an, als wäre ich plötzlich ein anderer Mensch geworden, als würde ich mich mit jedem Satz, den Baruk sagte, vor ihren Augen verwandeln.

»Tatsache ist, ich bin sein Bewährungshelfer«, sagte Baruk.

»Ich verstehe«, sagte Debbie, aber die Wahrheit hatte sie nicht erleichtert. Es war ihr noch nicht alles klar.

»Ich konnte vorher nichts sagen.«

»Ich weiß.«

»Ich sollte es eigentlich immer noch nicht sagen. Wenn es Ihnen also nichts ausmacht, es nicht zu erwähnen?«

Debbie nickte. »Einverstanden«, sagte sie.

Er wandte sich an mich. »Also, wir müssen über einiges reden.«

»Sie nehmen ihn doch nicht … wieder mit, oder?« fragte Debbie.

»Ich glaube nicht, daß das notwendig ist. Aber, wie gesagt, wir müssen uns ausführlich unterhalten.«

Baruk stand da – die Füße weit auseinander, die Hände über dem Schritt gekreuzt, die Waffe im Hosenbund – und wartete, bis sie die Bedeutung der Worte begriff.

Ich ließ los, wurde vom Fluß der Ereignisse mitgetragen. Sobald ich mich einmal aufgegeben hatte, verfiel ich wieder in die Handlungsweise eines Strafgefangenen, nämlich, nicht zu denken. Baruk brauchte bloß mit dem Kopf ein bißchen zur Seite zu deuten, und schon setzte ich mich in Bewegung. Es spielte keine Rolle, daß wir in Debbies Diele waren und nicht auf der Krankenstation. Wir gingen zur Haustür raus und die Stufen runter. Ich lief in normalem Tempo vor ihm her. Zwei Männer gingen eine Wohnstraße entlang, der eine einen Meter hinter dem anderen: Für jemanden, der auch nur das Geringste über Gefängnisse wußte, war es offensichtlich.

Baruk hatte um die Ecke in einer Seitenstraße geparkt. Er hatte einen alten, zweitürigen Monte Carlo. Das ursprüngliche Schwarz war mit Grau übermalt, und ich fragte mich, wie oft er wohl gestohlen und zurückgestohlen worden war. Ob Carol dieses Auto für Baruk gestohlen hatte, so wie sie Autos für mich besorgt hatte? Gut einen halben Meter vor der Beifahrertür blieb ich stehen und wartete.

»Gehen Sie weiter«, sagte er. »Ich möchte Ihnen zeigen, was ich im Kofferraum habe.«

Als er den Kofferraum aufschloß und die Klappe hochhob, war dort nichts drin, außer einer Flasche Wasser.

»Was?« fragte ich, obwohl ich wußte, was er vorhatte. Die einzige Frage war, ob er mir eins über den Schädel geben würde.

»Warten Sie«, sagte er.

Wir standen da und starrten in den leeren Kofferraum, als ein sechsjähriger Junge auf seinem Fahrrad auf dem Bürgersteig an uns vorbeikam. Er blieb neben dem Auto stehen und linste in den Kofferraum. Dann schaute er uns eindringlich an, versuchte an unseren Gesichtern abzulesen, was in dem Kofferraum fehlte, bevor er weiterfuhr. Wir warteten, bis er um die Ecke war.

»Steigen Sie ein«, sagte Baruk, und ich hörte das Knirschen seiner Lederjacke, als er nach der Waffe griff.

Ich dachte, das Kind würde vielleicht kehrtmachen und noch einmal auf uns zukommen, so daß ich etwas Zeit gewinnen würde. Baruk nahm die Waffe raus, und so, wie er sie hielt, war klar, daß er mir eins überziehen würde, wenn ich nicht tat, was er verlangte.

»Rein da jetzt«, sagte er emotionslos. Wir hätten genausogut in Denning sein können, wo das ganze Gewicht der Strafanstalt seine Autorität untermauerte.

Ich kletterte hinein, und als ich mich umdrehte, erhaschte ich, bevor Baruk die Klappe zuknallte, einen letzten Blick auf die friedliche Vorortstraße, wo das Licht durch die Bäume gefiltert wurde und tanzende Schatten auf die Gehwege warf. Dann schloß er den Kofferraum ab.

Im Dunkeln vergeht die Zeit nur langsam, und mir kam es vor, als würden wir ziemlich lange fahren. Zuerst versuchte ich noch, je nachdem, wie Baruk abbog, unsere Fahrtrichtung auszumachen, aber ich verlor bald die Orientierung. Er war ein stürmischer Fahrer, der ohne abzubremsen schnell und schlingernd abbog – als wollte er einen Schwanz schütteln. Wir hielten mehrmals an, und ich dachte, wir wären an unserem Zielort angekommen, aber Baruk fuhr, wenn die Ampel grün wurde, immer wieder mit quietschenden Reifen los. Er suchte im Radio einen Sender, der Oldies spielte, und ich lauschte, während ich durchgerüttelt und von einer Seite zur anderen geschleudert wurde, den Beach Boys, die über das Leben auf einem anderen Planeten sangen.

Das Auto wurde für mehrere Stunden irgendwo geparkt. Im Kofferraum war es heiß, und ich verbrauchte das ganze Wasser in der Flasche, aber es war nicht unerträglich. Ich konnte kein einziges Geräusch hören, keine Stimmen, nicht einmal entfernten Verkehr, als wäre ich in einer Garage. Manchmal fragte ich mich, ob Baruk es sich anders überlegt und mich an einem einsamen Ort abgestellt hatte, aber ich überzeugte mich davon, daß das völlig unsinnig wäre.

Ich döste, und da hörte ich plötzlich, wie die vordere Tür aufgemacht und wieder zugeschlagen wurde. Wir fuhren wieder. Diesmal fuhren wir weiter, den größten Teil auf einem Highway.

Schließlich spürte ich, wie das Auto langsamer wurde und anhielt, dann vorsichtig rückwärts eingeparkt wurde. Wir waren da. Als die Klappe aufging, wurde ich von dem Licht geblendet, obwohl es später Nachmittag war. Ich wollte mich aufsetzen, aber Baruk stieß mir mit einem Knüppel, ähnlich einem kurzen Baseballschläger, in die Brust.

»Warten Sie«, befahl er. Er hielt den Knüppel bereit, während er nach hinten in seine Hosentasche griff. »Hände ausstrecken«, sagte er. Ich bewegte mich für seinen Geschmack zu langsam. »Na los, um Himmels willen! Wie oft haben Sie das gemacht? Strecken Sie schon Ihre Scheiß-Hände nach vorn.«

Ich reckte ihm automatisch die Hände entgegen, die Handgelenke nebeneinander, und er legte die Handschellen darum und befestigte sie. Er schaute schnell nach rechts und links.

»Raus«, sagte er und zerrte an den Handschellen. Er wollte, daß ich Mühe mit dem Gleichgewicht hatte und fast stürzte, als meine Füße den Boden berührten. Ich stolperte ein paar Schritte vorwärts zu der Tür des Motelzimmers, die sich wie von Geisterhand öffnete, als ich nach dem Knauf griff, um mich abzustützen. Der Deckel des Kofferraums wurde zugeknallt, und dann versetzte Baruk mir einen Stoß, der mich in den Raum stolpern ließ. Ich stürzte hilflos nach vorn, stieß mir die Rippen schmerzhaft an der Kante des Fernsehers und rollte auf eine Seite.

Ich blieb liegen, wo ich lag, und versuchte erst gar nicht aufzustehen. Mein Kinn ruhte auf dem schäbigen Teppich, und ich atmete das desodorierende Pulver ein, mit dem man ihn bestreut hatte.

»Es ist gutgegangen«, sagte Baruk.

Die andere Person antwortete nicht, aber sie ging schnell weg; als sie versuchten, die Badezimmertür zuzumachen, klemmte sie, und sie mußten sie wieder aufziehen und zuknallen. Ich hörte, wie – wegen des Lärms, den das machte – der Wasserhahn aufgedreht wurde und Wasser ins Becken platschte. Ich wußte, daß es Carol war. In meinem Herzen sah ich, wie sie sich im Spiegel anstarrte und ihre Gedanken mit dem rauschenden Wasser, das ziellos um den Ausguß herumwirbelte, davontrieben.

Ich wollte aufstehen, aber Baruk stellte einen Fuß auf meinen Rücken und drückte mich nach unten, so daß ich mit dem Gesicht auf dem Teppich lag.

»Warten Sie«, sagte er.

Er trat über mich, um den Fernseher einzuschalten, dann setzte er sich, einen Fuß auf meinem Rücken, aufs Fußende des Bettes. Es war eine Seifenoper, und nach ein paar Sekunden stand er wieder auf und schaltete durch die drei anderen Sender.

»Sie lieben das Fernsehen, richtig?«

Als ich ihm nicht antwortete, stieß er mir seinen Fuß ein paarmal in den Rücken.

»He, Cody! Ich rede mit Ihnen.« Er schwieg einen Moment, und ich konnte spüren, daß er mich anstarrte. Er wollte mich in etwas hineinziehen, um seine Wut loszuwerden. Er beugte sich über mich, und seine Stimme kam näher. »Sie sind ein Geist, nicht wahr, Cody? Niemand sieht Sie kommen. Niemand sieht Sie gehen. Niemand bemerkt Sie, weil Sie keine Rolle spielen. Sie verschlagenes Stück Scheiße! Sie haben Ralph Mandell umgebracht, nicht wahr, Cody? Man liest Ihren Brief im Fernsehen.«

»Wenn Sie es im Fernsehen gehört haben, muß es ja wohl stimmen.«

Er versetzte mir einen Tritt in die Rippen. »Kommen Sie mir hier bloß nicht blöd, Cody. Wenn es um Ihren eigenen Vorteil geht, sind sie verdammt clever.«

Als er sich über mich beugte, sah ich, wie wütend er war. »Wissen Sie, was Sie Carol angetan haben, als Sie sich an diese Fernsehberühmtheit gewandt haben? Wissen Sie das? Wissen Sie, was diese Briefe ihr angetan haben? Alles im Rampenlicht der Öffentlichkeit?«

»Wir haben nichts zu verlieren«, erklärte ich ihm.

»Wir? Häh? Wie bitte?«

»Carol und ich.«

»Carol und ich?«

Er schaukelte müde nach hinten auf die Matratze, mit offenem Mund und nach hinten gebogenen Kopf machte er sich lustig, indem er so tat, als würde er lachen. Als er wieder nach vorn geschaukelt kam, beugte er sich ganz nah über mich. Er war starr und konzentriert und hielt die Waffe zwischen den Händen ganz nah vors Gesicht wie eine Verlängerung seiner Gesichtszüge.

»Was ist das jetzt – Sie in Ihrer eigenen, besonderen Welt? Sind Sie so scheiß paranoid, daß Sie überhaupt nicht mitkriegen, was abgeht?«

»Die Dinge sind nicht immer das, was sie zu sein scheinen.«

»Ist das eine Tatsache?«

»Die Wahrheit wird eines Tages ans Licht kommen, wenn Sie ihr eine Chance geben.«

»Wie bitte? So wie die Wahrheit über Carol und Sie?«

»Zum Beispiel.«

»Wie sind Sie hierhergekommen, was glauben Sie?«

»Ich habe auf Sie gewartet.«

»Was glauben Sie, wieso ich wußte, wo ich Sie finde? Hä? Wer, glauben Sie, hat mir das gesagt?«

»Sie hat das getan, was ich von ihr erwartet habe. Ich mache ihr deswegen keine Vorwürfe.«

»Sehen Sie, Cody, ich glaube nicht, daß Sie verrückt sind. Ich glaube, Sie sind ein hinterlistiger Bastard. Ich glaube, Sie benutzen diesen ganzen Psycho-Hokuspokus, um das System zu überlisten. Und es hat in ihrem Sinne funktioniert, bis zu einem gewissen Punkt. Es hat Ihnen keinen Freispruch gebracht, als Sie ihre Frau umgebracht haben, obwohl es fast geklappt hätte. Ich habe mir sagen lassen, daß es ziemlich knapp war. Bei den Psychiatern und Psychologen, die nach Ihrer Flucht daherkamen, hat es gewirkt. Sie sind nach Denning gekommen und haben mit jedem gesprochen, der irgendwann mal irgend etwas mit Ihnen zu tun hatte. Sie haben sich davon überzeugt, daß Sie ein absolut verrückter Spinner sind. Sie sagten, Sie wären irrational. Diese Briefe an Sandy? Das war ein hübscher Einfall. Und die ganze Zeit haben Sie Carol zugesetzt. Liebesbriefe durchs Fernsehen. Versucht, ihr Mitleid zu erregen.«

Er trat mir auf den Brustkorb.

»Aber das ist auch alles, was Sie von ihr bekommen. Mitleid. Sonst nichts.«

Ich lag auf dem Rücken und versuchte, fest daran zu glauben, daß ich nicht ersticken würde. Langsam war ich wieder in der Lage, ein bißchen tiefer zu atmen. Als ich die Augen öffnete, sah Baruk auf mich herunter, und eine ganze Weile musterten wir uns schweigend.

»Sie haben keine Ahnung«, erklärte ich ihm.

»Tatsächlich?«

Er schien das Interesse an mir zu verlieren. Ungeduldig warf er einen Blick in Richtung Bad. Schließlich stand er auf und ging zu der Tür hinüber. Ich sah, wie er tief Luft holte und seine Faust hob, um zu klopfen, es sich dann anders überlegte und zurück zum Bett ging.

»Bewegen Sie sich bloß nicht«, befahl er mir. »Haben Sie verstanden?«

Er suchte einen Grund, mich zu schlagen. Er brauchte mich, und er wollte mich aus Versehen umbringen. Er tastete nach der Waffe in seiner Hose und schaute sich nach dem Polizeiknüppel um. Er war nervös. Im Bad lief immer noch das Wasser. Baruk ging, mit den Fingern knackend, zur Badezimmertür hinüber und wieder zurück. Ich hatte Angst, er würde mir aus reinem Spaß gegen den Kopf treten. Er ging zur Badezimmertür und legte das Ohr daran, um zu lauschen, dann richtete er sich wieder auf, weil er sah, daß ich ihn beobachtete.

»Wie lange wirst du da drin noch brauchen?« rief er.

Die Tür öffnete sich ganz plötzlich direkt vor seiner Nase.

»Wie bitte?« fragte Carol.

Sie hielt eine Zigarette zwischen den Fingern. Ich drehte mich um, so daß ich sie sehen konnte. Sie zog an der Zigarette, und als sie den Rauch ausstieß, als ihr am Ende der Atem und der Rauch ausgingen, huschten ihre Augen unwillkürlich über mich hinweg.

»Das hier ist ein Nichtraucherzimmer«, sagte Baruk.

»Hallo, Dan«, sagte Carol, schaute Baruk an und durch ihn hindurch.

Sie zog noch einmal an der Zigarette und atmete aus.

Ihr Blick folgte dem Rauch, der in die oberste Ecke des Zimmers zog, und dann schüttelte sie ganz leicht den Kopf, fast wie ein Zittern.

Ich war mir ihrer gewiß. Ich sagte: »Hallo, Carol.« Sie sollte hören, daß ich ihr absolut vertraute.

»Das hier ist ein Nichtraucherzimmer«, sagte Baruk.

»Da schert sich doch eh niemand drum«, erwiderte Carol. Sie kam ins Zimmer, vorsichtig, als könnte sie auf etwas treten, und suchte mit den Augen überall nach einem Aschenbecher, außer in meinen Augen. Sie war kalt und in sich zurückgezogen.

Sie wedelte mit den Händen nervös in Richtung der Wände. »Alle Zimmer sind gleich. Sie fragen nur, was man haben möchte, damit man das Gefühl hat, man hätte eine Wahl.«

Ich richtete mich, mit dem Rücken zum Bett, auf. »Ich habe dich vermißt«, sagte ich zu ihr und sah, wie ihr Mund sich öffnete, als ob sie etwas sagen wollte. Dann schaute sie weg. Sie schaffte es nicht, mich anzusehen, aber es schien so auch besser zu sein, weil es keine Gelegenheit für Täuschungen gab. Es spielte keine Rolle, daß Baruk mit uns im Raum war. Er war wie jemand, der am Tisch wartet und die Unterhaltung mit anhört, aber nicht daran beteiligt ist.

»Wir möchten doch nicht, daß die Hotelleitung hier vorbeischaut, oder?« sagte Baruk zu ihr.

»Hotelleitung!« sagte sie. »Du hast die Hotelleitung gesehen, als du uns angemeldet hast.«

»Es spielt keine Rolle, wer er ist. Wir möchten nicht, daß er hier rumschnüffelt.«

»Also gut, du bist der Sicherheitschef.«

»Komm schon, Carol, gib mir 'ne Chance.« Er schaute zu mir herüber. »Ich dachte, ich hätte Ihnen gesagt. Sie sollten sich nicht bewegen!«

Er wollte auf mich zukommen. Carol packte ihn am Arm.

Er machte sich frei, aber als er bei mir war, hielt er inne.

»Laß ihn in Ruhe«, sagte sie scharf.

Ich hörte die versteckte Nuance Besorgnis in ihrer Stimme, und das machte mir Mut.

Er ging zurück zu ihr. Er war wütend und verwirrt von seinen eigenen Impulsen. Er wollte vertraulich mit ihr reden, sanft, aber es fiel ihm schwer, die Stimme nicht zu erheben.

»Komm schon, Carol, mach um Himmels willen die Zigarette aus. Sue riecht es in meinen Haaren. Sie riecht das Nikotin und alles mögliche in meinem Hemd, und dann fragt sie mich, wo ich war. Ich kann ihr nicht andauernd erzählen, ich wäre in einer Kneipe gewesen. Ich erzähl ihr, ich war hier, ich war dort. Sie weiß, daß irgend etwas im Busch ist. Sie kümmert sich nicht drum; und wenn sie glaubt, ich wäre nicht auf der Hut, fragt sie: ›Wer war bei dir? Komm schon, wer war bei dir?‹«

»Na ja, früher oder später wirst du es ihr sagen müssen.«

»Ja. Aber zum richtigen Zeitpunkt. Ich möchte es ihr ...« Er schaute zu mir herüber, um zu sehen, ob ich mitbekam, über was sie sich unterhielten. Es demütigte ihn, daß ich hören konnte, was er über seine Familie sagte. »... du weißt schon, schonend beibringen.«

»Das erzählst du mir schon die ganze Zeit.«

Sie wandte sich von ihm ab und wollte wieder ins Bad gehen, aber er packte sie am Handgelenk. Sie drehte sich mit feurigen Augen zu ihm um.

»Faß mich nie wieder an.« Sie befreite ihr Handgelenk aus seinem Griff, obwohl er bereit war, sie loszulassen. »Für was hältst du mich eigentlich?«

»Okay. Aber laß uns jetzt nicht streiten, okay?«

»Dann sag's ihr. Sag deiner Frau, daß du nicht zurückkommst.«

»Einverstanden. Aber nicht jetzt, okay! Ich möchte jetzt nicht darüber sprechen.«

»Es ihr ›schonend beibringen‹! Das heißt doch nur, nie.«

»Was, zum Teufel, starren Sie so?« schrie er mich an.

»Wenn du sie verlassen willst, dann mußt du es ihr sagen. Das ist nur fair.«

»Ich habe gesagt, nicht jetzt! Okay!«

»Und wann dann?«

»Später.«

»Nicht jetzt. Später.« Das Flackern der Wut in ihren Augen gab mir Schwung. »Du fährst mir immer über den Mund, wenn ich mit dir reden will. Und wenn du was zu sagen hast, muß es immer gleich sein.«

»Wie sollen wir uns unterhalten, wenn er dabei ist? Sag mir das.«

Carol hatte mich immer noch nicht richtig angesehen. Sie ging über einen schmalen Pfad hoch oben an einem steilen Abhang. Wenn sie zu mir herunterschaute, würde sie das Gleichgewicht verlieren.

»Und wann ist der richtige Zeitpunkt?« fragte sie. Unter der Oberfläche der Worte war eine finstere Frage begraben, die beide schweigen ließ.

»Jedenfalls«, sagte Baruk, »ist es Zeit für seine Sendung. Möchten Sie fernsehen?« fragte er mich. »Haben Sie noch mehr von diesen Briefen an Sandy geschickt?«

Ich erwiderte nichts.

»Du schickst immer noch welche?« fragte Carol. Ihre Augen begegneten meinen und huschten wieder weg. »Ich dachte, du hättest aufgehört.«

Es war das erste Mal, daß sie mich direkt ansprach. In ihrem Verhalten war eine Kälte, die sie, wie ich wußte, große Anstrengung kostete. Sie wollte mich nicht zu sich durchlassen. Ich wollte ihr signalisieren, daß alles in Ordnung kommen würde, aber ihr Gesichtsausdruck ließ mich innehalten. Ich wurde damit nicht fertig. Sie sah durch mich hindurch, als würde ich für sie gar nicht existieren. Ihr Verhalten tat mir weh, obwohl ich wußte, daß es eine Maske war. Diese Briefe, Sandy, sind der einzige Weg, zu ihr durchzudringen. Briefe im Fernsehen sind für sie realer als die Worte, die ich spreche.

Die Erkennungsmelodie für Ihre Sendung lief. Sie hielten den Brief in der Hand, bereit zu lesen, die Zuschauer aufzuziehen.

»O nein«, stöhnte Baruk. Er wandte sich mir wütend zu. »Was haben Sie davon? Ha? Sie glauben wohl, sie sind ein verdammter Volksheld?«

Ich wollte Carols Gesicht sehen, wenn Sie die Stelle über das Treffen im Dunkin' Donuts lasen. Ich mußte wissen, wie das auf sie wirkte. Aber sobald Sie anfingen zu lesen, setzte sich Baruk auf das Bett über mir und sorgte dafür, daß ich mich nicht bewegte.

Carol saß hinter uns seitlich auf dem Bett. Alles, was ich von ihr sehen konnte, war ein Bruchstück ihres Gesichts in einem Spiegel rechts vom Fernseher, eine Profilansicht ihrer Lippe und ihres Kinns. Während sie im Bad war, hatte sie neuen Lippenstift aufgelegt, ein frisches, strahlendes Kastanienbraun. Lippen sind voller winziger, zögernder, nachdenklicher Bewegungen. Ich beobachtete Carols Lippen in der Ecke des Spiegels. Sie waren unsicher und leicht geöffnet. Als Sie vorlasen, wie ich in das Taxi stieg, um ihr zu folgen, öffneten sie sich weiter, und sie wandte sich ab und schaute nach unten. Ich erhaschte einen Blick auf ihre Zunge, die kurz hervorschnellte. Ihre Zunge war zwischen den kastanienbraunen Lippen zart und rosa, als gehörte sie einem anderen Wesen. Manchmal habe ich das Gefühl, dieses Gesicht mit den kastanienbraunen Lippen ist eine Maske und dahinter verbirgt sich ein Wesen, das nie dazu geschaffen wurde, dem Licht ausgesetzt zu werden. Sein Gewebe ist zart und nicht dazu bestimmt, an die Oberfläche zu kommen und gesehen zu werden.

Der Klang Ihrer Stimme, Sandy, erfüllte den Raum und fesselte uns drei an die Geschichte. Wir sahen einander nicht an. Niemand bewegte sich, so daß seine Bewegungen die Gegenwart eines anderen Menschen im Raum angedeutet hätten, bis Sie zu dem Teil kamen, wo Baruk aus der Vordertür heraus ins Sonnenlicht trat, und ich ihn ein zweites Mal beim Namen nannte.

Baruk griff in meine Haare und riß mir den Kopf nach hinten.

»Nein!« schrie Carol, um ihn aufzuhalten.

»Sie haben mich verpfiffen!« zischte Baruk mir ins Ohr.

Er hatte die Waffe gezogen und hielt mir den Lauf unter dem Auge an die Wange und drückte hart auf einen Nerv, was mir ziemlich weh tat. Ich spürte, wie seine Hand zitterte, und ich wußte, wie gerne er abgedrückt hätte und wie sehr er gegen den Impuls ankämpfte.

»Tu's nicht, Rich«, sagte Carol mit vollkommen ruhiger Stimme. Sie war vom Bett aufgestanden und stand irgendwo in der Nähe.

»Begreifst du nicht, was er getan hat?« Baruk war beinahe hilflos. Er war vor Wut ganz hölzern. »Die Polizei weiß jetzt über dich und mich Bescheid, und wie wir es gemacht haben. Sie haben die ganze Sache in drei Sekunden rausgefunden.«

»Du hättest es Sue sagen sollen, als du noch die Gelegenheit dazu hattest.«

»Was meinst du damit?«

»Du wirst heute abend nicht nach Hause gehen, nicht wahr?«

Er nahm die Waffe von meiner Wange weg, und ich wußte, daß er loslassen würde, daß er zulassen würde, daß der Impuls, mich zu töten, die Herrschaft über ihn gewann. Er hob die Waffe, um sie mir auf den Kopf zu schlagen, aber Carol war schneller. Sie legte mir die Hand auf die Stirn und über die Augen, um mich zu retten.

»Es ist sinnlos, es an ihm auszulassen«, sagte sie.

»Ich kann nicht zurückgehen!« schrie Baruk.

»Verstehst du denn nicht? Ich kann nie mehr zu meiner Familie zurückgehen!«

Mit einer Hand hielt er immer noch meine Haare gepackt. Er zitterte, wahrscheinlich vor Wut. Wenn er auf meinen Kopf einschlug, würde er auch Carols Hand zerschmettern.

»Niemand von uns kann zurückgehen!« sagte Carol.

»Ich habe eine Familie. Wie willst du wissen, wie das ist? Ich habe ein Kind.«

»Für dich war das alles nur ein Spiel, nicht wahr?« fragte Carol. »Jetzt ist es real. Lebe es!«

»Ich werde dich, verdammt noch mal, umbringen!« sagte er und schüttelte meinen Kopf. Die Worte kamen gepreßt aus seiner Kehle, als würde er mit den Tränen kämpfen.

»Trotzdem«, sagte Carol. Sie war sehr kühl und achtsam. »Wir brauchen ihn. Weißt du noch?«

Ich spürte das Zögern in seiner Hand. Diese Worte fesselten ihn stärker als irgendwelche Handschellen. Er war ein Gefangener der Vernunft, und seine Finger klammerten sich in mein Haar.

»Er wird dafür bezahlen«, sagte Baruk und drückte meinen Kopf nach vorn. »Sie werden für das bezahlen, was Sie meiner Familie angetan haben.«

»Na ja, das wäre früher oder später doch sowieso passiert, oder?« fragte Carol. Sie ging weg, um sich eine Zigarette anzuzünden.

Baruk hatte nichts zu sagen. Ich schob mich von ihm weg, aber er bemerkte es nicht mal.

»Wie?« fragte Carol ihn. »Hast du gedacht, du würdest leicht und frei herumschweben, über jeden Verdacht erhaben, während ich die ganze Drecksarbeit mache?«

»Ich habe meinen Teil des Risikos getragen. Ich habe meinen Kopf aufs Spiel gesetzt.«

»Aber das war nicht ganz dasselbe, nicht wahr? Nicht zu vergleichen mit dem, was ich tun mußte.«

»Hör um Himmels willen auf, darüber zu reden. Glaubst du, ich habe Lust, mir das anzuhören?«

»Dann rede du nicht von Risiken.«

»Scheiße noch mal, ich habe alles verloren!« sagte Baruk. Er sprang vom Bett auf und ging zwischen Bett und Tür auf und ab. »Mein Haus, meine Frau, mein Kind. Paff! Wegen einer Sekunde im Fernsehen. Was hast du verloren? Du hattest doch nie was. Du hattest doch nicht mal ein Scheißleben.«

»Ich hatte ein Leben. Was glaubst du, was ich gemacht habe, bevor du daherkamst?«

»Deine Mutter, die Alkoholikerin. Das Baby, das du weggegeben hast. Dein Stiefvater.«

»Hör auf!«

»Hast du deswegen die Waffe geladen? Ha? Um das Risiko auszugleichen?«

»Ich habe ein paar Schuß reingetan. Es war nicht mal ein einziger Schuß im Patronenlager.«

»Niemand hat von einer geladenen Waffe gesprochen. Als ich dir die Waffe gab, waren keine Kugeln drin. Richtig? Ich habe dir keine geladene Waffe gegeben. Wo waren die Kugeln her?«

»Ich habe sie in einem Laden gekauft. Was glaubst du denn?«

»Du bist extra losgezogen, um Kugeln zu kaufen, die du in die Waffe stecken konntest, die ich dir gegeben habe?«

»Wie hätte er die Waffe zur Flucht benutzen sollen, wenn sie nicht geladen war?« fragte Carol. »Ergibt das einen Sinn?«

»Man benutzt die Waffe nicht. Darum geht's. Man droht nur damit. Er sollte die Waffe nicht abfeuern.«

»Und wenn ihn jemand hätte aufhalten wollen?«

»Das haben sie. Fairburn hat es getan.«

»Richtig. Und? Darum geht's.«

»Fairburn ist tot.«

»Und du lebst. Du bist hier bei mir. Hast du ein Glück!«

»Er hätte mich abknallen können. Er ist ein Scheißirrer. Er hätte mich abknallen können, und zwar mit den Kugeln, die du in die Waffe gesteckt hast.«

»Vielleicht ist er gar nicht so verrückt. Wie auch immer, er hatte einen echten Schuß mit der Waffe verdient. Ich wollte ihn die Sache nicht mit einer leeren Waffe durchziehen lassen.«

»Oh, er hatte immerhin einen Versuch. Fairburn ist tot. Ich hätte auch umkommen können. Dann wärst nur du und Cody übrig, und könntet euer Ding gemeinsam durchziehen.«

»Schrei mich nicht an!«

Baruk saß seitlich auf dem Bett und hielt sich mit beiden Händen den Kopf. Dann stand er schweigend auf und ging zweieinhalb Meter bis zur Tür, zurück, zwei Meter bis zum Stuhl und dann zum Bett zurück. Er setzte sich aufs Bett und knabberte an der Hornhaut seitlich an seinem Daumen. Er kam nicht gut klar, allein mit seinen eigenen Gedanken. In seinem Kopf schwirrten Fliegen herum, die sich nicht niederlassen wollten. Schließlich schien er zu einem Ergebnis gekommen zu sein und stand auf.

»Wir müssen es jetzt machen«, sagte er zu Carol. Sie lehnte an der am weitesten entfernten Wand. Er starrte sie intensiv an, als könne er sie damit stark machen und ihr Willenskraft geben.

»Dies hier ist real«, sagte er. »Das hast du gesagt. Also, dies ist ein Stück Realität, um das wir uns jetzt kümmern werden.«

Carol warf mir einen Blick zu und wandte sich ab, aber es gab keinen Ausweg. Sie hatte die Arme fest vor der Brust verschränkt, und von hinten konnte ich sehen, daß ihre Finger arbeiteten, nervös an ihrem Körper zupften.

»Es ist der einzige Weg«, sagte Baruk. Er klang freundlich, behutsam, besonnen, ganz anders als sonst.

Um was es auch immer ging, er wollte, daß Carol irgend etwas sagte, aber sie drehte sich weder um, noch bewegte sie sich sonst irgendwie.

»Wenn du einen besseren Vorschlag hast, raus damit«, sagte er zu ihr.

Sie schüttelte den Kopf.

»Weil du ein Teil davon bist. Das ist das, worüber wir gesprochen haben.«

Jetzt drehte sie sich um. In ihrem Gesicht war Angst zu erkennen, und sie sah uns abwechselnd an.

»Mach dir bloß keine falschen Hoffnungen. Deine Finger sind genauso schmutzig wie meine. Du steckst mit drin, Mädchen. Bis zum Hals.«

»Ich weiß nicht ...«

Sie riß sich zusammen. Ihre Gesichtszüge wurden härter, und

sie ging schnell zur Garderobe, um sich eine weitere Zigarette zu holen. Sie blies den Rauch in einem langen, dünnen Luftstrom aus, die Lippen dabei wie zu einem Lächeln verzogen.

»Das ist dein Ressort«, sagte sie abweisend, während sie sich die Handtasche über die Schulter hängte und sich nach den Schlüsseln umsah. »Nicht meines.«

Ich saß immer noch auf dem Fußboden und versperrte ihr den Weg zur Tür. Sie konnte die Schlüssel nicht finden, weil Baruk sie hatte. Eigentlich hätte sie das wissen müssen.

»Du hängst mit drin, ob dir das gefällt oder nicht«, sagte Baruk. »Glaubst du, mir macht das Spaß?«

»Du bist daran gewöhnt. Du bist darauf trainiert, nichts zu empfinden.«

»Aber du bist die Krankenschwester, oder nicht?« fragte Baruk. »Du weißt, wie man's macht.«

»Was macht?«

»Sachen, die du machen kannst.«

»Wofür hältst du mich?« schrie sie. »Ich kann das nicht!«

»Du hast eine Menge Dinge getan, an die du dich gewöhnt hast. So schlimm war es gar nicht.«

»Was weißt du schon?«

»Ich hab's im Fernsehen gehört. Sandy hat's erzählt.«

»Treib's nicht zu weit.«

»Ich treib's, wohin ich will.«

»Du weißt nicht, wo die Grenze ist.«

»Warum jetzt aufhören?« sagte er grinsend.

Carol war, so weit sie konnte, zur Tür gegangen, aber sie trat nicht über mich hinweg.

»Geh ins Bad, Babe«, sagte Baruk freundlich zu ihr. Mit seinen Augen zwang er sie dazu. »Wir müssen es tun. Wir haben jetzt keine Wahl.«

Ich beobachtete, wie die Handtasche durch die Luft schwang, als Carol sich umdrehte, um ins Bad zu gehen. Sie hatte sie immer in ihrer Nähe, aber ich wußte, es war zu früh, um Hilfe von ihr zu erwarten. Die dünne Tür schloß sich hinter ihr.

»Wir müssen reden«, sagte Baruk.

»Sie haben den Brief gehört«, sagte ich. »Ich habe das, was Sie wollen, nicht.«

Er hatte seine Waffe gezogen. »Hände an die Wand«, befahl er.

Ich kniete mich hin und stütze mich mit meinen gefesselten Hände an der Wand ab. Aus dem Augenwinkel sah ich, wie er sich bückte und den Reißverschluß eines roten Matchsacks aufzog. Er machte es langsam, tastete mit einer Hand, ein Auge immer auf mich gerichtet, darin herum. Wenn er nur eine Sekunde in den Beutel hineingesehen hätte, hätte ich die Chance gehabt, ihn seitlich in den Hals zu treten, aber den Gefallen tat er mir nicht.

Ich hörte ein metallenes Klicken und sah, wie er Fußfesseln aus dem Beutel zog. Da wußte ich, daß er nicht vorhatte, mich umzubringen. Er warf sie hinter mich, und sie landeten mit einem Klirren auf dem schäbigen Teppich.

»Anziehen.«

Als ich nach unten griff, um die Fußfesseln aufzuheben, bewegte sich Baruk schnell hinter mir vorbei in eine neue Position auf der anderen Seite.

»Unten bleiben«, sagte er.

Seine Stimme war angespannt, als wäre die Situation gefährlich. Aber wenn es einen Ausweg gab, eine Möglichkeit, mich gegen ihn zu wehren oder ihn anzugreifen, dann sah ich sie nicht.

»Nicht aufstehen. Es besteht keine Notwendigkeit, aufzustehen. Ziehen Sie sie jetzt an und bleiben Sie, wo Sie sind.«

Ich befestigte sie locker um meine Fußknöchel. Er sah es, aber es störte ihn nicht.

»Aufs Bett.« Er schwitzte, obwohl die Klimaanlage lief.

»Geil, Baruk? Geht's bei der ganzen Sache darum?«

»Halten Sie Ihr dämliches Maul und legen Sie sich auf den Rücken.«

»Sie sagten, wir müßten reden.«

»Tun Sie jetzt einfach, was ich Ihnen sage.«

»Sie kriegen's nicht. Das ist Ihr Problem.«

»Ich krieg's dreimal am Tag, Freundchen.« Er grunzte über mir und schob das Bett von der Wand weg. »Das meinen Sie doch, oder? Ha? Was glauben Sie? Strecken Sie die Hände über dem Kopf aus.«

Ich drehte den Kopf, weil ich sehen wollte, was er am Kopfende des Bettes machte. Er hatte eine Nylonschnur an das obere Ende des Bettrahmens geknotet.

»Sie tut nur so«, sagte ich zu ihm.

»Ja, klar, bei Ihnen vielleicht.«

Als ich die Hände über den Kopf hob, wußten sowohl Baruk als auch ich, daß er einen gefährlichen Punkt erreicht hatte. So vorsichtig er auch bis hierher mit mir umgegangen war, jetzt mußte er auf Armeslänge an mich heran, mußte mit seiner Hand, seinem Arm, seinem Kopf in meine Reichweite kommen, um die Schnur zu befestigen.

Ich sagte: »Schreit sie: ›Oh, Rich. Oh, Rich. Oh, ja, ja, ja‹? Macht sie das? Ist es das, was Sie bekommen, Baruk?«

Ich versuchte herauszufinden, wo genau über oder hinter mir sein Kopf war, aber er sagte nichts. Ich wußte, daß er die Waffe wieder in seinen Hosenbund gesteckt hatte, weil er beide Hände brauchte, um die Schnur festzubinden. Ich spürte, wie er zögernd auf den richtigen Moment wartete.

»Haben Sie darüber überhaupt schon mal nachgedacht?« fragte ich ihn. »Wie das sein kann? Wie jemand, der gerade mitten in einem phantastischen Orgasmus steckt, noch all seine fünf Sinne zusammenhaben und so viel reden kann? Ist Ihnen das schon mal durch den Kopf gegangen. Rich?«

Er schob schnell die Schnur zwischen meinen Handgelenken durch und über die Kette, die die Handschellen zusammenhielt, und zog sie fest. Ich ließ ihn gewähren.

»Es ist in Ordnung«, sagte ich. »Carol hat es mir erzählt.« Er machte einen Knoten in die Schnur, und ich spürte, wie die Spannung eine halbe Sekunde nachließ, als meine Worte in ihn eindrangen.

»Dieser ganze Mist wird Ihnen jetzt nichts mehr nützen«, flüsterte er mir ins Ohr. »Sie bedeuten ihr nichts. Sie sind nur eine Figur auf einem Schachbrett. Sie mußten nur von einem Feld auf das andere gehen. Das war alles, was Sie tun mußten.«

Er saß auf meinen Knien und knotete ein weiteres Stück Schnur an die Kette der Handschellen – wobei er sich Zeit ließ, um mir zeigen, daß er mich genau da hatte, wo er mich haben wollte –, dann schlang er es um die Beine des Bettgestells, zog an der Schnur und verknotete sie, so daß meine Beine am Ende des Bettes herunterhingen.

Dann stand er auf und genoß seine Macht über mich, während er um das Bett herumging und sein Werk betrachtete.

»Kein schöner Anblick«, sagte er und schüttelte grinsend den Kopf.

Aber er tat nur so locker. Er war angespannt und nervös und schaffte es nicht, das Grinsen über seine ganze Zahnreihe auszudehnen.

»Carol!« säuselte Baruk an der Badezimmertür. »Du kannst jetzt rauskommen.«

Aus dem Bad war nichts zu hören. Baruk kramte in Carols Reisetasche. Er hatte mir den Rücken zugewandt, und ich konnte nicht erkennen, nach was er gesucht hatte. Er hielt inne und steckte es in die Steckdose neben der Garderobe ein.

»Unser Schätzchen auf dem Bett ist fertig«, rief er wieder.

Die Tür öffnete sich ein paar Zentimeter, aber Carol kam nicht heraus.

»Er ist bereit«, sagte Baruk.

»Du brauchst mich nicht«, sagte Carol.

Baruk griff ins Bad hinein. »Babe.« Ich glaube, er faßte sie an. Halb beschwatzte er sie, halb zog er sie. »Wir müssen alles einsetzen, was wir haben. Vielleicht reicht es ja, wenn du ihm gut zuredest. Vielleicht müssen wir sonst nichts machen. Einverstanden?« Er wartete auf ihre Antwort. »Wäre das nicht besser? Na, wäre es das nicht?«

Baruk trat zur Seite, und Carol kam aus dem Bad. Sie ließ den

Kopf hängen, doch sie wirkte entschlossen, als sie in den Raum kam. Als sie mich ans Bett gefesselt sah, blieb sie stehen.

»Oh, mein Gott!« Sie legte die Hand über den Mund und wandte sich ab. »Das ist widerlich!«

»Ich habe nichts gemacht!« platzte Baruk heraus. »Er liegt doch nur auf dem Bett, um Gottes willen.«

»Ich halte das nicht aus.«

»Babe, wir stecken zu tief drin.« Er packte sie an den Schultern. »Wir haben jetzt keine andere Wahl.«

Sie hatte ihre Handtasche im Bad gelassen, und ich wußte, ich mußte bis zum bitteren Ende mitspielen, wenn sie es so beschlossen hatte. Carol ließ sich von Baruk in den Arm nehmen. Widerwillig ließ sie sich trösten, ließ sich von seinen leise in ihr Ohr gemurmelten Worten einwickeln.

»Es gibt keinen Weg zurück, Babe. Wir können nirgendwo hin. Wir haben kein Geld. Dann ist da die Polizei. Wir können laufen, aber die Chancen stehen schlecht. Er ist unser einziger Ausweg.«

Carol machte sich aus Baruks Umarmung frei. Er wollte sie halten, sie in die Macht seiner Arme zurückholen, aber sie schob seine Hände weg. Sie kam zum Bett herüber und schaute lange und eindringlich auf mich herab. Sie hockte sich neben das Bett, bis ihr Gesicht ganz nah vor meinem war. Sie hatte die Hände zusammengelegt, als wollte sie beten. Der Appell in ihren Augen war klarer, als wenn sie mich laut gebeten hätte, das Vertrauen in sie nicht zu verlieren.

»Cody«, flüsterte sie. »Bitte gib ihm, was er will.« Ihre Augen glitzerten. »Bitte!«

»Möchtest du das?« fragte ich. Ich beobachtete ihre Miene sehr genau, so daß ich – ihre Worte ignorierend – genau wußte, was sie wirklich wollte.

»Ja. Ich möcht es. Sag's ihm einfach. Und bring's hier hinter dich.«

»Okay.«

Sie schloß die Augen und nickte einmal sehr langsam. Ihre

Lippen waren leicht geöffnet, und ich hörte, wie sie vor Erleichterung einen langen Seufzer ausstieß. Es war ein sanftes, vertrautes Geräusch, und unsere Köpfe waren so nah beieinander, lagen beinahe zusammen auf dem Bett.

»Sag ihm, wie er an das Geld kommt. Erzähl ihm von dem Geld auf den Caicosinseln.«

»Ich weiß nichts.«

Baruk schlug sich auf den Oberschenkel und wandte sich ab.

»Dan, bitte«, flüsterte Carol. »Es ist Zeit. Ich weiß, daß du's festgehalten hast, aber jetzt ist der Zeitpunkt, es loszulassen. Glaub mir.«

»Wenn ich's wüßte, würde ich es dir sagen.«

»Bitte!«

»Vergiß es«, sagte Baruk wie ein düsteres Echo im Hintergrund.

»Sag uns, wie man an das Geld kommt, das Diego beiseite geschafft hat«, beharrte Carol.

Sie gab sich Mühe, ruhig und geduldig zu bleiben. Ich hörte das leise, ängstliche Zittern in ihrer Stimme, und ich sehnte mich danach, sie zu beruhigen. Aber ich wußte, daß ich ihr sagen konnte, was ich wollte, sie würde doch nicht in der Lage sein, die Straße so weit hinunterzusehen wie ich.

»Zeit, es auf einem anderen Weg zu versuchen«, sagte Baruk. Er kauerte sich über das Ding, das er in die Steckdose gesteckt hatte.

»Bevor er starb, unmittelbar bevor er starb, hat Diego dir die Nummer des Kontos gesagt, nicht wahr? Das hast du mir doch erzählt.«

»Das hat er nicht getan. Ich dachte, er würde, ich dachte, er wollte es. Aber er hat sie nicht gesagt.«

»Das hat mir Diego aber ganz anders erzählt«, sagte Baruk. »Diego hat mir erzählt, er hätte dir gesagt, wie man an das Geld kommt. Er sagte, du wärst nett zu ihm gewesen. So war es abgemacht.«

Carol legte mir die Hand auf die Schulter. »War das nicht der

Handel, den du mit Diego abgeschlossen hast? Er war einsam. Er mochte dich. War's nicht so? Für mich war es in Ordnung. Es ändert nichts, und das weißt du auch.«

Auf der anderen Seite hörte ich etwas reißen. Als ich mich zu dem Geräusch umdrehte, verklebte Baruk mir den Mund mit Isolierband.

»Du hast gesagt, du wüßtest, wie man an das Geld kommt!« sagte Carol. Sie sah verzweifelt aus, aufgelöst, beinahe panisch. »Du hast es mir versprochen!« schrie sie.

Sie warf einen Blick über die Schulter. Sie hatte nicht bemerkt, daß Baruk hinter ihr stand. Er hatte ihr Reisebügeleisen in der Hand und berührte ihre Schulter.

»Vorsichtig«, sagte er, als sie aufstand.

Carol ging zur Garderobe und zündete sich eine Zigarette an. Sie hielt die Zigarette zwischen zwei ausgestreckten Fingern in der Höhe ihres rechten Auges in die Luft und stützte den Ellbogen mit der anderen Hand. Sie schlenderte vor dem Spiegel auf und ab, als wäre sie allein im Zimmer.

»Ich möchte, daß du dieses Ding spürst, damit du weißt, wie heiß es ist«, sagte Baruk. In seinen Augen sah ich, daß er Angst davor hatte, wie heiß es wirklich sein könnte.

Er hielt das Bügeleisen vor mein Gesicht, keine drei Zentimeter von meiner Wange entfernt. Es war sehr heiß. Nach ein paar Sekunden begann es, meine Haut zu versengen, und ich drehte den Kopf weg.

»So heiß ist es also. Okay. Hast du das begriffen? Es berührt dich nicht. Es berührt dich nicht einmal.« Er wollte eine Antwort von mir, damit er das, was er vorhatte, nicht tun mußte. »Ich bin mir sicher, es gibt einen Weg, diese Unannehmlichkeiten zu vermeiden«, sagte er.

Ich glaube, er hatte diesen Satz in einem Film aufgeschnappt. Er brachte es nicht über sich, endlich anzufangen. Er mußte in die Rolle eines anderen schlüpfen.

Baruk zog das Schweizer Armeemesser aus seiner Tasche und öffnete die Hauptklinge mit seinen Zähnen. Er hakte das Messer in den Halsausschnitt meines T-Shirts, und als er die Klinge nach unten zog, öffnete sich das T-Shirt, als hätte es einen Reißverschluß. Er schloß das Messer mit einem Schnappen und ließ es in seine Tasche fallen. Ich war nicht darauf vorbereitet, und als seine Fingerspitzen ganz leicht die nackte Haut meines Brustkorbs berührten, fuhr ich zusammen. »Schreckhaft?«

Ich starrte Carol an, konzentrierte mich auf sie. Sie war in ihrer eigenen Welt und ging an der Längsseite des Raums auf und ab, die Arme dicht an den Körper gepreßt, die Hand mit der Zigarette verbarg ihr Gesicht. Sie ging fünf Schritte, drehte sich auf den Fersen um, dann ging sie fünf Schritte in die entgegengesetzte Richtung wie ein Automat, wie ein Pendel. Manchmal nahm sie in der Mitte der Strecke einen Zug von ihrer Zigarette.

Baruk zog das Isolierband wieder von meinem Mund ab.

»Wir müssen das nicht durchexerzieren«, sagte er. Er fuhrwerkte mit dem Klebeband herum. »Sie müssen nur den Mund aufmachen.«

Seine Augen flehten mich an. Ich war stärker, weil mein Wille stärker war. Ich beruhigte mich und spürte, wie ich mich festigte, verdichtet und hart und geduldig wurde.

»Ich weiß es nicht«, sagte ich. Mein Stimme klang schwach, und ich lauschte ihr, als wäre es die Stimme einer anderen Person. »Wenn ich es wüßte, würde ich es euch sagen.«

Baruk war bis zum äußersten gespannt, die Zähne zusammengebissen, die Faust um den Griff des Bügeleisens gekrampft. Dann brach etwas in ihm. Er klebte mir das Isolierband wieder über den Mund, setzte mir das Bügeleisen auf die linke Seite des Brustkorbs, da, wo das Herz ist, und beobachtete mein Gesicht.

Zuerst war ich überrascht, daß es überhaupt nicht weh tat. Wie wenn man seine Hand in eine Schale mit kochendem Wasser taucht – man muß warten, bis der Schmerz einen einholt. Der Schmerz überrumpelte mich, mein Körper schrie.

Ich wurde zur Seite gestoßen und begriff nicht, was vor sich ging. Alles, was ich mitbekam, war der Druck auf meiner Brust, der alles andere auslöschte. Es war ein Sturzbach von Empfindungen, der mich in sich hineinsog, mich umherwirbelte, so daß ich, obwohl ich mich anzuklammern versuchte, keinen festen Boden mehr unter den Füßen hatte und den Halt verlor.

Dann nahm Baruk mir das Bügeleisen von der Brust, und was übrigblieb, war der vertraute Schmerz einer Verbrennung. Der Schmerz war so stark, daß ich schreien wollte, aber es war ein bekanntes Ausmaß, und ich war in seiner Mitte, weder zerstört noch in der Hölle.

»Ich ertrag das nicht!« schrie Carol. Sie drückte sich die Hände fest auf die Ohren, um eingebildete Schreie nicht hören zu müssen. Ihr Gesicht war so verzerrt vor Qual und Abscheu, daß es kaum noch wiederzuerkennen war. Sie schüttelte den Kopf, um sich von den Schreien zu befreien.

»Glaubst du, mir macht das Spaß?« fragte Baruk. »Glaubst du, ich fühl mich gut bei dem, was ich hier tue?« Er zog das Klebeband von meinem Mund und wartete, was für ein Geräusch ich wohl von mir geben würde.

»Dann hör auf!«

»Und dann? Wohin gehen wir dann?«

»Ist mir egal. Wenn wir das hier machen müssen, ist es die ganze Sache nicht wert.«

»Du glaubst, das hier ist schlimmer, als es aus ihm rauszuficken?«

Er beobachtete sie. »So war es nicht«, sagte Carol.

Er beobachtete, wie sie plötzlich unvermutet der Schmerz überkam, und sie wandte sich ab, um ihr Gesicht zu verbergen. »Denn mehr war es ja nicht«, sagte er zu mir.

»Wir haben uns geliebt«, sagte ich zu ihm.

»Oh, bitte!«

Carol hatte sich erholt, und ihre Augen appellierten an mich, nicht weiterzureden, aber ich sagte: »Wir haben uns direkt unter Ihrer Nase geliebt.«

»Tatsächlich?« fragte Baruk und nickte. »Direkt unter meiner Nase, und ich wußte nichts davon?«

»Genau so«, sagte ich.

»Diese Prozedur durch den Türschlitz – meinen Sie das? Ist das die Liebe, von der Sie reden?«

»Sie hat's Ihnen erzählt. Na und?«

»Sie?« Er vollführte mit seinen Händen eine Geste voller Unverständnis. »Was glauben Sie denn, wer auf der anderen Seite der Tür war?«

Ich schaute Carol nicht an. Ich weigerte mich, schwach zu werden. Baruk war sich seiner so sicher, daß er nicht einmal neugierig war, welche Wirkung seine Worte auf mich hatten.

»Sehen Sie?« sagte Baruk. Er bückte sich, und ich hörte, wie er das Bügeleisen aussteckte.

»Das war mein Handel mit Diego.« Er stand über mir.

»War es gut?«

»Sie bluffen«, erwiderte ich. »Ich weiß, wer es war.«

Ich mußte sie ansehen. Ich wußte, in dem Moment, in dem ihr Blick meinem begegnete, würde es Klarheit und Sicherheit geben. Aber sie befand sich außerhalb meines Blickfeldes. Sie lehnte gegen die Wand, wo ich sie nicht sehen konnte, und das einzige, was ihre Anwesenheit verriet, war der Rauch, den sie zwischen ihren Lippen ausstieß.

Baruk starrte unverwandt auf Carol. Er versuchte, sie mit den Augen an die Wand zu nageln. Obwohl er mit mir sprach, nahm er die Blicke nicht von ihr. »Nach ein paar Jahren im Knast erkennt man den Unterschied zwischen einem Mann und einer Frau nicht mehr. So sagt man jedenfalls.«

»Diego hätte so was nie getan«, sagte ich.

»Diego hätte alles getan«, entgegnete Baruk. »Für Sie. Und Sie haben was davon gehabt. Sie kamen genau bis hierher. Also hat jeder was bekommen.« Er wandte sich um und ging weg, um das Bügeleisen zu holen. Ich sollte sehen, wie zuversichtlich er war, aber das Bügeleisen in seiner Hand entmannte ihn. »Das Problem ist nur, daß jeder das bekommen hat, was ein anderer wollte. Wie unterm Weihnachtsbaum? Wenn die Geschenkanhänger alle vertauscht sind? Aber für Sie ist es jetzt vorbei. Weiter gehen Sie nicht, Cody. Für Sie ist nichts mehr drin.« Er zeigte mir das Bügeleisen.

»Es ist zwecklos.«

Wir beide wußte, daß das Bügeleisen abkühlte, während er mich zu überzeugen versuchte aufzugeben, aber er zögerte immer noch.

»Seien Sie kein Arschloch«, sagte er selbstsicher. Er wollte mir Vertrauen schenken. Er wollte, daß ich ihm half. »Geben Sie auf.«

»Gestapo!« flüsterte ich. »Gestapo-Scherge! Sie können sich um dieses kleine Problem kümmern.«

»Du verstehst es immer noch nicht, Kumpel, nicht wahr? Du treibst es so weit, daß ich es noch mal machen muß.«

»Dann tu's doch, Gestapo-Scherge. Zeig uns, wie du's tust.«

Er hatte Angst. »Ich werd's diesmal wirklich tun.« Er klebte mir das Band wieder über den Mund und drückte es fest.

Ich schaute ihm unverwandt in die Augen. Er hielt auf meinem Brustkorb Ausschau, wohin er das Bügeleisen plazieren sollte, und als er aufsah, schaute ich ihn immer noch an. Er stellte das Bügeleisen auf meine Brust, und ich wandte meinen Blick nicht von ihm ab. Er drückte mit seinem ganzen Gewicht auf das Bügeleisen, mit ausgestreckten Armen, und ich starrte ihn weiterhin an, und als unsere Blicke sich begegneten, sah ich das Entsetzen in seinen Augen und das, in was er sich verwandelte. Er nahm das Bügeleisen von meiner Brust.

Ich wurde ohnmächtig. Als ich die Augen wieder aufschlug, standen Baruk und Carol über mir. Carol wedelte mit einer Hand vor meinem Gesicht herum. Sie beugte sich über mich, um den Puls zu messen. Ihre Zigarette hielt sie steif in der anderen Hand nach hinten.

»Ich dachte, er hätte dich umgebracht«, sagte sie. Sie betrachtete die Verbrennungen auf meiner Brust, und ich sah ihrem Gesichtsausdruck an, daß es übel war.

Vorsichtig, argwöhnend, daß ich nach Hilfe schreien könnte, zog sie eine Ecke des Isolierbands ab.

»Gib ihm einfach, was er will«, flüsterte sie. Sie fuhr mit ihren Fingerrücken über mein Gesicht. »Tu's für mich.« Sie drehte sich zu Baruk um. »Wir müssen ihn in ein Krankenhaus bringen.«

»Später«, sagte er und stöpselte das Bügeleisen ein.

»Es ist eine Verbrennung dritten Grades.«

»So was ziehen sich die Leute alle Naselang zu. Man kann Verbrennungen überleben, die den größten Teil der Hautoberfläche betreffen. Bei wieviel Prozent stirbt man?«

»Sechzig, siebzig. Ich weiß es nicht.«

»Was meinen Sie, Cody?« fragte er mich. »Das waren fünf Prozent. Sie sind noch gut für weitere fünfundfünfzig, bevor Sie abkratzen. Sie möchten's bis zum Schluß durchziehen? Ja?«

Schmerz ist maßgeblich. Baruk war von seinem eigenen Tun entnervt. Ich sollte ihn bekämpfen, um ihn zu retten. Er verflüchtigte sich, während ich mich durch das, was er mir antat, immer mehr verdichtete.

»Ich hab nicht, was sie wollen«, sagte ich zu ihm. Baruk griff über Carols Schulter und klebte mir das Band wieder über den Mund. Sie standen zusammen am Fußende des Bettes und musterten mich mit besorgten Gesichtern, während das Bügeleisen wieder aufheizte. Carol ging weg, um sich an der halb aufgerauchten Zigarette in ihrer Hand eine neue anzuzünden. Ich sehnte mich nach einer Zigarette und fragte mich, was passieren würde, wenn Baruk mir irgendwann glaubte, daß ich wirklich nicht wußte, wie man an das Geld kam.

Folter ist äußerst aufreibend. Nicht viele Menschen eignen sich dafür, und von Baruk forderte dies jedenfalls seinen Tribut. Sein Haar war unordentlich und struppig; seine elegante Erscheinung hatte sich aufgelöst. Seine Hände waren verschwitzt, und er wischte sie immer wieder vorn an seinem Sporthemd ab. Er leckte an einem Finger und bückte sich, um das Bügeleisen zu testen. Ich hörte das Zischen von Spucke und Baruks überraschtes, schmerzhaftes Grunzen. Er kam mit dem Bügeleisen in der Hand langsam wieder zum Bett zurück, die Schnur schleifte hinter ihm her. Seine Willenskraft wurde schwächer.

Carol war allein, stand abseits von uns. Sie drehte weder den Kopf, noch reagierte sie sonstwie auf das Geräusch, das das Bügeleisen machte. Sie ging auf und ab, starrte nach vorn in ihr neues Leben, und als sie zu der Wand mit der Badezimmertür kam, bog sie um die Ecke. Ich konzentrierte mich vollkommen auf den Rauch ihrer Zigarette.

Dann sprang der Rauchmelder an.

Baruk reagierte als erster auf die Sirene. Er hielt die Waffe hoch und nahm sofort eine Position neben der Tür ein. Er kauerte sich so hin, daß er jederzeit feuern konnte, schaute sich, verwirrt von dem Geräusch, um und versuchte herauszufinden, woher es kam. Carol trat aus dem Bad, wo sie sich übergeben hatte. Sie brüllte Baruk an, aber er hörte sie nicht. Er war vollkommen fixiert auf die Vorstellung, daß draußen ein Sondereinsatzkommando bereitstand, um das Motel zu stürmen. Sie lenkte seine Aufmerksamkeit auf sich und zeigte an die Decke.

»Hol die Scheiß-Batterie raus!« rief Baruk.

Er zog die Vorhänge beiseite, um nachzusehen, ob draußen jemand vor der Tür stand, aber die Abendsonne blendete ihn, und er wandte sich kopfschüttelnd ab.

Carol stand auf dem Bett. Sie erhob sich hoch über mir und reckte sich, um an die Decke zu gelangen. Sie schien sehr weit weg zu sein. Ich spürte, wie sie ihr Gewicht ganz schnell von einem Bein aufs andere verlagerte, um die Balance zu halten, die Matratze unter mir schaukelte wie die Dünung unter einem Boot. Der Lärm war ohrenbetäubend. Von da, wo ich lag, konnte ich sehen, daß der Rauchmelder von einem Drahtkäfig umgeben war. Baruk ging ins Bad, um den Ventilator einzuschalten. An der Tür klopfte es laut, aber ich war der einzige, der es hörte.

Jemand rief von draußen: »Was geht da drin vor sich?«

Es war schwer, die einzelnen Wörter zu verstehen. Das einzige, was ich wirklich verstand, war der protestierende Tonfall. Sie hämmerten erneut an die Tür, und ich sah, wie die Sicherheitskette hochsprang. Baruk kam auf der Suche nach einem Schalter, wo man den Alarm ausschalten konnte, aus dem Bad, als wir alle hörten, wie ein Schlüssel knirschend ins Schloß geschoben, und sahen, wie die Klinke nach unten gedrückt wurde. Er war rechtzeitig bei der Tür, um die Sicherheitskette vorzulegen.

Der Mensch mit dem Schlüssel öffnete die Tür so weit, wie es die Sicherheitskette zuließ. Baruk sah ihn durch den zehn Zentimeter breiten Spalt an. Die Waffe ließ er aus dem Spiel, lehnte nur die Hand gegen die Tür.

»Was ist hier drin los?« wollte der Mann wissen.

Er war Ende Sechzig, und ich konnte die Hälfte seiner Brille sehen. »Haben Sie da drin ein Feuer?«

Carol warf ein Hemd über meine Handgelenke, um die Handschellen zu verbergen, und zog das Klebeband weg. Sie deckte die zerrissenen Hälften meines T-Shirts über die Verbrennungen auf meiner Brust.

»Nein«, erklärte Baruk dem Mann. »Hier ist kein Feuer.«

Der alte Mann wandte sich halb um, um jemandem zu signalisieren, daß er den Alarm abschalten konnte, dann linste er wieder in den Raum hinein. Baruk versuchte, sich ihm in den Weg zu stellen, aber der Mann drehte so plötzlich den Kopf zur Seite, daß er die ganze Szene hätte überblicken können, wenn hinter Baruk nicht Carol aufgetaucht wäre.

Seine Nasenflügel zuckten. Er drehte den Kopf hin und her wie ein Tier, das Witterung aufnimmt, versuchte, schnuppernd und neugierig, seine Nase in den dunklen Raum hineinzustekken.

»Sie haben gekocht!« rief er. »Sie können in diesen Zimmern nicht kochen«, bellte er durch den Spalt in der Tür.

Irgendwo schaltete irgend jemand den Alarm aus, und in der Stille fiel der Blick des Mannes plötzlich auf mich. Langsam zählend wanderten seine Augen von Carol zu Baruk und wieder zu mir zurück.

Er nickte in meine Richtung. »Und was ist mit dem da?« wollte er wissen.

Die Szene verlor für den Mann langsam, Stück für Stück, ihre

Bedeutung. Man konnte die Bewegungen seines Verstands beinahe sehen, als er jeden einzelnen neuen Aspekt in sich aufnahm.

»Was glauben Sie?« fragte Baruk schlechtgelaunt.

»Er ruht sich aus«, erklärte Carol ihm.

»Es sind nur zwei Leute für das Zimmer angemeldet«, sagte der Mann.

Seine Augen waren unverwandt auf mich gerichtet. Ich machte ihn nervös. Baruk wandte sich von der Tür ab, um zu sehen, was ich tun würde.

»Ich arbeite nachts«, sagte ich. »In ein paar Stunden bin ich hier wieder verschwunden.«

»Wie kommt's, daß er seine Arme so über den Kopf hält?« fragte er Carol. Auf seinem Gesicht machte sich weniger Mißtrauen, als wachsender Widerwille breit. »Wie kommt's, daß er sie nicht bewegt?«

»Er hat Probleme mit dem Rücken«, sagte Carol. »Er muß sich ausstrecken.«

»Ihr seid Perverse, nicht wahr?« sagte er schließlich. Er schürzte die Lippen und wollte etwas sagen, aber er litt unter Kurzatmigkeit.

»Hey«, Baruk zuckte die Schultern, »jeder bringt sich auf seine Art und Weise in Stimmung.«

»Das hier ist ein Familien-Motel«, widersprach der Mann. »Wir wollen solche wie Sie hier nicht. Wenn Sie Ihre perversen Spielchen spielen wollen, fahren Sie die Straße runter ins Bel Air. Denen ist es egal, was Sie machen.«

»Na ja, jetzt sind wir aber hier.«

»Sie verschwinden von hier, oder ich ruf die Polizei!«

»Wir haben die Nacht schon bezahlt«, sagte Carol freundlich. Er hörte auf sie.

»Glauben Sie, ich hätte Lust hinterher Ihre Schweinerei sauberzumachen?« beschwerte er sich bei Carol.

»Solche sind wir nicht«, sagte Baruk.

»Es wird keine Schweinerei geben«, bestätigte Carol. Der

Mann schaute Carol an; er wollte beruhigt werden, er wollte ihr glauben. »Ehrlich«, versprach Carol ihm.

Er atmete schwer durch, dachte nach, wurde weicher. »Und nicht kochen.«

»Okay. Es wird nicht mehr gekocht«, versprach Carol.

»Wir kriegen nämlich Schwierigkeiten mit dem Branddirektor, wenn hier gekocht wird.«

»Alles klar.«

»Sie könnten uns den Laden dichtmachen.«

»Es wird keine Probleme mehr geben«, sagte Baruk, aber der Mann schaute Carol an, um es sich von ihr bestätigen zu lassen.

»Und was Sie betrifft«, sagte er zu mir über Baruks Schulter hinweg, »Sie tun mir leid, daß Sie sich auf diese Art und Weise benutzen lassen. Wirklich.«

Er schaute mich immer noch kopfschüttelnd an, als Baruk ihm die Tür vor der Nase zuschlug.

Später konnte Baruk sich nicht entscheiden, wer nach draußen gehen sollte, um etwas zu essen zu besorgen. »Wir losen«, schlug er vor.

»Du solltest gehen«, sagte Carol zu ihm. »Hinter mir sind sie genauso her wie hinter dir.«

»Aber dein Bild haben sie nicht im Fernsehen gezeigt.«

Langsam, zögernd trat Baruk aus der Tür, um ein paar belegte Baguettes zu besorgen. Ein paar Minuten später kam er, ohne anzuklopfen, wieder ins Zimmer, weil er seine Schlüssel vergessen hatte.

»Die Schlüssel brauchst du nicht«, sagte Carol. »Dein Auto kannst du auf keinen Fall nehmen. Du mußt es irgendwo loswerden, sobald es dunkel ist.«

»Richtig.« Er runzelte die Stirn.

Nach der Flucht waren Carol und ich Tag und Nacht zusammengewesen, aber jetzt paßte es ihm nicht, uns ein paar Minuten allein zu lassen. Es demütigte ihn, mit solch einer fadenscheinigen Ausrede ins Zimmer zurückzukommen, weil wir wußten, daß er nicht widerstehen konnte, uns zu kontrollieren.

Er klopfte auf seine Taschen. »Alles in Ordnung mit dir?« fragte Carol.

»Klar. Warum nicht?«

Er lächelte. Es war ein gutes Lächeln. Es war wahrscheinlich das, was Baruk am besten konnte. Ein selbstsicheres, ehrliches, offenes Lächeln, und Carol konnte nicht anders, als es zu erwidern. Es entzündete ihr Herz, wie ein Streichholz eine Kerze entzündet, und sein Glimmen blieb noch ein paar Momente auf ihrem Gesicht, nachdem Baruk sich die Schlüssel für die Handschellen von der Garderobe geschnappt und die Tür hinter sich zugemacht hatte.

Ich war allein mit Carol und wartete, mir ihrer Anwesenheit vollkommen bewußt. Die Klimaanlage sprang an.

Meine Brust tat entsetzlich weh. Wenn man sie läßt, überlagern Schmerzen alles andere und hindern einen daran, einen Gedanken zu verfolgen. Aber sie zu ignorieren, ist wie Wasser zu treten, man strengt sich unausgesetzt an, um nicht unterzugehen.

Carol sagte nichts. Wir waren uns unseres Zusammenseins zu sehr bewußt, um zu wissen, wie wir anfangen sollten. Sie saß auf der weit entfernten Ecke des Bettes. Sie hätte sich dem Fernseher zuwenden können, aber das tat sie nicht. Sie saß sehr still da und versuchte, ihre Atmung zu beruhigen. Jede ihrer Bewegungen würde zu einer unbedachten Geste werden. Die Spannung der unausgesprochenen Dinge baute sich in der Stille auf. Es war ein wunderschöner Moment reiner, unausgesprochener Intimität. Der Moment dehnte sich immer weiter aus, bis weit über den Punkt seiner natürlichen Grenze hinaus.

Das Schweigen war zu stark. Für Carol war es zu vieldeutig. Sie wollte die Sicherheit von etwas, das sie sehen oder hören konnte. Sie stand auf, um sich eine Zigarette anzuzünden, und die Wellen ihrer Bewegung auf der Matratze schaukelten mich. Dann kam sie zu mir und steckte mir die Zigarette zwischen die Lippen, sah mich aber nicht an, sondern hinunter auf die große rohe Stelle auf meiner Brust. Sie zog sich einen Stuhl heran, setzte sich neben mich, nahm mir die Zigarette aus dem Mund und zog selbst daran, so teilten wir die Zigarette miteinander.

»Ich mache dir keine Vorwürfe«, sagte ich. »Glaub nicht einen Augenblick, ich würde dir deswegen Vorwürfe machen.«

»Wäre mir auch egal«, erwiderte sie. Sie war nur kalt, um ihre Gefühle in Schach zu halten, um die Gefühle stabil zu halten wie Eis, damit sie nicht davonfluteten und schmolzen. Sie schaute in die Ferne, blies den tief inhalierten Rauch langsam in einem feinen Nebel zwischen ihren Lippen aus. Sie klopfte die Zigarette fest am Rand des Aschenbechers ab, obwohl gar nicht so viel Zeit vergangen war, daß überhaupt Asche hätte dransein können.

»Ich habe getan, was ich tun mußte«, sagte sie, als redete sie mit sich selbst.

»Ich würde es jederzeit wieder tun«, sagte ich.

»Du hast doch was davon gehabt. Du hast deine Freiheit.« Sie wollte mich anschauen in der Hoffnung, mein Gesicht würde ein Zeichen von Dankbarkeit zeigen, aber sie konnte nicht riskieren, was ein kurzer Blick vielleicht mit ihr machen würde. »Na ja, jedenfalls bist du aus Denning raus.«

»Du verstehst immer noch nicht. Ich bin bei dir. Das ist das, was ich will.«

»Ich werde dafür sorgen, daß Rich dich gehen läßt. Das verspreche ich dir. Es ist nur fair.«

»Vielleicht läßt er uns beide gehen.« Sie warf mir einen erstaunten Blick zu. »Irgendwie glaube ich das nicht.«

»Ich denke, du wußtest die ganze Zeit, was wirklich abging«, sagte sie. »Ich meine, wir sind doch beide erwachsen, oder?«

Sie drehte sich um, um mich zum ersten Mal, seit Baruk gegangen war, anzusehen, mich wirklich anzuschen. Sie schaute in mich hinein, als sei sie sich nicht sicher, daß ich der Mensch war, für den sie mich gehalten hatte; als hätte ich mich vielleicht verändert, und sie müßte das, was sie sah, Einzelheit für Einzelheit mit ihrer Erinnerung vergleichen.

»Du wußtest es, nicht wahr?« fragte sie.

»Ja«, sagte ich, weil sie das hören wollte und weil es eine tiefere Wahrheit enthielt, die auch sie nach und nach begreifen würde. »Ich wußte es die ganze Zeit.«

Sie stieß einen kleinen, erleichterten Seufzer aus. Sie strahlte. »Dachte ich's mir doch. Aber ich war mir nicht sicher. Wir haben einander benutzt, aber irgendwie haben wir uns auch gegenseitig geholfen. Weißt du, was ich meine?«

»Klar.«

Sie ertastete vorsichtig ihren Weg zwischen den Worten. »Was Rich sagte ... wegen ... wer auf der anderen Seite der Tür war.«

»Ich weiß«, sagte ich schnell. »Ich wußte die ganze Zeit, daß du das warst. Ich habe nie daran gezweifelt.«

»Gut.« Sie lachte nervös. »Jetzt fühle ich mich besser. Weißt du, ich wollte nicht, daß du denkst, ich hätte dich ausgenutzt.«

»Das hättest du nie tun können. Liebe kann man nicht ausnutzen, weil sie ein Geschenk ist. Sie wird freiwillig gegeben.«

»Cody, ich möchte, daß du mich vergißt.«

»Egal, was du tust, ich werde dich immer lieben. Daran kann nichts etwas ändern.«

»Ich bin es nicht wert.«

»Du bist die Welt für mich. Ich könnte dich nicht vergessen, auch wenn ich es wollte.«

»Ich *will*, daß du mich vergißt.«

»Niemals.«

»Rich hat sich die ganze Sache ausgedacht. Von Anfang an.«

»Er benutzt dich.«

»Wir haben dich benutzt. Rich und ich.«

»Du mußtest es tun.«

»Ja, ich mußte.«

»Siehst du.«

»Ich mußte es tun, weil es die einzige Möglichkeit war, ihn zu halten.«

Es gibt Momente in der Zeit, da brechen Wellen über einem zusammen, reißen einem die Füße weg und werfen einen nach hinten, drücken einen nach unten, hinein in einen Sog, hinaus in den riesigen, leeren Ozean.

»Er war in einer sehr schweren Zeit meines Lebens für mich da«, sagte Carol.

Ich versuchte, ihr das Wort abzuschneiden.

»Ich möchte es aber gerne erklären«, sagte sie. »Ich möchte, daß du verstehst, warum ich so gehandelt habe. Dann denkst du vielleicht nicht ganz so schlecht über mich. Ich weiß nicht, ob du dir vorstellen kannst, wie es ist, die einzige Frau unter tausend Männern zu sein. Es ist nicht leicht, das kannst du mir glauben. Dann hat jemand das Gerücht in die Welt gesetzt, ich wäre ein Spitzel der State Police. Immer wenn ich in den Aufenthaltsraum des Personals kam, verstummten sämtliche Gespräche. Ich war vollkommen allein. Ich weiß nicht, ob du dir vorstellen kannst, wie das ist, in einem Gefängnis, von Männern umgeben. Ich hatte niemanden, an den ich mich wenden konnte. Aber Rich war für mich da.«

»Zum Teil habe ich mitbekommen, was du durchgemacht hast.«

»Ich weiß. Aber du warst ein Insasse. Das ist nicht dasselbe.«

»Aber ... Rich war für dich da.«

»Und später hatte er seine eigenen Probleme. Sein kleiner Sohn hat eine Entwicklungsstörung. Rich möchte ihn auf eine Internatsschule schicken, wo er die speziellen Therapien bekommen kann, die er braucht. Ich mußte Rich helfen, das Geld aufzutreiben, das er braucht.«

»Er ist ein Spieler. Er verliert viel.«

»Woher weißt du das?«

»Du glaubst, ich weiß nicht, was los war?« fragte ich sie in sarkastischem Tonfall. »Er schuldet Nando einiges.«

Baruk kam mit zwei großen Baguettes mit Fleischklößchen und einer Flasche Tylenol zurück. Er scherzte mit Carol darüber, sie unter uns dreien aufzuteilen, gab ihr eine winzige Portion, beobachtete, wie sie lachte, taxierte ihre Spontaneität. Auf seine Art schnupperte er, ob in der Luft noch Zeichen von Intimität herumschwebten.

Er knüpfte die Schnur, mit der die Handschellen am Bettrahmen festgemacht waren, auf, damit ich mich aufsetzen konnte. Meine Schultern waren steif und meine Hände geschwollen, weil die Handschellen sehr eng waren. Carol erwähnte es nicht, sie überließ es Baruk, es zu merken, damit er den Vorschlag machen konnte, sie abzunehmen.

»Wir brauchen einen Verband für seine Brust«, sagte Carol.

Baruk machte eine wegwerfende Handbewegung. »Morgen«, sagte er mit vollem Mund.

Als wir mit Essen fertig waren, war ich ihnen im Weg. In einer ausgearbeiteten, logischen Sequenz von Befehlen, die sich Baruk bestimmt während seiner Fahrt vom Laden überlegt hatte, bewegte ich mich vom Bett ins Bad. Im Bad schloß ich unter Baruks Anleitung eine der Handschellen an der Kaltwasserleitung hinter dem Keramikträger des Waschbeckens an. Er bückte sich schnell, um zu sehen, ob es auch hielt, und dann war er auch schon wieder außerhalb meiner Reichweite.

»Willst du ihm nicht diese Fußfesseln abnehmen?« fragte Carol ihn.

»Später«, sagte er.

Als Carol mir die Extradecke und die Kissen aus dem Schrank gab, warf Baruk ihr einen finsteren Blick zu, sagte aber nichts.

Ich fand eine Möglichkeit, mich um die Toilette herumzuwickeln, die rechte Hand über dem Kopf, so daß ich liegen konnte, ohne mich allzusehr zu verrenken. Ich würde nicht schlafen. Durch die billige Holztür konnte ich jedes Geräusch im Schlafzimmer hören. Zuerst flüsterten sie. Es war schwierig, die einzelnen Wörter zu verstehen, und alles, was ich hören konnte, waren vielsagende, höhnische Hinweise in der Dunkelheit. Da war das tiefe Murmeln von Baruk, als er sie zu etwas beschwatzen wollte, wozu sie keine Lust hatte. Von Carols Stimme hörte ich nur das Zischen, wenn sie flüsterte – plötzlich, schnell und dringend –, abgelöst von Perioden voller Schweigen, Widerspruch und Warnungen. Da war das langsame Ächzen der Matratze, als Baruk sich schwerfällig umdrehte. Da war das

Quietschen der sich ausdehnenden Sprungfedern, als Carol aufstand, um den Fernseher einzuschalten. Mehr als alles andere quälten mich die anonymen Bewegungen, angedeutet durch das leise Reiben von Haut gegen Stoff. Ich mußte raten, was diese Geräusche zu bedeuten hatten. Ich versuchte, mich daran zu erinnern, wo genau sie sich aufgehalten hatten, als ich den Raum verlassen hatte, dazu addierte ich die lauteren Geräusche ihrer Bewegungen und wies sie, so gut es ging, entweder Carol oder Baruk zu.

Baruk stand auf und schaltete den Fernseher aus. Er kletterte leise auf die Matratze zurück, kniete auf der Matratze, kroch zu ihr hinüber, kam zu ihr wie ein Tier.

Ich hörte ziemlich deutlich, wie Carol »Nein!« sagte, dann sein leises Murmeln, gedämpft, als würde er den Mund ganz nah an ihr Ohr halten.

»Nein!« sagte sie noch einmal, nicht ganz ernst.

Baruk erwiderte etwas und lachte.

»Du bist schrecklich«, sagte sie, sie hatte vergessen zu flüstern.

»Weil ich dich kenne«, antwortete er. »Ich weiß ein oder zwei Kleinigkeiten über dich.«

»Das redest du dir gerne ein.«

»Aber ich habe doch recht, oder nicht?«

»Das glaubst du.«

»Ich hab aber doch recht, oder nicht?«

»Manchmal.«

»Wie kein anderer?«

Sie antwortete ihm nicht. Er war zu weit gegangen, hatte sie zu sehr bedrängt, und obwohl er so tat, als scherze er, hatte er die Verbindung zerstört.

Eine Weile waren sie still, dann sagte Baruk: »Du weißt, daß es jetzt nur noch um dich und mich geht.«

»Und was ist mit Sue?« fragte Carol.

Er antwortete nicht sofort. »Ich kann nicht mehr zurückgehen«, antwortete er. »Es gibt nur noch dich.«

»Was ist mit deinem kleinen Jungen? Du wirst ihn nicht mehr sehen.«

»Später vielleicht. Vielleicht finde ich nach einiger Zeit eine Möglichkeit. Jetzt müssen wir erst mal den Staat verlassen.«

»Wird er dich nicht vermissen?«

»Klar wird er das.«

»Wird er seinen Vater nicht vermissen?«

»Hörst du jetzt mal damit auf?« schnauzte er sie an. »Ich versuche dir nur zu helfen, darüber zu reden.«

»Du bist aber nicht mein Scheiß-Therapeut, okay?« Ein paar Momente lang waren sie still, dann hörte ich Baruk verärgert schnaufen. »Was soll ich machen? Wenn ich mich dort blicken lasse, werde ich verhaftet. Die warten doch zu Hause auf mich. Auf der anderen Straßenseite wird vierundzwanzig Stunden am Tag ein Zivilfahrzeug stehen. Die warten doch nur darauf, daß ich auftauche. Auf diese Art schnappen sie die Leute. Früher oder später werden die Leute schwach, das Herz besiegt den Kopf. Sie werden emotional, und dann werden sie verhaftet.«

»Wir schaffen uns unser eigenes Zuhause«, sagte Carol.

In der Stille hörte ich auf der Matratze Bewegungen von Menschen, die zusammenkommen.

»Ja!« flüsterte Baruk.

Wahrscheinlich lagen sie auf dem Rücken und starrten in die Zukunft an der Decke über ihnen.

»Vielleicht etwas am Strand«, sagte er.

»Ja?«

»Klar. Ein kleines Land in der Karibik, wo sie die Leute nicht ausliefern. Da kaufen wir uns ein Stück Land am Strand.«

»Ein hübsches Haus.«

»O ja. Wir leben nie mehr in einem Schuppen. Wenn wir an das Konto kommen, sind wir ein Leben lang versorgt. Wir kaufen uns was richtig Schönes, Einfaches, so daß es nicht auffällt, aber schön.«

Sie spannen sich ihr Märchen zurecht.

»Dann sitzen wir auf der Veranda.«

»Trinken Piña Colada.«

»Sehen zu, wie die Sonne untergeht.«

»Ja.«

Ich hörte, wie Baruk sich umdrehte, dann nichts mehr. Wahrscheinlich küßte er sie.

Dann sagte er: »Sieh mal, was ich hier habe.«

»O Gott.« Sie lachte verkrampft und nervös. »Das ist zuviel.«

»Darüber hat sich noch niemand beschwert.«

»Hör auf!« Ich hörte, wie sie ihm einen leichten Klaps gab. Sie war ausgelassen, aber nicht spontan.

»Hör du auf. Du bist diejenige, die dafür sorgt, daß ich soweit gehe. Sieh dich doch an!«

»Wir können nicht!« flüsterte sie jetzt, obwohl sie mich wohl ein paar Minuten vergessen und sich laut unterhalten hatten.

»Klar, können wir. Entspann dich. Laß mich auf dich aufpassen.«

»Rich, er kann uns hören.«

»Ach?« fragte er kalt. »Manche Leute mögen so was.«

Er gab sich jetzt nicht die Mühe zu flüstern, auch wenn Carol das tat.

»Ich fühle mich komisch.«

Ich hörte Körper sich bewegen, einen Reißverschluß, der aufgezogen wurde, das Rascheln von Stoff, der schnell über Haut gleitet.

»Heb dich ein bißchen hoch«, sagte er zu ihr.

»Das über Diego hättest du nicht sagen müssen.«

Er hielt inne. »He! Wo bist du? Bist du mit mir zusammen oder mit ihm?«

»Mit dir, natürlich«, erwiderte sie unsicher. »Es ist nur, es fühlt sich nicht richtig an.«

»Also, ich finde schon, daß es sich richtig anfühlt. Ich finde, es fühlt sich verdammt richtig an.«

»Ich mag's nicht.«

»Wenn du es wirklich nicht magst, was fühle ich denn dann da?«

»Oh, tu das nicht«, stöhnte sie.

»Du klopfst mir auf die Schulter, wenn ich aufhören soll.« Ich konnte mir sein Grinsen vorstellen.

»Einverstanden?« fragte er, überzeugt, daß sie zustimmen würde.

Sie schwiegen. Ich hörte, wie sie scharf einatmete, als wäre sie an einer äußerst empfindlichen, zärtlichen Stelle berührt worden, und dann ein langes, langsames Seufzen, als sie ausatmete.

»Ich kann nicht richtig denken, wenn du das machst«, sagte sie, immer noch mit dem beunruhigten Knoten in der Stimme.

Ich hörte, wie sie sich auf der Matratze herumschoben.

»Du mußt nicht denken.« Er war ernst und entschlossen. Er atmete regelmäßig, auf sein Ziel konzentriert. »Huch. Ja«, sagte er in einem anderen Ton zu sich selbst.

Das regelmäßige, flüssige Klatschen begann.

»Und, was sagst du jetzt?« fragte er mit klarer, ruhiger Stimme, als ob er neben sich stehen und beobachten würde, was sie gerade taten. »Möchtest du, daß ich jetzt aufhöre?« Der Rhythmus variierte nicht. Das Klatschen ihrer Körper war unbarmherzig. Sie stöhnten vor Anstrengung, Spaß miteinander zu finden, gaben sich redlich Mühe, um den Kick zu finden, den ersten Zug des Entzückens, der sie weitertragen und über den Rand der Klippe stoßen würde in einen hochfliegenden, vernichtenden Flug.

Ich riß an der Toilettenspülung. Ich hielt mich an der kalten, weißen Keramik fest, als ginge es um mein Leben. Sie war hart und wirklich. Ich beugte mich vor, um mein Gesicht auf den Rand der Toilettenschüssel zu legen, so daß ich dem wirbelnden, reißenden Wasser ganz nah sein konnte. In dem rauschenden Strudeln waren Geräusche, Stimmen, die verloren waren, bevor sie nach mir rufen konnten, Echos von Erinnerungen, weggerissene Worte. Ich klammerte mich fest an die kalte Keramik. Ich umarmte sie mit meinem freien Arm, ohne mich, als das Wasser strudelnd in der Tiefe verschwunden war, um den reinen Höllenschmerz auf meiner Brust zu kümmern. Und an diesem Punkt, wehrlos und bar aller Hoffnungen, hörte ich Carol ganz deutlich schluchzen.

Es war kaum mehr als ein leichtes, schnell unterdrücktes Husten. Aber so vieles konzentrierte sich in diesem Schluchzen einer Frau kurz vor dem Orgasmus, einer Frau – stürzend, aufgelöst und hilflos, weil Gefühle entfesselt waren und nach Erlösung drängen. Die Menschen kennen sich selbst nicht, bis der kritische Moment sie überrascht, und man weiß nie, wann dieser Moment kommt. In ihrem Schrei hörte ich den scharfen Schmerz des Bedauerns, während sie auf der Matratze lag, wo ich gelitten hatte, um unser Geheimnis zu bewahren. Ich hörte, wie eine andere Person durchbrach, etwas, was für Carol selbst unsichtbar gewesen war, obwohl ich die ganze Zeit nach Anzeichen dafür gesucht hatte. Es kommt der Moment der Verwirklichung, der Wendepunkt. Das Instrument, das ihn auslöst, ist bedeutungslos.

Sie glauben, sie hat mich verraten. Aber Liebe hat nichts mit Oberflächlichkeit zu tun. Carol mußte ihren Weg finden. Sie mußte von den alltäglichen Sorgen, die sie beschäftigten, befreit werden – Geld, karibische Sonnenuntergänge, Äußerlichkeiten.

Alles, was Carol von mir bekam, gab ich ihr freiwillig. Man kann nichts stehlen, was freiwillig gegeben wird. Man kann niemanden benutzen, der dienen will. Wenn ich mich weigere, sie für das, was sie getan hat, zu verurteilen, gibt es kein Vergehen. Betrug ist der Mißbrauch von Vertrauen; aber ich habe nichts von ihr verlangt, habe nichts von ihr erwartet, während ich darauf wartete, daß meine Liebe ihren Weg zu ihr fand.

KAPITEL
neun

Liebe Sandy,
am nächsten Morgen kam Rich in seiner Jockey-Unterhose ins Bad. Er klappte die Klobrille hoch und lenkte einen dicken Strahl mitten in die Schüssel, so daß direkt neben meinem Kopf ein tiefes, sprudelndes Gurgeln ertönte. Er richtete sich auf, seufzte und warf aus dem Augenwinkel einen Blick auf mich herunter.

»Kommen Sie bloß nicht auf dumme Gedanken, Cody«, sagte er.

Er wollte, daß ich mich in einem hilflosen Angriff verlor, daß ich ihm die Beine unter ihm wegzog, obwohl ich an die Wasserleitung angekettet war. Bis zu diesem Punkt war er so vorsichtig gewesen, daß ich wußte, daß er bereit für mich war.

»Sie haben's raus, Rich«, sagte ich, ohne aufzusehen.

Ich mußte ihm nicht ins Gesicht sehen, um zu wissen, daß er es nicht mochte, daß ich ihn mit seinem Vornamen ansprach. Für ihn würde ich immer ein Insasse bleiben, obwohl wir jetzt beide Flüchtige waren und im selben Motelzimmer wohnten.

»Ihre Brust tut weh?« fragte er mich beiläufig.

»Ja.«

»Sie haben immer noch jede Menge Haut.«

Er betätigte die Toilettenspülung mit bedächtiger Präzision, starrte hinunter in die Toilettenschüssel und beobachtete, wie der Mechanismus seine Arbeit tat.

»Egal, was Sie mit mir anstellen, es wird keinen Unterschied machen. Ich habe das, was Sie wollen, nicht.«

»Sie haben Carol erzählt, sie hätten es. Sie haben ihr geschworen. Sie wüßten, wie man an Nandos Geld kommt.«

»Ich habe gelogen.«

»Sie haben Carol angelogen?«

Er klappte den Deckel runter und setzte sich auf die Toilette, stützte sich mit den Ellenbogen auf den Knien auf und musterte mich. Dann beugte er sich weiter vor, näher an mein Gesicht.

»Ich dachte, Sie lieben sie.«

»Was wissen Sie schon über Liebe?«

»Das hätten Sie Carol fragen müssen. Ich habe den Eindruck, sie glaubt, daß ich das eine oder andere darüber weiß.«

»Sie schläft. Irgendwann wird sie aufwachen.«

»Ja, und die Polizei wird uns irgendwann einholen – Sie, mich und Carol –, es sei denn, wir finden den Weg zu dem Geld. Richtig, Cody? Das kapieren Sie doch, oder? Sie sind nicht so geblendet vor Liebe, daß Sie nicht begreifen, daß es für uns hier ums Überleben geht. Essen, ein Dach überm Kopf, *dann* Liebe. Richtig?« wollte er wissen.

»Das sind Ihre Prioritäten.«

»So funktioniert es: zuerst überleben.«

Es gibt Dinge, die kann man den Leuten zwar sagen, sie hören sie aber nicht, weil sie nicht sehen, was um sie herum passiert. Ich hätte ihm gerne gesagt, daß es mir egal ist, ob ich überlebte oder nicht, wenn ich ihn mitnehmen konnte. Aber ich wollte, daß Carol überlebte. Sie sollte frei sein.

Er trat zurück zur Tür und schaltete den Ventilator aus. »Bewegen Sie sich rüber zur Toilette«, sagte er zu mir.

Als ich mich rübergeschoben hatte, ging er schnell hinter mir vorbei ans Waschbecken. Ich saß mit dem Rücken gegen die Toilette gezwängt, während Rich sich die Hände wusch.

»Sehen Sie, wir drei haben eines gemeinsam.« Er warf einen Blick nach unten, um zu sehen, ob ich ihm zuhörte. »Ich kenne Sie, und wir hatten unsere Differenzen.« Er wedelte mit dem Handtuch durch die Luft, eine wegwerfende Geste. »Aber wir haben dieselben Grundinteressen. Wir alle möchten überleben. Es gibt keinen wirklichen Streitpunkt, im Grunde nicht.«

Er starrte mir ins Gesicht, um zu sehen, ob er vorankam, aber ich starrte durch die gegenüberliegende Wand ins Nichts, es gab in meiner Miene auf keinen Fall etwas für ihn zu lesen. Auf der anderen Seite der Tür hörte ich Carol sich im Bett regen, auf der Garderobe herumtasten und das Anreißen eines Streichholzes, als sie ihre erste Zigarette anzündete. Rich setzte sich neben die Wanne, um auf einer Höhe mit mir zu sein.

»Cody, ich möchte Ihnen nicht weh tun. Warum sollte ich?«

»Von da, wo ich lag, sah es aus, als könnten Sie Geschmack daran finden.«

Er stand auf. Er mußte sich bewegen. An der Badewanne vorbei war Platz, um zweieinhalb Schritte auf und ab zu gehen. Er drohte, beschwatzte mich, erklärte, rechtfertigte sich – aus alter Gewohnheit, er mußte kaum darüber nachdenken, was er sagte. Aber in den Pausen, wenn der flüssige Strom seiner Worte abbrach, sah ich den gehetzten Ausdruck in seinen Augen.

»Sie kennen mich – wie lange? – drei Jahre. Okay, wir stehen sozusagen auf verschiedenen Seiten des Zauns. Manche Beamte sind Schlägertypen, das gebe ich zu, Kontrollfanatiker. Typen, die darauf voll abfahren. Aber ich!« Instinktiv hob er in einer wie fürs Theater einstudierten Geste der Glaubwürdigkeit seine gespreizten Finger an die Brust. »Es kommt nicht von selbst. Es ist einfach nicht mein Stil.«

»Und was haben Sie dann gestern gemacht?«

»Das meine ich ja!« Er beugte sich vor und dachte noch einmal darüber nach. »Das versuche ich Ihnen ja zu erklären. Ich habe getan, was ich tun mußte. Nicht mehr als das. Nicht weniger: Wir brauchen das Geld, sonst sind wir aufgeschmissen. War ich auf der Krankenstation nicht immer fair zu Ihnen? Bin ich nicht ein fairer Mensch?«

Anfangs hatte er versucht, mich mit seinem Verkaufsgespräch zu überzeugen, aber jetzt war er selbst zum Zuhörer geworden. Sein Gesicht trug einen Ausdruck, der einfach und aufrichtig war.

»Das waren Sie«, sagte ich zu ihm.

»Ich bin immer noch derselbe. Mit oder ohne Uniform. Das macht keinen Unterschied.«

»Sie können sich nach der Aktion mit dem Bügeleisen immer noch in die Augen sehen?«

Er warf unwillkürlich seitwärts einen Blick in den Spiegel.

»Ich habe nichts zu verbergen. Ich habe getan, was ich tun mußte. Soldaten machen dieses Zeug jeden Tag.«

Er konnte nicht anders, er mußte den Dreiviertelausschnitt seines markanten Gesichtes betrachten. Er richtete sich auf, klopfte sich mit der Hand auf den Bauchansatz unterhalb des Brustkorbs und nickte sich grüßend zu. Dann schaute er sich in die Augen. Er begegnete seinem Ebenbild, das zweifelnd in seine dunkeln Ecken hineinspähte.

»Das bedeutet nichts«, sagte er. »Ein Mann kann alles mögliche tun. Es verändert ihn nicht. Es ist nur etwas, das man tun muß.«

»Ich habe Sie beobachtet.«

»Das war nur Schau, es sollte gut aussehen. Jetzt kann ich es Ihnen ja sagen, wir hängen beide mit drin. Es ist vorbei. Ich hab's Carol gesagt. Ich werd's nicht noch einmal machen.«

»Wissen Sie, was ich in Ihrem Gesicht gesehen habe, Rich?«

»Nein, das weiß ich nicht. Was haben Sie in meinem Gesicht gesehen, Cody?«

Er war beherrscht, in sich selbst zurückgezogen. Er stand mit verschränkten Armen und gespreizten Beinen über mir.

»Sie hatten Angst vor dem, was Sie taten.«

»Tatsächlich.«

»Weil Sie sich in jeder Sekunde, die Sie das Bügeleisen auf meine Brust drückten, veränderten. Sie wußten das, konnten es spüren. Sie verwandelten sich in etwas anderes, nicht wahr?«

»Ich weiß, wer ich bin. Glauben Sie, Sie könnten Psychospielchen mit mir spielen, Cody?«

»Auf Sie kommt eine schwierige Entscheidung zu.«

»Oh. Sie haben's vollkommen kapiert.«

»Sie müssen sich entscheiden, was Sie mit uns machen.«

»Wir kommen alle ins Gefängnis, außer Sie sagen uns, wo das Geld ist. So einfach ist das.«

»Aber Sie fangen an zu begreifen, daß wir auf diesem Weg nicht mehr weitergehen können. Es funktioniert nicht mehr so, wie Sie vor einer Weile Carol erzählt haben, daß es funktionieren würde. Es gibt keine Ferien in der Karibik für den Rest Ihres Lebens. Jetzt geht es nur noch darum, ob Sie ins Gefängnis gehen oder ob Nando Sie umbringt. Nando schaut Fernsehen. Er weiß, daß Sie vorhaben, ihm sein Geld zu klauen.«

»Sie haben es für uns alle drei vermasselt. Sie verrückter Scheißkerl!«

»Sie haben nur noch einen Schritt, Rich. Sie müssen sich entscheiden, was Sie mit mir und Carol machen.«

Im Schlafzimmer gab es ein Geräusch, und wir hörten Carols Stimme. Rich öffnete die Tür einen Spaltweit. Ich erkannte die Stimme des Hotelmanagers.

»Ich möchte, daß Sie hier verschwinden!«

Carol war dabei, ihn zu beschwichtigen. »Schon gut, schon gut. Wir sind schon draußen.«

»Wenn ich zurückkomme und Sie sind immer noch hier, rufe ich die Polizei.«

Rich schloß die Tür.

»Haben Sie das gehört?« fragte er.

»Er wird nicht gleich loslaufen und 9-1-1 wählen«, sagte ich. »Er möchte keine Polizei in seinem Motel, das schadet nur seinem Ruf.«

»Aber die Botschaft haben Sie doch verstanden? Früher oder später wird die Polizei uns an einem Ort wie diesem verhaften.«

»Sie vielleicht«, sagte ich zu ihm.

Im Schlafzimmer, wo die Luft aus der Klimaanlage frei zirkulieren konnte, war es kühl. Ich streckte mich auf dem Bett aus, während Carol sich die Verbrennungen auf meiner Brust anschaute. Ich wußte, daß ich auf ihrer Seite des Bettes lag, denn wenn ich den Kopf leicht drehte, konnte ich den Duft ihres Haares auf dem Kissen riechen.

Carol zog den Papierbeutel mit Medikamenten und Verbandszeug auf, das sie in der Apotheke die Straße runter besorgt hatte. Ich wollte meine Brust nicht anschauen. Ich beobachtete ihr Gesicht, als sie an dem aufgeschnittenen Rand des T-Shirts arbeitete. Die Verbrennungen hatten am vergangenen Abend genäßt, und während der Nacht war die Oberfläche zu einer trockenen Kruste geworden, der Stoff klebte in der Wunde fest. Carol runzelte die Stirn, drehte den Kopf hin und her, um die Wunde aus verschiedenen Blickwinkeln zu betrachten, und warf einen schnellen Blick in mein Gesicht, um zu sehen, was ich wußte.

»Ich werde es einweichen müssen«, sagte sie zu mir.

»Sorg nur dafür, daß es nicht zu lange dauert«, sagte Rich. »Wir müssen hier raus, bevor der Typ nervös wird und die Polizei ruft.«

»Wir sollten ihn in ein Krankenhaus bringen«, meinte Carol.

»Und was sollen wir denen erzählen? ›Oh, er ist gestolpert und übers Bügeleisen gestürzt, das auf dem Boden stand?‹ Wohl kaum.«

»Wir könnten ihn zu einem Krankenhaus bringen und ihn dort lassen.«

»Die Polizei wäre in einer Minute da.«

»Bis dahin wären wir längst weg.«

»Ja, aber er könnte ihnen alles mögliche über uns erzählen.«

»Was denn, was er ihnen noch nicht erzählt hat?«

»Ich bin in Ordnung«, sagte ich. »Ich brauche kein Krankenhaus.«

Carol sah mich zweifelnd an. Sie legte mir die Hand auf die Stirn. Ihre Hand war kalt. Die Finger schlossen sich seitlich um meine Stirn und hielten mich, und ich empfand ihren Druck als Trost. Ich spürte, daß sie mich gefunden hatte. Ich schloß die Augen und gab mich dem Augenblick hin.

Ich glaube, ich schlief sofort ein. Aber ein paar Herzschläge später war ihre Hand schon wieder verschwunden, und ich wurde wachgerüttelt, blinzelte in das Licht und war verwirrt, als würde ich durch die Oberfläche zurück in die Gegenwart, zurück in ein Motelzimmer brechen.

»Also, Fieber hast du jedenfalls nicht«, sagte Carol zu mir. »Es wird weh tun.«

»Das ist in Ordnung«, sagte ich zu ihr.

»Tu einfach, was du tun mußt«, sagte Rich.

Er beobachtete die Prozedur über ihre Schulter hinweg. Als Carol eine Ecke des Stoffs hochhob, zog er eine Grimasse und schaute mir ins Gesicht, um zu sehen, welchen Eindruck das auf mich machen würde.

»Mach's ganz schnell«, wies er sie an. »Das ist die einzige Möglichkeit. Wie ein Heftpflaster. Heb's an einer Ecke hoch und zieh dann das ganze Stück in einem Ruck ab.«

Carol ignorierte ihn, aber Rich konnte sie nicht in Ruhe lassen. Er war fasziniert von dem, was er herbeigeführt, zurückgedrängt und eingeschüchtert hatte.

»Jesus, als ich sechzehn war, hatte ich einen Sonnenbrand, der war genauso schlimm wie das da! Glaub mir, ich weiß es.«

Carol nahm sich Zeit, benetzte das T-Shirt mit warmem Wasser, das sie von ihren Fingerspitzen tröpfeln ließ, dann zog sie vorsichtig ein weiteres Stückchen Stoff ab. Nach jedem Stück hielt sie inne und sah mir ins Gesicht, um abzuschätzen, wie weh sie mir tat.

»Es tut mir leid«, flüsterte sie immer wieder. Ihre Augen waren feucht. Ich bin mir sicher, daß sie das waren. »Es tut mir so leid.«

Ich wußte nicht, ob sie sich für die Schmerzen entschuldigte, die sie mir in dem Moment bereitete, oder für die in der Vergangenheit. Ich fragte mich, wie lange wir wohl noch leben würden.

»Es ist in Ordnung«, sagte ich zu ihr. »Es ist nicht deine Schuld. Tu, was du tun mußt.«

Als eine Ecke sich nicht lösen ließ und sie sich mehr vorbeugte, um zu sehen, warum sie festhing, löste sich eine Haarsträhne. Ich schaute hoch und sah ganz nah vor mir die manierierte Geste, mit der sie ihr Haar hinter dem Ohr festhakte.

»Wir müssen dir ein paar Büroklammern besorgen«, sagte ich.

»Wie bitte?«

»Ein paar Büroklammern. Für dein Haar.«

»O ja.«

Schließlich war es vollbracht, und die zerrissenen Lappen des T-Shirts waren voneinander getrennt. Rich kam zurück, um ihr über die Schulter zu schauen, dann drehte er sich schnell weg. Er setzt sich auf einen Stuhl und spielte schlechtgelaunt mit seiner Waffe, nahm das Magazin raus, drückte die Patronen in seine Handfläche und steckte sie in das Magazin zurück.

Carol warf bei dem Geräusch einen Blick über die Schulter, dann in sein Gesicht. Rich wich ihrem Blick aus. Er drückte die Patronen eine nach der anderen in seine offene Hand, und jede Kugel fiel mit einem monotonen Klicken zwischen die anderen.

»Mußt du das tun?« fragte sie. Ich hatte sie noch nie in so einem scharfen Ton mit ihm sprechen hören.

»Soll ich etwas anderes mit ihnen tun?«

Er stieß das Magazin mit der Handwurzel in den Kolben. Dann ging er zum Fenster hinüber und zog vorsichtig mit Zeigefinger und Daumen den Vorhang zurück, um einen Blick auf den Parkplatz zu werfen.

Carol beobachtete ihn einen Moment, aber sie verstand die Zeichen nicht. Sie hatte die Dinge nicht weit genug durchdacht, um sich vor dem zu fürchten, was passieren würde. Sie schämte sich, und ohne darüber nachzudenken legte sie ihre Hand auf meinen Arm. Sie starrte auf einen Punkt auf dem Kopfkissen neben meinem Kopf. Ich sah, wie sie Luft holte, ihre Lippen sich öffneten, um zu sprechen, und ihre Augen in meine schauten. Ich wartete, zeigte ihr niemals meinen Hunger, obwohl ich ihr gerne die Worte von den Lippen gesaugt hätte. Dann verschloß etwas Strenges ihr die Lippen. Sie drückte meinen Arm, und ihre Finger verweilten noch einen Moment, bevor sie sich wieder in sich zurückzog.

Carol rieb antiseptische Salbe auf meine Brust, tupfte hier und da auf eine Stelle, zog sich mit zur Seite geneigtem Kopf zurück, um ihre Arbeit aus einem bestimmten Blickwinkel zu betrachten, dann griff sie nach einer Stelle, die noch nicht so war, wie sie sie haben wollte. Sie klebte mir einen Verband über die Brust, dann half sie mir, ein frisches Hemd anzuziehen, das sie morgens für mich mitgebracht hatte.

Rich hatte sich schon überlegt, wie man mich am sichersten transportieren konnte. Er befestigte eine der Handschellen an dem Rahmen unterhalb des Beifahrersitzes, dann ließ er mich einsteigen und machte die andere an meinem Knöchel fest.

Im Auto war es heiß. Wir fuhren scheinbar ziellos herum. Ich fand eine Möglichkeit, mich auf dem Rücksitz zu rekeln, ohne daß die Fußfesseln allzusehr an meinen Knöcheln zerrten. In dieser Position richtete ich mich auf, um so nah an Carol zu sein, daß der Wind, der durch das Fenster hereinblies, ihren Körpergeruch zu mir trug. Gleichzeitig hatte ich den Seitenspiegel so im Blick, daß ich die Autos hinter uns beobachten konnte.

Rich machte ziemlichen Wirbel darum zu überprüfen, ob uns jemand folgte, kroch fast in den Spiegel hinein und verkündete: »Wir sind sauber.« Aber er prüfte die Autos nicht regelmäßig, und nach einer halben Stunde vergaß er es ganz.

Überwachung bemerkt man nicht, außer wenn man kontinuierlich beobachtet. Und man muß ein gutes Gedächtnis haben. Alle Taxis sehen gleich aus, außer man macht sich die Mühe, genau hinzusehen. Rich kümmerte das nicht.

Mich auf der Rückbank räkelnd, mit dem Wind, der mir durchs Haar blies, beobachtete ich einen schwarzen Chevrolet, der stets zwei Autos hinter uns blieb. Zuerst war ich mir nicht sicher, ob er uns verfolgte, weil wir auf Hauptverkehrsstraßen blieben, er hätte auch die gleiche Richtung wie wir haben können, wenn wir ein Ziel gehabt hätten. Aber als Rich über eine gelbe Ampel fuhr und ich sah, wie das Taxi hinter einem kleinen Lieferwagen hervorschoß und bei Rot durchbretterte, wußte ich, daß wir verfolgt wurden. Der Wagen fiel wieder zurück, außer Sicht hinter ein anderes Fahrzeug, und ich konnte den Fahrer nicht erkennen. »Weißt du, wohin wir fahren?« fragte Carol, nachdem Rich ein weiteres Mal scheinbar nur aus einer spontanen Eingebung heraus abgebogen war.

»Siehst du nicht, daß ich nachdenke!« sagte er.

Er schlug mit der flachen Hand auf das Lenkrad und fuhr, ohne es zu merken, über eine rote Ampel.

»Sie haben gerade eine rote Ampel überfahren«, sagte ich zu ihm.

»Sie halten das Maul!« erwiderte er und starrte wütend in den Rückspiegel.

Ich schaute gleichgültig aus dem Fenster. Richs Pläne schlugen fehl. Meine gingen auf. Das Taxi wartete an der weißen Linie darauf, daß die Ampel umsprang. Vorn saß nur eine Person, dieselbe Frau, die Rich bei seinem Rendezvous mit Carol im Dunkin' Donuts auf den Parkplatz gefolgt war und auf ihn gewartet hatte.

»Wir brauchen einen Plan«, sagte Carol. »Sonst geht uns nur irgendwann der Sprit aus.«

»Ich weiß das! Was glaubst du, was ich hier tue?«

»Rich kann sich nicht entscheiden, ob er ohne uns nicht besser dran ist«, sagte ich.

»Halt's Maul!« brüllte er in den Spiegel.

»Oder was?« sagte ich. »Was wird er tun?« flüsterte ich, um ihn zu verspotten.

Er bog rechts ab, dann links, abrupt, willkürlich, dann bog er wieder ab, in Mustern, die zunehmend verzweifelt wirkten. Schließlich schien er zu so etwas wie einer Entscheidung gekommen zu sein. Er bog so ab, als wüßte er wirklich, wohin er wollte, und ein paar Minuten später fuhren wir über einen schmalen Damm mit Wasser auf beiden Seiten und dem Ozean weit vor uns jenseits der Bucht.

»Du hast recht«, sagte Rich. »Wir können nicht ewig alle drei zusammen herumfahren, zwei Typen und eine Frau.«

»Warum nicht?« fragte Carol. Ihr abweisendes Verhalten ihm gegenüber gefiel mir.

»Ich weiß nicht. Ein Mann und eine Frau vorn. Noch ein Typ, der auf dem Rücksitz sitzt. Das fällt doch auf.«

»Und was willst du damit sagen, daß wir tun werden?« fragte Carol.

Ich hörte Widerstand in ihrer Stimme und fragte mich, ob sie dachte, er würde mich freilassen, oder ob sie allmählich begriff, zu was Rich sich durchgerungen hatte.

Wir fuhren durch eine Einfahrt in einen Park. Rich fuhr langsam, er suchte etwas. Das Taxi hielt beim Hot-dog-Stand am Parkeingang an und folgte uns nicht weiter. Damit waren ich und Carol allein mit Rich, in einem Moment, in dem es für mich nicht schlecht gewesen wäre, wenn sich die Situation für ihn noch weiter verkompliziert hätte.

Rich legte seine Hand auf Carols Knie. »Babe, wir müssen reden, du und ich.«

»Klar, Rich«, sagte sie nervös.

Es waren Leute in der Nähe, zwar nicht viele – es war ein Wochentag –, aber genug, daß irgend jemand einen Schuß wahrscheinlich hören würde. Ich überlegte, ob die Chance bestand, daß der Fahrer des Taxis uns zu Fuß in den Park gefolgt war.

Die Straße war leer, als Rich plötzlich wendete und auf eine Lücke zwischen den Bäumen zuhielt. Wir fuhren sechs Meter in den Wald hinein und hielten an. Rich drehte sich mit gezogener Waffe um.

»Lassen Sie es uns schnell hinter uns bringen«, schnauzte er mich an. »Strecken Sie die Hände aus.«

Er hatte mir in Null Komma nichts die Handschellen angelegt. Etwas flog durch die Luft auf mein Gesicht zu, und ich riß es instinktiv an mich, im gleichen Moment wußte ich, daß es der Schlüssel zu den Fußfesseln war. Ich beugte mich vor und schloß die Handschellen um meinen Knöchel auf.

»Schnell!« sagte er.

Als ich mich aufrichtete, stand Rich schon neben dem Auto. Er hielt die Beifahrertür auf, so daß er meine Hände sehen konnte, dann trat er ein paar Schritte zurück.

Er hatte sich gebückt, um die Straße zu beobachten, schaute aber schnell wieder zu mir. Die Waffe war unverwandt auf mich gerichtet.

Dann rutschte Carol über den Fahrersitz.

»Nein!« schrie sie.

Sie packte seinen linken Arm und versuchte, ihn zurück ins Auto zu ziehen.

»Bitte, Rich!«

Sie schüttelte seinen Arm. Er wehrte sie mit einem Achselzucken ab, aber er mußte einen Schritt nach hinten machen, um die Balance nicht zu verlieren, und ich stieg aus dem Auto. Er löste den Sicherungshebel, und ich sah, wie sich die Finger um die Waffe herum anspannten. Ich weiß, daß er mich erschießen wollte. Aber er schaffte es nicht abzudrücken. Carol packte ihn wieder, kam von der Seite auf ihn zu. Er warf ihr einen zornigen Blick zu, dann sah er mich wieder an.

»Laß mich los!« sagte er mit erstickter Stimme. Er versuchte, sie von sich abzuschütteln, aber sie klammerte sich an ihn.

»Bring ihn nicht um. Rich. Bitte! Tu's nicht!« Ich wagte einen weiteren Schritt, als er Carol anschaute, aber er bekam meine Bewegung mit. Er hob Carol beinahe hoch, als er den linken Arm hob, um sie abzuschütteln.

»Rühren Sie sich nicht vom Fleck!« befahl er mir. Er sah verängstigt aus und so, als hätte er seine fünf Sinne nicht mehr beisammen. In diesem Moment wußte ich, daß er abdrücken würde, wenn er dadurch seine eigene Haut retten könnte. Carol hatte einen Arm um seinen Nacken geschlungen, und in ein paar Sekunden würde ihr Griff so fest sein, daß sie ihm die Luft abdrückte. »Nicht! Das laß ich nicht zu!« schrie sie. Er beobachtete mich die ganze Zeit, sogar als er schwankte und Mühe hatte, Carols Griff um seine Kehle abzuwehren. Plötzlich taumelte er zu einer Seite, und Carols Fuß verfing sich zwischen seinen Beinen und brachte ihn zum Stolpern. In seinem Gesicht sah ich einen Ausdruck des Erstaunens und die Erkenntnis, daß er umkippen würde. Er stürzte, aber auch als er umfiel, hielt er die Waffe weiterhin auf meine Brust gerichtet.

Ich bewegte mich schon auf ihn zu. Er fiel unbarmherzig, seine Augen und die Waffe, die er auf mich richtete, waren das einzige, worauf er achtete, und als er aufschlug, landete er schwer auf Carol und preßte ihr die Luft aus den Lungen. In dem Moment, in dem ich mich auf ihn stürzen wollte, rollte er weg und drückte sich mit einem Knie hoch – alles in einer einzigen weichen Bewegung. Ich flog mit meinem ganzen Gewicht nach vorn, und er schätzte meine Bewegung ab und rammte mir seine Schulter mitten hinein in das Brennen auf meiner Brust.

Ich war vor Schmerzen wie gelähmt und lag auf dem Rücken, aber er packte die kurze Kette zwischen den Handschellen und zog mich auf die Knie.

»Bewegen Sie sich!«

Sein Blut war in Wallung. Wenn er mich vorher nicht hatte erschießen können, jetzt hätte er es gekonnt. Aber er ließ den Moment verstreichen. Er zog mich halb zum Auto und drückte mich seitlich dagegen. Als ich mich umdrehte, um nach Carol zu sehen, knallte er mich gegen die Tür. Carol lag immer noch auf der Erde. Sie hatte die Beine an den Bauch gezogen und wälzte sich stöhnend auf dem Boden.

»Was, zum Teufel, war das denn?« spuckte er in ihre Richtung. »Ich wollte ihn nur in den Kofferraum schaffen, damit wir in Ruhe reden können!«

»O Gott!« stöhnte Carol. Ich glaube nicht, daß sie gehört hatte, was er gesagt hatte.

»Du hättest uns beinahe alle umgebracht.«

Er packte eine Handvoll Haare an meinem Hinterkopf und zerrte mich um das Auto herum nach hinten. Dann schloß er den Kofferraum auf und versetzte dem Deckel einen Stoß, damit er aufging. Er stand seitlich hinter mir, während ich die zwei Matchsäcke und die Plastiktüten mit dreckiger Wäsche auslud.

»Alles«, sagte er.

Carol war wieder auf den Füßen. Rich behielt sie im Auge, als sie langsam nach vorn um das Auto herumging. Sie hatte die Arme vor dem Magen verschränkt und drückte sie an sich. Sie schaute uns nicht an. Ich griff tief in den Kofferraum hinein, um einen Satz Starterkabel, eine Bürste, einen Plastikklappstuhl und einen Plüschhasen für Kinder herauszuholen.

»Geben Sie mir das«, sagte er. Ein paar Leute fuhren in einem Auto vorbei. Wenn sie uns zwischen den Bäumen bemerkten, dachten sie mit Sicherheit, wir würden das Auto für ein Picknick entladen.

»Sie möchten, daß ich da reingehe?« fragte ich ihn.

»O nein«, sagte er. »Ich bin doch nicht blöd.« Er beobachtete mich mit diesem wachsamen, leeren Starren, das Leute haben, wenn sie etwas Schwieriges mit den Händen machen. Ohne hinzusehen, griff er unter die Matte in die Vertiefung, in der der Ersatzreifen lag, und zog den Wagenheber raus.

»Ich schätze, den hier werden Sie nicht brauchen.« Er wog die schwarze Metallstange in seiner Hand, wie schwer sie wohl war. Ich wandte ihm die ganze Zeit mein Gesicht zu, weil ich ihm nicht meinen Hinterkopf anbieten wollte. Er war blaß und äußerst angespannt. Er hätte mich gerne mit dem Eisen niedergeschlagen, aber er fürchtete sich vor dem, was er tun könnte, wenn er losließ. Ich beobachtete, wie er mein Gesicht musterte, und in seinen Augen sah ich, was das Eisen mit meiner Stirn machen würde, meiner Schädeldecke oberhalb des Ohres oder meinen Wangenknochen und meiner Nase. Carol hatte das Gleichgewicht durcheinandergebracht, und jetzt fand er nicht mehr zu dem Punkt zurück, an dem er den Entschluß gefaßt hatte. Er warf das Eisen nach hinten, und ich hörte, wie es durch die Bäume krachte.

»Und jetzt rein da.«

Sobald ich die Beine angezogen und mich auf den Rücken gedreht hatte, knallte er den Kofferraumdeckel zu. Ich hörte, wie sie sich stritten. Rich wollte ein kurzes Stück gehen, um außer Hörweite zu sein, aber Carol traute ihm nicht. Sie wußte nicht, was für Pläne er sonst noch hatte. Die Regeln veränderten sich auf unbekannte Art und Weise, und vielleicht fragte sich Carol allmählich, wie groß ihr Wert war.

»Er könnte ersticken!« sagte sie laut.

»Mach dir doch um den keine Sorgen! Was hast du da eben versucht?«

»Was hattest du vor?«

»Ich wollte, daß er da rauskommt. Ich wollte, daß er sich mit angelegten Handschellen hinter diesen Baum da kniet, wie bei einer Exekution, mich hinter ihn stellen und ihm die Waffe an den Kopf halten. Ich wollte ihn glauben lassen, es wäre seine letzte Chance, und ihm ein bißchen Angst einjagen – das ist alles.«

»Du wolltest ihn erschießen!«

Rich schwieg.

»Nicht wahr?«

»Carol, früher oder später müssen wir etwas unternehmen.«

»Wir müssen damit aufhören, Rich. Die Sache gerät außer Kontrolle. Sieh doch, was dies alles aus dir macht!«

Er wollte vom Auto weggehen, damit ich sie nicht hören konnte.

»Verlaß ihn«, sagte er.

»Ich möchte ihn nicht verlassen.«

»Das ist Codys verdammte Scheiße!«

»Nein, das bin ich. Ich weiß nicht mehr, wer du bist. Ich erkenne dich nicht wieder.«

»Du läßt es zu, daß er in deinem Kopf herumspukt.«

»Mach dich nicht lächerlich.«

»Ich hätte euch niemals allein lassen sollen.«

»Es ist nichts passiert«, sagte sie müde.

»Ich habe nur dein Wort dafür.«

»Mehr brauchst du doch auch nicht, oder?«

Beide schwiegen eine Weile, und ich spürte, wie sie darum kämpften, wer seinen Willen durchsetzen würde.

»Na ja, ist es nicht so?« hakte Carol nach.

»Wieso habe ich das Gefühl, daß du mir etwas sagen möchtest?«

»Da gibt es nichts!«

»Warum ist er dann so dermaßen von sich eingenommen?«

Es gab eine Pause, bei der ich keine Chance hatte, etwas zu verstehen.

Dann sagte Carol: »Er spielt mit dir, das ist alles.«

Ich hörte Rich von einem anderen Standpunkt aus ein langes »O Gott!« ausstoßen. Wahrscheinlich ging er neben dem Auto auf und ab. »Hast du mal darüber nachgedacht, wie das auf mich wirkt?« fragte er. »Zu wissen, daß ihr beide die ganze Zeit allein wart? Wer weiß, vielleicht stimmt ja einiges von dem, was er in diesen Briefen behauptet.«

Ich wartete auf Carols Antwort. Wir beide taten das. Alles, die ganze Bedeutung lag in ihrem Zögern.

»Du weißt, daß dem nicht so ist«, sagte sie schließlich.

Ihre Stimme war sanfter, als stünde sie näher bei ihm. Ich plagte mich in der Dunkelheit, um mein Ohr näher an das Blech zu schieben. Sie murmelte etwas. Es zog mich zu ihr hin.

Ich hörte, wie Rich sagte: »Ja, ich weiß, Babe.«

»Du mußt mir versprechen, daß du ihm nichts tust.«

»Wir müssen jetzt den anderen Weg einschlagen. Plan B.«

Als Carol schwieg, sagte er: »Also, wir müssen los.«

»Wohin?«

»Du weißt, wohin. Zu deiner Mutter. Das ist der einzige Ort, der uns noch bleibt.«

»Es muß noch eine andere Möglichkeit geben.«

»Nur, um uns zurück auf die Bahn zu bringen«, sagte Rich. »Cody war tagelang dort. Wenn sie hinter ihr her wären, hätte sie ihn längst geschnappt.«

»Ich weiß nicht, was ich zu ihr sagen soll.«

»Komm schon – nur für ein paar Tage. Wir ziehen die Sache jetzt durch. Dann sind wir außerhalb des Staates. Nach Westen vielleicht.«

»Nicht in die Karibik?«

»Nicht direkt«, sagte er verlegen.

»Spielt keine Rolle.«

Sie hielt inne, um sich zu sammeln, als würde die innere Überzeugung nur langsam tröpfeln, und sie müßte warten, bis sie genug hatte, um die Kleinheit ihrer Gefühle zu füllen. Ich wartete auf den Rest der abgedroschenen Zeile.

Es schien, als würden wir eine ganze Weile fahren, aber vielleicht kam es mir auch nur so vor, weil ich Fieber hatte, das mich sehr durstig machte. Meine Schmerzen konzentrierten sich auf die Stelle, wo Rich mir seine Schulter in die Brust gerammt hatte, und jede Bewegung verursachte Höllenschmerzen. Ich versuchte, mich abzustützen, lag auf dem Rücken und drückte eine Hand fest gegen den Kofferraumdeckel, um die Bewegungen abzufangen, aber das Auto schwankte bei jedem Abbiegen und Bremsen übertrieben, und wie sehr ich mich auch bemühte, im letzten Moment war die Wucht oft stärker als mein Griff, und ich wurde dermaßen hin und her geschoben und durchgerüttelt, daß das Hämmern wieder einsetzte.

Carol und Rich unterhielten sich gelegentlich, aber ich konnte ihre Worte nicht verstehen. Die meiste Zeit suchte Carol nervös durch die Radiostationen, wechselte alle paar Minuten den Sender wie damals, als sie und ich uns zum ersten Mal auf den Weg gemacht hatten.

Mit der Zeit fragte ich mich, ob ich so krank werden würde, daß Rich mich irgendwo ablud und mich meinem Schicksal überließ, aber das konnte ich mir nur schwer vorstellen. Ich war das einzig Wertvolle, was er noch hatte; und ich war nur für Nando wertvoll.

Gegen Ende unserer Reise hielten wir an, und Carol stieg aus. Dann fuhren wir noch einmal eine kurze Strecke. Vielleicht hatte Rich sie aussteigen lassen, damit sie Debbie auf unser Kommen vorbereiten konnte. Trotzdem hatte ich Angst, ohne Carol mit ihm allein zu sein. Ich fragte mich, ob ich die Situation falsch eingeschätzt hatte und ob er mich schließlich doch auf eine Reise mitnahm, von der ich nicht zurückkehren würde.

Aber er fuhr nur ein paarmal um den Block. Wir bogen langsam ab und fuhren von der Straße in eine Auffahrt, dann warteten wir, während eine Tür oder ein Tor aufgemacht wurde. Wir fuhren langsam auf einen Platz und blieben stehen. Ich hörte Carols Stimme und wußte, daß ich in Sicherheit war.

»Es ist alles in Ordnung«, sagte sie zu Rich. »Allerdings können wir nur zwei Nächte bleiben.«

»Das reicht.«

»Sie ist saumäßig schlecht gelaunt. Ich bin froh, daß ich so viel erreichen konnte.«

»Morgen sind wir wieder von hier verschwunden.«

»Ich habe ihr erzählt, wir hätten gerade geheiratet.«

»Sie glaubt, ich bin Sozialarbeiter.«

»Sie wird sich nicht daran erinnern. Die meiste Zeit verwechselt sie mich mit meiner Schwester.«

»Ich weiß nicht. Sie hat mich ziemlich genau angeschaut.«

»Du kommst ihr irgendwie bekannt vor, das ist alles. Du kannst ihr erzählen, sie hätte dich kennengelernt, als ich dich zu Weihnachten mitgebracht habe.«

»Und wer ist dann er?«

Sie dachten schweigend über diese Frage nach.

Rich öffnete den Kofferraum. Die Luft war heiß und stickig. Im Düsteren erkannte ich das Fahrrad, das an der Wand hing, und roch den vertrauten, modrigen Geruch von Debbies Garage.

Ich wollte mich aufsetzen, aber mir war vollkommen schwindelig. Rich stand seitlich neben dem Auto. Ich glaube, durch das Fieber verlor ich die Orientierung. Auch wenn ich erstklassig in Form gewesen wäre, hätte ich ihn nicht überraschen können. Er schaute mit professionellem Interesse auf mich herab, schätzte ab, wie bedrohlich ich für seine Sicherheit sein konnte.

»Kein schöner Anblick«, sagte er kopfschüttelnd.

Carol kam auf mich zu, aber er streckte den Arm aus und hielt sie auf.

»Laß mich ihn erst überprüfen«, sagte er. »Er ist raffiniert.«

»So wie er aussieht, – das kann er gar nicht simulieren«, sagte Carol und schob seinen Arm zur Seite.

Mir war schwindelig, und ich mußte mich mit einem Arm seitlich am Auto abstützen. Sie berührte meine Wange mit der Innenseite ihres Handgelenks, und ich sah einen besorgten Ausdruck über ihr Gesicht huschen.

»Er ist ganz heiß«, sagte sie. »Wir bringen ihn besser rein.«

Rich legte mir trotzdem die Handschellen an. Aus dem Kofferraum zu klettern, war eine einzige Marter. Durch den Schmerz fühlte ich mich schwächer, als ich eigentlich war. Rich mußte mir helfen, die Füße auf den Boden zu setzen. Er legte ein Hemd über meine Handgelenke, um die Handschellen zu verbergen.

»Das wird nicht funktionieren«, sagte Carol zu ihm. »Du wirst ihm die Dinger abnehmen müssen.«

Rich gefiel das nicht. Er musterte mich, kniff die Augen zusammen und blies die Wangen auf.

»Okay«, sagte er schließlich.

Ohne Vorwarnung schlug er mir gegen die Schulter, um zu sehen, wie schwach ich wirklich war. Ich stolperte nach hinten gegen das Auto und fiel fast um.

»In Ordnung«, sagte er. Er schien zufrieden. »Wir ziehen sie ihm wieder an, wenn er oben in seinem Zimmer ist.«

»Sie möchte, daß wir warten«, sagte Carol. »Zehn Minuten. Sie möchte sich zuerst frisch machen.«

»Wer ist er?« fragte Rich.

»Ich bin derjenige, der ich vorher auch schon war«, sagte ich. »Machen Sie sich um mich keine Sorgen.«

Rich schaute Carol an. Sie zuckte die Schultern. »Er war nur einen Tag weg. Möglicherweise hat sie gar nicht mitbekommen, daß er weg war.«

»Wenn ihr gerade geheiratet habt«, sagte ich zu Rich, »braucht sie einen Ring.«

Sie sahen einander an und warteten darauf, daß der andere zuerst etwas sagte. Ich sah, wie sie an der Schwelle zueinander scheuten, auch wenn es nur ein Schwindel war.

»Wenn Sie gerade geheiratet haben, dann ist das etwas, was Debbie gerne sehen möchte«, sagte ich. »Das ist ihr Ding.«

Vielleicht erhaschten sie im Düsteren der Garage einen flüchtigen Schimmer von dem, wie ihr Leben miteinander wäre.

»Hast du nichts, was du anziehen kannst?« fragte Rich sie.

Carol schüttelte den Kopf.

»Es könnte irgend etwas sein.«

»Sie könnte Ihren tragen«, sagte ich.

Er betrachtete seine Hand, als könnte er nur so begreifen, wovon ich sprach.

»Nein, ich glaube nicht«, sagte Carol. Sie schüttelte den Kopf, während Rich sich mühsam den Ring vom Finger zog. »Ich möchte das nicht.«

»Es ist doch nur vorübergehend«, sagte Rich. »Nur für ein paar Tage.« Er streckte ihr den einfachen Goldring in der offenen Hand entgegen. »Wenn es notwendig ist.«

Sie schüttelte den Kopf und formte mit dem Mund schweigend das Wort »Nein«.

Rich wurde plötzlich wütend. Er hatte seine Gefühle zurückgehalten, während er sich den Ring vom Finger gezogen hatte, und jetzt ließ er ihnen freien Lauf.

»Hier!« Er stieß ihr den Ring hin. »Du hast uns hier rein gezogen!«

»Ich wollte nicht hierherkommen.«

»Aber du warst diejenige, die ihr erzählt hat, wir wären verheiratet.«

»Ich dachte, das würde es einfacher machen. Sie ist deswegen ständig hinter mir her.«

»Das wenigste, was du tun kannst, ist, ihn zu tragen.«

Wir gingen den gepflasterten Weg von der Garage zum Haus und betraten das Haus durch die Hintertür. Carol hielt beim Gehen die Hand mit dem Ring von sich weggestreckt. Sie brachte uns durch die Küche in die Diele, und da hielten wir dann an und standen etwas steif bei der Tür zum Wohnzimmer herum. Sie wurde immer unsicherer, je näher wir ihrer Mutter kamen. Gypsy kam mit wedelndem Schwanz leise an den Wänden entlang auf mich zugetrottet. Er schnupperte zart an Carols Knöcheln und schaute nach oben in ihr Gesicht, schien sie aber nicht zu erkennen.

Debbie trug Rosa. Sie hatte ein Stilleben komponiert, in dem sie neben ihrem Sessel mit verstellbarer Rückenlehne stand, eine

Hand wie beiläufig auf der Rückenlehne ruhend, um sich abzustützen. Sie lächelte gnädig und neigte den Kopf ein wenig zur Begrüßung, als wir in Sichtweite kamen. Ihr Lippenstift war ein bißchen verrutscht, so daß sie aus ein paar Schritten Entfernung aussah, als hätte sie eine dicke Lippe, weil ihr jemand seitlich auf den Mund geschlagen hatte.

»Mom, du erinnerst dich an Rich«, sagte Carol und trat unbeholfen näher.

»Warum, ja, natürlich«, sagte Debbie. Sie streckte die Hand aus, Handfläche nach unten, damit Rich danach griff. »Sie stattlicher Teufel! Wie hätte ich Sie jemals vergessen können?«

»Schön, Sie wiederzusehen«, sagte Rich. Ich glaube, er überlegte, ob er ihr die Hand küssen sollte.

»Wissen Sie, ich fühle mich nicht besonders gut«, sagte Debbie zu ihm und ließ ihn nicht los. »Wissen Sie, ich wäre ja zur Hochzeit gekommen, wenn ich gekonnt hätte. Das wissen Sie doch, nicht wahr?« Sie schüttelte seine Hand mit Nachdruck. »Aber ich konnte nicht, sehen Sie, wegen meiner Hüfte. Sie verstehen doch, oder?« Sie zeigte auf sein Gesicht, neckend, flirtend. »Ich sehe, daß Sie mich verstehen.«

»Es war nur eine kleine Hochzeit«, antwortete Rich höflich. »Nur die Familie und die unmittelbaren Freunde, das war's schon.«

»Aber ich bin die Familie!« sagte sie und ließ seine Hand abrupt los. »Das bin ich doch immer noch, nicht wahr?« fragte sie Carol sanft, mit übertriebenen Lippenbewegungen, als könnten Rich und ich ihre Unterhaltung nicht wirklich hören.

»Natürlich bist du das! Immer!«

Debbie tätschelte Carol geistesabwesend die Wange, wandte sich schon wieder ab.

»Sie wollen mich in ein Pflegeheim stecken«, flüsterte sie Rich hörbar zu, »um an mein Geld zu kommen.« Ihre Augen glitten über mich hinweg, ein Wiedererkennen flackerte in ihnen auf, und sie kehrten zu meinem Gesicht zurück.

Rich kicherte unsicher.

»O ja!« sagte sie für den Fall, daß er sie nicht wirklich ernst nahm.

»Dies sind meine Tochter und mein Schwiegersohn«, sagte sie zu mir. »Sie sind ein paar Tage zu Besuch.«

»Sehr schön«, sagte ich.

»Vielleicht können Sie ihr Gepäck aus dem Auto holen?« bat sie mich.

Sie betrachtete mich eingehend. Der soziale Kontext irritierte sie. Sie schaute mir einen Moment mit einem verwirrten Stirnrunzeln ins Gesicht, aber das brachte sie nicht weiter, zudem wurde sie schnell von etwas anderem abgelenkt, was sie dort sah.

»Was ist mit Ihnen passiert?« fragte sie.

»Er sieht ein bißchen unpäßlich aus«, sagte Carol. »Vielleicht sollte er sich hinlegen.«

»Sie ist Krankenschwester«, sagte Debbie. »Meine Tochter.«

Sie schaute sich um, um zu sehen, wo sie ihren Drink abgestellt hatte. Rich ging schnell an ihr vorbei und streckte ihr das Glas hin.

»Da haben wir's!« sagte er und sah ihr lächelnd in die Augen.

Sie erkannten einander unmittelbar: Er war der Mann mit der Fähigkeit, charmant zu sein, und sie war empfänglich dafür.

»Vielleicht«, sagte Carol, »sollte Dan sich vor dem Essen etwas hinlegen.«

»Na, dann fort mit Ihnen«, sagte Debbie mit einer wedelnden Handbewegung.

Rich war unschlüssig. Debbie hängte sich bei ihm ein und schaute Carol verstohlen an.

»Solange es Ihnen nichts ausmacht, mich mit diesem prachtvollen Geschöpf allein zu lassen!«

»Ich glaube, ich sollte ihm behilflich sein«, sagte Rich unsicher zu Debbie. »Wir wollen doch nicht, daß Dan die Treppe runterfällt oder so.«

Debbie hielt ihn fest. »Also, so schlecht sieht er nun auch wieder nicht aus.«

»Ich kann ihm helfen«, sagte Carol zu Rich.

»Ich komme schon klar«, sagte ich zu ihm.

Carol führte mich ganz nach oben in einen kleinen, abgelegenen Raum unter dem Dach. Ich lag eine Weile auf dem Bett und versuchte herauszufinden, wie die sich einander überschneidenden Ebenen der Decke die aufeinander zulaufenden Ziele verschiedener Menschen symbolisierten, die alle im Scheitelpunkt in einer Linie zusammentrafen.

Die Luft war heiß und verbraucht. Wir benötigten Regen. Ich stand vorsichtig vom Bett auf und öffnete das Fenster, um etwas frische Luft ins Zimmer zu lassen. Ich zog einen Stuhl ans Fenster und lehnte die Arme aufs Fensterbrett. Eine leichte Brise bewegte die Blätter eines Ahorns. Auf dem kurzen Stück Straße, das ich von hier aus überblicken konnte, beobachtete ich, wie ein Teenager auf einem Fahrrad vorbeikam, das viel zu klein für ihn war, und Zeitungen in die Vorgärten warf. Ein grüner Volvo-Kombi fuhr ein paar Häuser weiter runter auf den Gehweg und wartete; ein kleines Mädchen, das für den Tanzunterricht gekleidet war, kam die Einfahrt heruntergelaufen, die hintere Wagentür ging auf, und es kletterte hinein. Auf der gegenüberliegenden Seite schlich ein Schäferhund am Zaun entlang und drehte sich plötzlich um, um an einer bestimmten Stelle zu schnuppern, an der er schon fast vorbeigegangen war. Und in dieser ruhigen Vorstadtstraße fuhr in fünfzehn Minuten zweimal ein Taxi langsam vorbei.

Ich lag auf dem Bett und war wohl eingeschlafen, weil das nächste, an das ich mich erinnere, Carol war, die sich auf mein Bett setzte, wodurch ich wach wurde.

»Nimm die«, sagte sie. Zwei gefährlich aussehende Kapseln lagen in ihrer Hand. »Es ist ein Antibiotikum. Ich hab's im Medizinschränkchen meiner Mutter gefunden.«

Ich tat sie in den Mund und schluckte sie mit einem bißchen Wasser aus dem Glas, das sie mir reichte, runter.

Sie legte mir die Hand auf die Stirn, um die Temperatur zu fühlen, ließ sie länger als notwendig dort liegen und strich mit den Fingern seitlich an meinem Gesicht entlang. Sie machte mich schwach mit ihrer Zärtlichkeit.

Meine Augen fielen zu, als das Vergnügen mich beschlich wie Schlaf, wie Opium. In dem Moment, in dem ich spürte, daß sie ihre Hand wegnehmen wollte, legte ich meine Hand darauf.

»Nicht«, sagte sie kraftlos.

Manchmal braucht die Liebe ein physisches Medium, um sich von einem Herzen zum anderen zu übertragen. Ich hielt ihre Fingerspitzen an meiner Wange fest, verlängerte den Moment, der um so kostbarer war, weil sie ihre Hand mit der geringsten Willensanstrengung zurückfordern konnte. Sie zog ihre Hand weg.

»Du mußt dir mich aus dem Kopf schlagen«, sagte sie.

»Das kann ich nicht. Selbst wenn ich wollte, könnte ich es nicht.«

»Du mußt dich jetzt selbst retten.«

»Ist es das, worüber du nachdenkst?«

»Du machst mir angst, wenn du mich so ansiehst.«

»Warum? Ich möchte dich nicht ängstigen.«

»Es ist zu stark.«

»Wie kann es zu stark sein? Wie kann irgendwas zuviel sein?«

»Wenn du mich so ansiehst, habe ich Angst, daß du nicht weißt, wer ich wirklich bin.«

»Ja!«

»Ich habe Angst, daß du aufwachst und mich siehst, wie ich wirklich bin ... und dann?«

»Ich kenne dich«, sagte ich zu ihr. Sie sollte die Sicherheit in meiner Stimme hören. »Du weißt nicht, wie gut ich dich kenne.«

Sie seufzte und schaute weg. »Ich bin froh, daß jemand das tut.«

»Du kennst dich die halbe Zeit selbst nicht«, sagte ich zu ihr.

»Sieh mal, du mußt verschwinden, bevor etwas passiert.«

»Noch nicht. Ich bin noch nicht soweit.«

»Das ist deine letzte Chance. Weißt du, was Rich vorhat?«

»Rich will mich an Nando verkaufen.«

Sie war überrascht, daß ich das wußte.

»Es ist doch offensichtlich, oder nicht?« sagte ich. »Das ist das einzige, was er tun kann.«

»Du kennst Nando. Du weißt, was Nando tun wird.«

»Niemand weiß, was Nando tun wird.«

»Aber du weißt doch, wie das läuft.«

»Es wird nichts passieren.«

»Du mußt dich auf den Weg machen, solange du noch kannst. Du kannst die Hintertreppe nehmen. Nimm Debbies Auto. Ich habe die Schlüssel für dich organisiert.«

»Wohin soll mich das bringen?«

»Hier. Ich hab' das aufgehoben. Rich weiß nichts davon.«

Sie wollte mir ein dünnes Bündel Banknoten geben, aber ich wollte es nicht. Sie sah sich nach einer Tasche um, in die sie sie stecken konnte, und schließlich schob sie sie in meine Jeans.

»Es ist nicht viel Zeit«, sagte sie. »Du mußt los.«

»Ich weiß. Sie wissen, daß wir hier sind.«

»Wer weiß das? Die Polizei?«

»Nein, nicht die Polizei. Nando.«

»Sag doch so was nicht.«

»Hast du das Taxi nicht bemerkt, das uns vom Motel hierher gefolgt ist?«

»Rich hat doch geschaut. Wenn wir verfolgt worden wären, hätte er es gesehen.«

»Sie haben Rich tagelang beschattet und darauf gewartet, daß er sie erst zu dir und dann zu mir führt. Du hast sie nicht vor dem Park stehen sehen, als wir rausfuhren? Eine Frau ist gefahren, und Nando hat hinten gesessen wie ein Passagier.«

»Du warst im Kofferraum. Du konntest überhaupt nichts sehen.«

»Du solltest mit mir kommen. Ich kann mich um dich kümmern.«

»Niemand weiß, daß wir hier sind. Das ist die Voraussetzung dafür, daß Rich sein Geschäft machen kann.«

»Du und ich, wir könnten es schaffen, wenn wir uns in Debbies Auto rausschleichen.«

»Ich weiß nicht.«

»Sie sind schon hier! Glaubst du, daß ich mir das ausdenke, um dich dazu zu bewegen, mit mir zu kommen?«

»Nein, ich schätze, ich glaube dir.«

»Du hältst mich für paranoid!«

»Du denkst so, als wärst du immer noch in Denning. Du hast vergessen, wie das Leben ist. Es gibt so viele Taxis, und alle paar Minuten fährt eines vorbei. Das bedeutet nichts.«

Ich legte mich aufs Bett und starrte auf die sich überschneidenden Ebenen der Decke.

»Wenn ich dir sagen würde, wo das Geld ist, würdest du dann mit mir kommen?« fragte ich sie.

Carol schaute eine ganze Weile auf mich hinunter. Sie schaute in mich hinein, als würde sie in einen tiefen Teich starren und versuchen, an ihrem eigenen Spiegelbild vorbeizuschauen, das schimmernd auseinandertanzte und sich auf magische Weise wieder vereinte. Ich versuchte, mich für sie durchsichtig zu machen, aber sie konnte es immer noch nicht sehen.

Sie sagte: »Du weißt nicht, wo das Geld ist«, als könnte sie so eine Hoffnung begraben, ohne die zu leben sie schon akzeptiert hatte.

Wir hörten ein Knarren den halben Weg die Treppe hoch, dann das Geräusch normaler Schritte, als Rich es aufgab, sich heimlich anzuschleichen, und den restlichen Weg die Treppe normal lief.

Er kam ohne anzuklopfen in das Schlafzimmer, aber Carol war schon vom Bett aufgestanden.

»Deine Mutter ist mir ja eine«, sagte er und schüttelte ungläubig den Kopf. »Sie macht mich wahnsinnig.«

Er griff in seiner Hosentasche nach den Handschellen, dann hakte er den Schlüsselbund von der Spange an seinem Gürtel los, um sie aufzuschließen.

»Wir brauchen die Dinger nicht«, sagte Carol.

»Sagt wer?« Er kam auf mich zu.

»Sieh ihn dir doch an«, sagte sie. »Wo soll der schon hingehen?«

Rich warf einen flüchtigen Blick auf mich, um abzuschätzen, wie stark ich war. Er nickte, als würde er sich immer noch ein Urteil bilden, und ich sah mich zur Handelsware werden. Er rieb sich die Hände, wobei die Finger senkrecht zur Decke zeigten, während er sich vor und zurück bewegte wie ein Sportler beim Aufwärmen. Die Geschäftigkeit, die Vorwärtsbewegung, das entspannte Selbstbewußtsein kehrten zurück. Rich hatte Pläne.

»Sie fühlen sich so beschissen, wie Sie aussehen?« fragte er.

»Ziemlich.«

»Sie kümmert sich gut um Sie?«

Er griff auf besitzergreifende Art und Weise nach Carols Arm, um mir zu zeigen, daß es ihm irgendwie völlig egal war, über was wir uns miteinander unterhalten hatten.

»Sie ist eine gute Krankenschwester«, erwiderte ich, wobei ich nur Carol anschaute.

»Ja, Sie sagen es.«

Er legte einen Arm um ihre Schultern und beugte sich in der Absicht, sie zu küssen, vor. Aber sie befanden sich nicht im gleichen Kontext. Carol schaute mich an, und er erwischte sie in einem Augenblick, in dem sie nicht auf der Hut war. Sie bewegte, ohne darüber nachzudenken, die Schultern hin und her, versuchte, sich von ihm loszumachen, und sagte: »Rich!«, stieß das Wort regelrecht protestierend aus.

Er ließ sie los. Einen Moment war er verwirrt. »Nicht«, sagte sie ruhig, obwohl er ihr schon gar nicht mehr nah war. »Nicht vor anderen Leuten.«

»Haben Sie das gehört?« fragte er mich und grinste, als wären Carol und er Frischverheiratete. »Was sagen Sie jetzt, Cody?«

Ich nickte und sah ihn vor meinen Augen schwächer werden.

»Leute!« sagte er.

Vielleicht hatte Debbie ihm einen Drink gegeben, den er zu schnell auf leeren Magen getrunken hatte. Ich erwiderte sein Lächeln. Ich war es nicht gewöhnt zu lächeln, und die Bewegung meiner Lippen war steif und unbeholfen.

Ich beobachtete, wie der Abgrund zwischen Rich und Carol

breiter wurde. Carol sah es und erschrak. Die Erde unter ihren Füßen brach auseinander wie Treibeis.

»Deine Mutter sagte etwas von wegen Mittagessen kochen«, sagte Rich. »Aber ich weiß nicht. So wie sie es in Angriff nahm, sollte sie wahrscheinlich besser bei Flüssignahrung bleiben.«

»Ich kann kochen«, sagte ich. »Es macht mir nichts aus.«

»Sie müssen immer Ihre Finger mit drin haben, nicht wahr, Cody?« sagte Rich. »Mit Ihnen ist nichts einfach nur unkompliziert.«

»Du solltest hier oben bleiben und dich ausruhen«, sagte Carol. »Du hast nicht zugehört, was ich dir gesagt habe.« Ihre Augen bedeuten mir, ich sollte fliehen, aber ich ignorierte ihre Botschaft.

Die Küche war ein Schlachtfeld. Debbie wanderte mit einem Glas Orangensaft in der Hand hin und her. Als Carol den Kühlschrank öffnete, trippelte sie schnell um den Tisch herum, streckte die Hand nach der Tür aus, so daß Carol zurücktreten mußte, und schloß sie schwungvoll.

»Raus. Raus. Raus!« sang Debbie, und Carol seufzte, als wäre dies ein Theaterstück, das sie schon sehr oft gespielt hatten.

»Ich dachte, es wäre einfacher ...«, setzte sie an.

»Das hier ist meine Küche«, verkündete Debbie. Sie fand einen Metallspatel, den sie in der Luft herumschwenkte, um ihre Worte zu begleitete. »Ich bin die Herrin in meiner eigenen Küche, habt vielen Dank!«

Debbie hatte ein Auge auf Rich geworfen, der auf der Ecke der Arbeitsplatte lümmelte und auf alles achtgab, was zwischen uns passierte.

»Der hier sieht aus, als könnte er ein Ei kochen«, sagte Debbie. »Was meinen Sie?«

Ihr Finger tanzten leicht auf Richs Schulter. Als sie hinter ihn trat, ließ sie ihre Hand über seinen Rücken gleiten, und er mußte von ihr wegrücken, damit sie die Waffe, die in seinem Hosenbund steckte, nicht entdeckte.

»Oh, schreckhaft!« sagte sie neckisch.

Ich bemerkte, daß Carol wegschaute. Sie stand unsicher in der Tür. Ich öffnete den Kühlschrank, und Debbie wandte mir ihre Aufmerksamkeit zu. Sie schlich an der Arbeitsplatte entlang, um zu sehen, was ich rausholen wollte.

»Vielleicht mache ich einen Salat«, sagte Carol zu niemand Bestimmtem. Sie wirkte hilflos, verloren.

»Und was ist Ihre Spezialität«, fragte Debbie mich kühl.

Ich sah eine Packung graues Rinderhack einsam auf dem Drahtgitter liegen. »Ich mache ziemlich guten Hackbraten«, schlug ich vor.

»Du hast ein paar Tomaten«, bemerkte Carol. Sie hockte sich hin, so daß sie zwischen uns hindurch auf den Boden des Kühlschranks sehen konnte.

»Hier ist nicht genug Platz für alle«, sagte Debbie ungeduldig und wedelte sie beiseite.

»Ich mache Fleischklößchen«, schlug Rich hinter uns vor.

Debbie wandte sich vom Kühlschrank ab, um ihn aufmerksam zu betrachten. »Also, das würde mir wirklich gut gefallen«, sagte sie.

Carol warf die Packung Hackfleisch über Debbies Schulter. Wir sahen zu, wie sie sich in der Luft drehte und einen Moment in der Luft schwebte.

Rich lehnte lässig an der Arbeitsplatte und war in Gedanken bei dem vorteilhaften Geschäft, das er Nando aufdrängen würde. Das Päckchen kam in einem unbedachten Augenblick auf ihn zugesegelt, und er mußte ganz schnell zugreifen und es auffangen, bevor es eine Pflanze umwarf.

»Hey!« protestierte Debbie. Sie zog den Kopf ein, lange nachdem es vorbeigeflogen war.

»Ich schneide die Tomaten in Scheiben«, sagte ich zu ihr und ging zu der Arbeitsplatte rüber, wo das Schneidebrett war.

Rich rutschte von der Arbeitsplatte runter und machte Platz, damit ich nicht hinter ihm vorbeiging. Carol warf rasch hintereinander zwei Tomaten in die Luft, und ich fing sie auf und legte eine nach der anderen auf das Brett. Bevor Rich eine Chance hatte, etwas dazu zu sagen, zog ich das größte Messer mit der breitesten Klinge aus dem Messerblock.

»Hör damit auf!« schrie Debbie.

»Du bist als nächste dran«, sagte Carol zu ihr.

»O nein, ich nicht!«

»Was wird dein Beitrag sein?«

»Ich spiele eure Spielchen nicht. Ich tu's nicht, und damit basta.«

»Wie wäre es mit ein bißchen Perrier?« Carol schlenkerte die Flasche zwischen Zeigefinger und Daumen. »Dünsten sie in diesen Gourmet-Restaurants nicht ihr Gemüse darin?«

»Ich komme nicht mehr so leicht in den Laden wie früher«, sagte Debbie unsicher. Ihre Augen folgten der Flasche. »Das ist alles, was ich im Haus habe.«

An der Tür läutete es.

Die drei erstarrten in ihrer Bewegung. Gypsy stand auf und trottete zur Haustür.

»Wer soll denn das sein?« fragte Debbie verdrießlich.

Rich schaute Carol fragend an. Sie wirkte verängstigt, warf mir einen raschen Blick zu und schaute wieder weg; sie wollte es nicht wahrhaben.

Ich testete das Messer an der straffen Haut der Tomate. Ich schob die Schneide langsam vorwärts, und ohne den geringsten Druck schnitt sie die Frucht mittendurch. Als ich das Messer zurückzog, fiel die Tomate sauber auseinander.

»Also, könnte nicht einer von euch nachsehen, wer draußen ist?« fragte Debbie klagend. »Ich möchte nicht, daß sie wissen, daß hier eine alleinstehende Frau lebt.«

Rich kratzte sich den Rücken, tastete nach der beruhigenden Kontur der Waffe. Er schaute Carol an und neigte den Kopf in Richtung der Tür. »Möchtest du gehen?« Er nickte, als würde er es ihr befehlen.

Sie schaute mich an, und ich wußte, daß sie mir gern gesagt hätte, daß unsere Waffe in der Umhängetasche auf dem Stuhl am Tisch war.

Abrupt ging sie in Richtung Diele und auf die Haustür zu, als müßte alles, was getan werden mußte, jetzt in großer Eile erledigt werden.

»Warte!« sagte Rich.

Er lief beinahe geräuschlos hinter ihr vorbei zum Salon und stellte sich im Hintergrund zwischen den Schatten so in Position, daß er durchs Fenster sehen konnte, wer vor der Haustür stand.

Die Haustür hatte Türfüllungen aus Milchglas, und wir sahen eine graue Gestalt, die sich ungeduldig nach der Seite drehte, vorbeugte, bedrohlich näher rückte, aber niemals so nah kam, daß sie noch einmal auf die Klingel drückte.

»Was?« fragte Rich aus dem Salon, ungläubig, drehte und wand sich, um einen besseren Blick zu haben.

Dann richtete er sich auf und brach in schallendes Gelächter aus und stieß einen leisen, erleichterten Pfiff aus.

»Es ist ein verdammter Pizza-Lieferant!«

»Geben Sie acht, was Sie sagen«, sagte Debbie, jedes einzelne Wort betonend. Die Perrierflasche hielt sie sicher in ihren Händen.

»Tut mir leid«, sagte er, wandte sich ihr zu und stutzte, als er mich sah.

Ich stand, eine Hand auf einem Lehnstuhl, keine anderthalb Meter von ihm entfernt. Er schaute auf meine andere Hand, ob ich das Messer mitgebracht hatte, dann verlor er das Interesse – was ihn anging, hatte ich meine Gelegenheit verpaßt. Er schlenderte in Richtung Diele, locker und wieder voller Vertrauen, und verstaute die Waffe hinten in seinem Hosenbund, wobei er mich mit seinem Ellbogen streifte, als er an mir vorbeiging. Es spielte keine Rolle, daß ich da war. Es ging darum zu demonstrieren, daß er die Situation unter Kontrolle hatte, daß er mich berühren, ich mich ihm aber nicht mehr als auf anderthalb Meter nähern konnte.

»Mach die Tür auf«, sagte er zu Carol. Er grinste. Die Angst, die Waffe, die er in der Hand gehalten hatte, waren nur Teil eines großen Spaßes.

Sie sah immer noch beunruhigt aus. »Bist du sicher?« flüsterte sie.

»Klar!«

Rich schritt zur Tür und zog sie auf. Auf der Schwelle stand ein nervöses Mädchen von etwa neunzehn Jahren in der blaßblau-weiß-roten Uniform von Domino's Pizza. In den Händen hielt sie eine große Pizza-Schachtel, die sie Rich hinhielt.

»Große Paprika und Würstchen mit einer Extraportion Käse?« fragte sie.

»Ganz genau«, sagte er und griff nach der Schachtel.

»Wir haben keine Pizza bestellt«, sagte Carol.

Das Mädchen schaute entschuldigend von Rich zu Carol. »Sie ist schon bezahlt«, erklärte sie mit ansteigender Modulation in der Stimme, als würde sie eine Frage stellen.

»Es ist okay«, sagte Rich. »Ich hab mich darum gekümmert.«

»Vielleicht haben Sie die falsche Adresse«, sagte Carol.

»Sie ist schon bezahlt«, sagte Rich, lächelnd und ungeduldig. »Habe ich nicht gesagt, um alles wurde sich gekümmert?«

Er öffnete die Schachtel einen kleinen Spalt weit und steckte seine Nase hinein, um an der Pizza zu schnuppern.

Das Mädchen linste über seine Schulter, um die Hausnummer auf der Tür zu überprüfen.

»Das ist richtig«, sagte sie.

»Wer hat sie bezahlt?« wollte Carol wissen.

»Ein geheimer Wohltäter«, sagte Rich, als er sich von dem Mädchen abwandte und Carol »Laß es gut sein« zumurmelte.

»Ich war nicht da, als sie in den Laden kam, um die Bestellung aufzugeben.«

Das Mädchen verlagerte unbeholfen ihr Gewicht von einem Fuß auf den anderen und versuchte, Carol daran zu erinnern, daß sie noch kein Trinkgeld bekommen hatte.

»Also war es eine Dame, die die Pizza bezahlt hat?« fragte Carol sie.

»Ich glaube schon«, sagte das Mädchen, das gern gehen wollte. »Ich weiß es nicht. Ich war nicht da.«

Ich hielt mich außer Sichtweite der Leute, die gesehen hatten, wie Rich und Carol in die Garage gefahren waren, und die jetzt Rich und Carol zur Tür kommen sahen, mich aber nicht mehr lebend gesehen hatten, seit wir in den Park gefahren waren.

Rich schloß die Tür. Er balancierte die Pizzaschachtel auf einer Hand, schloß die Tür ab und zog den Schlüssel raus. Dann ging er, die Pizza mit den Fingerspitzen hochhaltend, feierlich in die Küche.

»Geh jetzt!« flüsterte Carol. »Bitte!«

Aus der Küche drang Gelächter, und wir hörten die Stimmen von Rich und Debbie, die miteinander herumalberten. Carol zögerte.

»Beweist das nicht, was ich dir gesagt habe?« fragte ich sie.

»Es beweist gar nichts«, erwiderte sie ohne Überzeugung.

Ich nahm ihr Gesicht zwischen meine Hände und hielt es wie eine kostbare Flüssigkeit, die mir durch die Finger rinnen und für immer verloren sein könnte. Ich hatte das Gefühl, dem Ende sehr nahe zu sein. Aber alles, was vorher passiert war, war diesen einen Augenblick wert. Schließlich hob sie ihre Augen zu mir. Es gibt einen Punkt der Hoffnung, unendlich nah am Glauben, der wie physischer Schmerz ist.

»Es bedeutet nichts«, sagte sie. Sie wandte sich ab, zog sich von mir zurück. »Es war ein Versehen. So was passiert andauernd.«

»Ich werde das Geld für uns besorgen«, sagte ich zu ihr.

»Hey!« Rich hing mit einer Hand am Türpfosten und lehnte sich in die Diele. »Wir haben serviert!«

Niemand schien sich zum Essen an den Tisch setzen zu wollen. Debbie lehnte an der Arbeitsplatte und knabberte abwesend an den Ecken eines Stücks Pizza, während sie die halbleere Perrierflasche in der Armbeuge des anderen Arms wiegte. Rich ging auf und ab. Er hielt das Pizzastück weit weg und pirschte sich wie ein Hai von unten an, um das weicheste, am dicksten belegte Stück in der Mitte wegzubeißen. Er lief herum und gab anerkennende Geräusche von sich, während er kaute. Carol aß nichts. Sie lehnte verstimmt an der Wand neben dem Telefon.

»Also.« Rich mußte innehalten und das, was in seinem Mund war, schlucken. »Für diejenigen, die leer ausgegangen sind, damit wir essen können, danken wir dir, o Herr.«

»Ein bißchen spät für ein Tischgebet«, sagte Debbie. »Jetzt haben wir das meiste schon gegessen.«

Rich wollte etwas sagen, aber er hatte den Mund voll, und als er geschluckt hatte, hatte Debbie das Interesse verloren und pickte Wurststückchen von der Pizza, die sie senkrecht in Richtung von Gypsys Schnauze fallen ließ.

»Ich frage mich«, fing er an, schluckte und wurde förmlich. »Würde es Ihnen etwas ausmachen, wenn ich Ihr Telefon benutze, um meine Mutter anzurufen? Es ging ihr zuletzt nicht besonders gut, und ich möchte mich gerne nach ihr erkundigen.«

»Ferngespräch?« fragte Debbie mißtrauisch.

»Nein, o nein. Ortsgespräch.«

»Wo lebt sie denn?«

»Meine Mutter? In Andover.«

»Einverstanden«, sagte Debbie zögernd. »Aber geben Sie diese Nummer nicht raus, es ist eine Geheimnummer.«

Rich achtete nicht auf sie. Er schien sich auf ein Gefecht vorzubereiten, er atmete tief ein, straffte die Schultern und stieß die Luft wieder raus.

»Danke«, sagte er zu Debbie.

Er ging zur Tür und drehte sich, halb im Zimmer und halb in der Diele, noch einmal unschlüssig wieder zu uns um. Debbie musterte ihn sorgfältig. Ich pickte die letzten Reste Käse und Soße von der Kruste eines Pizzastücks.

»Du hast ein Auge auf alles, bis ich zurück bin?« fragte er Carol unsicher.

»Klar«, erwiderte sie, ohne zu lächeln.

»Ein Auge auf was haben?« fragte Debbie. »Wo geht er hin?«

Auf der anderen Seite der Diele schloß Rich bedauernd die Tür zum Wohnzimmer.

»Ich schätze, er möchte ein vertrauliches Gespräch führen«, sagte Carol.

»Sie wissen doch, wie das ist«, sagte ich, »wenn man frisch verheiratet ist.«

Carol ging zum Telefon an der Wand hinüber. Sie hob den Hörer von der Gabel und bedeckte die Sprechmuschel mit beiden Händen.

»Betrügt er sie?« fragte Debbie mich.

Carol starrte mich von weit weg an, lauschte und schaute, ohne etwas Bestimmtes anzusehen, in die Gegend.

»Wenn du gehen willst, dann geh jetzt«, sagte sie zu mir.

»Ich bleibe bei dir«, erwiderte ich.

»Ich kann mich nicht um dich kümmern!« sagte sie wütend. »Ich kann nichts mehr für dich tun!«

Sie wollte noch mehr sagen, aber ihr Körper richtete sich angespannt auf, als ihr bewußt wurde, daß Rich im anderen Zimmer den Hörer abgenommen hatte.

Ich las den Klingelton in ihrem leeren, seitwärts gerichteten Blick. Ihre Hände waren fest um die Sprechmuschel gepreßt. Als das Gespräch entgegengenommen wurde, konzentrierte sich ihr Blick und sie wandte sich mir zu. Ich beobachtete, wie ihre Augen hin und her huschten, während sie dem Gespräch folgte und sie allmählich begriff, welche Folgen es haben würde.

Debbie holte einen Behälter mit Orangensaft aus dem Kühlschrank, goß sich ihr Glas halb voll aus der Perrierflasche und füllte es mit Saft auf.

»Sie haben immer noch was nebenher laufen«, murmelte sie mir zu, als sei das eine dermaßen unbestrittene Wahrheit, daß es kaum wert war, sie laut auszusprechen. Sie rührte ihre Mixtur um und nahm einen Schluck aus dem Glas.

»Besonders wenn sie ziemlich gutaussehend sind, wie dieser da. Ein paar andere waren es nicht.«

Carol legte den Hörer auf. »Sie werden Nando anrufen«, sagte sie, »und er ruft uns an.«

Rich kam in die Küche zurück. Er unterdrückte ein Grinsen, aber er konnte nicht widerstehen, Carol mit Zeigefinger und Daumen ein »alles in Ordnung«-Zeichen zu machen. Er holte sich noch ein Stück Pizza und lehnte sich an die Arbeitsplatte, um es zu essen.

»Glauben Sie, daß Sie die Pizza von jemand anderem essen?« fragte ich ihn.

»Ein Geschenk der Götter!« Er war unheimlich selbstsicher. »Wir haben eine Gewinnserie, ich spüre es!«

Er warf Gypsy ein Stückchen Wurst hin und beobachtete, wie der es aus der Luft schnappte. Dann sah er, daß ich auf die Uhr schaute.

»Ah, es ist fast Zeit«, sagte er. »Es ist fast Zeit für meine Lieblingsfernsehshow.«

»Es würde dir nicht gefallen, Mom«, sagte Carol schnell.

»Woher weißt du das?« widersprach Debbie. »Wenn er es mag, glaube ich schon, daß es mir auch gefällt.«

»Kommt drauf an«, sagte Rich. »Manchmal ist es brutal.«

Debbie schaute zweifelnd drein. »Oh, darüber weiß ich nichts.«

»Manchmal ist es sogar ziemlich brutal«, sagte er, schon unterwegs ins Wohnzimmer. »Ich will es erst mal anschauen. Dann sag ich's Ihnen.«

Wir hörten die Erkennungsmelodie Ihrer Show, Sandy. Dann kam Rich zurück und steckte den Kopf in die Küchentür.

»Ich kann Ihnen versichern, daß es sehr brutal sein wird«, sagte er zu Debbie.

Er bedeutete Carol mit einer Kopfbewegung, ihm zu folgen, aber sie machte keinerlei Anstalten, sich in Bewegung zu setzen. Debbie musterte ihn sorgfältig. Sie drehte sich um, um zu sehen, ob hinter ihrem Rücken Zeichen gemacht wurden. Ich kaute auf den Resten von Käse und Soße an der Ecke einer Kruste.

Wir konnten Ihre Stimme hören, Sandy, aber nicht verstehen, was Sie sagten. Ich knabberte an der Pizza herum und fragte mich, wieviel von dem Brief über Debbie und Gypsy Sie wohl vorlesen würden. Harmloses Zeug, das meiste, aber – für den Fall, daß Carol oder Rich nicht rausgefunden hatten, wo ich war – wichtig wie eine Versicherungspolice. Dann war da noch

Diegos Geschichte. Ich war mir sicher, daß sie diesen Teil lesen würden. Ich dachte an Nando, der in der Nähe in einem Motelzimmer saß oder sich mit einem tragbaren Fernseher auf dem Schoß auf dem Rücksitz eines Taxis lümmelte, und fragte mich, wie er reagieren würde, wenn er hörte, was Diego über Vera gesagt hatte. Er würde es natürlich nicht glauben. Man glaubt so etwas nicht, bis man es mit eigenen Augen sieht. Nicht einmal dann. Man muß bereit sein, es zu erkennen. Aber vielleicht machte Ihre Sendung an diesem Abend Nando eine Spur anfälliger für meine Pläne.

»Es gibt überhaupt kein Nummernkonto!« platzte Rich in die Küche.

»Es ist alles in einem Schließfach! Alles, was wir brauchen, ist der Schlüssel. Er hatte ihn die ganze Zeit.«

Er schaute von einem von uns zum anderen, aber niemand sagte etwas. Wir müssen auf ihn gewirkt haben wie Zombies. Er warf den Kopf in den Nacken und brach in laut schallendes Gelächter aus.

»Ihr habt's nicht begriffen«, sagte er. Er zeigte hinter sich in Debbies Wohnzimmer. »Ihr habt nicht gehört, was sie gesagt hat. Sandy hat den Brief vorgelesen. Es stand alles drin. Die ganze Sache. Sie hatten ein Schließfach, und alle sechs Monate flogen sie dorthin und deponierten noch mehr Geld. Es ist wunderbar! Alles, was wir brauchen ...«

»... ist der Schlüssel«, unterbrach ich ihn, »und Veras Unterschrift. Und ein Flugticket auf die Caicosinseln.«

Er kam zu dem Stuhl, auf dem ich saß. Er griff mit einer Hand über meine Schulter zu der Rückenlehne des Stuhls. Er wartete gelassen, als wäre die Frage ein Hechtsprung vom obersten Brett, der mich, wenn er perfekt ausgeführt wurde, ohne einen Spritzer, ohne den geringsten Widerstand durchbohren würde.

»Sie wissen, wo dieser Schlüssel ist, nicht wahr?«

»Ja«, sagte ich.

Er richtete sich langsam auf, starrte verwundert auf mich runter, während er sich wegbewegte. »Es spielt keine Rolle«, sagte er. »Es spielt keine Rolle, ob Sie es wissen oder nicht. Das ist Nandos Problem.«

Das Telefon klingelte. Ich konnte meine Augen nicht von ihm abwenden. Er war wie ein in Bernstein eingeschlossenes Insekt, das man drehen und betrachten kann, wie man will – ein seit einer Million Jahre eingesperrter Augenblick, den man in den Händen hin und her wenden kann. Es klingelte ein zweites Mal, und ich beobachtete, wie er sich Carol mit einem triumphierenden Grinsen zuwandte.

»Also, will denn niemand rangehen?« fragte Debbie.

Rich hielt die Hand hoch. »Warten Sie.«

Er schritt zum Telefon hinüber, als es noch einmal klingelte. Er stand da, ließ die Hand darüber schweben und ließ es noch einmal klingeln, bevor er sich den Hörer schnappte.

»Ja, was ist los?« fragte er, dann erkannte er Nandos Stimme und wurde ganz starr. »Natürlich ist er das.« Er wandte sich mir zu. »Es geht ihm gut, sehr gut. Ja, kannst du, wenn du willst.« Er schien zu zögern. »Aber wozu? Was ist der springende Punkt?« Er hielt den Hörer ein Stück vom Ohr weg und schüttelte den Kopf, dann drückte er ihn wieder ans Ohr.

»Hör zu«, sagte er energisch. »Wenn du diesen Schlüssel sehen willst, dann handelst du mit mir. Verstanden? Hast du mich gehört, Nando?« Er lauschte ein paar Sekunden. »Alles klar. Wenn du darauf bestehst, dann hol ich ihn. Nur, damit du und ich uns verstehen.« Er hielt den Hörer so, daß wir beide Nando hören konnten.

»Ich möchte, daß das irgendwo draußen stattfindet«, sagte ich. »An einem öffentlichen Ort. Du kriegst den Schlüssel. Carol kommt frei. Und ich komme auch frei, sobald du den Schlüssel hast.«

»Hey, das ist mein Geschäft!« sagte Rich und zog mir den Hörer weg. »Hunderttausend«, sagte er. »Und die Schuldscheine. Reiß die Schuldscheine in Stücke. Du bekommst Cody für hunderttausend und die Schuldscheine.« Er lauschte einen Moment, wurde immer ungeduldiger. »Er möchte mit Ihnen sprechen.«

»Morgen um halb elf«, sagte ich zu Nando. »In dem Spielwarengeschäft im Einkaufszentrum.«

»Ich hab die Ware!« rief Rich. »Ich diktiere die Bedingungen!«

»Er begreift es einfach nicht«, sagte ich zu Nando. »Warum erzählst du ihm nicht, wessen Pizza er gerade gegessen hat?«

Ich reichte Rich den Hörer. Er lauschte einen Moment. »Fünfzig«, sagte er sofort. »Mit weniger als fünfzig gebe ich mich nicht zufrieden.« Er wartete, während Nando etwas sagte, reckte das Kinn vor, schüttelte den Kopf oder stieß um unseretwillen einen leisen Pfiff aus. Am Ende, bevor er auflegte, wollte er noch etwas sagen. Ich sah, wie seine Lippen ein Wort formen wollten, doch dann überlegte er es sich anders. »Okay«, sagte er ruhig.

In dieser Nacht schlief ich nur hin und wieder ein. Rich hatte mich mit dem Handgelenk an den Heizkörper angekettet, und ich wachte jedesmal, wenn ich mich umdrehen wollte, auf. Ein altes Haus macht während der Nacht viele Geräusche, und es gibt keine Möglichkeit festzustellen, welche unschuldig sind.

Carol kam frühmorgens zu mir rein, als es immer noch dunkel war, um mir die nächste Dosis Antibiotika zu geben. Alle sechs Stunden, sagte sie, sie war wie ein Uhrwerk. Wir hörten auf dem Dach vor dem Fenster, daß es regnete. Sie knipste die kleine Lampe auf dem Nachttisch an und setzt sich neben mich aufs Bett.

»Er schläft«, sagte sie.

Sie hatte ihre Handtasche mitgebracht und sah mir widerstandslos zu, wie ich sie vom Boden aufhob. Ich spürte das Gewicht der Achtunddreißiger.

»Da unten drin ist ein Abholzettel für die Chemische Reinigung«, sagte ich.

»Ich habe allen möglichen Kram da drin.«

»Ich hab ihn da reingesteckt.«

»Wenn du die Waffe willst, kannst du sie nehmen.«

»Ich will die Waffe jetzt nicht. Der Abholzettel ist das, was wichtig ist.«

»Wenn du sie jetzt nicht willst, bewahre ich sie für dich auf.«

»Such den Abholzettel«, sagte ich zu ihr. »Ich will sicher sein, daß du ihn hast.«

Sie starrte mir verwundert in die Augen, während sie mit der Hand den Reißverschluß der Handtasche aufzog und ihre Finger sich an Lippenstifthülsen, Eyeliner-Stiften, einer zerrissenen Halskette und einer Haarbürste vorbeitasteten. Die Waffe war ihr immer wieder im Weg, also nahm sie sie raus und legte sie auf den Nachttisch, dann wandte sie sich wieder dem Durcheinander von Kleingeld, Haarspangen und nachlässig gefalteten Zettelchen am Boden der Tasche zu. Sie kippte die Handtasche, so daß das Licht der Lampe hineinschien, und teilte den durcheinandergeratenen Inhalt auseinander, bis sie am Boden anlangte.

»Er ist gelb«, sagte ich.

»Der hier?«

Sie drehte das flachgedrückte Papierknäuel, das Diego fast bis zu seinem Tod bei sich getragen hatte, zwischen ihren Fingern. Sie sah mich an, als wäre ich verrückt.

»Du möchtest, daß ich etwas aus der Reinigung hole?« fragte sie.

»Es gehört Diego«, sagte ich. »Sie heben eine Lederjacke für ihn auf.«

Allmählich begriff sie. »Und was ist damit?«

»Der Schlüssel ist im Futter eingenäht, im unteren Ende auf der rechten Seite. Es ist der Schlüssel zum Schließfach.«

»Eine Million Dollar taugt nichts, wenn sie auf den Caicosinseln liegt«, sagte sie.

»Die Bank ist im gleichen Einkaufszentrum wie der Spielwarenladen.«

Sie war zu oft getäuscht worden. Sie musterte mein Gesicht und suchte nach Zeichen, die ihr in der Vergangenheit auch nicht geholfen hatten.

»Glaub mir«, sagte ich zu ihr.

»Du hast gesagt, du wüßtest nicht, wo das Geld ist.«

»Das war vorher.«

»Und was ist jetzt anders?« Ihre Finger drehten den zusammengefalteten Zettel immer wieder herum.

»Du warst noch nicht bereit. Jetzt bist du es.«

Ich sah, daß sie mich nicht verstand. Sie begriff nicht, wie weit sie gekommen war. Sie war in Reichweite der Liebe. Wenn wir nur mehr Zeit gehabt hätten.

»Wenn du wußtest, wo das Geld ist, hättest du es sagen müssen. Wir hätten eine Chance gehabt. Als du draußen warst, mußte ich ihn davon abhalten, dich sofort an Nando zu verkaufen. Ich mußte ihn davon überzeugen, du wärst kurz davor, mir zu erzählen, wie man an das Geld kommt. Du weißt nicht, wie knapp es war.«

»Jetzt ist es besser. Es ist viel, viel besser. Es wird klappen. Du kannst es noch nicht erkennen, aber du wirst es schon erleben.«

Ich hatte Angst, das schmuddelige Stückchen Papier würde ihr wichtig werden. Die ganze Zeit hatte ich versucht, die Sache hinauszuzögern, und jetzt waren wir soweit. Jetzt hatte sie es in der Hand. Beinahe ängstlich nahm sie die Ecken zwischen ihre Fingerspitzen und zog sie langsam auseinander, dann legte sie den kleinen Zettel vorsichtig auf die Tischplatte und drückte ihn flach. Sie betrachtete jedes Detail des Abholzettels sorgfältig und aufmerksam wie eine Schatzkarte.

»Die Reinigung ist in der kleinen Passage hinter dem Einkaufszentrum«, sagte ich.

Ich sah, wie ihr die Möglichkeiten durch den Kopf schossen. Ihre Vorstellungskraft lief voraus, sprang frei in die Zukunft.

»Du könntest das ganze Ding – die Jacke abholen, die Unterschrift üben, das Schließfach leer machen – in einer Stunde über die Bühne bringen, erstklassig.« Sie nickte, runzelte die Stirn, betrachtete immer noch den Abholzettel. »Es ist tatsächlich besser, du machst es schnell. Besonders in der Bank. Geh rein, sag ihnen, du willst zu Schließfach 536, sei energisch.«

Ich wartete darauf, daß sie aufsah, aber sie betrachtete den Zettel, das Geld. Ich hatte Verlangen nach ihr, wollte ihre Augen auf mir fühlen, wissen, daß ich in ihren Augen existierte. Sie konnte nicht ahnen, wie kostbar diese Zeit war, wie wenig nur noch blieb. Sie saß auf der Bettkante und strich den Zettel auf dem Nachttisch mit den Fingerspitzen glatt.

»Die lassen einen nicht an ein Schließfach, wenn man nur einen Schlüssel hat«, sagte sie.

»Sie lassen einen rein, wenn man einen Schlüssel und eine Unterschrift hat. Du ziehst einen Regenmantel mit einer Kapuze an, etwas auf deinen Kopf, eine Brille. Du könntest als Vera durchgehen.«

Sie dachte darüber nach. »Wie alt ist sie.«

»Anfang Dreißig.«

»Wahrscheinlich.«

»Das Bankpersonal wechselt doch andauernd.«

»Woher weißt du das?«

»Ich weiß es nicht. Es ist ein Risiko. Du mußt es versuchen. Die Leute kommen die ganze Zeit mit gestohlenen Kreditkarten durch. Es ist ein kleines Risiko für eine große Summe Geld. Du hast schon früher Risiken auf dich genommen.«

»Wo wirst du sein?«

»Ich warte auf dich.«

»Wo?«

»Neben der Reinigung ist ein Café. Wenn alles klappt.«

»Und wenn nicht?«

»Dann warte ich auf dich in Denning.«

»Du nimmst all die Risiken auf dich.«

»Alles, was ich getan habe, habe ich für dich getan.«

Sie wollte sagen: »Du hattest recht, daß du mir nicht vertraut hast«, aber ich legte ihr meine Finger auf die Lippen, um sie von diesem Geständnis abzuhalten.

»Der Zettel war die ganze Zeit in deiner Handtasche«, sagte ich. »Du hattest ihn die ganze Zeit. Seit dem ersten Tag. Und morgen besorge ich dir Veras Führerschein und ihre Kreditkarten, damit du ihre Unterschrift üben kannst.«

Carol starrte mich abschätzend an. Sie dachte darüber nach,

was ich wohl tun mußte, um an Veras Führerschein zu kommen. Ich sah, wie ihre Lippen sich bewegen wollten. Sie wollte fragen, doch dann schlossen sich ihre Lippen fest »Ich möchte nicht, daß du etwas Dummes machst«, sagte sie und legte ihre Hände auf meine.

»Wenn alles gutgeht, hast du für den Rest deines Lebens ausgesorgt«, sagte ich.

Sie drückte meine Hände. »Es ist nicht das Geld.«

»Ich weiß«, sagte ich. Ich spürte, wie mir die Worte im Hals steckenblieben. Sie waren so nah an der Wahrheit.

Sie kämpfte mit den Tränen, und ich spürte, wie sie ein Zittern unterdrückte. Ich hatte Angst vor ihren Tränen. Sie sollte stark sein, und wenn sie weinte, würde ich auch schwach werden.

»Glaubst du, ich würde dich nach allem, was wir durchgemacht haben, jetzt gehen lassen?« fragte ich sie.

»Nein.« Sie lachte nervös, ein Geräusch zwischen einem Husten und einem Schluchzen. Ich spürte, wie sie sich zusammenriß, sich konzentrierte. Sie ließ sich beruhigen.

»Sobald wir das Einkaufszentrum betreten, entfernst du dich von Rich und mir. Es wird gefährlich, und es betrifft dich nicht. Aber geh nicht zu weit vom Spielwarengeschäft weg. Ein paar Minuten wird es drunter und drüber gehen. Menschen werden überall herumlaufen, voller Panik. Dann mußt du in den Laden gehen. Du gehst schnell rein und schnappst dir Veras Handtasche. Dann bist du weg. Du gehst raus, verschwindest. Hör mir jetzt zu. Versuch nicht rauszufinden, was mit mir passiert. Ich treff dich später. Ich weiß, wo ich dich finde.«

Sie ließ es sich durch den Kopf gehen, überlegte, ob es funktionieren konnte, versuchte, es so zu durchdenken, daß alles gut ausgehen würde.

»Wir können immer noch unbeschadet aus der Sache rauskommen«, sagte sie schließlich. »Nando kann das mit der Reinigung übernehmen.«

»Wir sind so nah dran«, sagte ich zu ihr. »Ich habe Vera zu uns geholt. Ich habe alles arrangiert. Wir sind so nah dran, das ganze

Ding zu schaukeln. Alles, was du machen mußt, ist, mir die Waffe zu geben, bevor wir in das Einkaufszentrum hineingehen.«

Wir lagen nebeneinander auf dem Rücken und lauschten auf den leisen Regen, der auf das Dach fiel und in die Dachrinne unter dem Fenster tröpfelte. Nach einer Weile rollten unsere Körper zusammen, und wir liebten uns. Es war schwierig, ich war an die Heizung gekettet und mußte aufpassen, daß das Brennen auf meiner Brust nicht noch schlimmer wurde.

Am Morgen fühlte ich mich sehr viel besser. Beim Kaffee in der Küche bemerkte ich, daß Carol immer ein Möbelstück zwischen Rich und sich hielt. Er pfiff und eilte mit gespielter Tapferkeit geschäftig hin und her, als könnte er der Schwerkraft entkommen, wenn er sich nur schnell genug vorwärtsbewegte und fest an das glaubte, was er tat.

»Es wird wirklich glattgehen«, sagte er. »So wird's sein: Sie sind ans Regal angekettet, so daß er Sie sehen kann. Nando legt etwa drei Meter hinter uns das Geld auf das Regal. Ich überprüfe es. Wenn alles stimmt, gebe ich ihm die Schlüssel für Ihre Handschellen. Dann bringen Sie Nando dahin, wo der Schlüssel ist, und Sie haben es geschafft. Wenn Sie sie richtig ausspielen, Cody, ist es eine Situation, bei der Sie gar nicht verlieren können. Wenn Sie klug sind, gehen Sie lebend daraus hervor. Wenn Sie uns die ganze Zeit auf den Arm genommen haben, wenn Sie nicht wissen, wo der Schlüssel ist ...« Er grinste. »Sagen wir einfach, dann möchte ich nicht in Ihrer Haut stecken. Aber Sie wissen, wo er ist. Richtig? Also gibt es keine Probleme.«

»Wieviel bekommen Sie?«

Er zögerte. »Zehn Riesen.«

»Das ist alles? Zehn Riesen?«

»Plus die Schuldscheine. Das sind noch einmal zehn.«

Wir saßen in der Küche und warteten darauf, daß die Zeit verging. Die Minuten waren leer, aber für mich außerordentlich kostbar. An so vielen verschiedenen Orten waren Menschen in Bewegung, scheinbar ziellos, und bewegten sich doch auf ihren verschiedenen Wegen zum Spielwarenladen aufeinander zu. Und hier in der Küche war ich mir der verschlungenen Pfade bewußt, die wir betraten: Debbie warf einen schnellen Blick auf die Uhr, Rich machte sich ein Erdnußbuttersandwich mit unordentlichen Rändern, Carol trank eine Tasse Kaffee, die sie zwischen den Händen hielt, und starrte vor sich hin, und Gypsy bewegte sich zwischen uns wie ein Schatten, schnupperte leise, untersuchte etwas, lief weiter.

Carol brachte mir eine Hose und eine gelbe Jacke aus dem Schrank ihres Stiefvaters, die mir ziemlich gut paßten.

»Gütiger Himmel!« sagte Rich, als er mich in der Jacke sah. »Warum malst du ihm nicht gleich eine Zielscheibe auf?«

Er trug einen blauen Blazer des alten Mannes. Die Ärmel waren zu lang, und in einem Moment, in dem er sich unbeobachtet glaubte, sah ich, wie er das Ziehen übte, mit der rechten Hand nach der Waffe griff, die auf der linken Seite hinten im Hosenbund steckte, dann die Hände hochhob und den Arm schüttelte, bis der Ärmel nach unten rutschte, und noch einmal nach hinten griff.

Wir verließen Debbie, die vor dem Fernseher saß und ein frisches Glas Orangensaft neben sich hatte.

»Wir sind bald wieder da«, rief Carol ihr zu, und Debbie nickte, wandte ihre Augen nur kurz vom Bildschirm ab.

»Warum fährst du nicht, Babe?« sagte Rich zu Carol.

Er war nervös, als ich ohne Handschellen und Fußfesseln vor ihnen den Weg entlang ging. In der Garage mußte ich mich mit gespreizten Armen und Beinen hinten ans Auto stellen, und er klopfte mich ab. Ich war froh, daß Carol die Achtunddreißiger behalten hatte. Dann war er schnell wieder außer Reichweite. Er wartete, bis ich auf dem Rücksitz des Autos saß, und schloß die Tür, bevor er sich durchs Fenster reinbeugte und eine der Handschellen an meinem rechten Handgelenk festmachte.

»Glaubst du, daß das wirklich notwendig ist?« fragte Carol. In ihrer Stimme lag eine Spur Sarkasmus.

»Du tust, was du tun mußt, und ich tue, was ich tun muß«, sagte Rich. Er wollte den Finger heben, um seinen Worten Nachdruck zu verleihen, aber die Waffe, die er auf der anderen Seite der Tür festhielt, war in seiner Hand, und er hielt sie in ihre Richtung, bevor er merkte, was er tat.

»Näher ran«, befahl er mir und hakte die andere Handschelle durch die Armlehne an der Tür und ließ sie einrasten.

Er setzte sich vorn aufrecht auf seinen Sitz, so daß er mich aus dem Augenwinkel sehen konnte. Er beobachtete mich unablässig, sah auf meine Hände und in mein Gesicht, als könnte er dort ablesen, was passieren würde.

Carol saß steif da, beide Hände am Steuer. Sie fuhr sehr vorsichtig durch den Regen, hielt korrekt vor Stoppschildern und verlangsamte die Fahrt, wenn wir uns einer Ampel näherten, die gerade auf Gelb sprang.

Als wir am Einkaufszentrum ankamen, drehte Carol den Zündschlüssel herum, und wir saßen eine Weile schweigend da, ohne daß das regelmäßige Geräusch des Scheibenwischers die Stille unterbrach. Ich beobachtete die glatte, spiegelnde Oberfläche des Parkplatzes und dachte darüber nach, daß dies vielleicht meine letzten Minuten auf der Erde waren. Die Zeit war verlangsamt und verdichtet durch eine Wehmut, die fast größer war, als ich ertragen konnte.

»Es ist zu früh«, sagte Rich.

Ich schaute Carol nicht an, weil mein Wunsch zu leben, dann zu stark gewesen wäre, und ich konnte mir jetzt nicht erlauben, schwach zu werden. Ich spürte, wie sich ihre Augen im Spiegel auf mich richteten, deutliche Versuche der Kontaktaufnahme. Ich konzentrierte mich darauf, in ihrer Gegenwart zu sein, und weigerte mich, auch nur den geringsten Gedanken an die Zukunft zuzulassen.

Rich trommelte mit den Fingern auf das Armaturenbrett. Er rutschte hin und her und sah sich um, aber es gab nichts zu sehen, außer Menschen, die sich unter dem Regen duckten, wenn sie aus dem Einkaufszentrum kamen und zu ihren Autos liefen. Wenn man nicht wußte, nach was man Ausschau halten sollte, war jeder verdächtig.

»Wenigstens können wir drinnen ein bißchen hin und her gehen«, sagte Carol.

Rich beugte sich unter dem Schutz des Armaturenbretts vor, um das Magazin in der Automatik zu überprüfen, dann steckte er sie unter dem Blazer vorn in den Hosenbund. Er nahm die Schlüssel von dem Haken an seinem Gürtel und warf sie mir zu.

»O nein«, sagte er, als ich mich daran machen wollte, die Handschelle an meinem Handgelenk aufzuschließen. »Nur die an der Tür.« Er beobachtete mich, blieb aber ein paar Zentimeter weiter als Armeslänge entfernt. »Dann lassen Sie die Schlüssel über den Sitz fallen.«

Wir parkten neben einem Lieferwagen, der uns vor dem Eingang des Einkaufszentrums und der Hälfte des Parkplatzes verbarg. Ich sollte warten, bis die beiden aus dem Auto ausgestiegen waren. Rich lehnte an dem Lieferwagen und sah sich um, ob es Schwierigkeiten geben könnte, dann gab er mir ein Zeichen, auszusteigen.

Der Regen hatte aufgehört, und ich sah nach oben, ob die Sonne rauskommen würde, bevor wir im Einkaufszentrum waren. Ich sagte der Welt Lebewohl. Einen Moment lang überlegte ich, wie Vera wohl ihre letzten Minuten verbrachte. »Strecken Sie die Hand aus«, sagte Rich. Er war sehr schnell, packte die Handschelle, die von meinem Handgelenk herunterbaumelte, und ließ sie um sein eigenes Handgelenk einrasten, dann lag seine Hand wieder auf der Waffe.

»Sie sind meine Fahrkarte hier raus«, sagte er. Er stieß mich mit der Waffe an, die er unter seiner Jacke verborgen hielt. »Sie bleiben bei mir.«

Er war mir noch nie so nah gewesen. Ich roch seinen Schweiß und spürte, durch die Handschellen übermittelt, jede Bewegung seines Körpers, jede Vorahnung einer Bewegung. Er spürte meine Bewegungen nicht, obwohl er davon mitgerissen wurde. Er war der Mann, der nicht mitbekommen hatte, daß die Maschine einen Zipfel seines Ärmels erfaßt hatte.

Er hatte einen Regenmantel des alten Mannes und eine Windjacke mitgebracht, um die Handschellen zu verbergen, aber sie lagen immer noch auf dem Vordersitz.

»Hey, Babe«, sage er. »Hol mir die doch mal, ja?«

Er wußte, daß seinc Macht über sie schwächer wurde. Sie wartete einen Moment, um ihm zu zeigen, daß sie frei war.

»Komm schon – gib mir 'ne Chance, ja?« bat er ruhig.

Carol kniete sich mit einem Knie auf den Vordersitz und griff ins Auto, aber die Handtasche über ihrer Schulter war ihr im Weg. Sie stellte beide Füße wieder auf den Asphalt, und nichts schien so natürlich, als daß sie sich umdrehte, gemächlich zwei Schritte auf uns zumachte und mir die Handtasche über die Schulter hängte, als wäre ich ein Kleiderständer.

»Hier«, sagte sie. »Halt die mal 'ne Minute.«

Ich schaute in die andere Richtung über Richs linke Schulter. Carol schob ihren Regenmantel zurück und stützte ihr Knie wieder auf den Sitz, und ich tastete mit meiner freien Hand nach der Handtasche. Carol beugte sich über den Sitz. Ich warf noch einen Blick über Richs Schulter und griff mit der Hand in die Handtasche hinein, wo ich die Waffe ertastete. Rich schaute schnell weg. Er verbarg seine freie Hand unter der Jacke. Ich spürte die Spannung in seinem Körper, als er den Parkplatz nach einem Hinterhalt absuchte. Im Auto hatte Carol nach dem Regenmantel und der Windjacke gegriffen. Sie kniete auf dem Sitz, hielt den Regenmantel am Kragen fest und schüttelte ihn aus. Ich nahm die Achtunddreißiger aus der Tasche und hielt sie in der Hand. Ich hätte Rich dort auf dem Parkplatz umbringen können. Als Carol die Tür zuwarf, verlagerte ich mein Gewicht, so daß Rich nachrücken mußte, und unter dem Schutz der Bewegung ließ ich die Waffe in die Seitentasche meiner Hose gleiten und hielt sie dort fest.

Carol stand mit dem Regenmantel vor uns und fing an, ihn über den Schultern zu falten.

»Nicht zu ordentlich«, sage Rich, »es soll doch natürlich aussehen.«

Sie warf ihn über Richs Handgelenk und trat einen Schritt

zurück, um es sich anzusehen, dann nahm sie noch eine kleine Änderung vor, so daß er anders fiel. Aber es war nicht richtig, also hob sie ihn wieder hoch und ließ ihn erneut über die Handschellen fallen, und während dieses ganzen Hin und Her zog ich die Waffe aus der Tasche und steckte sie mir hinten in den Gürtel. Sie legte die Windjacke über meinen Arm.

»Das reicht jetzt«, sagte Rich ungeduldig.

Carol nahm die Handtasche von meiner Schulter, und ich wußte, daß ihr auffallen mußte, daß sie nicht mehr so schwer war, obwohl sie sich nichts anmerken ließ. Sie ging vor uns her auf den Eingang des Einkaufszentrums zu, ohne einen Blick zurückzuwerfen. Rich sorgte dafür, daß wir uns in der Nähe der Autos hielten, und huschte ohne Vorwarnung von einer Reihe Autos zur anderen.

Die Einkaufspassage war belebt, aber nicht voller Menschen. Rich versuchte, die Menschen, die aus verschiedenen Richtungen auf uns zukamen, im Auge zu behalten. Es war laut, Teenager brüllten sich plötzlich gegenseitig an, und das führte dazu, daß er die ganze Zeit auf der Hut war.

Ich blieb an einem Handwagen mit Zeitschriften stehen und blätterte in einer Reisezeitschrift. Rich zog an den Handschellen unter dem Regenmantel, aber er konnte nicht viel machen. Carol schaute sich die Auslage an, berührte ein paar Titel mit ihren Fingerspitzen. Der Mann, der auf den Handwagen aufpaßte, wartete auf mich. Es ist schwierig, eine Zeitschrift mit einer Hand durchzublättern, und ich faltete sie wieder zusammen.

»Möchten Sie die Zeitschrift kaufen?« fragte er.

Ich ignorierte ihn und wandte mich ab.

»Nein, möchte er nicht«, sagte Rich.

»Er ist mit Ihnen zusammen?«

Rich schaute sich nach Carol um, damit sie ihm half, aber er konnte sie nicht finden.

»Hey«, sagte der Mann, »Ihr Freund möchte die Zeitschrift, macht vier fünfzig.«

»Geben Sie dem Mann seine Zeitschrift«, sagte Rich.

»Das ist interessant«, sagte ich. »Es geht darum, wo in der Karibik es am schönsten ist.«

Rich schob seine Hand in die Tasche und zog eine Handvoll Banknoten raus, die meisten Einer. Er ließ sie auf die Zeitschriften fallen und sah sich verzweifelt um. Er zog mehr Dollarscheine raus, und während er sie dem Mann reichte, suchte er nach Carol.

»Wir müssen gehen«, sagte er. »Wir holen sie ein.«

»Wir sind zu früh, wissen Sie noch?« sagte ich. »Sie kümmert sich noch um etwas. Wir treffen sie im Laden.«

»Oh, Sie glauben, daß Sie etwas wissen, was ich nicht weiß.«

Er fuhrwerkte mit dem Regenmantel herum und warf Blicke um sich, um zu sehen, ob uns jemand beobachtete. Er zog mich, damit ich schneller ging. Ich entdeckte Vera, die weiter vorn auf der anderen Seite in ein Fenster starrte. Sie machte sich los und bummelte durch das Gewühl. Rich ließ seinen Blick über die Menge schweifen, suchte nach Carol oder nach Nandos Komplizen. Auf der anderen Seite war ein Südamerikaner, der mit uns auf gleicher Höhe blieb.

Rich behielt ihn im Auge, während er gleichzeitig die Gesichter der Menschen prüfte, die uns entgegenkamen.

»Die verlangen ganz schön viel an diesen karibischen Stränden«, sagte ich und reichte ihm die Zeitschrift. Er schob sie weg. »Sehen Sie doch mal«, beharrte ich. Ich hielt sie ihm vor die Nase. »Es wird Sie beruhigen.«

Zerstreut packte er die Zeitschrift mit seiner freien Hand. Vera kam auf uns zu. Sie trug Jeans-Shorts, die stramm über ihre Hüfte spannten, ein weißes T-Shirt und eine riesige Sonnenbrille. Sie bewegte sich auf hohen Absätzen mit einer schmollenden, arroganten Zielstrebigkeit. Man würde sich an ihren Körper erinnern, aber nicht an ihr Gesicht. Über der Schulter trug sie eine große Strohtasche wie die Leute, die Handtücher und ein Buch zum Strand tragen, und die rechte Hand hatte sie tief darin vergraben. Sie drückte die Tasche fest gegen ihre Hüfte.

Sie kam auf uns zu, schaute in eine andere Richtung, schaute überall hin, nur nicht auf uns, und wir waren schon fast an ihr vorbei, da änderte sie die Richtung – als hätte etwas in einem Schaufenster ihre Aufmerksamkeit erregt – und stieß beinahe mit uns zusammen.

»Hey, Rich«, sagte Vera. »Sieh mal, was ich in meiner Tasche habe.«

Er schaute nach unten und sah die Waffe, die auf seine Eingeweide zielte. Sie ging ganz nah zu ihm hin und legte ihm die Hand auf die Brust wie einem alten Freund. Sie hätten eine frühere Geliebte sein können, die Rich im Einkaufszentrum zufällig über den Weg lief, ihre Finger waren vertraut und erfahren, glitten über die Vorderseite seines Körpers nach unten und fanden die Automatik unter seiner Jacke.

»Tief einatmen«, sagte sie, zog sie aus seinem Hosenbund und ließ sie in ihren Korb fallen.

Sie drückte sich an ihn, und ihr Hand fuhr um seine Hüfte herum, um zu fühlen, ob er im Rücken noch eine weitere Waffe unter der Jacke hatte, während Rich die Zeitschrift an der Seite steif von sich weghielt.

»Lange nicht gesehen, Danny.«

»Hi, Vera«, sagte ich.

»Du hast das Ding, ja?«

»Ich hab's.«

Sie drohte spielerisch mit dem Finger. »Nando bringt dich um, wenn du's nicht hast.« Ihre Miene gefror. »Zum Glück hast du es nicht mit mir zu tun, nachdem du all die Lügen, die Diego dir erzählt hat, wiederholt hast.« Sie tastete an dem Regenmantel herum, aber es war schwierig, ihn systematisch zu durchsuchen, also hob sie ihn hoch, um ihn auszuschütteln, doch da sah sie die Handschellen darunter. »Ach, du meine Güte!« Sie ließ den Mantel wieder fallen. »Die Leute vertrauen dir nicht, was, Danny?«

Ihre Hand wanderte direkt zu dem Schlüsselhaken an Richs Gürtel und nahm die Schlüssel an sich.

»Warte!« sagte Rich.

»Es ist okay«, sagte Vera. »Du kriegst sie zurück, wenn wir fertig sind.«

»Wart 'ne Minute – das war nicht Teil der Abmachung!«

»Welcher Abmachung?« fragte Vera sehr kühl. Sie warf Rich diesen Blick zu, der nachlassendes Interesse signalisierte und an den ich mich aus dem Besuchsraum in Denning gut erinnerte.

»Ich hab das mit Nando so abgemacht!« beteuerte Rich beharrlich.

Ein Mann, der vorbeiging, warf erst ihm einen neugierigen Blick zu, dann Vera.

»Triff Nando bei den Actionfiguren«, sagte sie und verschwand in der Menschenmenge.

Rich wollte ihr nachgehen. Er machte einen Schritt, aber ich hielt ihn zurück.

»Sie hat die Schlüssel!«

»Ja«, sagte ich zu ihm. »Jetzt stecken wir beide zusammen drin.«

Ich versuchte, ihn zu überreden, sich zu bewegen. Er drehte sich ständig um, sah sich nach Vera und den Schlüsseln um, als könnte er die Vergangenheit verändern, obwohl wir doch schon auf dem Weg in den Spielwarenladen waren.

»Kommen Sie«, sagte ich. »Die sind jetzt weg. Das beste ist es, einfach weiterzumachen.«

Man kennt einen Mann, wenn man mit einer siebeneinhalb Zentimeter langen Kette mit ihm verbunden ist. Ich spürte jede noch so winzige Bewegung in Richs Körper, und ich kannte seine Angst. Ich spürte selbst ab und zu kleine Wellen davon, aber ich hatte tagelang mit der Aussicht auf den Tod gelebt und hatte mich mit dem Gedanken versöhnt, daß ich stetig auf ihn zumarschierte, soweit es überhaupt möglich ist, den Gedanken an den eigenen Tod zu akzeptieren. Ich hatte diesen Weg gewählt. Für Rich war der Gedanke, daß sein Leben in dem Spielwarengeschäft möglicherweise ein Ende finden würde, neu und unerwartet. Sein ganzes Leben hatte sich noch so weit vor ihm ausgedehnt, daß er es jetzt nicht innerhalb von ein paar Minuten loslassen konnte. Ich spürte, während wir durch das Einkaufszentrum gingen, seine Angst und seinen Schmerz, und als er stehenblieb und den Kopf hängenließ und ich fühlte, wie seine Brust sich mit Luft füllte, gab ich ihm ein paar Augenblicke, um sich zusammenzureißen.

Alle um uns herum bewegten sich. Niemand änderte die Richtung. Die Menschen, die vorher Schaufenster betrachtet hatten, waren wieder in Bewegung. Ich fragte mich, wo Carol wohl war, aber ich wußte, daß ich nicht über sie nachdenken durfte.

»Wir müssen weitergehen«, sagte ich freundlich zu ihm. »Wir haben keine Wahl.«

Er wandte sich mir zu, und in seinem Gesicht sah ich den hilflosen, leidenden Ausdruck eines Mannes, der erkennt, daß er langsam aber unerbittlich in die Maschine hineingezogen wird.

»Die Abmachung«, sagte er. Er sah den Eingang des Geschäfts vor uns. »Wir hatten eine Abmachung.«

Er klammerte sich an Nandos Versprechen wie an ein Möbelstück, hinter dem er sich vor den Ereignissen, die die Kontrolle über ihn übernahmen, verstecken könnte.

»Sie müssen das Spiel zu Ende spielen«, sagte ich.

Jetzt, wo wir so kurz vor dem Ende waren, jetzt, wo Rich im Plan der Dinge keine Rolle mehr spielte, fühlte ich ein gefährliches Rieseln, ein Durchsickern von Mitleid für ihn.

»Es gibt doch keine Nebengeschäfte?« fragte er. »Sie haben doch nichts mit Nando laufen, worüber ich nichts weiß?«

»Die Sache spielt sich zwischen Nando und Vera ab. Wenn er den Schlüssel hat, wird er rausfinden, wieviel sie ihm gestohlen hat.«

»Sie wissen aber doch, wo der Schlüssel ist?« fragte er unsicher. Einmal in der Maschine drin, begriff er allmählich, daß es nicht unbedingt eine gute Sache war, den Schlüssel zu haben, wenn man dadurch in die Schußlinie zwischen Nando und Vera geriet. Wenn wir ihn andererseits Nando nicht geben könnten ...
»Sie wissen, wo er ist«, behauptete er beharrlich.

»Ja«, sagte ich zu ihm. »Carol hat ihn.«

Ich spürte, wie er stutzte. Wir sahen Menschen an den Registrierkassen stehen, und hinter ihnen hoch aufgetürmt die leuchtend bunten Waren.

»Sie können nicht da reingehen, wenn Sie ihm nicht den Schlüssel geben können.«

»Machen Sie sich darüber keine Sorgen«, sagte ich zu ihm. »Das betrifft Sie nicht.«

»Sind Sie verrückt? Er wird Sie und mich umbringen, beide!«

Ich brachte ihn dazu stehenzubleiben, und wandte mich ihm zu. »Sie sind unbedeutend. Das ist Ihr Vorteil, und Ihr größter Vorteil ist es, unbedeutend zu bleiben. Wenn Sie versuchen, in die Sache einzugreifen, wenn Sie die Sache vermasseln, werden Sie Seite an Seite mit mir sterben.«

Das Geschäft ist riesig, es gibt dort, auf viereinhalb Meter hohe Warenhausregale gestapelt, jedes nur vorstellbare Ding, mit dem ein Kind spielen kann. Wir betraten ein gigantisches Labyrinth, das uns zwang, um Registrierkassen herum und an Displays mit Sonderangeboten vorbeizugehen, bevor wir zu den Gängen kamen, die dreißig Meter nach hinten liefen. Es war nicht sehr voll, aber es waren genug Menschen da, so daß man kaum für lange Zeit allein in einem Gang war.

Rich wollte auf seine Uhr sehen und merkte, daß sie an dem Arm mit der Handschelle war.

»Wir sind früh dran«, sagte ich. »Lassen Sie uns den Laden überprüfen.«

Wir wandten uns von den Registrierkassen ab und gingen einen der äußeren Gänge entlang. Dort waren Brettspiele und Puzzles auf drei Meter hohen Regalen, auf denen oben drauf noch Kartons lagerten. Zwei Jungen verließen ihre Eltern und liefen an uns vorbei, dann sahen sie, was in dem Durchgang war, und drehten wieder um, rannten fast in uns hinein, fegten an mir vorbei. Ich stupste Rich, um in den Quergang am Ende des Ladens abzubiegen. Drei junge Mädchen spazierten, sich an den Händen haltend, allein herum. Ich hörte einen Vater nach seinem herumstreunenden Sohn rufen. Kinder stritten mit ihren Eltern darüber, wieviel Geld sie ausgeben durften. Ich hielt nach Erwachsenen ohne Kinder Ausschau. Ich suchte Nando, der den Schlüssel zu seinem Geld wollte, und Vera, die ihn umbringen mußte, bevor er ihn in die Hand bekam.

Wir blieben im hinteren Teil des Ladens bei den Plüschtieren stehen, die alle mit dunklen, teilnahmslosen Augen vor sich hin starrten. Ein Gorilla war lebensgroß. Ein kleines Mädchen kam näher und stellte sich starrend neben mich.

»Darf ich ihn anfassen?« fragte sie.

»Wenn du möchtest«, sagte ich zu ihr.

Aber sie faßte ihn nicht an. Sie schaute den Gorilla an, dann linste sie zu mir hoch und lief glücklich davon.

Am vorderen Ende des Gangs bei den Registrierkassen entdeckte ich Vera, die an einem Ständer mit Batterien etwas suchte, ihn mit einem gelangweilten, beiläufigen Ruck ihres herunterhängenden Arms herumwirbelte, bevor sie weiterschlenderte. Von Nando war nichts zu sehen, aber ich war mir sicher, daß er sich ganz in der Nähe aufhielt. Er würde uns finden, wenn er es an der Zeit fand, wenn er Gelegenheit gehabt hatte, uns im Laden herumgehen zu sehen und zu überprüfen, ob uns jemand folgte. Ich fragte mich, wie er Veras Plan, uns zusammenzulassen, aufnehmen würde. Wir kreuzten den nächsten Gang und schauten um die Ecke. Auf den Regalen waren Masken, Verkleidungen und Phantasiekostüme. Ich erhaschte einen flüchtigen Blick auf Nando, der schnell einen Quergang passierte.

Wir kamen zu einem Gang mit Modellen und den Actionfiguren, aber von Nando war nichts zu sehen. Wir gingen langsam weiter, und ich spürte, wie Rich seine Hand zur Faust ballte und wieder öffnete. An der nächsten Kreuzung kamen wir ans Ende der Actionfiguren, und so, wie Rich sich umdrehte, war mir klar, daß Nando hinter uns aufgetaucht war.

Er hatte sich beeilt, und als ich mich jetzt umdrehte, verlangsamte er seinen Schritt, nahm sich die Zeit, die Aktivitäten hinter mir, im vorderen Bereich des Ladens zu überprüfen, und unter den Leuten, die an der Kasse standen oder durch die Gänge gingen, nach Gestalten Ausschau zu halten, die sich plötzlich in Polizisten oder Hausdetektive verwandeln könnten.

Ohne das Gefängnis-Blau sah Nando weich aus. In Freizeithosen und einem Sportsakko hätte er der Großvater eines der kleinen Mädchen sein können, die an ihm vorbeiliefen. Er kam mit verschränkten Armen, die rechte Hand unter der Jacke, herangeschlendert und blieb drei Meter vor uns stehen. Wir alle drehten uns, um die Gelenkfiguren der Außerirdischen auf den Regalen zu mustern, bis die Mutter der Mädchen an uns vorbeigegangen war.

»Möchtest du ihn ans Regal fesseln, wie wir es besprochen haben?« fragte Nando.

»Dann gib mir die Schlüssel«, sagte Rich. Schritt für Schritt dämmerte es ihm, wie schlecht die Dinge standen.

Nando sah ihn argwöhnisch an. »Wovon redest du?«

»Du hast die Schlüssel nicht? Ich dachte, sie wäre mit dir gekommen?«

»Laß ihn nur herkommen. Du kriegst dein Geld.«

»Warte eine Minute«, sagte Rich und hielt die Hand hoch, um den Gang der Dinge aufzuhalten.

Nando griff in seine Jacke und zog einen langen, dicken Briefumschlag raus. »Hier«, sagte er, hielt den Umschlag hoch und wedelte damit durch die Luft, als könnte Rich das Geld riechen. »Hier ist das, was du wolltest.« Er schob ihn zwischen zwei Schachteln auf dem Regal. »Schick ihn rüber.« Er nickte ungeduldig.

Ich schüttelte die Windjacke von meiner Hand, so daß Nando die Handschellen sehen konnte. »Vera hat die Schlüssel«, sagte ich. »Sie hat dir wirklich nichts gesagt?«

»Wenn das hier irgendein Scheiß ist ...«

»Wo ist Vera?« fragte ich ihn.

»Sie ist da, wo ich sie haben will.« Er kam auf der anderen Seite des Gangs langsam näher.

»Du solltest wissen, wo sie ist.«

»Sie wartet an der Tür auf uns.«

»Und was ist mit mir?« appellierte Rich an ihn. »Ich habe damit nichts zu tun. Gib mir nur das Geld, und ich verschwinde von hier.«

Vera kam am Ende des Gangs hinter Nando um die Ecke. Sie ließ Richs Schlüssel zwischen Zeigefinger und Daumen baumeln, und als Nando sich umdrehte, um zu sehen, wohin wir schauten, warf sie sie in die Luft. Sie landeten mit einem leisen Klimpern drei Meter über ihrem Kopf auf einer Schachtel. Nando hörte das Geräusch, aber er hatte die Bewegung nicht gesehen, die dazu geführt hatte. Er sah mich mißtrauisch an, dann betrachtete er wieder Vera.

»Der Plan ist geändert worden«, sagte ich.

Er runzelte die Stirn und wies sie mit einer Kopfbewegung an, wieder dort hinzugehen, wo sie sein sollte, an die Tür. Vera ignorierte ihn. Sie hätte genausogut überhaupt nichts mit ihm zu tun haben können. Sie schaute sich am Ende des Gangs Modellbaukästen an, nahm sich Zeit, blieb stehen, sobald ihr etwas ins Auge fiel, die Hand immer in der Strandtasche auf ihrer Schulter. Ich bemerkte, daß Nando mit dem Rücken zum Regal stand, um uns beide anzusehen.

Er machte eine Geste mit dem Kopf, wütend und schroff, die sie ignorierte. Sie schlich den Gang entlang auf uns zu und musterte Modelle von Rennbooten.

Nando wollte etwas sagen, aber ein Mann mit einem sechsjährigen Jungen tauchte hinter Vera in dem Durchgang auf. Sie blieben hinter ihr stehen, um sich die Modelle anzuschauen.

»Würdest du dort hingehen, wo du sein solltest?« sagte Nando zu Vera.

Er hatte die Stimme gehoben, und der Mann schaute auf, weil er dachte, Nando würde mit ihm sprechen. »Ich habe mit meiner Frau gesprochen«, sagte er zu dem Mann, und mir war so, als hätte Vera mit einem kleinen, sauren, affektierten Grinsen auf den Lippen mit dem Kopf genickt.

»Würdest du auf die andere Seite gehen, wo du sein solltest?« wiederholte Nando, aber Vera ignorierte ihn.

Der Mann schaute Vera an, die Nando ignorierte, und dann wieder Nando. »Laß uns nach Baseball-Fanghandschuhen gukken«, sagte er zu seinem Sohn und zog ihn hinter sich her. »Komm, wir gehen«, sagte der Vater. Ich wartete darauf, daß sie sich aus der Schußlinie bewegten. Der Junge zögerte, er wollte sich die Autos anschauen.

»Es ist eine abgekartete Sache«, sagte ich. »Sie hat dein Geld gestohlen, und jetzt wird sie dich mit Baruks Waffe erschießen.«

»Komm schon«, sagte Vera zu mir. »Laß uns schnell machen. Gib den Schlüssel her.«

Langsam griff ich hinter mich unter die Jacke. Nando befreite die Waffe aus seinem Hosenbund. Wir alle hörten, wie der Schieber der Waffe in Veras Hand zurückglitt. Nando drehte sich abrupt zu ihr um. Richs Waffe war sehr groß in ihren Händen.

»Ich hab die hier«, sagte er. »Tu die da weg.«

Aber Vera regte sich nicht. Nando zuckte alles mögliche durch den Kopf, und so wie er dastand, glaube ich, zielte er hauptsächlich auf Vera.

»Gib mir die Schlüssel für die Handschellen und geh zurück in den vorderen Teil des Ladens«, sagte Nando verärgert.

»Zeig zuerst den Schlüssel für das Schließfach«, sagte Vera.

Die beiden beobachteten mich, als ich nach hinten griff. Ich dachte an Carol und versuchte, ruhig zu atmen, und nicht an die Kugel zu denken, die mich treffen würde. Meine Finger schlossen sich um den Kolben der Achtunddreißiger und zogen sie aus dem Gürtel. Ein Finger bekam den Abzugsbügel zu fassen, und ich fummelte herum, um die Hand um die Waffe zu schließen. Ich löste die Sicherung hinter meinem Rücken, zuckte schon vor der Kugel zurück, die auf mich zukam, fragte mich – zu spät –, ob Carol eine Kugel in das Patronenlager gesteckt hatte. Ich stand von Vera abgewandt, und so war es Nando, der die Achtunddreißiger unter der gelben Jacke hervorkommen sah. Er riß seine Waffe raus, schaute nach unten und zog gerade den Schieber zurück, als Vera ihren ersten Schuß abfeuerte.

Der Knall in diesem geschlossenen Raum war ohrenbetäubend. Nando wurde rückwärts gegen die Regale geworfen. Rich stieß in mich hinein, und ich mußte mich umdrehen und an der Kette zerren, damit er nicht weglief. Vera kam auf uns zu. Sie konnte meine Waffe nicht sehen, aber Nando konnte die Augen nicht davon abwenden, obwohl er so aussah, als würde er gleich das Bewußtsein verlieren. Er kniete auf Händen und Füßen auf dem Boden, und Blut lief ihm aus dem Mund. Er hielt den Kopf hoch, um mich im Auge zu behalten, das Gesicht verzerrt vor Anstrengung. Er schien überzeugt, daß ich auf ihn geschossen hatte. Er schaffte es, sich aufzustützen und sich so hochzuschieben, daß er mit dem Rücken gegen das Regal dasaß.

»Lassen Sie uns, um Himmels willen, hier abhauen!« rief Rich.

Vera war immer noch zu weit weg, als daß ich sicher sein konnte, sie zu treffen.

»Einen Schritt, und Sie sind der nächste«, sagte ich zu ihm.

Wir sahen zu, wie Nando mühsam die Waffe vom Boden aufhob. Er konnte kaum die Augen offenhalten, aber er schaffte es, sie auf meine Brust zu richten, und dann zitterte sie, als ihn seine Kraft verließ. Sein Gesicht war voller Haß. Vera, die schnellen Schrittes auf uns zukam, sich heranarbeitete, beachtete er gar nicht. Ich zwang mich, nicht auf das zu achten, was Nando machte.

Vera hatte ihre Waffe auf Nando gerichtet, aber sie feuerte sie nicht ab. Sie wollte ganz sichergehen. Ich wünschte mir mehr als alles andere, daß sie zuerst schoß, daß sie Nando umbrachte, um mir den Schmerz seiner Kugel, die mich durchdrang, zu ersparen. Ich konnte sie noch nicht treffen, und ich zögerte. Ich hörte, wie Nando von der Anstrengung und der Kraft, die es ihn kostete, die Waffe auf mich zu richten, keuchte, und ich hatte Angst, daß nach allem, was ich durchgemacht hatte, er mich aus dem Weg räumen würde, bevor ich Vera erschießen konnte. Aber Vera stolzierte in ihrer arroganten Gangart immer näher.

Wir alle schienen uns in Zeitlupe zu bewegen. Ich wollte gerade die Waffe heben, als Nando abdrückte. Ich hatte das Gefühl, jemand hätte mir in die Brust getreten; die Luft wurde mir aus den Lungen gepreßt, und ich drehte mich an der Kette der Handschellen. Vera feuerte fast zur gleichen Zeit auf Nando. Rich zog mich hoch. Ich hakte einen Arm um die Metallstrebe der Regale und klammerte mich dort fest, so daß ich ein paar Momente länger aufrecht stehen konnte.

Vera starrte auf das, was sie getan hatte, und ich sah Gefühle über ihr Gesicht huschen wie elektrische Entladungen. Als das Grauen sie erfüllte und sie die Hand zum Mund hob, um zu verhindern, daß Mitleid und Protest aus ihr herausbrachen, erschoß ich sie.

Ich hatte Schwierigkeiten zu atmen. Rich zog mich von der Eisenstütze weg. Ich verlor den Halt und stolperte auf die Knie, aber er zerrte mich hoch. Ich versuchte aufzustehen, aber meine Beine gaben nach, und Rich zog mich quer über den Fußboden zu Veras Leiche. Sie lag mit gespreizten Beinen halb an ein Regal gelehnt. Ihre Augen waren offen, aber sie bewegten sich nicht, als er sich bückte, um die Waffe an sich zu nehmen. Etwas in meinem Inneren gab nach, ich brach rückwärts zusammen und baumelte einen Augenblick an seinem Handgelenk. Ich keuchte nach Luft. Meine Brust wurde mit jedem Atemzug enger.

»Um Himmels willen!« hörte ich Rich schreien. »Wir brauchen die verdammten Schlüssel!«

Er bewegte sich sehr schnell, aber meine Beine hatten sich in Gummi verwandelt. In meinem Kopf war ein Summen. Rich zog an meinem Arm und schleifte mich über den Boden zu den Modellautos, wo die Schlüssel waren. Er versuchte zu hüpfen, um an die Packkisten zu kommen, aber er kam nicht einmal in ihre Nähe. Während er sprang, sackte ich bereits auf dem Boden zusammen, und mitten im Sprung zog ihn das Gewicht meines Körpers an den Handschellen auf den Boden zurück. Er fiel schwer auf mich drauf.

Ich wollte zurückschauen nach Carol, aber mal war ich bei

Bewußtsein und mal nicht. Rich bewegte mich, als wäre ich nur eine Schaufensterpuppe. Das letzte, an das ich mich erinnere, ist das Gefühl, von Rich, der an meinem Arm zerrte, auf die Füße gestellt zu werden. Er versuchte, mit einer Hand die Regale hochzuklettern, indem er sich an die Metallstreben klammerte und mich hinter sich herzog. Ich hörte, wie er von der Anstrengung, beim Klettern mein Gewicht, das schwer an ihm hing, hinter sich herzuziehen, stöhnte. Ich war auf meinen Füßen, aber ich schwebte auf den Zehenspitzen. Ich war mir undeutlich bewußt, daß Rich sich auf eine letzte Anstrengung vorbereitete, um an die Schlüssel zu kommen. Ich spürte, wie sein Arm vor Anspannung zitterte, aber es gab keine Bewegung. Er schrie auf, ich spürte, wie er kämpfte, aber wir bewegten uns nicht. Da verlor ich endgültig das Bewußtsein.

Die Sanitäter hatten mich auf eine Krankenbahre gelegt. Sie gaben mir Sauerstoff, und ich fand eine Infusion an meinem Arm. Ich bewegte meine Finger nach unten, zum Handgelenk, um nach den Handschellen zu tasten, aber sie waren weg. Vor dem Laden hatte sich eine Menschenmenge zusammengefunden, und es war schon Polizei vor Ort, um sie zurückzudrängen. Ich war anscheinend eine Weile nicht bei Bewußtsein gewesen. Wir mußten langsam machen, damit die Polizei uns einen Weg durch die Schaulustigen bahnen konnte.

Ich erinnere mich, daß die Sanitäter mich über den glatten Fußboden des Einkaufszentrums mit einer Geschwindigkeit vorwärtsrollten, die mich schwindelig machte, während ich beobachtete, wie die Platten der Deckenverkleidung über mir vorbeirasten. Da war ein Geräusch, das mir folgte, ein raschelndes, bauschendes Geräusch, wie eine leichte Brise, die ein seidenes Segel aufbläht. Alles andere, alle menschlichen Geräusche waren unnatürlich leise. Ich drehte den Kopf zur Seite und sah die laufenden Füße, die mit uns Schritt hielten. Andere, stillstehende Füße gerieten zwischen uns. Einmal erhaschte ich einen Blick auf einen Regenmantel, den ich erkannte, und darüber eine Schultertasche aus Stroh von der Art, wie man sie mit zum

Strand nimmt. Als wir an einem Knäuel Menschen vorbeikamen, die stehengeblieben waren, um das Schauspiel zu betrachten, verlor ich sie einen Augenblick aus den Augen. Aber in den Lücken zwischen den Menschen sah ich wieder die Bewegung hinter ihnen, die laufenden Füße, den Regenmantel, der sich im Wind aufblähte, und ich hörte das flatternde, schleppende Geräusch von dem, was sie trug.

Einmal sah ich ganz kurz Carols Gesicht. Sie starrte gespannt nach vorn und wandte sich mir gerade zu, aber in dem Moment, wo unsere Augen sich begegnet wären, lief jemand dazwischen. Die Räder der Krankentrage rollten vollkommen geräuschlos über den Fußbodenbelag des Einkaufszentrums. Gesichter mit weit aufstehenden Mündern starrten auf mich herunter. Drei Polizeibeamte stürmten an uns vorbei. Am Ausgang wurden wir aufgehalten, weil da die Menschenmenge dichter war und es keinen Platz gab, so daß die Leute nicht ausweichen konnten. Dann sah ich Carol vor uns. Tränen strömten ihr über das Gesicht und ruinierten ihr Make-up. Sie hielt Diegos Jacke hoch, damit ich sie sehen konnte. Sie schimmerte in ihrer Plastikhülle.

Ich nickte ihr zu. Ich wollte sagen: »Das ist es. Das ist gut. Das ist das, was ich für dich wollte.«

Wir setzten uns wieder in Bewegung, und sie streckte die Hand nach mir aus. Ich hielt meine Hand hoch, um sie daran zu hindern. Ich hatte Angst, sie mit hineinzuziehen. Ich bewegte meine Lippen, um ihr zu sagen: »Nein, bleib zurück!«

Aber ihre Finger berührten meine. Sie strichen über meine Hand, und ihre starken Finger schlüpften zwischen meine Finger wie Wasser. Die Berührung tropfte davon, und ich verlor sie für immer.

Ich spürte, wie ich in eine dröhnende Schwärze hinabsank, von der ich annahm, sie wäre der Tod. Ich akzeptierte es: Ich hatte keine weiter Verwendung für mein Leben. Ich spürte, wie ich nach unten trieb wie eine Feder, die langsam auf die Erde fällt. Der Tod schien angebracht. Ich kämpfte nicht dagegen an.

Ich spürte nur den Verlust von Carol, und als ich tiefer in die Dunkelheit fiel, gab ich mir Mühe, den letzten kurzen Blick auf ihr Gesicht festzuhalten.

Die meisten Menschen wissen nicht, was notwendig ist, um das Leben über die primitive Existenz hinaus zu rechtfertigen. Freiheit? Ehre? Anstand? Sicherheit vor Schaden? Die Wahrheit? Ich lebe Tag für Tag ohne all das. Das sind Luxusgüter, die uns weich machen. Hier können wir sie uns nicht leisten.

Liebe ist der wesentliche Nährstoff des menschlichen Geistes. Liebe ist die einzige Sache, ohne die ich nicht leben kann.

Man sagt mir, ich könnte mich glücklich schätzen, am Leben zu sein. Der Arbeiter auf der Krankenstation erzählt, Baruk versuche, mit der Staatsanwaltschaft einen Handel abzuschließen, damit er seine Zeit in einem Bundesgefängnis absitzen kann. Sie drohen damit, ihm den Mord an Nando anzuhängen. Ich frage mich oft, was Carol durch den Kopf ging, als sie rasch durch die Menge in dem Spielwarenladen schritt. Verschwendete sie überhaupt einen einzigen Gedanken daran, die Regale hochzuklettern, um die Schlüssel für Rich herunterzuholen, um ihn zu befreien?

Drehte sie sich um, als er sie um Hilfe bat, oder zögerte sie, als sie sich bückte, um Veras Schultertasche aufzuheben? Wenn ja, dann höchstens für einen winzigen Augenblick.

Es sieht gut aus, denn über Carol hat überhaupt nichts in den Zeitungen gestanden. Ich habe einen Fernseher in meinem Zimmer, so daß ich mir Ihre Sendung anschauen kann, Sandy, und ich weiß, daß Sie, wenn Sie auch nur das winzigste Bruchstück über sie zu berichten hätten, dies tun würden. Carol ist verschwunden. Fairburns Frau bekam per Post ein in Miami abgestempeltes Päckchen, in dem hunderttausend Dollar waren. Ich bedauere keinen Augenblick, was ich getan habe, außer was Fairburn angeht – aber ich mache Baruk für seinen Tod verantwortlich. Der Rest meines Lebens ist ein fairer Tauschhandel für zwei Wochen mit Carol. Ich werde sie niemals wiedersehen. Wo du auch bist, Carol, vielleicht auf deiner Insel in der Karibik, du wirst immer hier bei mir sein.

Draußen auf dem Korridor höre ich Schritte und das Rascheln einer Strumpfhose, die fest über fleischige Oberschenkel spannt. Jetzt wird jeden Moment die träge Tanya erscheinen, um meinen Verband zu wechseln. Aber zuerst wird sie in der Tür warten, bis ihre Begleiter mich überprüft haben, um sicherzugehen, daß ich ordentlich an das Krankenhausbett festgebunden bin. Diese Männer gehen mit mir kein Risiko mehr ein. In der Vorsicht, mit der sie sich mir nähern, liegt eine Portion Respekt. Ich bin so etwas Ähnliches wie eine Berühmtheit.

Tanya ist im Umgang mit der Wunde nicht gerade vorsichtig, obwohl ich zuletzt bemerkt habe, daß sie doch darauf achtet, mir keine Schmerzen zu verursachen. Gestern spürte ich eine neue und uncharakteristische Freundlichkeit in ihren Fingern, als sie den Verband abnahm. Wenn sie glaubt, daß ich die Augen geschlossen habe, wirft sie verstohlen einen Blick auf mein Gesicht. Eines Tages werde ich sie dabei erwischen und ihren Blick erwidern, mit einem Blick, der direkt verwegen ist, und sie mit der vollen Intensität meiner Seele verwirren. Ich habe keine Eile. Zeichen der Liebe sind überall, sie warten nur darauf, von denjenigen, die sehen wollen, entdeckt zu werden.